JN223283

ゲーム制作者になるための
3Dグラフィックス技術

3D Graphics Techniques to become a Game Developer

改訂3版

西川 善司 著
Zenji Nishikawa

インプレス

■ 表紙画像について

タイトル名　：　STREET FIGHTER V

ゲーム会社　：　株式会社カプコン

■本書について

・本書は、2013年2月発行『ゲーム制作者になるための3Dグラフィックス技術 増補改訂版』をさらに改訂した第3版です。2019年10月（改訂作業時）における最新技術情報をもとに、内容の加筆・修正・削除を行っています。

まえがき

本書は2009年9月に発刊した同名書籍の「改訂第3版」である。

この書籍の初版本がリリースされた際には、様々な反響が寄せられた。特に多かったのは、リアルタイムグラフィックス系の技術書籍としては珍しくプログラムコードを掲載していないという点の指摘だ。実際、本書執筆にあたってはプログラムコードだけではなく、数式すらもできるだけ排除した内容とすることを心がけたくらいである。

既に、世には、革新的なグラフィックス表現を実践する様々な技術が、怪物的な才能を持った天才達によって生み出され続けており、インターネットの普及もあって、それらはソースコードの形で広く公開/共有されている。つまり、プログラムコードへのアクセシビリティは、今や非常によいのである。

一方で、依然として困難なのが、この世界の入門者と中級者以上の知識のギャップを埋める方策である。中級者以上はシェーダプログラムコードを当たり前のように口にするが、初心者/入門者はそれらを理解するのに苦しんでしまう。そこで、「ネイティブコードを話す中級者」と「ゲームグラフィックス、リアルタイム3Dグラフィックスの世界に羽ばたこうとする初心者/入門者」をつなぐ「中間言語的な位置づけ」を目指して執筆されたのが、この書籍というわけである。

ゲームグラフィックス、リアルタイム3Dグラフィックスが、どんな仕組みで実践されているのかを、論理的かつ感覚的に理解するのに本書を役立ててもらえれば幸いだ。そして、その理解のあと、是非とも、天才達のプログラムコードの理解と咀嚼に挑戦してみて欲しい。

なお、今回の改訂第3版の制作にあたっては、改訂前の増補改訂版の章立てをベースにしながら、各章に最新情報へのアップデートを適用した内容とした。具体的には、増補改訂版で予測/考察扱いだった「その後の技術動向」の答え合わせをすると共に、本書出版時点での新たな未来予測に改めている。特に2018年に新たに発表された新グラフィックスパイプライン「リアルタイムレイトレーシング」部分については、Chapter 1とChapter 2にて入念な解説を行った。また、進化が著しかったChapter 7「HDRレンダリング」、Chapter 9「人肌表現の仕組み」、Chapter 10「大局照明技術」については、PS4/Xbox Oneのライフタイムにおいて実用化された最新技術についての新規書き下ろしを加えて再構成を行った。

そして、改訂第3版の最大の目玉は、以前から取り扱い要望の多かった「トゥーン・シェーディング」にまつわる解説をChapter 11として追加したところにある。GPU性能が向上すると共に超リアル表現が極められていく流れとは裏腹に、近年、アニメ調CGを採用したゲームグラフィックスの人気も高まっている。こうした時代動向を踏まえ、Chapter 11では、実際のトゥーン・シェーディング採用ゲームの事例を挙げながら、アニメ調表現をCGで実践するための「塗り」と「線描」にまつわる基礎技術を解説している。

最後に、この書籍執筆にあたって、画面ショットの提供および掲載を快諾してくれた業界の天才達や怪物達に感謝の意を表しつつ、まえがきの筆を置くことにしたい。

2019年11月　トライゼット 西川 善司

Contents

Chapter 1 リアルタイム3Dグラフィックス技術の進化の系譜 1

Chapter 2 3Dグラフィックスの概念とレンダリングパイプライン 53

Chapter 1

リアルタイム 3D グラフィックス技術の進化の系譜

現在、ソニー・インタラクティブエンタテインメント（SIE）（旧ソニー・コンピュータエンタテインメント）の「プレイステーション 4」（PS4®）、マイクロソフト Xbox One、任天堂 Nintendo Switchといった最新ゲーム機はもちろん、パソコン（PC）やスマートフォン、タブレットに至るまでにグラフィックスプロセッサ（GPU）が搭載され、リアルタイム 3D グラフィックス技術は至る所で活用されるようになっている。
そもそも、リアルタイム 3D グラフィックスとはどのような進化を遂げ、どのような未来に向かっているのだろうか。
最新の 3D ゲームグラフィックス技術の詳細を見ていく前に、まず、近年までの 3D グラフィックス技術の進化の歴史を振り返ってみよう。

1980年代後半から1990年代前半 ～フラットシェーディングからテクスチャマッピング時代へ

基本的に「3Dグラフィックス」は技術訓練用シミュレータや自然現象や光学現象の解明といった学術研究、あるいは映像表現への応用など、プロフェッショナル用途やアカデミック用途の世界のほうで進化していた。それまでに3Dゲームへの応用がなかったわけではないが、1980年代後期から1990年代になると大手ゲームメーカーがアーケードの業務用ゲームシステムにリアルタイム3Dグラフィックスシステムを採用し始め、この頃からゲームに3Dグラフィックスが本格的に活用され始める。この時代の代表的な作品と言えば「ウイニングラン」（ナムコ,1988）、「バーチャレーシング」（セガ,1992）、「バーチャファイター」（セガ,1993）などがある。この頃はポリゴンモデルを使った3D表現を採用していたものの、リアルタイム表示できるポリゴン数が少なく、ライティングもポリゴン単位のフラットシェーディングが主流であった（**図1.1**）。

しかし、ゲームと3Dグラフィックスの出会いは、「リアルタイム3Dグラフィックス」という分野を確立し、その進化を一気に後押しする。

「リッジレーサー」（ナムコ,1993）では、テクスチャマッピングが適用された（画像をポリゴンに貼り付けた）3Dモデルが縦横無尽に動き回り、これまでのカクカクした積み木の集合体のようだった3Dグラフィックスから一気にリアリティが向上する（**図1.2**）。

図1.1　「バーチャファイター」（セガ,1993）。ポリゴン単位のライティングが基本の「フラットシェーディング」のみであり、テクスチャマッピングという概念もなかった。そのため、顔や服は"その形のポリゴン"を描画して表現していた

図1.2　「リッジレーサー」（ナムコ,1993）ではテクスチャマッピングが適用されたグラフィックスが話題を呼んだ。同一3Dモデルに対してテクスチャを変更することで、見た目のバリエーションを増やすことができるというテクニックが誕生した

1990年代中期〜家庭用ゲーム機が切り開いた民生向けリアルタイム3Dグラフィックス

特殊なグラフィックス・ワークステーション（グラフィックス用の高性能コンピュータ）を除いて、「ゲームプラットフォーム」ということに限定すれば、当時、3Dゲームグラフィックス技術が最も先行していたのはアーケードゲームシステムであった。ところが、1994年には歴史的な逆転劇が起こる。それがSIEの「プレイステーション」（PS）とセガ・サターンの登場だ。

解像度はそれほど高くはなかったが、テクスチャマッピングにまで対応したリアルタイム3Dグラフィックスが一般消費者の元へ送り届けられたという意義が大きく、これを機にリアルタイム3Dグラフィックスと3Dゲームグラフィックスはほとんど並行した関係性を持って急速な進化を開始する。

一方、この頃のPCの一般ユーザー向けの3Dグラフィックス技術は、残念ながらゲーム機よりもかなり遅れていた。PCにおける一般ユーザー向けリアルタイム3Dグラフィックス技術の本格普及は、1995年に登場した新しいOS、Windows 95の時代になってからだ。

マイクロソフトはWindows環境下におけるサウンド、グラフィックス、ネットワーク、ゲームコントローラなどのマルチメディアAPIコンポーネントをまとめた「DirectX」を発表し、これをWindows 95に提供したのだ。DirectXはそのバージョン番号を後に付け加えて呼ぶのが慣例となり、Windows環境下で本格的に3Dグラフィックスカードが普及していくが、リアルタイム3DグラフィックスがPCゲームで本格的に取り扱われるようになったのは1997年にリリースされた「DirectX 5」の頃になってからであった。

ちょうどこのタイミングに前後して、大手CPUメーカー / チップセットメーカーのIntelは新しいグラフィックスインターフェースとしてAGP（Accelerated Graphics Port）バスの実用化に乗り出しており、今も有力なグラフィックスチップメーカーであるNVIDIAはRIVA 128シリーズを、ATI（2006年にAMDと合併）はRAGE 3Dシリーズを投入し、これらが人気を博すようになる（図1.3）。PSの登場から遅れること3年、やっとPCプラットフォームがPSと同程度のリアルタイム3Dグラフィックスを取り扱えるようになったのであった（次ページ 図1.4、図1.5）。

図1.3　NVIDIAの「RIVA 128」

図1.4　DirectX 5時代、「PCで3Dゲームをプレイする」ことを広めた「Quake II」(id Software,1997)

図1.5　DirectX 6時代、ビデオカードの定番ゲームとして名を馳せた「Incoming」(Rage,1998)

1990年代後期～DirectXの急速進化の歴史

1990年代後期からはPC業界が一丸となってPCグラフィックスの強化へ取り組み、急激な進化が行われる。

1998年には当時までに発表された様々なリアルタイム3Dグラフィックス機能を取り込んだDirectX 6が発表され、1999年にはその後のPCグラフィックスの進化の方向性を決定づけたDirectX 7も発表される。

DirectX 6までは3Dグラフィックス処理ハードウェアはポリゴンとピクセルの対応付けを計算したり（ラスタライズ処理）、画像テクスチャを貼り付ける処理をしたり…といったピクセル単位の処理のみを担当していた。DirectX 7では、それまでCPUが担当していた頂点単位（ポリゴン単位）の座標変換処理や光源処理を、3Dグラフィックス処理ハードウェアが担当できるようにしたのだ。特にこの頃は、グラフィックス"ハードウェア"で"頂点単位の座標変換（Transform）と光源処理（Lighting）を処理できる"この仕組みを「ハードウェアT&L」（T：Transform ／ L：Lighting）と呼んでもてはやした。

なお、この頃より「グラフィックス処理全般を担当するプロセッサ」であるハードウェアのことを、PC業界では「GPU（Graphics Processing Unit）」と呼び始め、後に定着した。余談だが、GPUという呼び名は、音韻と字面をCPU（Central Processing Unit）になぞらえたものだ。DirectX 7対応GPUとしてはNVIDIA GeForce 256、ATIの初代RADEONなどが登場している（次ページ **図1.6**）。

リアルタイム3Dグラフィックス技術は、それまで家庭用ゲーム機のほうが先行していた感が強かったが、DirectX 7時代に突入してからは、完全にPCが逆転した構図になる（次ページ **図1.7**）。家庭用ゲーム機は、その機体の普及が最優先される戦略的制約もあり、約5年サイクルでしかハードウェアの仕様変更ができない。それに対して、PCでは常に最新技術を投入できることもあり、家庭用ゲーム機よりも進化が加速した。また、当時、家庭用ゲーム機のシェア戦争は3社程度のメーカー間で争われていたのに対し、PC向けグラフィックスを担当するGPUは10社近いメーカー間で争われていたため、激しい競争原理が働いたことも影響していたと考えられる。ただし、続くDirectX 8時代に突入するまでに大きな淘汰の波が押し寄せ、GPUメーカーも数社に絞られていく。

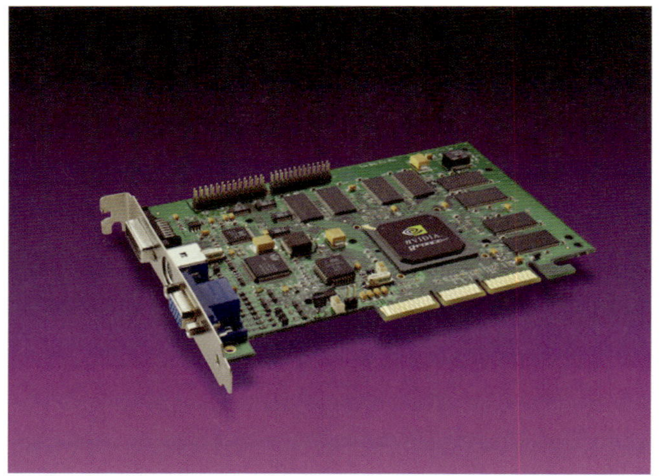

図 1.6 「NVIDIA GeForce 256」を搭載するグラフィックスカード

図 1.7 「GIANTS: CITIZEN KABUTO」(PLANET MOON STUDIOS,2000)。DirectX 7時代になり、PCのリアルタイム3Dグラフィックスの表現力は完全に家庭用ゲーム機を凌駕した

2000年〜プログラマブルシェーダアーキテクチャの幕開け。GPUメーカー淘汰のDirectX 8時代

1998年にはセガ・ドリームキャスト、2000年には待望のSIE「プレイステーション 2」(PS2®)が発売となるが、3Dグラフィックス処理能力的には、それぞれの時点での最新のPCグラフィックス程度にとどまっていた。

グラフィックス技術全体で言えば、その先進性は確かにPCグラフィックス側・DirectX側にあった。新技術によって牽引され続けるPC業界は、毎年毎年、全世界の研究者達によって生み出される革新的な最新3Dグラフィックス技術を積極的に取り入れていかなくてはならないからだ。そのため、家庭用ゲーム機のようなゆっくりとした進化サイクルでは対応することができず、技術革新は加速を極めた。

しかし、その方針による技術革新には弊害が多かった。新しいGPUが出るたびに搭載される新機能に対して、DirectX側でもいちいちAPIを新設しなくてはならず、DirectX自身も肥大化してしまう。全ての新機能が利用されていくわけではないので、使われなくなってしまった機能は化石となってDirectX内に残留してしまい、GPUの処理を圧迫することにもつながってしまう。

また同時に、ハードウェア(GPU)の進化が急激すぎたため、ソフトウェア業界がその開発に追いついて来れないという、2業界の隔たりも発生していた。

そこで、グラフィックス処理自体をソフトウェア化し、GPUに頼らずに新機能を追加できるようにしてはどうか、というアイディアが提唱される。それが「シェーダがプログラムできる」という意味を込めた「プログラマブルシェーダ」(Programmable Shader)という概念だ。

このプログラマブルシェーダアーキテクチャをサポートした最初のDirectXが、2000年末に発表されたDirectX 8だ。

DirectX 8対応GPUとしてはNVIDIA GeForce3、ATI RADEON 8500などが投入されている(次ページ 図1.8、図1.9)。なお、2001年に発売されたマイクロソフトのWindows XPにはこのDirectX 8が統合されている。

プログラマブルシェーダには、頂点処理/ポリゴン単位の処理を担当する「プログラマブル頂点シェーダ」(Programmable Vertex Shader)と、ピクセル単位の陰影処理やテクスチャ関連の処理を行う「プログラマブルピクセルシェーダ」(Programmable Pixel Shader)の2タイプがある。その2タイプのシェーダユニット上で、多様なシェーダプログラムを実行させ、3Dグラフィックス処理を行うという仕組みになっている。用語としては「プログラマブルシェーダ」と言った場合、プログラマブル頂点シェーダとプログラマブルピクセルシェーダの両方を指す場合と、その概念全体だけを指す場合がある。

そして、このプログラマブルシェーダこそがソフトウェアであり、開発者がオリジナルのシェーダプログラムを作成することで、そのGPUに新しいグラフィックス機能をインプリメント(実装)できることになる。

図 1.8　世界初の民生向けプログラマブルシェーダアーキテクチャ採用のGPU「GeForce3」

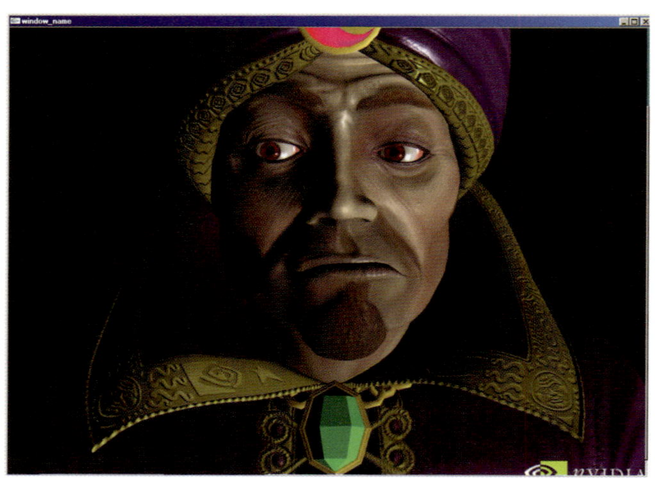

図 1.9　GeForce3の人面アニメーションデモより。プログラマブルシェーダを活用して実装した法線マップによるバンプマッピング表現が、服のレリーフや人肌のシワに対して適用されている

これは、次世代GPUの登場を待たなくても、毎年のように発表される最新3Dグラフィックス技術を、シェーダプログラムを開発するだけで（パフォーマンスの善し悪しは別にして）実験したり実行したりすることができるという大きなメリットになり、バラバラになりつつあったハードウェア業界・ソフトウェア業界が再び歩み寄るきっかけともなるのだった。

ただ、プログラマブルシェーダアーキテクチャの実現はGPUメーカーに高い技術力を要求したため、次のDirectX 9が登場する間に、初期のリアルタイム3Dグラフィックスを支えてきたGPUメーカーの撤退が目立つようになる。淘汰の結果、2001年以降、GPUメーカーの二大巨頭であったNVIDIAとATIの激しいGPU戦争が目立つようになる。2019年10月時点で、この２社以外でPC

用民生向け量産GPUを開発しているのはIntel（ただしCPU統合グラフィックス向けが中心）のみ。PCグラフィックス黎明期を支えた3dfx社は2000年にNVIDIAに買収され、同じくNumber Nine社も1999年に倒産している。Windows 9x時代、日本では絶大な人気を誇ったMATROX社も、最後発でDirectX 8世代GPU「Parhelia」シリーズを投入するものの振るわず、その後は最新技術に対応したGPU開発からは撤退した。プロフェッショナル向けワークステーション用GPUを開発していた3Dlabs社もWindows 9x時代に民生向けPermediaシリーズを投入するものの健闘虚しく、2002年にクリエイティブ社に買収され、2006年にはプロフェッショナル向けGPU事業からの撤退も発表された。チップセットメーカー SiS社からスピンアウトしてGPU専門メーカーとして新設されたXGI社も、2006年、最新技術に対応した新GPUの開発から事実上、撤退してしまった。

ところで、DirectX 8発表から約1年後の2001年末には、DirectX 8ベースのゲーム機、初代「Xbox」がマイクロソフトより発売される。あまりこの点が注目されることはないが、Xboxは世界初のプログラマブルシェーダアーキテクチャを採用した家庭用ゲーム機となった（**図1.10**、**図1.11**）。

図1.10　初代「Xbox」。GeForce3をベースとしたGPUを搭載し、APIにDirectXを採用したマイクロソフト初のゲーム専用機

図1.11　Xbox用、PC用の両方に発売された「Splinter Cell」（Ubisoft）はプログラマブルシェーダベースの3Dゲームグラフィックスの可能性を世に知らしめた

2002/2003年～プログラマブルシェーダ2.0と第一期DirectX 9時代

DirectX 8時代のプログラマブルシェーダは、GPUメーカーごとの亜流バージョンがいくつか混在した関係でバージョン1.xと規定される。そして2002年には新しいプログラマブルシェーダである、バージョン2.0仕様をサポートしたDirectX 9が発表されることとなる。

プログラマブルシェーダ仕様は、Shader Model（略してSM）のキーワードの後ろにバージョン番号を付けることでアーキテクチャ世代を指すことがこの頃から一般化するようになる。例えば、DirectX 9世代は「SM 2.0」対応GPUが台頭する時代となった…というわけだ。

SM 2.0では、SM 1.xと比較するとより長いシェーダプログラムが実行できるようになり、命令の種類が増え、使える命令の組み合わせの制限も低減された。また、これまで頂点シェーダのみ活用されていた浮動小数点演算精度がピクセルシェーダにおいても利用できるようになり、ピクセル単位の陰影処理の演算精度と表現できるダイナミックレンジも広がることとなった。この拡張が「ハイ・ダイナミック・レンジ・レンダリング」（High Dynamic Range Rendering: HDR Rendering）と呼ばれるその後のリアルタイム3Dグラフィックスにおける新しいトレンドを生み出すきっかけとなる。

DirectX 7/ハードウェアT&L時代の第1号GPU、そしてDirectX 8/初のプログラマブルシェーダ対応GPUが共にNVIDIAからリリースされていたのに対し、DirectX 9/SM 2.0対応GPUの初号機はATIからリリースされたRADEON 9700となったことも感慨深い出来事であった（図1.12）。NVIDIAもこれに対抗するGeForce FXをぶつけてくるが、製造上の問題を抱えていた上にパフォーマンス的にも苦戦し、このSM 2.0時代はATI優勢のまま経過していくこととなる。

図1.12　SM 2.0対応初のGPUはATIからリリースされたRADEON 9700だった。後の9800、下位の9600/9500シリーズも人気を博した

図1.13 「Half-Life 2」(Valve) は当初2003年発売予定だったが、延期に延期が相次ぎ、結局発売されたのは2004年末だった。とはいえ良くも悪くもHalf-Life 2はSM 2.0世代GPUを盛り立てることに貢献した

そしてSM 2.0時代ATI優勢を決定づけたのは、当時、発売が最も待ち望まれたValveの大作ゲーム「Half-Life 2」において、ATIのRADEON 9500/9600/9700/9800シリーズをプレイに最適なGPUとして推奨し、マーケティング戦略を展開したことだった(**図1.13**)。

2004/2005/2006年〜プログラマブルシェーダ3.0と第二期DirectX 9時代

SM 2.0は"2.0"と言いながらも、実は1.xのときと同様にいくつかのマイナーな亜流を生んだ。NVIDIAはGeForce FXでプログラマブル頂点シェーダ2.0aとプログラマブルピクセルシェーダ2.0aを名乗って実装している。

DirectX 9の登場から約2年が経った2004年、マイクロソフトはDirectX 10を発表せずに、新しいDirectX 9のマイナーバージョンアップ版を発表し、プログラマブルシェーダ仕様3.0、すなわちSM 3.0への対応を果たす。

SMバージョンが1.0上がったのにDirectXバージョンを上げなかったのは「後に出てくるWindows Vistaに合わせるため」「後に出てくるATI製SM 3.0"未"対応GPUに配慮したため」など諸説があるが、詳細は不明だ。

SM 3.0では事実上、シェーダプログラムのプログラム長制限が撤廃され、頂点シェーダ、ピクセルシェーダ双方の命令セットの拡充も行われている。SM 2.0では動的な条件分岐反復は頂点シェーダに限定されていたが、SM 3.0ではピクセルシェーダにおいてもサポートされるようになり、事実上、プログラマビリティ面において頂点シェーダとピクセルシェーダの格差がなくなった。また、頂点シェーダからもテクスチャへのアクセスを可能にする新機能「Vertex Texture Fetch: VTF」(別名頂点テクスチャリング) のサポートもこのとき強くアピールされている。

SM 3.0対応の最初のGPUはNVIDIAから発表されたGeForce 6800シリーズとなる。意外なことに、ATIは同じ2004年に登場させた新GPUであるRADEON X800シリーズにおいてSM 2.0対応にとどまる選択をする(**図1.14**)。

RADEON X800シリーズは、頂点シェーダを2.0a、ピクセルシェーダを2.0bに拡張した改良版SM 2.0対応GPUとなり、2004年は二大巨頭の足並みが揃わず、ユーザーが混乱する年となった。SM 2.0は"2.0"と言いながらも、このようにATIとNVIDIAが独自に拡張してしまったことで、細かいバージョン番号の不揃いも発生してしまっている。

2004年は新バスインターフェース「PCI-Express」も提供され始めた年であり、グラフィックスカードのバスもAGPからPCI-Express x16バスへの移行期を迎えることになる。2004年～2005年、ユーザーは、グラフィックスカードの買い替え時に、「SM 2.0 (ATI) かSM 3.0 (NVIDIA) か」の選択と同時に「AGPかPCI-Expressか」という究極の選択をしなければならなかったのだ。

さて、NVIDIAは二世代目のSM 3.0対応のGPU「GeForce 7800」シリーズを2005年に投入。「2004年はSM 2.0の熟成に徹するべき」としていたATIは、その約1年半後にSM 3.0に対応したGPU「RADEON X1800」シリーズを投入する。ただし、RADEON X1800はSM 3.0の基本性能を全て押さえてはいたが、VTFには未対応であった。

図1.14　NVIDIA GeForce 6800シリーズ。最初のSM 3.0対応GPUは再びNVIDIAから登場した

続く2006年にはNVIDIAは第三世代のSM 3.0対応GPU「GeForce 7900」シリーズを発表、これに対抗したATIはRADEON X1900シリーズを投入。両者共に先代の型番に"+100"しただけのパフォーマンス向上版という位置づけの製品で、性能面以外で取り立てて目を惹く部分はなかった。なお、ATIはRADEON X1900シリーズでもVTFには未対応の姿勢を崩さない。

SM 3.0対応GPUがATI、NVIDIAの二大巨頭から出そろったのは良かったが、VTF機能のサポートについては両社の足並みが揃わず、SM 3.0におけるVTF機能はマイナーな機能となってしまった(図1.15)。こうした根幹機能搭載の有無は、ユーザーやリアルタイム3Dグラフィックス技術の進化そのものにも影響を与え、来るべきDirectX 10を迎えるにあたっての大きな課題となったようだ。

家庭用ゲーム機の世界では、2005年末にマイクロソフトから同社の二世代目のゲーム機である「Xbox 360」が発売される(次ページ 図1.16、図1.17)。グラフィックステクノロジー的にはDirectX 9世代/SM 3.0に対応する。そして、詳細は後述するが、Xbox 360 GPUは世界初の統合型シェーダアーキテクチャを採用しているのが特徴であった。Xbox 360 GPUはATI製で、意外なことに、同時期にATIがPC向けに発表したRADEON X1800シリーズとは設計が全く異なっており、非常に興味深い。ちなみに前出のVTF機能はRADEON X1x00シリーズ全体で未対応だが、Xbox 360 GPUでは対応していた。

図1.15 SM 3.0ならではの特殊機能としてアピールされた「VTF」。しかし、ATIがVTFをサポートしなかったので、VTFの効果はこのNVIDIAが作ったサンプルデモくらいでしか見ることができなかった

図 1.16　マイクロソフト「Xbox 360」

図 1.17　Xbox 360 用ゲームソフト「Gears of War」（マイクロソフト ,2006）より。リアルタイム 3D ゲームグラフィックスはここまで来た

2006 年末には、SIE からも新ゲーム機である「プレイステーション 3」（PS3®）が発売される（**図 1.18**、**図 1.19**）。PS3 の GPU は NVIDIA が設計を担当し（製造は SIE 他）、「RSX」という専用名称が与えられたが、基本設計は GeForce 7800 シリーズとほぼ同一で、グラフィックステクノロジー的には競合機 Xbox 360 と同じ DirectX 9 世代 /SM 3.0 対応であった。

新世代ゲーム機戦争では「Xbox 360 対 PS3」という構図があったわけだが、実はここでも「ATI 対 NVIDIA」の戦いが展開されていたのだ。いずれにせよ、二大最新ゲーム機のグラフィックスは共にプログラマブルシェーダ 3.0 アーキテクチャベースとなり、PC もゲーム機も SM 3.0 時代に突入したことになる。

なお、ゲームプラットフォームのもう 1 つの雄、任天堂は新世代ゲーム機として「Wii」を投入するが、グラフィックステクノロジー的には進化をほぼ断念する方針を採択した（**図 1.20**）。

図1.18　SIE「プレイステーション 3」(PS3®)

図1.19　「MotorStorm」(SIE Europe,2006)。グラフィックスだけでなく、物理シミュレーションのリアリティの高さも評価されたPS3のゲーム

図1.20　任天堂「Wii」

2007年～プログラマブルシェーダ4.0とDirectX 10時代の始まり

1年おきにDirectXのバージョン番号が更新されていた1990年代後期とは異なり、DirectX 9は2002年から4年間、ほぼWindows XPと共に歩むこととなった。2006年後期にはATIがCPUメーカーのAMDに買収されるという事件が起きるが、振り返ってみれば、2000年以降のリアルタイム3Dグラフィックスの歴史は、実質的には「ATI対NVIDIA」の戦いの歴史だったと言っていいだろう。

2007年、年が明けて早々にマイクロソフトは新しいOS「Windows Vista」を発表。これと同時に、新しいDirectXである「DirectX 10」がリリースされる。

DirectX 10では、プログラマブルシェーダのバージョンは4.0に対応することとなった（**図1.21**）。

SM 4.0では、SM 3.0に対してさらなる命令セットの拡充が行われている。具体的には整数演算命令、二進論理演算命令などが追加され、よりCPU的な汎用プログラミングが行えるような機能強化が行われている。また、命令セット的には頂点シェーダとピクセルシェーダとの格差がなくなり、これをマイクロソフトは「コモンシェーダ」（common: 共有型／汎用型）アーキテクチャと呼んでいる。

テクスチャの同時アクセス数もSM 3.0時の16からSM 4.0では128へと拡張されており、共通指数項Eを持つ新しいテクスチャフォーマットRGBE形式もサポートされ、リアルタイム（ゲーム）向きな低負荷なHDRレンダリングを可能としている。

そしてDirectX 10/SM 4.0において最大のトピックと言えるのが、第三のプログラマブルシェーダである「ジオメトリシェーダ」（Geometry Shader）の新設だ（**図1.22**、**図1.23**）。

シェーダモデル4.0の制約

実質的に"無制限"

	SM 3.0	SM 4.0
命令	512	無制限
フローコントロール・ネスト制限	4/24	32/64
テンポラリ	32	4096
インデックス可能テンポラリ	0	4096
定数	224	16×4096
インターポレータ	10	16/32
サンプラ	16	16
テクスチャ	16	128
MRT出力	4	8

図1.21　SM 3.0とSM 4.0の比較

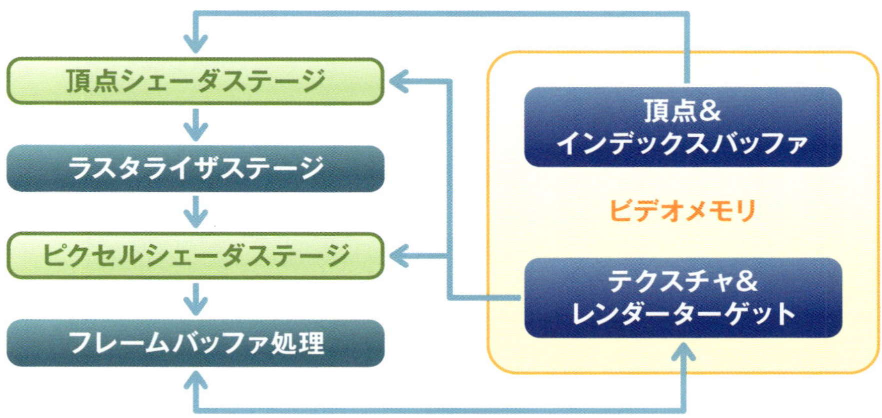

図1.22 DirectX 9/SM 3.0におけるレンダリングパイプライン

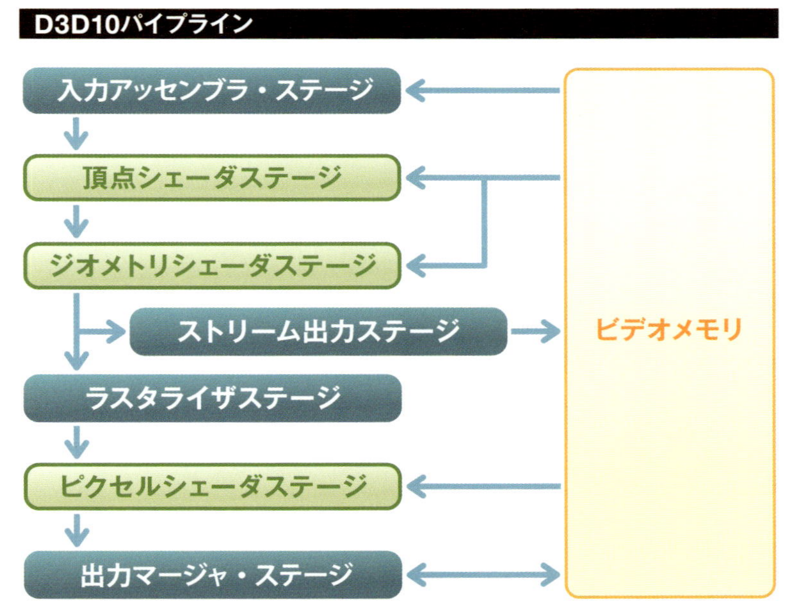

図1.23 DirectX 10/SM 4.0におけるレンダリングパイプライン

これまで頂点次元のことを「ジオメトリ」と呼ぶことも多かったので、「ジオメトリシェーダ」は「頂点シェーダ」と同じものだと思ってしまいそうだが、頂点シェーダとは別のものである。ただし、「取り扱う情報は頂点次元」という点においては頂点シェーダと同じだ。

ジオメトリシェーダの役割はプログラマブルに頂点を増減させることである。正確には線分、ポリゴン、パーティクルのようなプリミティブ(Primitive)の増減までが行える。

そして頂点処理フェーズにジオメトリシェーダが追加されたことに呼応する形で、頂点シェーダやジオメトリシェーダの出力をビデオメモリ側に書き戻すメモリ出力機能「ストリーム出力」(Stream Output) の仕組みも新設されている。これにより、頂点処理フェーズにおいて「頂点シェーダ→ジオメトリシェーダ→頂点シェーダ…」というような再帰的な処理が可能となった。

ジオメトリシェーダとストリーム出力の組み合わせは、高度な3Dモデルの変形加工を可能にするにとどまらず、GPUをCPU的な汎用処理目的で活用するGPGPU (General Purpose GPU) 用途にも有用だとされ、その幅広い応用が期待された。

DirectX 10/SM 4.0はWindows Vista専用。厳密なバージョンコントロールで亜流バージョンはなし

DirectX 10/SM 4.0はWindows Vistaに独占的に供給され、Windows XP以前には提供されない方針となった。マイクロソフトはWindows Vista発売直前に「Windows XPのサポート延長」を発表したが、「DirectX 10/SM 4.0はVista以降専用」という方針は変えていない。実質的にリアルタイム3Dグラフィックスの進化はWindows Vista以降に委ねられることとなった。

実は、このDirectX 10/SM 4.0のWindows Vistaへの専用供給は、ドライバモデルの大幅改変が理由の1つになっている。

DirectXによって提供されてきたグラフィックサブシステムのDirect3Dは、複数のアプリケーションから同時利用されることを想定していなかった。Windows Vistaでは、そのGUIがDirect3D 9 (Ex) によって実現されており、これとは別にDirect3D 10も実装されている(**図1.24**)。同時に複数の3Dアプリケーションを動作させたり、GPGPU用途への対応までを視野に入れると、古いシングルタスク前提の設計では都合が悪かったのだ。そこで、Windows Vistaという大きな変更に乗じてリリースされるDirectX 10/SM 4.0では、新しいGPUドライバソフトウェアのアーキテクチャを採用し、マルチスレッド対応、動作安定性の向上を実現した。それが「WDDM: Windows Display Driver Model」だ(**図1.25**)。

WDDMではドライバソフトウェアがユーザーモードとカーネルモードに分かれており、アプリケーションからの不当なドライバ制御などでシステムクラッシュが起こりにくい設計となっている。また、GPUのハードウェア的なマルチスレッド対応度合いに応じて、WDDM 1.0/2.0/2.1というバージョン分けがなされている。WDDM 1.0はDirectX 9世代以前の旧設計のGPUにWDDMを実装したものであり、あらかじめDirectX 10をターゲットにして開発されたGPUは、WDDM 2.0以降の実装で提供される。1.0と2.0/2.1の違いは実質的にはマルチスレッドの対応レベルの違いを表しており、1.0はノンプリエンプティブ(*1) なマルチスレッドに対応し、2.0/2.1はプリエンプティブなマルチスレッド(*2) に対応する。2.0と2.1の違いは主にマルチスレッド粒度の違いにあり、2.1のほうがより細かいターゲット単位でスレッド切り替えが行える。

(*1,*2) ノンプリエンプティブとは自発的にスレッド切り替えを行って実現するマルチスレッド実装方法。プリエンプティブはタイムシェアリングなどの手法を用い、自動的にスレッドを切り替えていくマルチスレッド実装方法。

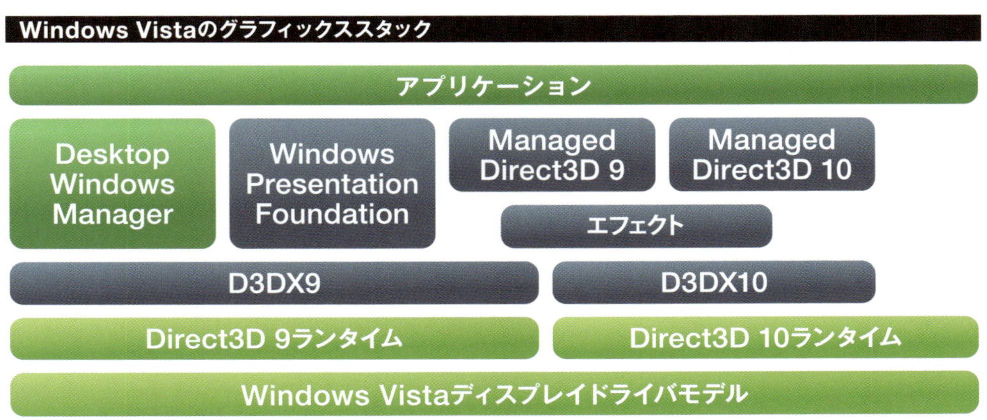

図1.24　Windows Vistaのグラフィックサブシステム

図1.25　Windows Vistaにおけるディスプレイドライバモデル

DirectX 8に始まったプログラマブルシェーダだが、SM 1.x/2.0/3.0というバージョン策定はあったものの、GPUメーカーごとの独自拡張があり、最終的には混沌としてしまっていた。こうした亜流バージョンの混在は、ユーザーの製品選びを難しくしただけでなく、ソフトウェア業界からの反発も大きかった。そこでマイクロソフトは、DirectX 10以降では、DirectX 9以前に存在したCaps（Capability Bits Test）と呼ばれる、そのグラフィックサブシステムのサポート機能を試験する仕組みを廃止し、厳密なバージョンコントロールを行う方策を打ち出している。これにより、DirectX 10世代/SM 4.0対応を謳ったGPUは、DirectX 10/SM 4.0の全ての機能を実現できなくてはならないこととなった。DirectX 9/SM 3.0時代のNVIDIA:VTFサポート、ATI:VTF非サポートのようなことはDirectX 10/SM 4.0時代では起こらないことを目指したのだ。

これは、リアルタイム3Dグラフィックスの基本機能の実装が一段落したことと、これから先の機能強化がひどく複雑高度で、業界団体内での厳重な議論を経る必要が出てきたこととも関係が深い。

統合型シェーダアーキテクチャと未来のDirectX

DirectX 10世代/SM 4.0対応GPU登場の一番乗りは、NVIDIAのGeForce 8000シリーズであった（**図1.26**）。それからやや遅れて、ATI（AMD）はRADEON HD 2000シリーズを投入する。

ATIとNVIDIA、両社共にDirectX 10世代/SM 4.0対応GPUは、そのハードウェアに「統合型シェーダ」アーキテクチャ（Unfied Shader Architecture）を採用している点が特徴となっている。

プログラマブルシェーダには頂点シェーダ、ピクセルシェーダ、そして新しいジオメトリシェーダの3つのシェーダがあるが、描画するシーンによって頂点シェーダ、ピクセルシェーダの負荷は変わってくるし、新しいジオメトリシェーダは、これまでのアプリケーションを利用している範囲ではあまり活用の場もない。そのような状況にもかかわらず、頂点シェーダは何基、ジオメトリシェーダは何基、

図1.26　NVIDIAの「GeForce 8800 GTX」。最初のDirectX 10世代/SM 4.0対応GPUはNVIDIAからリリースされた

ピクセルシェーダは何基、と固定的にシェーダユニットを割り振ってGPUを設計してしまうのは無駄が多くなる(**図1.27**)。各シェーダは、確かにそれぞれ特有の役割をこなしてはいるが、実際の演算内容はベクトルや行列の計算が主体であり、各シェーダ間でそれほど大きな違いはない。

そうであれば、"汎用"としてのプログラマブルシェーダユニットを多数用意し、必要に応じてそれらを、頂点シェーダとして起用したり、ジオメトリシェーダとして起用したり、ピクセルシェーダとして起用したりしたほうが合理的なのではないだろうか(**図1.28**)。これが統合型シェーダアーキテクチャの基本的な考え方だ。

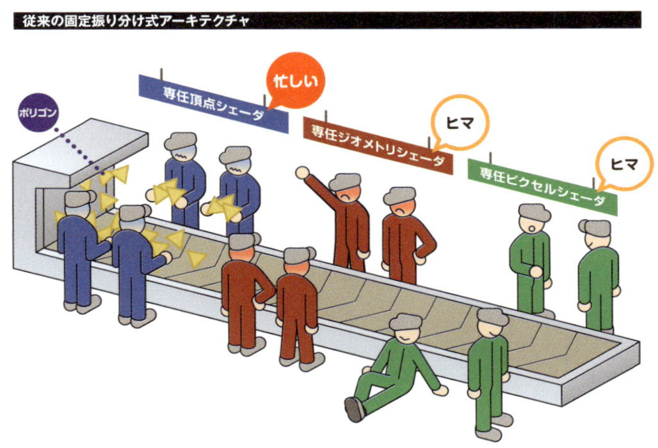

図1.27　従来のGPUでは、頂点シェーダ、ピクセルシェーダのどちらかにボトルネックが発生してしまうと、性能が出しにくくなるばかりか、暇を持てあますシェーダまでが出てきてしまう

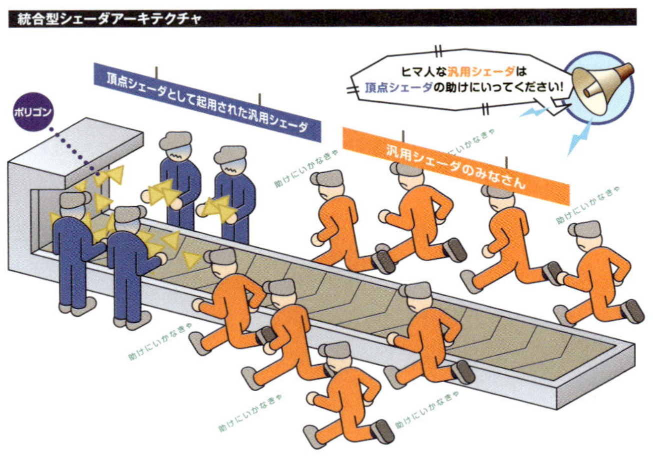

図1.28　統合型シェーダアーキテクチャであれば、負荷のかかっているシェーダを増やすという対応でボトルネックを低減できる

これにより、頂点負荷が大きいときには頂点シェーダが多く起用され、ピクセル負荷が高いときにはピクセルシェーダが多く起用されるようになる。

PC向けDirectX 10世代/SM 4.0対応GPUの投入において、ATIはNVIDIAに対して後れを取ったが、「統合型シェーダアーキテクチャ」の具現化については2005年に登場したXbox 360 GPUに対して行っており、ATI側に一日の長があると言える。ATIはDirectX 10世代/SM 4.0対応GPUの一番乗りは逃してしまったが、統合型シェーダアーキテクチャ実用化の一番乗りはATIだったのだ。

2008年以降～Windows Vista SP1と共に登場した「DirectX 10.1」

2008年春には、Windows Vista Service Pack1が提供され、これと同時にDirectX 10.1が利用できるようになった。

DirectX 10.1はDirectX 10のマイナーチェンジ版の位置づけで、プログラマブルシェーダのバージョンは4.1（SM 4.1）となる。

拡張された機能としては、マルチサンプル方式のアンチエイリアス（MSAA: Multi-Sampled Anti-Aliasing）のサンプル位置のプログラマブル化拡張、複数のレンダーターゲット間の個別ブレンディングメソッドのサポート、キューブマップテクスチャ配列のサポートなどで、言わばSM 4.0の機能拡充のような進化を遂げている。もちろん、機能拡張の足並みを揃えるため10.1という"0.1"の端数は含むものの、マイクロソフトがキッチリとしたバージョンコントロールを行うため、細かい亜流の登場はない。

DirectX 10.1登場当初ではDirectX 10.1/SM 4.1対応GPUとしてはAMD（ATI）がRADEON HD 3000シリーズを、S3 GraphicsはChrome 400シリーズを発表している（**図1.29**、**図1.30**）。

一方で、NVIDIAは、2008年時点では、DirectX 10.1/SM 4.1への対応は当面行わない方針を明確に打ち出し、これにより、事実上、DirectX 10.1/SM 4.1はAMD（ATI）のDirectX 10独自拡張版という位置づけになってしまった。結局、DirectX 10世代でもAMD（ATI）とNVIDIAの方針は決裂したということになる。

ただし、2009年、NVIDIAは遅れてDirectX 10.1/SM 4.1に対応させたGeForce GT 210/220を密やかに発表している（**図1.31**）。GT 210/220はエントリクラス向けのものであり、イメージシンボル的存在のハイエンドGeForceシリーズにはDirectX 10.1/SM 4.1対応機は不在のままとなった。この点からも、NVIDIAのDirectX 10.1/SM 4.1への対応は消極的であったことが分かる。

図1.29　AMD RADEON HD 3870。DirectX 10.1/SM 4.1一番乗りのGPU

図1.30　S3 GraphicsのChrome 440 GTX。メインストリーム以下の格安DirectX 10.1/SM 4.1対応GPUとして訴求される

図1.31　DirectX 10.1/SM 4.1対応のGeForce GT 210/220（写真は220）。NVIDIAはDirectX 10.1/SM 4.1への対応を渋々行った感がある

2009年以降～Windows 7と共に提供された「DirectX 11」

2009年、マイクロソフトはWindows 7のリリースと同時にDirectX 11をリリースした。

DirectX 11は、DirectX 9対応GPU、DirectX 10.x対応GPUの全てに対応する。ただし、使用できるAPIやハードウェアアクセラレーションされる機能は、各ベース仕様に依存する。つまり、DirectX 11のフル仕様を実践できるのはDirectX 11対応GPUだが、全ての仕様/機能ではないもののDirectX 9/10.x対応GPUでもDirectX 11は利用できる…つまり下位互換性が保証されるということだ。DirectX 10がDirectX 9対応GPUを足切りしたのとはちょっと様相が違うのが面白い。

DirectX 11ではプログラマブルシェーダはShader Model 5.0（SM 5.0）へとバージョンアップがなされ、新たに4つのシェーダステージが追加される。4つのうち、3つがプログラマブルシェーダで、1つが固定機能シェーダとなる。新しいプログラマブルシェーダは「ハルシェーダ」（Hull Shader）と「ドメインシェーダ」（Domain Shader）、「演算シェーダ」（ComputeShader）で、固定機能シェーダは「テッセレータ」(Tessellator) だ。それぞれの機能についての詳細はChapter 2とChapter 6にて解説する。

これでDirectX 11のグラフィックスパイプラインにおけるシェーダステージは頂点シェーダ→ハルシェーダ→テッセレータ→ドメインシェーダ→ジオメトリシェーダ→ピクセルシェーダ→演算シェーダ(ComputeShader) という流れとなった (図1.32)。当時の現行ゲーム機のXbox 360とPS3に頂点シェーダとピクセルシェーダしかなかったことを考えると、相当複雑な進化を遂げたことになる。

SM 5.0は新シェーダが追加されただけではなく、プログラマビリティが向上していることもホットトピックだ。

まず、第一に、シェーダプログラムにサブルーチンが利用できるようになり、動的リンク(Dynamic Shader Linkage) に対応する。

DirectX 10までは、同じような機能のシェーダでも、用いる変数セット(例えば光源の種類や数)が異なる場合などは、別のシェーダとして用意しなければならなかった。このため、ほとんど機能が同じでもシェーダの数が闇雲に増えることとなり、シェーダのマネージメントが難しくなる弊害を生んでいた。DirectX 11では、シェーダの機能ブロックをモジュール化することができ、それぞれをC言語で言うところの関数ポインタ的に呼び出すことができるようになるため、効率よく多機能シェーダを構築できるようになる。

また、各種バッファ、テクスチャ、定数バッファ、テクスチャのサンプラなどのシェーダへの入力リソースに対しインデックス参照が可能となる。ただし、指定インデックス値は定数に限定される。

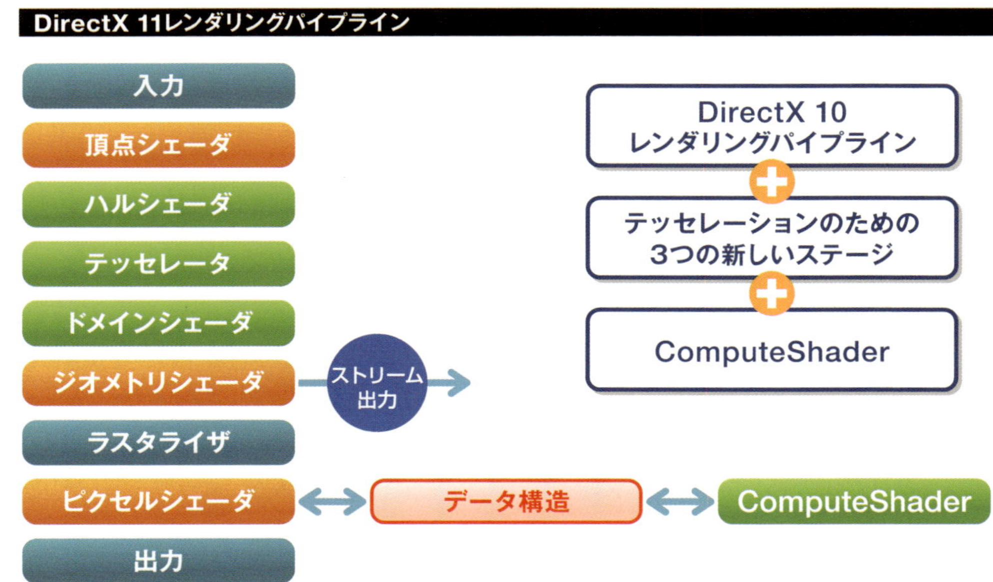

図1.32 DirectX 11のグラフィックスレンダリングパイプライン

64ビット倍精度浮動小数点については、現行のDirectX 10.x対応GPUでもDirectXとは切り離された各社独自のGPGPUモードに限っては既にサポート済みだったが、DirectX 11では、Direct3Dグラフィックスの仕様として正式サポートがなされた。ただし、対応は必須ではなく、「オプション対応」という位置づけだ。よってノートPC向けGPU、メインストリーム以下の統合チップセットGPU、あるいは一部のメーカーのGPUではこれをサポートしていない可能性がある。

浮動小数点関連では、この他、32ビット浮動小数点（FP32）と16ビット浮動小数点（FP16）の相互型変換がハードウェアレベルでサポートされる。

DirectX 10のときに充実化が図られた論理演算命令もさらに拡充された。

新設されたGather()命令も面白い。これは1つのテクスチャ命令で同時に4カ所のテクセルを読み出してしまう命令だ。これは、かつてATI RADEON X1900系でサポートされていた「Fetch4」機能を一般化してDirectX 11の標準仕様として取り込んだものだ。RADEON X1900のFetch4は1要素テクスチャに対して4テクセル読み出す機能で、NVIDIAのデプスバッファへの特殊参照機能「NVIDIA SHADOW」機能の対抗機能という位置づけだったが、SM 5.0のGather()命令は任意の要素数のテクスチャの4カ所から任意の要素（α/R/G/B）を読み出せるものとなっている。これは具体的には、前述のようにデプスシャドウ系の影生成の高効率実行はもちろんのこと、DirectX 9時代以降から定番化したスクリーン・スペース・アンビエント・オクルージョン（SSAO: Screen Space Ambient Occlusion, 画面座標系環境光遮蔽）のような深度値を用いた複雑なポストプロセッシングの高効率化実行に役に立つ。

DirectX 11では、後述するDirectX ComputeShaderへの対応にシンクロする形で、GPGPU的なポテンシャルがピクセルシェーダにも与えられた。これがDirectX 11のピクセルシェーダに新機能として与えられる「Unordered Access View」（UAV）という新概念だ。Unordered Accessとはランダムアクセスのこと。つまり、ピクセルシェーダからビデオメモリへのランダムアクセスが可能となるのだ。これまでピクセルシェーダはあらかじめそのピクセル座標に対応したビデオメモリへの書き込み（出力）しかできなかったが、この制約が取り払われることになる。

UAVはもともとDirectX ComputeShaderのために拡張された概念なので、当然DirectX ComputeShaderでも利用できる。このUAVにより、値を拡散させるようなスキャッター（散乱）型のフィルタ処理、A-Bufferのような階層型の特殊フレームバッファで描画順序に依存しない半透明描画（OIT: Order Independent Transparency）などを実装できるようになる（次ページ 図1.33）。

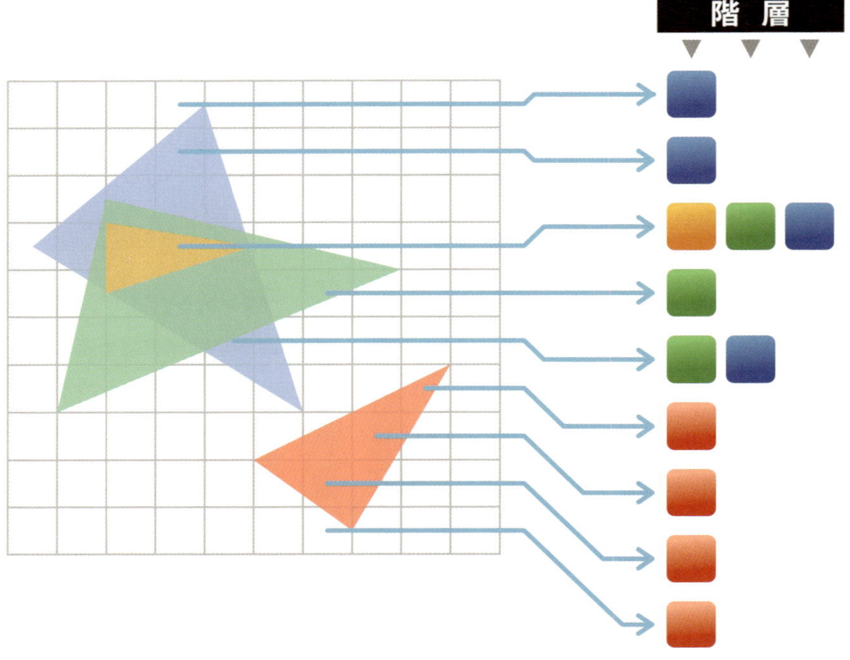

図1.33　描画順序に依存しない半透明描画を実現するA-Bufferの概念図。"A"にはanti-aliased（アンチエイリアス）、area-averaged（領域平均化）、accumulation（演算）といった複数の意味が込められている

このUAV導入により、DirectX 11/SM 5.0では、マルチレンダーターゲット（MRT: Multiple Render Target）の数はDirectX 10と同じ8個のままだが、ピクセルシェーダでは8MRTとは別にUAV1個が利用できるようになった。なお、DirectX ComputeShaderでは8UAVまでが利用できる。

ピクセルシェーダとDirectX ComputeShaderでランダムメモリアクセスができるようになってしまったことで、複数スレッドから同一メモリアドレスへのアクセスの管理が面倒になってしまった。実行タイミングによってメモリの内容が変わってきてしまう可能性も出てくるわけで、これはマルチスレッドプログラムで起こりうるデバッグ困難な現象を生みかねない。そこでDirectX 11におけるピクセルシェーダとDirectX ComputeShaderでは、Atomic Operation（不可分操作）に対応した命令がサポートされている。

こうして見てくると、DirectX 11は新しいプログラマブルシェーダが追加され、さらにGPGPU対応に便乗した機能強化がピクセルシェーダに対して行われたという印象で、複雑度がものすごいことになっている。この複雑な処理体系（パイプライン構造）はCPUと比較にならない（**図1.34**）。

図1.34 既に先進的なゲームスタジオはDirectX 11への対応を完了している。写真はDirectX 11への対応を終えたカプコンのゲームエンジン「MTフレームワーク2.0」

2012年以降～Windows 8と共に提供された「DirectX 11.1」

2012年秋、マイクロソフトはWindows 8をリリース。Windows 8に統合されたのはDirectX 11.1であった。

「+0.1」のDirectXは、このChapterでも見てきたようにDirectX 8.1、DirectX 10.1と同様のマイナーチェンジ版のDirectX 11だ。

これまでのマイナーチェンジ版DirectXと同様に、大きなレンダリングパイプラインの変更もなく、新シェーダステージの追加もない。そんな地味な立ち位置のDirectX 11.1の特徴を挙げるとすれば、開発シーンからのフィードバックを受けて細かな改良が施されていること、マイクロソフトのWindows 8戦略を反映した仕様拡張が行われていること、の2点になるだろうか。

前者の「開発シーンからのフィードバックによって改善された仕様」は多岐にわたっているが、最も注目度が高いのは、全てのプログラマブルシェーダにおいて各種バッファへのランダムアクセスが許容されたことだ。より具体的に言えば、DirectX 11.0ではピクセルシェーダとComputeShaderでのみ許されていたランダムアクセス機能「Unordered Access View」(UAV)が、DirectX 11.1では、なんと頂点シェーダ、ジオメトリシェーダ、ハルシェーダ、ドメインシェーダ、ピクセルシェーダの全てで利用できるようになったのだ。

DirectX 11.0では、ピクセルシェーダのUAVスロットは1個だけだったが、DirectX 11.1では、頂点シェーダ、ジオメトリシェーダ、ハルシェーダ、ドメインシェーダ、ピクセルシェーダの全てで共有する形にはなるが、64個のUAVスロットを持てるようになった。

この機能拡張により、DirectX 11.0以前の処理では難しかった「"1"入力→"複数"出力」のようなScatter処理や、シェーダステージを横断したデータのやりとりができるようになるため、全く新しいレンダリングアルゴリズムを構築できる可能性も出てきたと言える。

なお、DirectX 11.0では8UAVだったComputeShaderのUAVスロットも、DirectX 11.1では64UAVに拡張されている。

この他、定数バッファの容量制限の撤廃、任意のバッファのブレンド処理に論理演算を使用可能とする仕様拡張などがDirectX 11.1に盛り込まれているが、これらも新しい表現をもたらすというよりは「プログラマビリティの向上」といった趣が強い機能強化だ。

ユーザーのメリットに直結したDirectX 11.1のホットな機能もある。それは「3D立体視への対応」だ。

これまで、Windows環境下の3D立体視は、NVIDIAの3D VISIONがデファクトスタンダード的存在だったが、3D VISIONはNVIDIAのGPU搭載システムでしか利用できなかった。DirectX 11.1では、APIレベルで3D立体視がサポートされたことにより、GPUメーカー間の仕様の違いや、そのために駆動するハードウェアの相違は、各GPUドライバの動作側で吸収することができるようになったのだ。

また2つ目の特徴として挙げた、DirectX 11.1の「Windows 8戦略を反映した仕様拡張」は、Windows 8がARM系CPUベースのSoC（System On a Chip）ベースのタブレットPCなどにも対応したことと無関係ではなさそうなものになる。

まず、DirectX 11.1では、低精度(Low Precision）シェーダがサポートされた。

この低精度シェーダは「最低精度保証」というような形で宣言して使用することになり、対応精度は16ビット浮動小数点(min16float)、10ビット浮動小数点(min10float)、16ビット整数(min16int)などが用意されている。

GPUによっては(そして、その処理内容によっては)、1つの演算ユニット(シェーダユニット）で低精度データの演算を同時に2個ないしは3個行うことができる。これが実践できた場合、1つの演算ユニットで1個ずつ演算するよりも、パフォーマンス的には2倍、3倍に引き上がる。

例えば、3つの10ビット浮動小数点（FP10）の単チャネル変数に対して同一演算を仕掛ける際、32ビットレジスタの30ビット分にFP10データを3つ入れて、演算ユニットにSIMD（Single Instruction Multiple Data）実行を仕掛けられれば、シングルサイクルで3データ分の結果が一度に得られる。これは1つずつ処理していったときの3倍も効率がよくなったことになる。

こうした低精度シェーダ/低精度データは、同一シェーダプログラムコードを、GPU性能の低いSoCベースのタブレットからGPU性能の高いハイエンドワークステーションまで、多様なプラットフォームのGPUにて、最大パフォーマンスで動作させようとするには有効なソリューションだと言える。対応ハードウェアの幅を広げたWindows 8向けに用意された機能と言ってもいいかもしれない。

この他、使う可能性はあるが、短期的には使わないかもしれない（ビデオ）メモリ領域を解放したり、それを再回収することを実現する「Memory offer / Reclaim」、効率のよいアプリケーションウィンドウの全画面表示機能「Swap Effect」なども、Windows 8の機能と関わりが深いDirectX 11.1の新機能だ。

これまでの「+0.1」刻みバージョンのDirectXは、NVIDIA対AMD（旧ATI）による不毛な「対応する/しない」紛争の犠牲になって普及しなかった歴史上の経緯があるが、DirectX 11.1に対しては両社とも既に順当な対応を果たしている（**図1.35**、**図1.36**）。これはDirectX 11.1が「Windows 8に標準搭載された」こととと無関係ではあるまい。

2012年末には任天堂から「Wii U」が発売となるが、GPUはDirectX 11.1世代ではなく、DirectX 10.1世代のRADEON HD 4000系（RV770系）を採用した（次ページ **図1.37**）。理論性能値は約352GFLOPSで、RADEON HD 4650/HD 4670に近い。「2012年発売のゲーム機」という発売タイミングを考えると性能はやや控えめではあるが、GPU性能はPS3やXbox 360の1.5倍近く高性能ではあった。また、Wii Uは、任天堂製ゲーム機としては初のプログラマブルシェーダアーキテクチャ採用GPUの搭載機であることも取り沙汰された。

2013年末（日本は翌年2014年）には、SIEから「プレイステーション 4」（PS4®）が、マイクロソフトから「Xbox One」が発売される（次ページ **図1.38**、**図1.39**）。PS4のGPUはRADEON HD 7850+α程度相当（理論性能値は1.84TFLOPS）、そしてXbox OneのGPUはRADEON HD 7770+α程度相当（理論性能値は1.31TFLOPS）で、共にDirectX 11.1世代のGPUを搭載することとなった。

図1.35 AMDのDirectX 11.1世代ハイエンドGPU、RADEON HD 7970。"+0.1"のDirectX対応にいつも一番乗りのAMDはDirectX 11.1でも発表は一番乗りだった

図1.36 NVIDIAのDirectX 11.1世代ハイエンドGPU、GeForce GTX 680

図1.37　任天堂「Wii U」。手前が専用コントローラ「Wii U GamePad」、奥が本体

図1.38　SIE「プレイステーション 4」（PS4®）

図1.39　マイクロソフト「Xbox One」

2013年以降～Windows 8.1と共に提供された「DirectX 11.2」

2013年秋、マイクロソフトはWindows 8.1をリリース。これと共に提供されたのはDirectX 11.2であった。

DirectX 11.2は、例によって「+0.1」のバージョンアップ版で、3Dグラフィックス関連で追加された機能のうち、ゲームグラフィックスと関連の深い機能としては「Tiled Resources」（タイルドリソース）が挙げられる（**図1.40**）。

このTiled Resourcesにはいくつかの活用手法があるが、最もシンプルで分かりやすいのは「仮想テクスチャ」（バーチャルテクスチャ）として利用する手法だ。

Windowsに限らず、一般的なOSには、物理メモリに乗りきらないデータをHDD上に退避する仮想メモリ（バーチャルメモリ）という機能が提供されている。その処理は「スワップ」と呼ばれる。

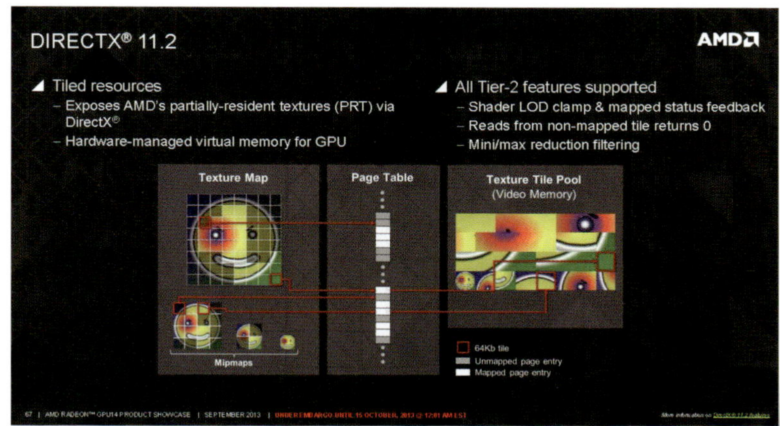

図1.40　DirectX 11.2の目玉機能「Tiled Resources」を解説したAMDの資料より

CPUがその仮想メモリにアクセスする場合、HDD上に退避されていたデータを物理メモリに再度読み出すことで対処するわけだが、この仮想メモリとスワップの概念をGPUのテクスチャアクセスに当てはめたのが仮想テクスチャだ。

つまりTiled Resourcesとは、グラフィックスメモリに乗りきらないほどの巨大なテクスチャを仮想メモリ的に外部ストレージへと退避し、必要なとき、自動的にメインメモリに書き戻すようなテクスチャシステムのことなのである。

これまでも、グラフィックスメモリに乗りきらないほどの巨大サイズのテクスチャをメインメモリ側に置いて取り扱うこと自体は行えた。PCI-Expressが登場する前、AGP（Accelerated Graphics Port）時代には、メインメモリの一部をGPUからアクセスできるようにするGART（Graphics Address Remapping Table）の概念が規定され、「AGPメモリ」機能などと呼ばれていた。この概念はPCI-Express時代にも受け継がれたが、その「メインメモリ側に置かれたデータ」のハンドリングは、ゲームデベロッパ側が自前で構築したソフトウェアで行う必要があるという制限があった。

例えばid Softwareのゲームエンジン「id Tech 5」は、数十GBに及ぶ巨大なテクスチャのストリーミング機能「Mega Texture」を利用できるが、このMega Textureなどはまさしく「自前でなんとかする」代表的な例である。Tiled Resourcesによって、こういった機能がAPIレベルでサポートされたというわけだ。

なお、Tiled Resourcesは、PS4やXbox OneのメインプロセッサであるAPU内のGPUコアだけでなく、Southern Islands世代のリネームモデルとして登場したRADEON R9 280X以下のRADEON R9 & R7 200シリーズでも対応している（次ページ 図1.41）。なぜSouthern Islands世代のGPUコアでもDirectX 11.2をサポートできるのかというと、もともとTiled Resourcesの機能概念自体が、AMDがOpenGLにおける独自拡張機能として提供してきた機能「Partially-Resident Textures」（パーシャリーレジデントテクスチャ）をDirectX上で一般化したものだからである。

図1.41　DirectX 11.2対応一番乗りがアピールされたAMD RADEON R9 290

2015年以降～Windows 10と共に提供された「DirectX 12」

2015年夏、マイクロソフトはWindows 10と同時にDirectX 12をリリースした。

DirectX 12はDirectXの待望のメジャーバージョンアップ版ということになるが、グラフィックスパイプラインそのものに対する大きな変革はなく、言ってしまえばDirectX 11.x世代と同じである。なお、DirectX 12ではプログラマブルシェーダはShader Model 5.1（SM 5.1）へとバージョンアップがなされ、若干のプログラマビリティ向上が図られた。DirectX 12は、実際にはDirectX 11に対するバージョンアップ版ではなく、むしろ「新生DirectX」というイメージになる。

それまでのDirectXは、「DirectX APIを通じてパラメータをドライバに受け渡し、ドライバ側がGPUに向けて（描画）コマンドとパラメータ列を形成して発行する」構造になっていたが、ここに問題が2つあった。

1つは、DirectXが提供している「APIを利用してDirectX側が作り出すコマンドとパラメータのペア」がGPU内部のハードウェアを直接駆動するようにはなっていない点だ。これは「DirectXのアーキテクチャが古すぎて、実在する最新世代のGPUアーキテクチャとかけ離れすぎてしまった」ためだ。

この問題を解決するためにDirectX 12で導入されるのが「Pipeline State Object」（以下、PSO）という概念だ。

このPSOとは、グラフィックスパイプラインとGPU内部ハードウェアとの対応を一意的に定義づけて利用する仕組みのこと。PSOを定義づけておけば、それ以降はGPUに対し「これからお願いする描画は、PSOで定義した工程表(パイプライン)ベースでお願いします」と発注できるようになる。

従来のDirectXでは「頂点シェーダでこの処理を行う」「ピクセルシェーダでこの処理を行う」といった感じの、細切れな指示になっていたため、処理のストール（stall、停止）が生じやすかった。DirectX 12のPSOでは、GPUはあらかじめ定義された工程表に基づいて、すぐに処理に取りかかれるわけである（**図1.42**、**図1.43**）。

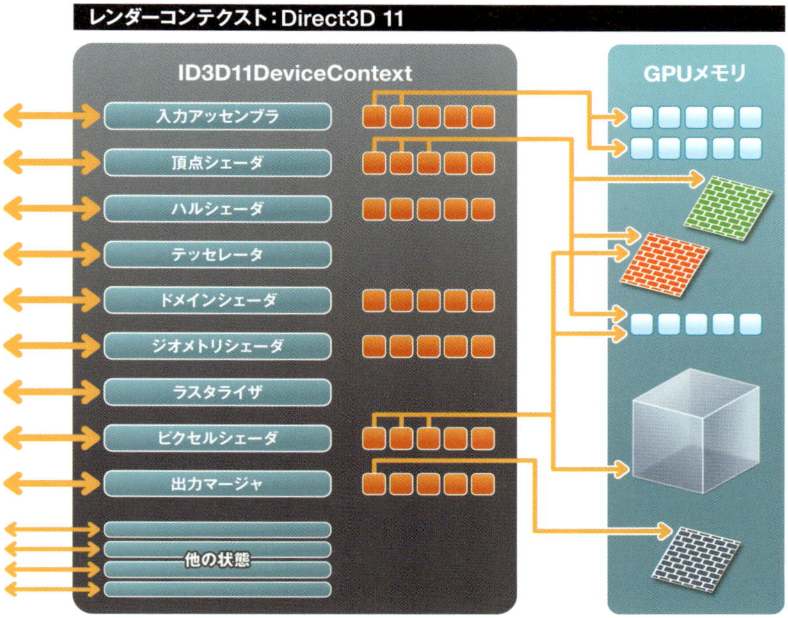

レンダーコンテクスト：Direct3D 11
ID3D11DeviceContext
GPUメモリ
入力アッセンブラ
頂点シェーダ
ハルシェーダ
テッセレータ
ドメインシェーダ
ジオメトリシェーダ
ラスタライザ
ピクセルシェーダ
出力マージャ
他の状態

図1.42　DirectX 11のレンダーコンテクスト概念図。DirectX 11では図左側の青マスで表されるGPU内部の各機能ブロックの状態取得や設定を個別に行っていた。その分、オーバーヘッドは大きかった

レンダーコンテクスト：Pipeline State Object（PSO）
Pipeline State Object
GPUメモリ
入力アッセンブラ
頂点シェーダ
ハルシェーダ
テッセレータ
ドメインシェーダ
ジオメトリシェーダ
ラスタライザ
ピクセルシェーダ
出力マージャ
非PSO状態

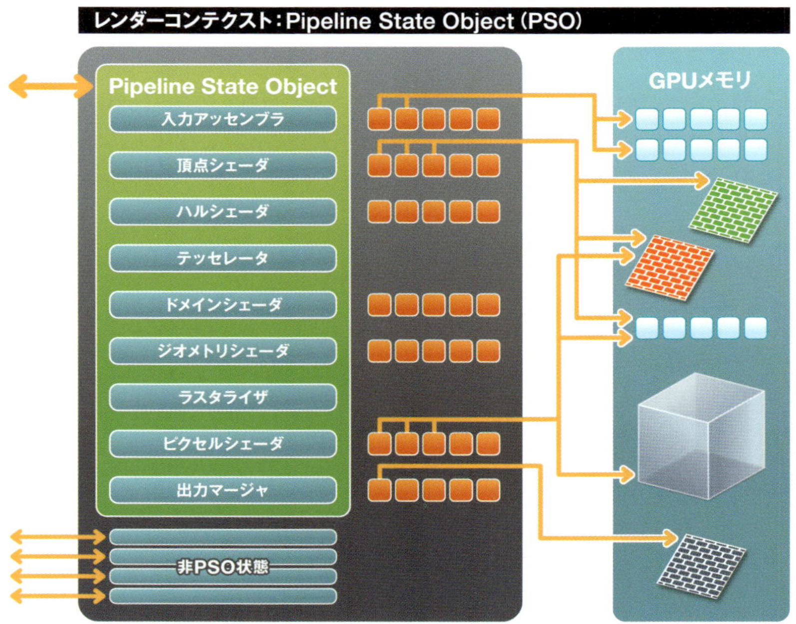

図1.43　DirectX 12のレンダーコンテクスト概念図。DirectX 12では図左側の青マスで表されるGPU内部の各機能ブロックの状態取得や設定を、あらかじめ定義していたオブジェクト（緑マス）単位で行えるようになった。その分、オーバーヘッドは劇的に低減されることとなった

２つ目の問題は、それまでのDirectXのGPUへコマンドを伝送する仕組みそのものにある。

従来のDirectXでは、APIを通して、「描画の件なんですがね」「第一パラメータは●●です」「第二パラメータは××です」といった感じに、コマンドを逐次的に発行していた。砂時計に例えるなら、上がCPU、下がGPUで、上下は大きく開いているのに、中央部がぎゅっとすぼまったイメージだ。砂粒（≒仕事）は１本の線状でしか、GPUのほうに落ちていかないのである。

その点、DirectX 12では、あらかじめ確保しておいたメモリバッファ上で描画コマンドやパラメータを形成しておき、これをドライバへ一気に渡せるようになった。もちろん、メモリバッファ上に描画コマンドやパラメータを形成する処理は複数のCPUスレッドで並列に実行が可能だ。つまり、マルチスレッドを効果的に利用できるということになる。砂時計で言えば、中央のすぼまった部分が押し広げられたようなイメージだろうか。

DirectX 12でも「ドライバを通じてGPU側に伝送される前の描画コマンド」はドライバ側でGPUのネイティブ命令に変換される構造のため、ここにまだ抽象化レイヤーは存在することになるが、まとまった量の描画コマンド列を一気に発行できる以上、実行効率は従来比で格段に改善する。

さらにDirectX 12では、この「GPU側で直接実行できるように変換されたネイティブコマンド列」を保存しておける仕組みも導入された。これは「Bundles」（バンドル）と呼ばれ、そのままBundlesを再発行してGPUを駆動することもできる。うまく活用すれば、抽象化レイヤーを越えた先で、超高効率でGPUを駆動することも可能というわけである。

また、テクスチャや各種データテーブルなどといった、レンダリングに必要な素材を、アプリケーション側が任意のスタイルでその素性を定義しつつグラフィックスメモリ上に置き、実際のレンダリング時には各種シェーダから自由にアクセスする仕組みも新設されている。DirectXのAPIを介して「これはテクスチャです」といちいち宣言したり定義したりすることなく、かなりのダイレクト感をもって、グラフィックスメモリ上にデータや素材を自在に置けるようになったのである。

CPUのプログラムにおいて、当該プログラムの開発者は、プログラム実行の各局面に応じて、確保したメモリ空間を好きに使っていた。DirectX 12では、そういった自由なメモリの使い方がGPUでもできるようになった。

もっとも、家庭用ゲーム機のGPUプログラミングではかなり前の段階からこのようになっており、概念的には新しいものではない。DirectX 12が、家庭用ゲーム機的なGPUプログラミング哲学を取り入れたという認識のほうが正しい。

一言でまとめるならば、DirectX 12は、これまで着ていた厚着のコートをパッと脱ぎ捨てて、軽快なスポーツウェア姿になって俊敏に動けるようになった…というようなイメージだ。

しかし、こうした大幅なアーキテクチャ改変が行われたことにより、DirectX 12は、DirectX 11との互換性はなくなってしまっている。ただし、マイクロソフトは、当面のWindowsではDirectX 11系はそのまま残すことを確約しており、しばらくはDirectX 12系とDirectX 11系は併存することが保証されている。

DirectX 12は、どちらかと言えばゲーム開発者向けのAPIという感じで、リアルタイム性は高いが、フルに活用するためにはグラフィックスパイプラインやGPUのアーキテクチャそのものへの理解が必要になる。一方のDirectX 11は、リアルタイム性ではDirectX 12に遠く及ばないまでも、そこまでの専門知識がなくとも従来のDirectXを取り扱う知識で開発できるため、非ゲームアプリ開発には依然として利便性が高い。このことから、マイクロソフトはDirectX 11とDirectX 12の双方を併存させる方針を選択したとみられる。

なお、DirectX 12は事実上、グラフィックスパイプライン部分に拡張などは行われていないため、それまで「DirectX 11世代」として分類されていたGPUは基本的にはDirectX 12対応と見なすことができる。具体的にはNVIDIAならGeForce 400（Fermi世代）以降、AMDならRADEON HD 7000（Graphics Core Next世代）以降ということになる。

▶ Column

DirectX 11とDirectX 12のパフォーマンス相違

図1.Aと**図1.B**は3DMarkの1シーンをDirectX 11で動作させたものと、DirectX 12で動作させたものとで、どのくらいCPU負荷に違いが出るのかをデモンストレーションしている様子だ。

DirectX 11では、4つあるCPUスレッドのうち1スレッドが極端に負荷が高くなっていることが分かる。DirectX 12ではバンドル機能を活用していることもあり、CPU負荷は極端に少なくなっているのが分かる。

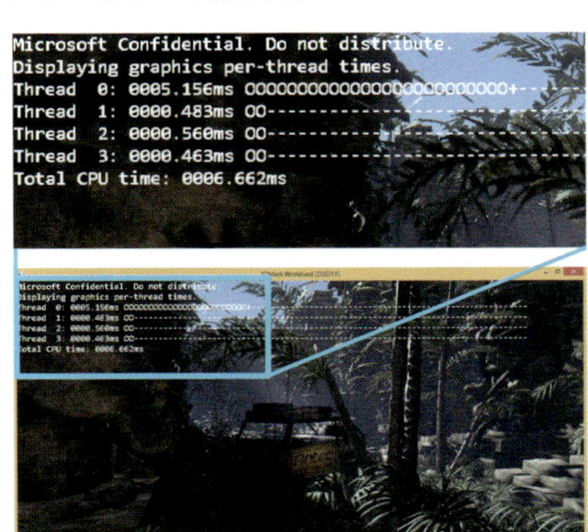

図1.A　DirectX 11での実行結果。テキスト文字で描かれたバーが長いほど、そのCPUスレッドの負荷が高いことを表している

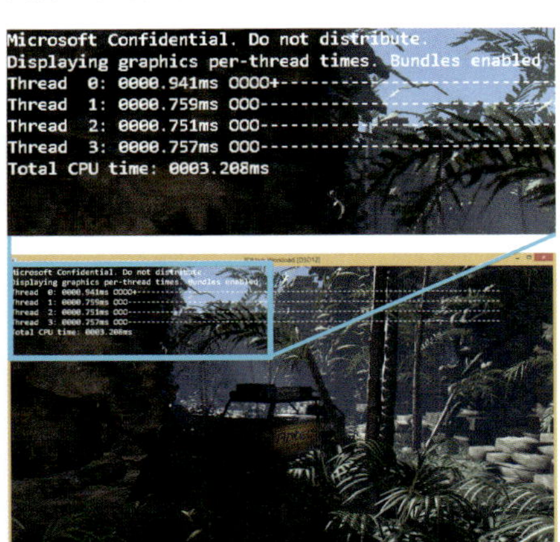

図1.B　DirectX 12での実行結果。CPU負荷は極端に少ない

DirectX 12の提供と共にDirectX 11.3が登場

DirectX 12の提供と時を同じくして、DirectX 11.3もWindows 10に搭載されている。

例によって「+0.1」のバージョンなので、先代のDirectX 11.2に対していくつかの新機能が追加されただけのマイナーバージョンアップ版に相当する。

基本的にDirectX 12は、DirectX 11系の機能ラインナップをほぼそのままにしてリアルタイム性を改善したものに相当するので、最新のDirectX 12はDirectX 11.3までの機能を搭載していると考えていい。このあたりについての詳細は後述する。

主なDirectX 11.3の新要素としては4つが挙げられる。

1つ目は「Raster Ordered View」(ラスターオーダードビュー、以下ROV)(*3)だ(**図1.44**)。

(*3)「Rasterizer Order Views」や「Rasterizer Ordered Views」と呼ばれることもある。

ROVは、DirectX 11.0で搭載され、DirectX 11.1で大幅に機能拡張された「Unordered Access View」(アンオーダードアクセスビュー、以下UAV)の拡張仕様に相当し、「ラスタライズ処理によって同一画面座標上となったピクセルの陰影処理に起用されるピクセルシェーダ」の処理順を規定できる機能である。

DirectX 11.0において、UAVはピクセルシェーダで1スロット分(≒1バッファ分)、コンピュートシェーダで8スロット分しか利用できなかった。それがDirectX 11.1では、UAVがピクセルシェーダとコンピュートシェーダ以外の頂点シェーダとジオメトリシェーダ、ハルシェーダ、ドメインシェーダからも利用できるように拡張され、64スロット分利用できるようになったという経緯がある。そこに、DirectX 11.3でROVが追加されたのだ。

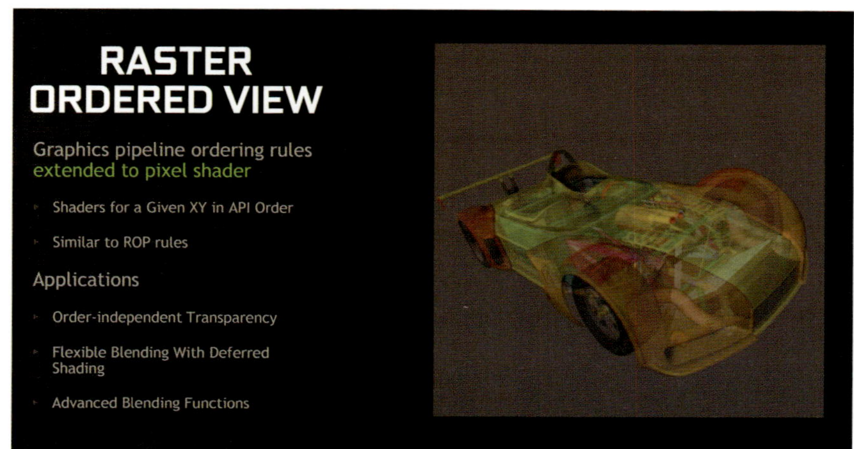

図1.44 「Raster Ordered View」は事実上、「順不同の半透明描画」や「プログラマブルブレンディング」といった処理系を実践することに適した機能だ

ROVの主な活用先としては「半透明オブジェクトのレンダリング」などがある。

半透明オブジェクトは、主に爆煙や爆炎、閃光などのパーティクルといったエフェクトの描画に利用されることが多い。これら半透明オブジェクトは、その名の通り、後方が透けて見える特性があるわけだが、重なれば重なるほど透明度は低下する。そのため、視点位置から見て、より奥側の半透明オブジェクトから描画していかないと、半透明オブジェクト越しに透けて見える"向こう側"を物理的に正しく描画することが難しくなってしまう。

そこでROVを活用すれば、ピクセルの深度値を用いた前後判定を行い、適切な順番で描画することが可能になる。例えば仮に、ほぼ同じ座標にある、複数の半透明キャラクタモデルが重なり合ったとしても、それぞれのモデルをピクセル単位で正しい前後関係で半透明描画を実践できる。

新要素の２つ目は、これもUAVに関連した拡張機能で、「Typed UAV Load」（タイプトUAVロード）というものだ(*4)。

(*4)「Typed UAV Access」と呼ばれることもある。

DirectX 11.2までのUAVによるデータアクセスは、32ビットサイズのシングルチャネル（＝1要素32ビットデータ）に限定されていた。もともとGPGPU用途のために誕生したUAVなので、いわゆるαRGB形式で表されるようなピクセルデータ形式の読み書きには対応していなかったのである。

逆に言えば、UAVをグラフィックス用途に活用しようとした場合、いったん32ビットのシングルチャネルとしてデータを読み出し、"自前"でソフトウェア処理を行って必要なデータを分解して取り出し、処理を終えてデータを書き戻すときにはやはりソフトウェア処理で32ビットのシングルチャネルデータとしてまとめあげる必要があった。言わば「Unpack」（アンパック）と「Pack」（パック）が必要というわけで、文章を読んだだけでも、非常に冗長な処理系だというのは想像できる。実際、シェーダプログラムは無駄に長くなってしまうのでよろしくない。

Typed UAV Loadは、これまで自前でソフトウェア処理で実践していた、そうした複雑なデータのUnpack処理とPack処理をハードウェア側で実践できる機能ということになる。

３つ目は「Volume Tiled Resources」だ。

DirectX 11.2で新設されたTiled Resources機能は、2Dテクスチャ用途に限定されていた。DirectX 11.3のVolume Tiled Resourcesは、Tiled Resources機能をボリュームテクスチャに対応させた拡張改良版という位置づけのものになる。

４つ目は「Conservative Rasterization」機能だ。

現在のレンダリングパイプラインでは、ポリゴンをピクセルの集合体に分解する「ラスタライズ」という工程において「ピクセル内に設けられたサンプルポイントにポリゴンが重なっているか否か」でピクセルのあり/なしを判定している。

超微速で移動しているポリゴンは、ピクセル内に設定されているこのサンプルポイントと交差しないことがある。あるいは、それまでサンプルポイントと交差していなかったポリゴンが、時間経過に伴う移動によって、あるタイミングで突然サンプルポイントと交差するケースもある。

サンプルポイントに交差しない場合、当該ピクセルは「空（カラ）」扱いとなり、ピクセルシェーダは実行されず、描かれない。そうなると、今述べた状況下では、ラスタライザによってピクセル化されたり、ピクセル化されなかったりして、時間方向に出現と消失を繰り返してしまうことがあるのだ。これはピクセル単位のチラツキとして視覚され、「Pixel Crawling」（ピクセルクローリング）や「Pixel Shimmer」（ピクセルシマー）といった名で呼ばれる。

Conservative Rasterizationは、このピクセル内に設けられたサンプルポイントに交差せずとも、そのピクセル領域にポリゴンが少しでも侵入していれば、これをピクセル化する振る舞いを実践するものだ（**図1.45**）。

Conservative Rasterization

Standard Rasterization

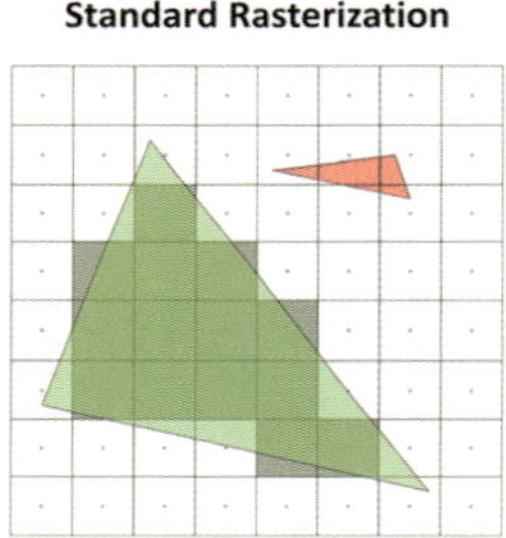

Conservative Rasterization

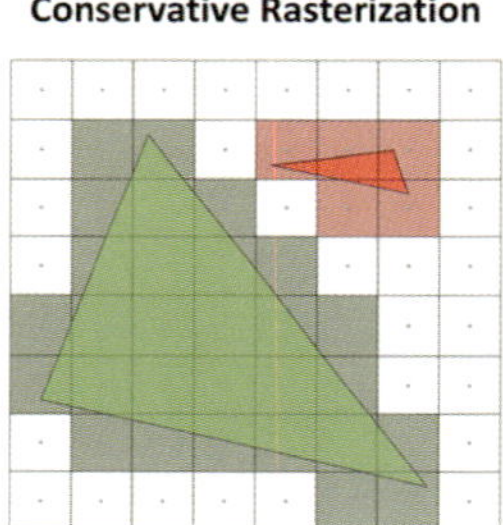

図1.45　「Conservative Rasterization」の概念図。各ピクセルの中央にある点が、「そのポリゴンをピクセル化するか否かの判定点（サンプルポイント）」になる。今、緑のポリゴンをピクセル化（ラスタライズ処理）することを考えた際、左側の一般的なラスタライズ処理では、サンプルポイントにかかっていない部分がピクセル化されない。対して右側のConservative Rasterizationでは、そのポリゴンがサンプルポイントに交差していなくても、ピクセル領域に侵入してさえいれば確実にピクセル化を行う。ここがConservative Rasterizationのコンサバティブな（保守的な）振る舞いということである

図1.46　DirectX 11.3対応がアピールされたNVIDIAのGeForce GTX 980

図1.47　NVIDIAに遅れること3年、2017年夏にAMDもDirectX 11.3対応のGPUのRADEON RX VEGAを発表した。写真は上位モデルのRADEON RX VEGA 64

DirectX 12.0とDirectX 12.1～DirectX 11の機能レベルとDirectX 12の機能レベルの関係性

マイクロソフトはWindows 10と共に提供されたDirectX 12とDirectX 11.3に対して「Feature Level」(機能レベル)という概念を導入し、「そのGPUがどこまでの機能を使えるか」を表す指標を定義した。

2019年時点で、定義されている機能レベルは「9_1」「9_2」「9_3」「10_0」「10_1」「11_0」「11_1」「12_0」「12_1」の9種類となっている。

Windows 10自体は、DirectX 11もしくはDirectX 12対応のドライバさえ提供されていれば、2005年前後のPCに採用事例の多かったDirectX 9世代のGPUでも動作させることが可能だ。しかし、GPUの機能としてはDirectX 9世代の機能しか持っていない。そこで、このGPUは、Windows 10環境下のDirectX 11/DirectX 12で動作は可能だが、機能としては「DirectX 9世代までの対応」という意味を込めて機能レベルは「DirectX 12 Feature Level 9_1」～「DirectX 12 Feature Level 9_3」ということになる。

同様に、Windows Vistaを支えたDirectX 10世代GPUだと、Windows 10/DirectX 11&12環境下では「DirectX 12 Feature Level 10_0」～「DirectX 12 Feature Level 10_1」になるのだ。

さらに、DirectX 12対応を想定してリリースされているはずのDirectX 12世代GPUにおいても「DirectX 12 Feature Level 12_0」と「DirectX 12 Feature Level 12_1」がある。

「DirectX 12 Feature Level 12_0」とは、DirectX 11.2と同等の機能をDirectX 12で提供するもので、既に解説したようにテクスチャを仮想メモリ的に取り扱える「Tiled Resources」や、各プログラマブルシェーダからグラフィックスメモリへの読み書き機能であるUAVをさらに拡張した「Typed UAV Load」がサポートされる。

同様に「DirectX 12 Feature Level 12_1」は、DirectX 11.3と同等の機能をDirectX 12で提供するもので、ポリゴンからピクセルに分解するラスタライズ処理の新しい選択肢「Conservative Rasterization」や、同一座標のピクセルに対する処理順序を規定できるUAVのさらなる拡張仕様である「Raster Ordered View」がサポートされる。

以上をまとめると、自分が使用しているPCにDirectX 12対応のGPUが搭載されていて、DirectX 12対応のドライバが提供されていたとしても、必ずしも最上位の「DirectX 12 Feature Level 12_1」までをサポートしてくれているとは限らないということだ。

なお、各機能レベルの仕様詳細をまとめた表を次ページ **図1.48** に示す。

機能＼機能レベル	12_1 ※0	12_0 ※0	11_1 ※1	11_0	10_1	10_0	9_3	9_2	9_1
Shader Model	5.1	5.1	5.1 ※2	5.1 ※2	4.x	4.0	2.0 (4.0 level 9.3) [頂点シェーダ2.a／ピクセルシェーダ2.x] ※5	2.0 (4.0 level 9.1)	2.0 (4.0 level 9.1)
Tiled resources	Tier2 ※6	Tier2 ※6	オプション	オプション	×	×	×	×	×
Conservative Rasterization	Tier1 ※6	オプション	オプション	×	×	×	×	×	×
Rasterizer Order Views	○	オプション	オプション	×	×	×	×	×	×
Min/Max Filters	○	○	オプション	×	×	×	×	×	×
Map Default Buffer	オプション	オプション	オプション	オプション	×	×	×	×	×
Shader Specified Stencil Reference Value	オプション	オプション	オプション	×	×	×	×	×	×
Typed Unordered Access View Loads	18フォーマット、それ以上はオプション	18フォーマット、それ以上はオプション	3フォーマット、それ以上はオプション	3フォーマット、それ以上はオプション	×	×	×	×	×
Geometry Shader	○	○	○	○	○	○	×	×	×
Stream Out	○	○	○	○	○	○	×	×	×
DirectCompute / Compute Shader	○	○	○	○	オプション	オプション	—	—	—
Hull and Domain Shaders	○	○	○	○	×	×	×	×	×
Texture Resource Arrays	○	○	○	○	○	○	×	×	×
Cubemap Resource Arrays	○	○	○	○	○	×	×	×	×
BC4/BC5 Compression	○	○	○	○	○	○	×	×	×
BC6H/BC7 Compression	○	○	○	○	×	×	×	×	×
Alpha-to-coverage	○	○	○	○	○	○	×	×	×
Extended Formats (BGRA, and so on)	○	○	○	○	オプション	オプション	○	○	○
10-bit XR High Color Format	○	○	○	○	オプション	オプション	—	—	—
Logic Operations (Output Merger)	○	○	○	オプション ※1	オプション ※1	オプション ※1	×	×	×
Target-independent rasterization	○	○	○	×	×	×	×	×	×
Multiple Render Target (MRT) with ForcedSampleCount 1	○	○	○	オプション ※1	オプション ※1	オプション ※1	×	×	×
UAV slots	64	64	64	8	1	1	—	—	—
UAVs at every stage	○	○	○	×	×	×	—	—	—
Max forced sample count for UAV-only rendering	16	16	16	8	—	—	—	—	—
Constant buffer offsetting and partial updates	○	○	○	オプション ※1	オプション ※1	オプション ※1	○ ※1	○ ※1	○ ※1
16 bits per pixel (bpp) formats	○	○	○	オプション ※1	オプション ※1	オプション ※1	オプション ※1	オプション ※1	オプション ※1
Max Texture Dimension	16,384	16,384	16,384	16,384	8,192	8,192	4,096	2,048	2,048
Max Cubemap Dimension	16,384	16,384	16,384	16,384	8,192	8,192	4,096	512	512
Max Volume Extent	2,048	2,048	2,048	2,048	2,048	2,048	256	256	256
Max Texture Repeat	16,384	16,384	16,384	16,384	8,192	8,192	8,192	2,048	128
Max Anisotropy	16	16	16	16	16	16	16	16	2
Max Primitive Count	$2^{32}-1$	$2^{32}-1$	$2^{32}-1$	$2^{32}-1$	$2^{32}-1$	$2^{32}-1$	1,048,575	1,048,575	65,535
Max Vertex Index	$2^{32}-1$	$2^{32}-1$	$2^{32}-1$	$2^{32}-1$	$2^{32}-1$	$2^{32}-1$	1,048,575	1,048,575	65,534
Max Input Slots	32	32	32	32	32	16	16	16	16
Simultaneous Render Targets	8	8	8	8	8	8	4	1	1
Occlusion Queries	○	○	○	○	○	○	○	○	×
Separate Alpha Blend	○	○	○	○	○	○	○	○	×
Mirror Once	○	○	○	○	○	○	○	○	×
Overlapping Vertex Elements	○	○	○	○	○	○	○	○	×
Independent Write Masks	○	○	○	○	○	○	○	×	×
Instancing	○	○	○	○	○	○	○	×	×
Nonpowers-of-2 conditionally ※3	×	×	×	×	×	×	○	○	○
Nonpowers-of-2 unconditionally ※4	○	○	○	○	○	○	×	×	×

図1.48　各機能レベルの仕様詳細。マイクロソフトのサイト（https://msdn.microsoft.com/ja-jp/library/windows/desktop/ff476876(v=vs.85).aspx）より。
注：「Tier1」「Tier2」は対応優先度の高いオプション。Tierの後の数字が小さいほど優先度が高い

※0 Direct3D 11.3またはDirect3D 12ランタイムが必要。

※1 Direct3D 11.1ランタイムが必要。

※2 Shader Model 5.0は、倍精度シェーダ、拡張倍精度シェーダ、SAD4シェーダ命令、および部分精度シェーダをオプションでサポートできる。使用可能なShader Model 5.0のオプションを確認するには、ID3D12Device::CheckFeatureSupportを呼び出す。ただし、互換性の度合いはハードウェアによって異なる。Shader Model 5.1は、使用されている機能レベルにかかわらず、DirectX 12 APIをサポートするハードウェアでのみサポートされている。DirectX 11ハードウェアは、Shader Model 5.0までしかサポートしていない。その場合、DirectX 12 APIはFeature Level 11_0にしかならない。

※3 Feature Level 9_1、9_2 および9_3では、GPUは、以下の2つの条件で2の累乗ではない次元の2Dテクスチャの使用をサポートしている。第一に、それぞれのテクスチャのMIP-mapレベルが単一で生成される場合。第二に、Wrap Sampler Modeを利用しない場合（AddressU、AddressV、およびAddressW用のメンバーD3D11_SAMPLER_DESCは、D3D11_TEXTURE_ADDRESS_WRAPに設定できない）。

※4 Feature Level 10_0、10_1、11_0では、GPUが2の累乗ではない次元の2Dテクスチャの利用を無条件にサポートする。

※5 頂点シェーダ2a：
256の命令、32個のテンポラリレジスタ、深度4の静的フロー制御、深度24の動的フロー制御、D3DVS20CAPS_PREDICATION
ピクセルシェーダ2x：
512の命令、32個のテンポラリレジスタ、深度4の静的フロー制御、深度24の動的フロー制御、D3DPS20CAPS_ARBITRARYSWIZZLE、D3DPS20CAPS_GRADIENTINSTRUCTIONS、D3DPS20CAPS_PREDICATION、D3DPS20CAPS_NODEPENDENTREADLIMIT、およびD3DPS20CAPS_NOTEXINSTRUCTIONLIMIT

※6 上位オプション。

CPUとGPUの融合とGPGPUの台頭

1990年代の最初期のGPUはシンプルなベクトル演算器だったが、だんだんと高度なロジックをこなせるようにとCPU的なプロセッサへ姿を変えていった。

対するCPUはマルチコア化され、高度なロジックをマルチに走らせる方向へと進化した。

CPUとGPUは、もともと自分の得意分野が相手の不得意分野という補完関係にあり、それぞれ課された進化の方向性とは、各々の不得意分野の強化であり、それはお互いを似せていくこととなった。この進化の方向性に気が付くのは簡単だったが、「この先に何を見たか」の部分においては各社に違いがある。

CPUメーカーのAMDは、2006年にATIを買収。AMDはこの進化の先に「CPUとGPUの統合」という姿を見る。

この着想を元にしたCPUとGPUを融合させたプロセッサの開発は当初、「Fusion」というプロジェクトネームで発表された。現在、AMDは、このプロジェクトの成果物をAMD APU(Accelerated Processing Units) シリーズとしてAMDの主力製品の1つとしてラインナップしている（次ページ **図1.49**）。

登場当初のAPUは、どちらかと言えばエントリクラスからミドルクラスの性能を持った、一般ユーザー向けの普及帯PC向けソリューションとして訴求されていたが、近年のAMDは、基本性能が上がった最新APU製品をGPUサーバー向けにも展開し始めている。

またAMDは、次なるAPUシリーズの展開のために、CPU管理下のメモリ空間とGPU管理下のメモリ空間を論理的に共有一体化させたGPGPUプラットフォームとしてHSA（Heterogeneous System Architecture）を発表。CPUとGPUの両製品を持つAMDらしいGPGPU戦略を推進しつつある。

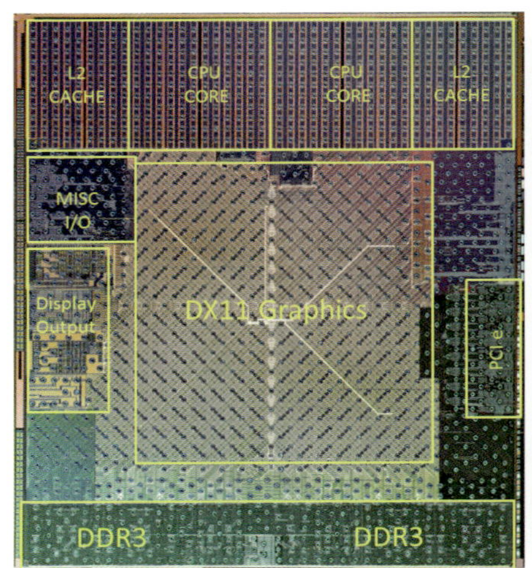

図1.49　AMDが2011年に発売した最初のAPU、Cシリーズ/Eシリーズ

図1.50　NVIDIAのGPGPU向け専用ボードはTeslaシリーズとしてリリースされている。グラフィックスボードではないので映像出力端子の類はない

一方、GPU専業メーカーのNVIDIAは、この高度化したGPUを、GPUの姿のまま、それまでCPUに独占されていたHPC（High Performance Computing）分野への応用を目指し始める。

HPC分野では新参者だったNVIDIAは、2008年、GeForce 8シリーズのリリースとほぼ同時に、HPCでの応用までを視野に入れた独自のGPGPUソフトウェアプラットフォーム「CUDA」を立ち上げ、GPGPUの売り込みをHPC業界に仕掛けていく。

NVIDIAは、CUDA発表以降の新GPUを、Teslaコア、Fermiコア、Keplerコアと、3世代にわたってGPGPU性能を重視した設計としてリリース（**図1.50**）。これがHPC業界にも高く評価されることになり、近年ではスーパーコンピュータのメインプロセッサに採用が進んでいる。

独自のCPUコア技術を持たないNVIDIAは、ARM社の組み込み向けCPUコアを統合して、この弱点を補完する「Project Denver」を推進しており、組み込み機器向けのTEGRA系プラットフォームにおいて実際の製品化に漕ぎ着け、一定の成功を収めている。

最大手CPUメーカーのIntelは、AMD、NVIDIAとはまた別の視点の「CPUとGPUの融合」した姿を思い描く。Intelは、このアイディアをCPU&GPUの融合型プロセッサ「Larrabee」(開発コードネーム)として開発を進め、2008年にはそのアーキテクチャの詳細を公開、2009年3月には命令仕様までを発表した。

Larrabeeとは、一言で言うならば「GPUの中のシェーダユニットが全てPentium-CPUになってしまったもの」と表現するのが分かりやすい。つまり、CPU向けの高度なプログラムを超並列で動かせるということであり、3Dグラフィックスをレンダリングさせたい場合には必然的にグラフィックスパイプラインそのものをソフトウェアで構築して動かすことになる。つまり、IntelはLarrabeeのような超並列型ベクトル汎用プロセッサを用いることで、3Dグラフィックスのレンダリングをソフトウェアに回帰させる未来を夢見たのだった。

しかし、2009年末、IntelはLarrabeeプロジェクトの一時中断を発表。その後、HPC向けのプロジェクトとして仕切り直しが行われ、現在は、Larrabeeプロジェクトは「Xeon Phi」シリーズとして製品化されている(**図1.51**)。

図1.51　Intelの「Xeon Phi 5110P」

未来の3Dグラフィックスの進化の方向性は？

前述したようにGPUメーカー側は、CPUとGPUの融合や、GPGPUへの注力を強化しており、新たなシェーダステージの増設について議論される機会は減っている。

しかし、エンジニア達の新たな3Dグラフィックス技術への取り組みは衰えておらず、これまでとは一風異なった新たな動きが見られるようになっている。

1つ、大きなムーブメントとなっているのが、GPGPUをグラフィックスレンダリングに応用するアイディアだ。「GPUをグラフィックス用途ではなく汎用目的に応用する概念」こそがGPGPUなのに、これをグラフィックス用途に利用するというのはなんとも本末転倒な感じだが、要は、「従来のレンダリングパイプラインに囚われないレンダリングメソッドをGPGPUで実現する」という目的であえてGPGPUを用いるのだ。

新世代ゲームエンジンとしてEPIC GAMESが発表した「Unreal Engine 4」では、OIT（Order Independent Transparency）処理や、パーティクルシステムをGPGPUベースで実装しており、同じくスクウェア・エニックスの新世代ゲームエンジン「Luminous Studio」でも、パーティクルシステム、ポストエフェクト処理などをGPGPUで実装している。

レンダリングパイプラインの、より深層部にGPGPUを組み込んだ事例も出てきており、Electronic Arts傘下のDICEスタジオが開発した「BATTLEFIELD 3」（2011年）のWindows版は、そのDeferred Renderingに用いる光源のカリング（そのシーンに影響しないと判断される光源の破棄）処理をGPGPUに委ねている。

2012年にAMDがRADEON HD 7000シリーズリリース時に発表した、動的光源数無制限の新レンダリングメソッド「Forward+」法もGPGPUが効果的に応用されている。Forward+では、シーン内に散在する無数の有効光源のうち、どれが実際のライティングに関与するのかの可否判定と有効光源リストの作成をGPGPUにて実践しているのだ（**図1.52**）。

図1.52　AMD RADEON HD 7000シリーズ用デモとして公開された「LEO in Sneeze The Day」。Forward+法の実践的な実装例として注目を集めた

既存の3Dグラフィックスレンダリングパイプラインから与えられたシェーダステージを活用するだけでなく、このようにGPGPUを用いて3Dグラフィックスレンダリングのパイプラインそのものを再構築するような手法が今後どんどん出てくるかもしれない。

DirectXにレイトレーシングが統合される

新しい「流れ」として、GPUにレイトレーシングのポテンシャルを持たせようとする動きも出てきている。2018年3月、マイクロソフトがDirectXにレイトレーシングパイプラインを統合することを発表したのだ。その名もずばり「DirectX Raytracing」(略称はDXR)となっている。

「DirectXにレイトレーシングパイプラインが統合される」ということは、将来のゲームグラフィックスにレイトレーシング技術が利用されるようになる…という方針が打ち立てられたことにも相当する。

さて、そもそもレイトレーシングとはどういった技術なのか。これを簡単に解説しておくことにしたい(**図1.53**)。

現在のPC、携帯電話、ゲーム機などに搭載されている全てのGPUは「ラスタライズ法」という手法で3Dグラフィックスを描画している。

「ラスタライズ」というキーワード自体の解説はChapter 2に詳しいのでそちらを参照してほしいが、これはポリゴン(三角形)で構築された3Dシーンを、ポリゴン単位に描画していくプロセスにおいて、ポリゴンを画面上のピクセルに分解(ラスタライズ)する工程に相当する。分解されたピクセルはライティング演算やシェーディング処理をピクセルシェーダで行うことで色が決定されて、画面へと出力される。

図1.53 想定される3Dシーン事例

この際、画面の外にある3Dオブジェクト達は処理対象外なので存在しないものとして扱われている。そして、例えば画面内に正面を向いている戦士がいた場合、その戦士の正面は存在していて描画されるのだが、その背中は描画対象外なのでないものとして処理されている。もっと言えば、この戦士の背後に重なっている魔道師の身体の一部もないものとして処理されているのだ（**図1.54**）。

また、ラスタライズ法では、直接光からのライティングしか行えず（間接光の概念がない）、その直接光の当たり加減としての「陰影」は自動で出るのだが、第三者に遮蔽されてできる「影」を出すことができない。基本的に「第三者からの関与」を処理する仕組みが存在しないので、戦士の鎧に直接光としての照り返しのハイライトは表現できても、鎧に木々が映り込んでいるような「鏡像」表現も行えないのだ。

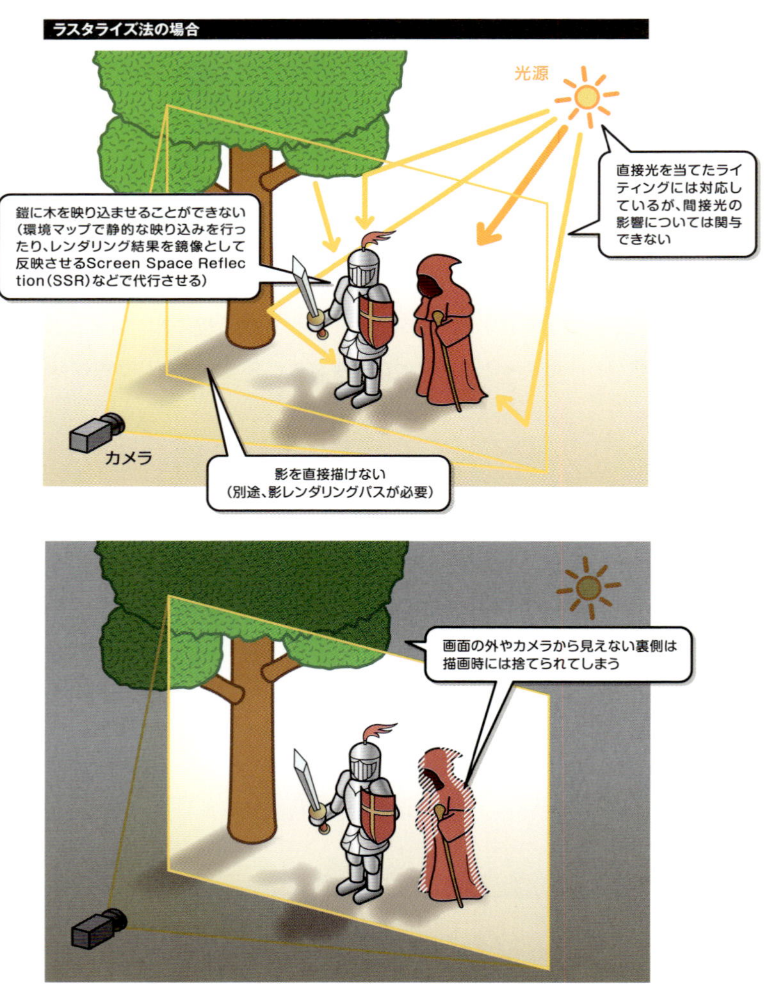

図1.54　ラスタライズ法の概念図

しかし、最近のゲームグラフィックスは「影」も「間接光」も「鏡像」も出ているではないか。実は、現在のゲームグラフィックスで見る「影」「間接光」「鏡像」は、それらを生成するためにその都度、GPUを別途駆動して描画しているのだ。

このようなラスタライズ法に対して、レイトレーシング法では画面上のピクセルからレイを放ち（キャストする、と言う）、このレイが3Dシーン内を突き進み、必要な情報を回収してくる、という仕組みを採用している。

3Dシーン内を突き進んで、第三者の3Dオブジェクトに衝突したとしたら、そこは第三者に遮蔽されていると判断できる。その遮蔽の度合いを判断すれば「影」を生成することができる（図1.55）。

また、その今回着目しているピクセルがツルツルとした材質だったとしたら、このピクセルにはこの第三者3Dオブジェクトが映り込むはずだ。だとしたら、今衝突した第三者の3Dオブジェクトの色を取ってきてここに適用すれば「鏡像」が表現できる。

この第三者3Dオブジェクトが既に光に照らされているのだとすれば、その影響を回収して今着目しているピクセルに反映することで「間接光」の影響を反映できる。

つまり、ラスタライズ法で自動では得られない「影」「鏡像」「間接光」の処理をレイトレーシング法では一度の描画パスで容易に得ることができるのだ。

また、ラスタライズ法では捨ててしまっている、画面外の3Dオブジェクト、目に見えていない3Dオブジェクトの背面側の情報をも、レイトレーシング法では正確に処理する。そのため、画面外の3Dオブジェクトが映り込む鏡像も表現できるし、その影を画面内に投写することもできる。また、3Dオブジェクトの背面からの間接光の影響も描画に反映できる。

かなりすごそうな手法だが、上記概説をさらっと読んだだけでもその演算量がラスタライズ法に比べて大きいことが想像できるだろう。

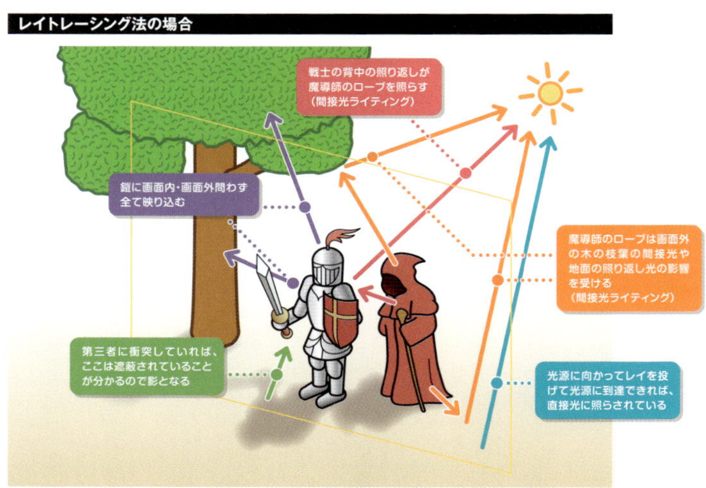

図1.55　レイトレーシング法の概念図

では、DirectXにレイトレーシングパイプラインが統合されたということで、ゲームグラフィックスが一気にレイトレーシングベースになっていくのだろうか。

これに対して、業界関係者の多くは「NO」と明言している。それは、やはりレイトレーシングは処理として、現在のGPUをもってしてもまだまだ処理負荷が高いからだ。

前述したようにレイトレーシングでは、描画対象となるピクセルからレイをキャスト(投げる)するが、例えば鏡面反射表現をレイトレーシングで実践する際、レイは視線ベクトルの反射方向に投げるだけである程度の品質の鏡像を得ることができるだろう。しかし、拡散反射に関しては、なにしろ「拡散」なので、広範囲にレイをキャストして、このピクセルにやってくる光の情報を回収してこなくてはならなくなる。つまり、たくさんのレイをキャストする必要があるのだ。表現する材質の反射特性や求めるグラフィックスの品質にも依存するが、映画用の非リアルタイムCGでは数十本から数百本のレイを投げてレンダリングすることが多い。

投げたレイは3Dシーンの中を進んでいき、何かに衝突すればその対象物の材質パラメータの色を回収する。もし、その衝突先の対象物の色が分かっていない場合は、そこから再帰的にさらにレイを投げる必要も出てくる。

現行3Dゲームグラフィックスで主流のラスタライズ法では、画面の描画に関わらないポリゴン(≒3Dモデル)は、存在しないものとしてそのタイミングでの描画では破棄されてしまうが、レイトレーシングの場合はそうはいかない。キャストしたレイは画面外にも飛んでいくので、言わば画面外の3Dモデルなどにもレイの探査が及ぶように3Dシーンをメモリ上に管理しておく必要がある。

フルHDのフレームを得るためには、毎フレーム207万画素分、このレイをキャストして3Dシーン内の光の情報を取ってくる必要があるため、その処理の複雑さというか重さは相当なものになる。

なお、DXRで提供されるレイトレーシングを、GPUでどう処理するかはGPUメーカーに委ねられており、一部のGPUではGPGPU機能(GPUで汎用の並列計算を行う仕組み)を活用して実践する実装になっている場合もあるが、基本的には、GPU側に内蔵されることとなるレイトレーシングアクセラレーション機能(Chapter 2で解説)を活用して実践する方針が主流となる。

言うまでもないだろうが、DXRによるレイトレーシングにおいても、陰影計算やテクスチャの適用などの処理系については、ラスタライズ法と同様に従来のプログラマブルシェーダによって行われる。

したがって、2020年代は「DXRによるレイトレーシング処理系をどう効率よく実行していくか」というテーマの技術開発競争がGPUメーカー間で激化していくに違いない。

▶ Column

リアルタイムレイトレーシング導入後もラスタライズ法は継続利用されていく

ハイブリッドレンダリング法が台頭する可能性

2018年3月、マイクロソフトによるDXRの発表とほぼ同時に、ゲームエンジンのUnreal Engineで有名なEPIC GAMES、エレクトロニックアーツ(EA)の先行技術開発チームSEED、マイクロソフトのファーストパーティRemedy Entertainment、3Dベンチマーク開発で著名なUL(旧Futuremark)が、このDXRのβ版を活用して、最高性能のGPUを搭載したWindows PC上で動作するリアルタイムデモを発表している(**図1.C**～**図1.F**)。

言わばこの4社が示したのは、DXRリリース後のPCゲームや次世代ゲーム機のゲームグラフィックスの未来予想図に相当するものであり、非常に興味深い。

図1.C 「Reflections Real-Time Ray Tracing Demo」(EPIC GAMES,開発協力NVIDIA)。「影」「鏡像」「環境光遮蔽」「間接光」をレイトレーシング法で実装。ただし「間接光」については、最終的な公開版ではパフォーマンスに配慮して外したとしている
https://youtu.be/J3ue35ago3Y

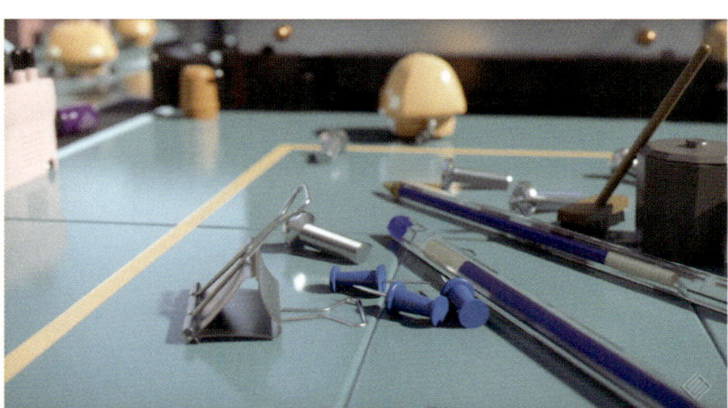

図1.D 「Project PICA PICA - Real-time Raytracing Experiment using DXR」(EA/SEED)。「影」「鏡像」「環境光遮蔽」「間接光」をレイトレーシング法で実装。このほか、透明材質への透過表現(≒屈折表現)もレイトレーシング法で実装しているが、メインの映像には登場していない
https://youtu.be/LXo0WdlELJk

図1.E 「Experiments with DirectX Raytracing in Northlight」（Remedy Entertainment）。「影」「鏡像」「環境光遮蔽」をレイトレーシングで実装。「環境光遮蔽」の実践に際しては、事前計算の間接光情報と組み合わせて計算することで局所的な間接光表現をも実現させている
https://youtu.be/70W2aFr5-Xk

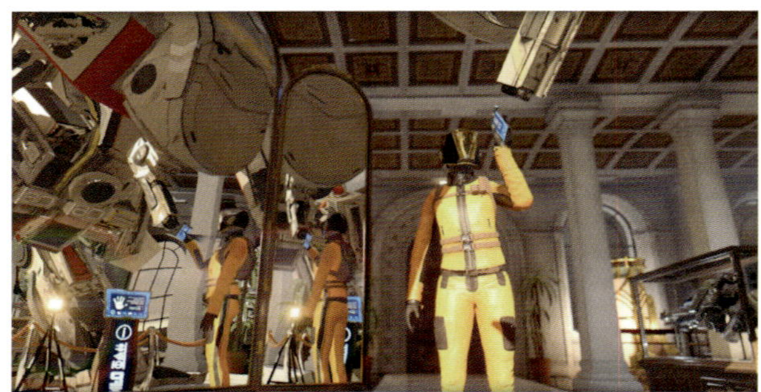

図1.F 「DirectX Raytracing tech demo」（UL/旧Futuremark）。「鏡像」のみをレイトレーシングで実装。１枚のGeForce GTX 1080でリアルタイム動作できていることがアピールされた
https://youtu.be/81E9yVU-KB8

そして、その４つのデモは、レイトレーシング法の活用においてそれぞれで共通するところと違うところがある。

共通するのは「全てのレンダリングをレイトレーシングに置き換えるつもりはなく、従来のラスタライズ法と新しいレイトレーシング法を適材適所で組み合わせていく」という方針だ。つまり、現在のゲームグラフィックスで採用されているラスタライズ法に主だったレンダリングを任せ、ラスタライズ法では困難なレンダリングをレイトレーシング法で実践するのだ。言うなれば「ハイブリッド的なレンダリング手法」である。

このハイブリッドレンダリング法とも言うべき手法は、スケーラブルなゲームグラフィックスを設計する上でもメリットが大きい。例えば、GPU性能の低いマシン上では従来通りのラスタライズ法だけの描画にとどめ、GPUが高性能なマシンではレイトレーシング法を組み合わせるといったことができるからだ。

４つのデモにおける相違点は「どういった

表現をレイトレーシングに任せるか」という部分に現れている。ただ、4つのデモが選択した「レイトレーシング法に任せた表現」の項目を挙げていくと、だいたい「影」「鏡像」「環境光遮蔽」（Ambient Occlusion）「間接光」（*1）の4つになり、結局、相違点とは、それぞれのデモでどれとどれを採用したかの「組み合わせの違い」だけなのであった。裏を返せば、この4つの表現項目こそが当面のハイブリッドレンダリング法において、レイトレーシング法でまかなうべき項目となり得るということである。

（*1）「影」は第三者に遮蔽されてできる影。レイトレーシング法では、光源に大きさのある面光源に対しての影も正確に表現できる。「鏡像」は映り込み表現のこと。現在は環境マップやレンダリング結果を鏡像として転用する疑似手法（SSR: Screen Space Reflections）が主流。環境光遮蔽はAmbient Occlusionと記載されるもので、全方位からの間接光が作り出す淡い影のこと。「間接光」は、直接光で照らされたオブジェクトの反射光／拡散光が第三者を照らす表現のこと。

最も「全部入り」に挑戦したのはEPIC GAMESとEA/SEEDのデモだ。

続いて「影」「鏡像」「環境光遮蔽」の3要素を実装していたのはRemedyのデモだった。

最もレイトレーシング法で実装した要素が少なかったのはULのデモだ。このデモでは「鏡像」のみをレイトレーシング法で実装し、それ以外の要素は全てラスタライズ法でレンダリングさせている。ハイブリッドレンダリング法というよりも、レイトレーシング法をワンポイントリリーフ的に活用した事例という感じだ。ただし、こちらのデモは1枚のGeForce GTX 1080でリアルタイム動作することがアピールされており、言うなれば「非DXR対応GPUで実践できるハイブリッドレンダリングの現実的な形態」と見なすことができる。

当面はワンポイントリリーフ法か ハイブリッドレンダリング法に？

ハイブリッドレンダリング法では、ラスタライズしてピクセル化した画面上の各ピクセル（に対応する3D座標）からレイを投げて3Dシーン内の情報を回収することになる。現在主流のフルHD解像度だと、総ピクセル数は約207万個。1ピクセルあたり1レイを投げるだけでも、207万本のレイを投げて3Dシーンの情報回収をさせることになる（*2）。当然「1ピクセルあたりに投げられるレイの数」が多すぎれば、処理は重くなりすぎてリアルタイム動作に支障が出てきてしまう。

（*2）最も重いEPIC GAMESのデモでは、フルHD解像度で1ピクセルあたりに、影生成で1本、鏡像生成で2本、環境光遮蔽で2本のレイを投げる実装となっていた。つまりトータルで、207万ピクセル×5本で約1,000万本＋αといった概算になる。
また、EPIC GAMESの技術デモの鏡像生成では1ピクセルあたり2本のレイを投げるが、そのレイが第三者3Dオブジェクトに衝突するとそこから再びレイを投げる2バウンス処理に対応させているため、場合によっては1ピクセルあたりのレイ数が鏡像生成だけで4本になるケースもあるということだ。
また、環境光遮蔽では2本のレイを投げるが、投げる方角を毎フレーム微妙に変えて8フレーム後に16本のレイ分の情報を集約して処理している。

2018年夏にNVIDIAがリリースした、DXR/リアルタイムレイトレーシング対応GPU、GeForce RTXシリーズ/Quadro RTXシリーズにおける1秒間あたりに放てるレイ数は以下のように発表されている。

Quadro RTX 8000/6000：100億
GeForce RTX 2080 Ti：100億
GeForce RTX 2080：80億
Quadro RTX 5000：60億
GeForce RTX 2070：60億

これをフルHD解像度の総ピクセル数207万×毎秒60フレームで割ると、フルHDグラフィックスの1ピクセルあたりに放てるおおよそのレイ数が求められる。

Quadro RTX 8000/6000：80
GeForce RTX 2080 Ti：80
GeForce RTX 2080：64
Quadro RTX 5000：48
GeForce RTX 2070：48

実際には、投げたレイが多くなればなるほど、回収してきた情報をもとにライティングやシェーディングを行う負荷も高くなるため、実際に投げられるレイの数はこの理論値よりはだいぶ少なくなるとされる。それでも、フルHD時、各ピクセルから複数レイは投げられるため、「影」「鏡像」「環境光遮蔽」「間接光」といった、ラスタライズ法では高品位な描画が難しいグラフィックス要素を同時に複数実践することはできることだろう。

実際、2019年8月には「影」「鏡像」「間接光」「環境光遮蔽」（間接光に統合する形で実装）の4要素全てをレイトレーシングで実装した「CONTROL」という作品がRemedy Entertainmentからリリースされた（**図1.G**）。

当面のレイトレーシング対応ゲームグラフィックスでは、この4要素の全て、ないしはいくつかを取捨選択して実装するスタイルがハイブリッドレンダリングの主流になっていくと思われる。

リアルタイムレイトレーシング（DXR）オフ

リアルタイムレイトレーシング（DXR）オン

図1.G　「影」「鏡像」「間接光」「環境光遮蔽」（間接光に統合する形で実装）の4要素全てをレイトレーシングで実装した「CONTROL」。この画面では、ガラスに映った鏡像でレイトレーシングオフ／オンの違いが分かりやすい。オンでは、ガラスに主人公の正面の姿と主人公の背後に設置されているオレンジ色のボイラーの鏡像が見えるようになっている。画面左の床のドアの影についても、オフではシャドウマップ解像度不足等の原因で、ドアと床の境界に不当な明るい領域が出てしまっているが、オンではきちんと床に接地感のある影が描けている

Chapter 2

3Dグラフィックスの概念とレンダリングパイプライン

ここ最近までの3Dグラフィックスの歴史を大ざっぱに理解したところで、今度は3Dグラフィックスの処理の流れを見ていくことにしよう。

3Dグラフィックスのパイプラインの模式図

3Dグラフィックスの流れを模式化したのが図2.1～図2.3だ。一部の流れの順番はGPUによって異なる場合がある。また、細かい処理フェーズは一部簡略化している。この点はご了承頂きたい。

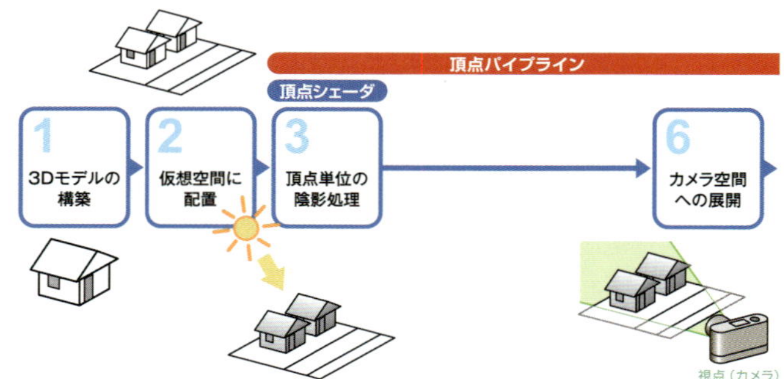

図2.1　DirectX 9/SM 3世代のグラフィックスレンダリングパイプライン。PS3やXbox 360はこの世代

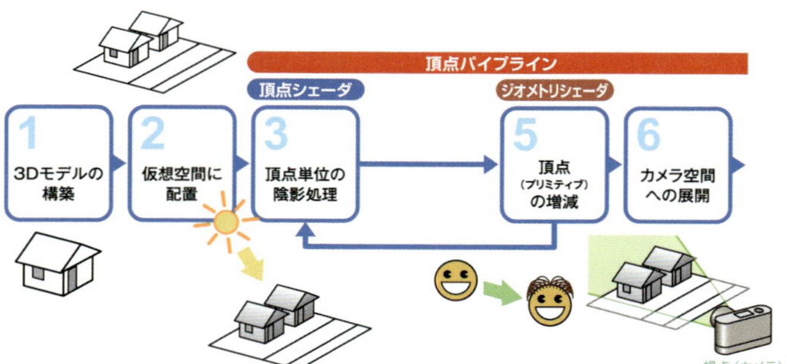

図2.2　DirectX 10.x/SM 4.x世代のグラフィックスレンダリングパイプライン。Windows Vista世代のGPUはこれが主流であった。Wii Uはこの世代

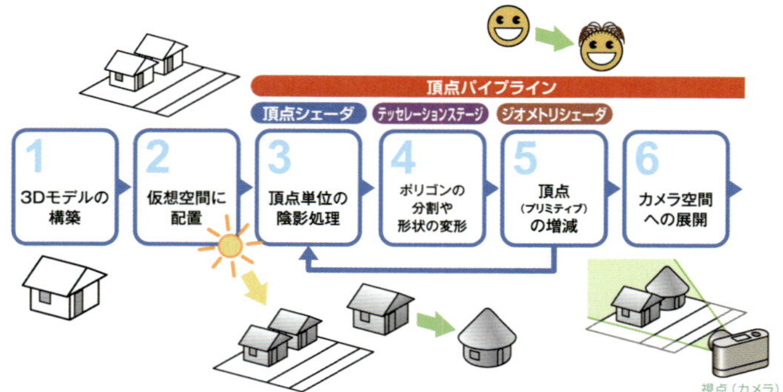

図2.3　DirectX 11/SM 5世代のグラフィックスレンダリングパイプライン（*1）。Windows 7以降のGPUはこれが主流となっている。PS4,Xbox One,Switchはこの世代

3Dグラフィックス処理が下図のような構成になっているのは、1990年代から登場し始めた様々なGPUの描画パイプラインが概ねこのような流れになっていたからだ。この構成はDirect3D（DirectX）でも、OpenGLでも大きな違いはない。

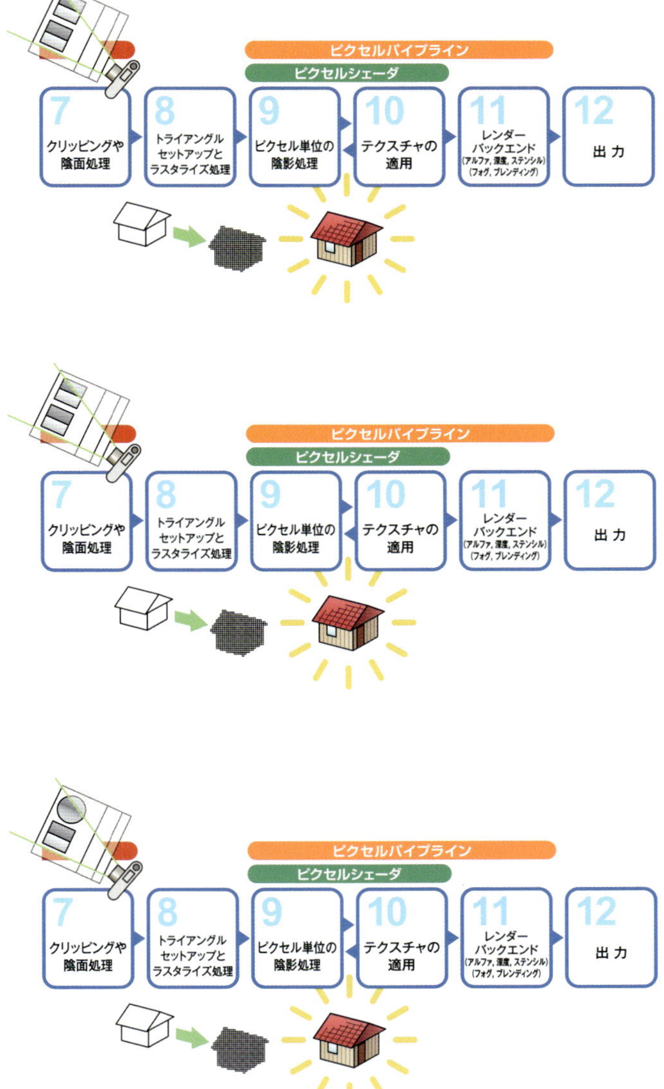

（*1）DirectX 12は、基本的にはDirectX 11の低オーバーヘッド版であるため「DirectX 12のパイプライン構成はDirectX 11と共通」という認識でよい。

CPUが担当する3Dグラフィックス処理部分 =ゲームエンジン!?

①と②は主にCPUによって行われる処理系だ(図2.4)。

3Dオブジェクトを配置したり、移動して再配置したり…といった部分に相当するところで、これをシステマティックに処理するのがいわゆる「ゲームエンジン」と呼ばれる部分である。

ゲームエンジンでは、キー入力、マウス入力、ゲームコントローラ入力に従って3Dキャラクタを移動させたり、銃撃が敵に命中したかどうかの衝突判定を行ったり、衝突の結果、3Dキャラクタ同士を吹っ飛ばすための物理シミュレーションを行うが、そうしたゲームロジックの部分は、ある意味、①②に相当する部分だ。

なお、①②はDirectX 10/SM 4.0以降のGPUの場合、ジオメトリシェーダを活用すれば、GPUで行うこともできるようになっている。例えばパーティクルやビルボードのようなポイントスプライトについては生成や消滅をジオメトリシェーダで司らせ、CPUを介在させないで処理することができる。とはいえ一般的な3Dゲーム処理などでは、まだまだこの部分はCPUが担当する部分だと言える。

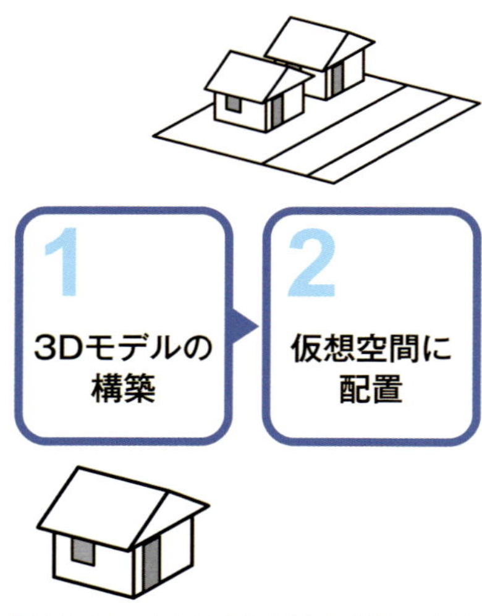

図2.4 DirectX 11/SM 5世代のグラフィックスレンダリングパイプライン(抜粋)

頂点パイプラインと頂点シェーダ～座標系ってなに？

グラフィックスレンダリングパイプラインの図の赤ライン部分（③④⑤⑥⑦の部分）が、頂点次元の処理を行う頂点パイプラインだ（**図2.5**）。

通常はここからがGPU内部で処理が行われる部分になる。ただし、内部ロジックを簡略化して低コストでグラフィックス機能を統合させた、いわゆる「統合チップセット」などでは、この頂点パイプラインをCPUで肩代わりする（エミュレーションする）システムも存在する。

さて、この頂点パイプラインのことを「ジオメトリ処理」などと呼ぶこともある。ジオメトリ（Geometry）とは「幾何学」のことで、高校生以上ならば数学の「代数・幾何」などの授業で「ベクトルの演算」や「写像や一次変換」などを習ったことがあるかもしれないが、あの世界のことだ。余談だが、NVIDIAのGPU、GeForceシリーズの名前の由来は「Geometric Force（幾何学的な力）」を縮めた造語で、「G-Force（重力）」に引っかけたダジャレになっている。

話を戻すと、3Dグラフィックスを語る上で必ず登場する「三次元ベクトル」という概念は、簡単に言えば「三次元空間上の"向き"」だと思えばよい。そうした"向き"はx,y,zの３軸の３つの座標値に表され、その"向き"の基準を「座標系」と言う。

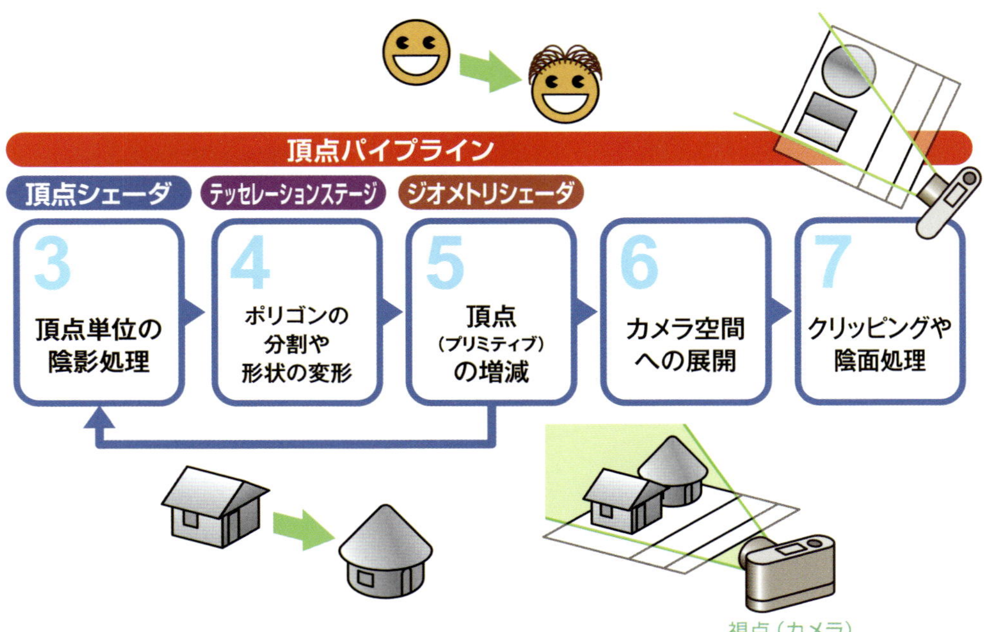

図2.5　DirectX 11/SM 5世代のグラフィックスレンダリングパイプライン（抜粋）

この座標系にはローカル座標系とワールド座標系（グローバル座標系）というものがある（図2.6）。

「ローカル座標系」は、具体的に言えばある3Dキャラクタにとって適当に決めた基準となる座標系のこと。3Dキャラクタの向きは、その3Dキャラクタ基準の座標系で「どっちに向いている」と管理して制御したほうが楽だ。だからローカル座標系という概念を利用するのだ。

ところで、一般的な3Dキャラクタには腕や足が付いていることが多いが、これをその関節から曲げたりすることを考えた場合は、関節を基準としたローカル座標系で制御したほうが分かりやすい。しかし、こうして考えていくと、ローカル座標系は階層構造になってしまっていて、最終的に処理を取りまとめる際に訳が分からなくなる。

そこで、その3D空間全体を支配する座標系が必要になる。それが「ワールド座標系」だ。3Dグラフィックスの頂点パイプラインおける頂点単位の処理では、このローカル座標系からワールド座標系への変換が頻発する。

こうした頂点単位の座標系変換処理を、シェーダプログラムに従って行うのが③の「頂点シェーダ」（Vertex Shader）なのだ。シェーダプログラムを組み替えれば、ユニークかつ特殊な座標変換が行えるというわけだ。

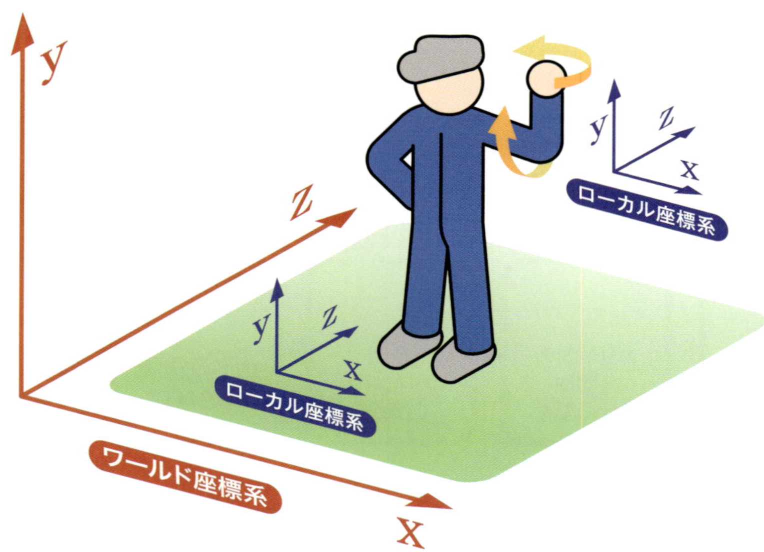

図2.6　座標系の概念図

頂点シェーダのもう１つの仕事～頂点単位の陰影処理

③の頂点シェーダの仕事は座標変換だけではない。頂点単位の陰影処理/光源処理（ライティング）も頂点シェーダの重要な仕事となっている。

「座標変換」は「数学的」な感じだし、計算する…というイメージが湧いて分かりやすい。しかし、コンピュータの中でライティングする…すなわち光を当てる…というイメージは湧きにくいかもしれない。もちろんGPUはカメラではなく計算機なので、実際に光を当てて写真を撮るわけにもいかない。計算をしてこれを求めることになる。

光がモノに当たると、光はそこで反射/拡散したり吸収されたりする。そのモノに色や模様が付いていればその色が見えるかもしれないし、照らした光に色が付いていれば、そのモノの色や模様と合成された色が見えることだろう。こうした処理を計算して求めるのがコンピュータグラフィックスの基本的な考え方だ。

この処理をどのようにして計算が得意な計算機に落とし込むか。これも実はベクトル演算を利用する。

光の方向を表す「光源ベクトル」と視線の方向を表す「視線ベクトル」、そして光が当たるポリゴンを構成する頂点の向きを表す「法線ベクトル」という３つのベクトルを用い、それぞれのベクトルの相対関係からどのくらい光が視線方向に反射するかを表す反射方程式を用いて計算してやるのだ（次ページ 図2.7、図2.8）。

この反射方程式には、表現したい材質に応じて様々な種類があり、この反射方程式をプログラムとして表現したものが頂点シェーダプログラムである。そして、この頂点単位の反射方程式プログラムを実行するのも、やはり頂点シェーダなのだ。

頂点シェーダでは、頂点単位の陰影処理に加え、ポリゴンに貼り付けるテクスチャ座標の計算も行う。テクスチャ座標の計算とは、どのポリゴンにどのテクスチャをどう貼り付けていくか、という対応を計算するもの。なお、実際にテクスチャマッピングするのは⑨⑩のピクセルシェーダの時点で、ここではテクスチャマッピングを行う際の準備をする、というイメージだ。

プログラマブル頂点シェーダの光源処理

図 2.7　頂点シェーダのお仕事の例: 頂点シェーダを活用した屈折の表現

図 2.8　頂点シェーダを活用した屈折表現の例

テッセレーション～ポリゴンの分割とモデル形状の変形

DirectX 11/SM 5.0世代になって、新たにテッセレーションのシェーダステージが追加された（図2.9）。

なぜ、このようなステージが新設されたのか。

現在のリアルタイム3Dグラフィックスは高解像度での表示が当たり前となり、これに伴って多ポリゴンでオブジェクトが表現されることがもはや要求仕様となってきている。

DirectX 10世代以前は、アーティストが3Dモデルをデザインするときは多ポリゴンで構築し、これをゲームエンジン（ランタイム）で利用するために、いくつかのレベルでポリゴン量を削減させた低ポリゴンモデルも同時に用意する。視点から近い大写しとなる状況用には多ポリゴンモデルを利用し、視点から遠くなるにつれて少ないポリゴン数の低ポリゴンモデルに順次切り換えていくのが、近代ゲームエンジンの典型であり、この仕組みを特にLOD（Level of Detail）システムと呼ぶ。

あえて言いきってしまうと、DirectX 11のテッセレーションステージは、これまでゲームエンジン側でソフトウェア的に自前で実装していたそうしたLODシステムをDirectX 11の標準レンダリングパイプラインで面倒を見ていこうというものだと言える。

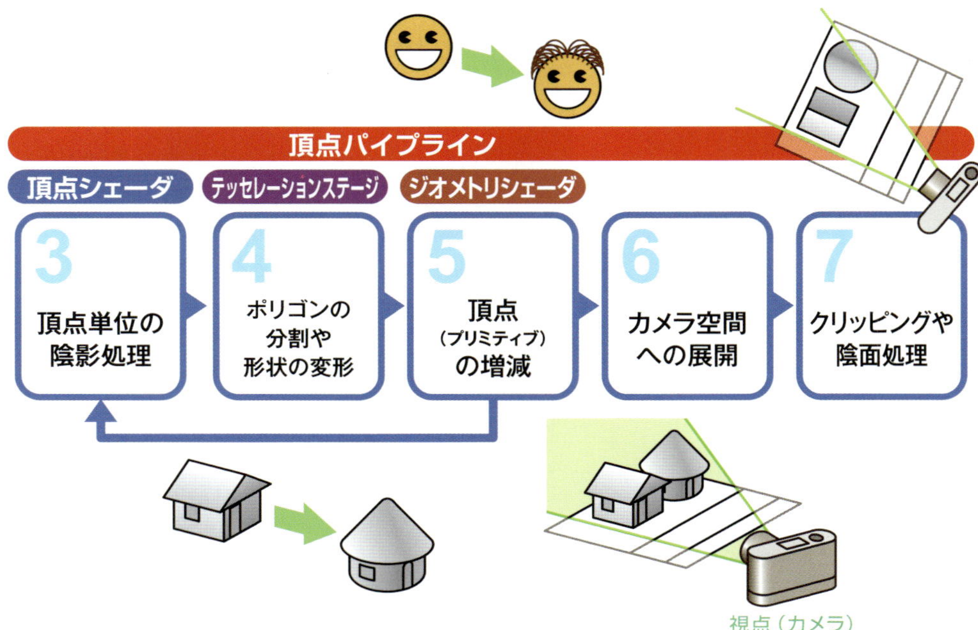

図2.9　DirectX 11/SM 5世代のグラフィックスレンダリングパイプライン（抜粋）

DirectX 11世代ではゲームエンジン側は一貫して低ポリゴンな基本形状モデルでアニメーション制御を行えばよく、これまでのように、視点からの距離によってLODレベルごとの3Dモデルを切り換えてからアニメーションを適用しなくてよくなるのだ。

そしてその3Dモデルに適用する微細な凹凸表現やディテール形状は、あらかじめ用意しておいた凹凸量を数値化したテクスチャ（ディスプレースメントマップ、あるいは変位マップと呼ばれる）を元にして、低ポリゴンの基本形状モデルに対して凹凸を適用する（≒変形させる）流れになる。このような、3Dモデルを凹凸の変位量（Displacement: ディスプレースメント）で変形させる処理系を「ディスプレースメントマッピング」（Displacement Mapping: 変位マッピング）と言う。

DirectX 11では、このLODやディスプレースメントマッピングを実現するために「テッセレーションステージ」が新設されることとなったのだ。

このテッセレーションステージの実行部隊として、DirectX 11のレンダリングパイプラインには3つのシェーダステージが新設される。

このChapterの図ではなるべくシンプルに見せたいがために、ひとくくりに「テッセレーションステージ」としているが、このテッセレーションステージは実は「ハルシェーダ」（Hull Shader）、「テッセレータ」（Tessellator）、「ドメインシェーダ」（Domain Shader）の3つのシェーダステージから成り立っている（図2.10）。

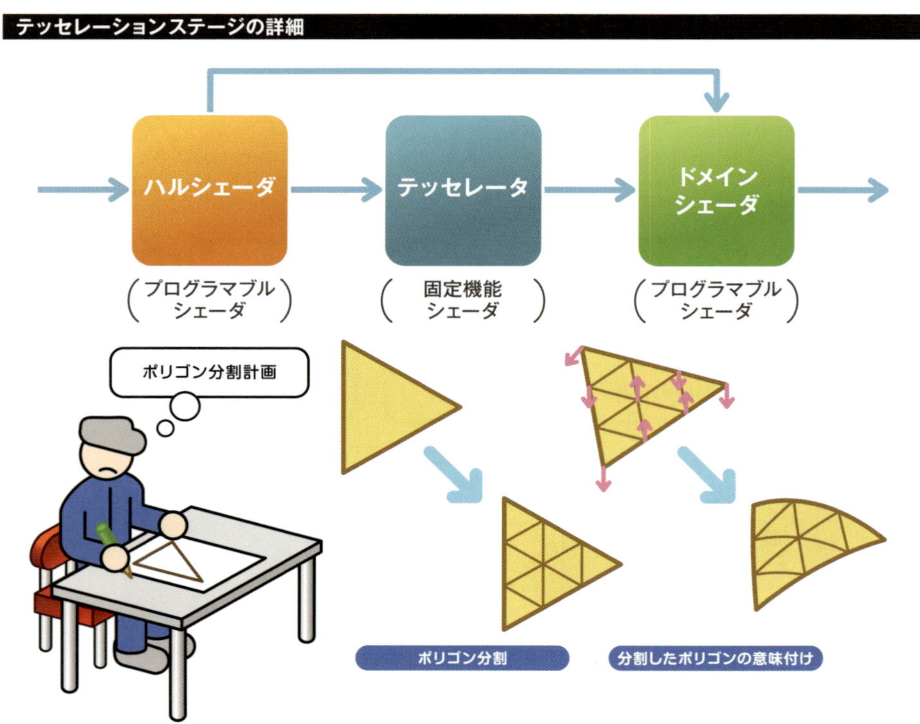

図2.10　テッセレーションステージの詳細。テッセレーションステージは「ハルシェーダ」（Hull Shader）、「テッセレータ」（Tessellator）、「ドメインシェーダ」（Domain Shader）の3つのシェーダステージからなる

なお、この３つの新たなシェーダステージのうち、ハルシェーダとドメインシェーダの２つがプログラマブルシェーダであり、テッセレータが固定機能ユニット(固定機能シェーダ) となる。

これら３つのシェーダステージについての詳解はChapter ６にて行うので、ここでは簡単な機能的役割の解説と流れの説明だけにとどめておく。

ハルシェーダの"HULL"とは「外殻」のこと。つまり、3Dモデルの表皮をどういう形状にするかを決定するプログラマブルシェーダということだ。

ハルシェーダの役割は、基本形状モデルのポリゴンを「どう分割していくか」の計画をプログラマブルに決定することである。なお、計画を立てるだけでここでは実際の分割は行わない。

ハルシェーダの役割で最も基本となるのは「ポリゴンをどのくらい分割するか」の分割レベルの決定、分割手法の選定だ。

分割して表現したいポリゴン面がベジェ曲面のような高次曲面の場合はその制御点の算出生成もここ、ハルシェーダで行う。

ハルシェーダはプログラマブルなので、ここに異方性/適応型の処理を埋め込むことも可能だ。例えばそのキャラクタを特徴付ける部位に限っては、やや多ポリゴンに分割する…といった処理などだ。言わば適応型LODのロジックを、ハルシェーダで実行されるシェーダプログラムとして実装できることになる。

なお、ハルシェーダに入力されるのは、「パッチ (PATCH)」と呼ばれる最大32頂点からなるDirectX 11で新設された新しいプリミティブタイプである。例えばあるポリゴンを分割しようとしたときに、ハルシェーダとして各種計算を行うのに、分割対象ポリゴンの周辺のポリゴンの形状や頂点座標までが必要になる場合があるので、それに対応させるための拡張概念である。

そしてテッセレータは、前述したようにプログラマブルシェーダではなく固定機能シェーダである。

このテッセレータは、ハルシェーダから受け渡された「ポリゴン分割計画」に従ってその仕様通りのポリゴン分割を行う。とは言っても、この時点まででテッセレータが行ったのはポリゴンの実体的な分割というよりは、「パッチデータの拡張成形」という感じで、実体的な分割を完了するにはもう一段階の処理フェーズが必要となる。

それを受け持つのがドメインシェーダだ。

具体的には、テッセレータが出力した仮想的に分割されたポリゴンの各頂点に対して、きちんと意味を持たせる工程を担当する。

ハルシェーダで算出した高次曲面用の制御点などはドメインシェーダに受け渡されるので、これを元にドメインシェーダは、テッセレータで分割されたポリゴンをベジェ曲面となるように成形したりできる。あるいはディテールを記載したテクスチャ（ディスプレースメントマップ）を読み込んで分割されたポリゴンを凹ませたり突き出したり…といったディスプレースメントマッピングの処理もここで行う。

DirectX 11で重要なのは、これまで亜流や独自実装ばかりだった「サブディビジョン・サーフェース」「テッセレーション」の仕組みを、マイクロソフトがイニシアチブを取ってその実現パイプラインの標準化を行ったところにある。

筆者の憶測ではあるが、今回のDirectX 11のテッセレーションステージのデザインはXbox 360 GPUのテッセレータ、RADEON HD 2000/3000/4000シリーズのテッセレータの仕組みをベースにして標準化されたと思われる。

Xbox 360 GPUのテッセレータ、RADEON HD 2000/3000/4000シリーズのテッセレータは、両GPUが共にATI（AMD）製であったこともあってほぼ同一仕様の固定機能ロジックであった。DirectX 9パイプラインとの互換性を保ちつつテッセレータを実装しなければならなかったために、DirectX 9パイプラインの前段での実装となっていたのが特徴的だった。このため、分割したポリゴンをきちんとした意味を成すものに成形するのにEvaluation Shaderと呼ばれるロジック（DirectX 11で言うところのドメインシェーダに相当）を頂点シェーダ側でソフトウェア実装する必要があった。

DirectX 11パイプラインでは、このATIテッセレータ相当の仕組みを頂点シェーダの後段に"頂点パイプラインの一環として"組み入れた格好となっている。ATIテッセレータでは頂点シェーダにてソフトウェア実装させていたEvaluation Shaderロジックをドメインシェーダとして新プログラマブルシェーダ化（独立ブロック化）し、さらにプログラマブルなテッセレーションを実現するために固定機能シェーダであるテッセレータの前段にハルシェーダを据えた。おそらくこんな流れで設計されたのではないかと推察される。

ジオメトリシェーダ〜頂点の増減ができるすごい機能

DirectX 9/SM 3.0世代以前の、ジオメトリシェーダがない世代のGPUでは、3Dモデルの頂点情報というものはCPU側のソフトウェアであらかじめ準備しておくものであり、ひとたびGPUに入力したら、これをGPU側で勝手に増減することはできなかった。

それまでの"大原則の枠"を打ち砕き、頂点を自在に増減できる働きを持つシェーダが⑤の「ジオメトリシェーダ」である。

どのように増減するかは、ジオメトリシェーダに実行させるシェーダプログラムで指定することになる。また、実際に増減できるのは複数の頂点になるので、実質的には線分、ポリゴン、パーティクルといった各種プリミティブの増減が可能となっている。

ジオメトリシェーダの活用手法はいろいろ考え出されているが、ポリゴンを自在に生成できるので、地面に草となるポリゴンを生やせたり、あるいは3Dキャラクタに毛を生やせるといったことが最も基本的な活用方針になる（図2.11）。ゲームなどでは、ゲームロジックとのインタラクティブ処理があまり必要でない、火花などのエフェクト表現を、ジオメトリシェーダで生成したパーティクルで表現する…といったこともできるだろう。

ジオメトリシェーダで生成した頂点は、再び頂点シェーダに戻すこともできるので、再帰的な頂点処理が行えることになる。例えば(実装は一筋縄では行かないが)、低ポリゴンでできたカクカクした3Dモデルから、ジオメトリシェーダでポリゴンを補間して丸みを伴った多ポリゴンモデルを生成する…といったことも理論上は可能だ(**図2.12**)。

図2.11　ジオメトリシェーダのお仕事の例：ジオメトリシェーダで毛を生やす

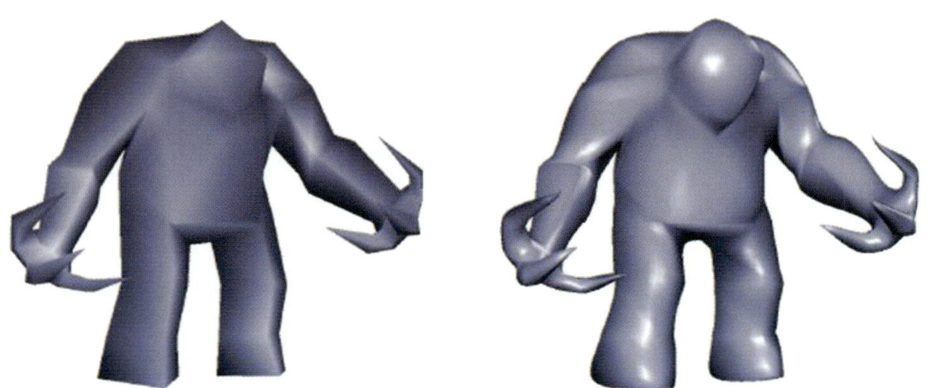

図2.12　少ポリゴンモデル（左）から、算術的にポリゴンを補って多ポリゴンモデル（右）に変形するような活用も考えられる

頂点パイプラインの最終処理

⑥⑦はいよいよ実際の描画に向けての最終準備段階的な処理に相当する(図2.13)。

ワールド座標系に整理された座標系をさらに、⑥でカメラ(視点)から捉えた座標系に変換する処理を行う。そして画面に表示する際にどう見えるか…具体的にはどういう視界にするかといった変換も行う。これは写真撮影におけるカメラのフレーミングやレンズの選択に相当する部分だと言える。こうした一連の処理をひっくるめて「透視変換処理」と言ったりする。

さて、3Dグラフィックスは視界で捉えた映像を描画すればいいので、⑥の処理が終わると、視界主体の考え方に移行してくる。

⑦は描画しなくてもよいと判断されるポリゴンを、実際の描画処理を行うピクセルパイプラインに突入する前段階で破棄していくプロセスだ(カリング処理と言ったりもする)。

「クリッピング処理」は、視界から完全に外にいる3Dモデルのポリゴンを破棄し、3Dモデルのポリゴンのうち視界からかすめ取られるようなポリゴンについては、視界の範囲内のポリゴンに切り取る処理も行う。

「陰面処理」は視点方向に向いていない、理論上は、視点からは見えていないはずのポリゴンを破棄する処理のこと。透明オブジェクトが絡んできた場合には、この処理を行うと不具合が出てくる場合もある。

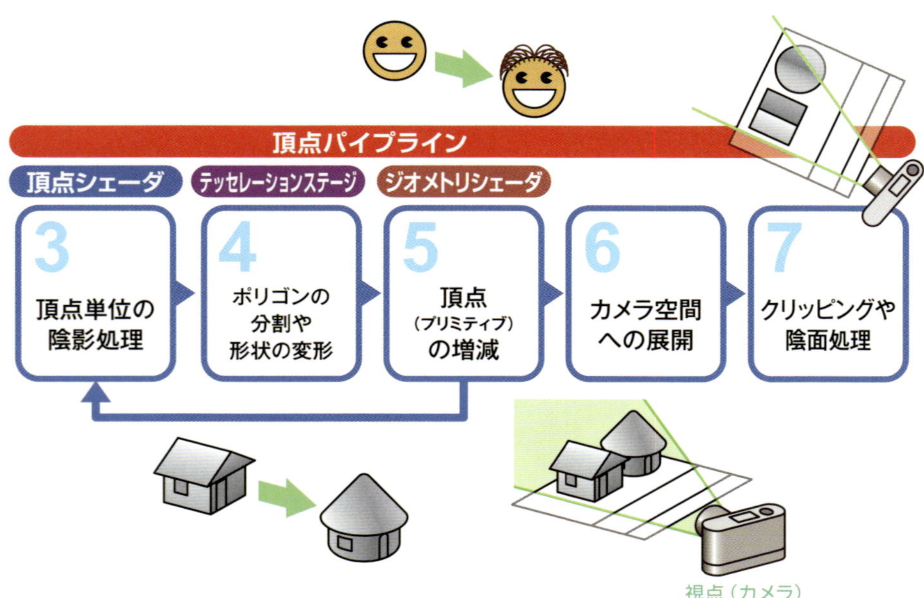

図2.13 DirectX 11/SM 5世代のグラフィックスレンダリングパイプライン(抜粋)

ピクセル単位の仕事へ分解発注するラスタライザ

視界本位に変換も終え、不要なポリゴンも破棄した後、⑧で行うのは、ここまで実態のなかったポリゴンを、これから描画する画面上の画素（ピクセル）へ対応付ける処理だ（図2.14）。なお、最新の3Dグラフィックスでは表示フレームの描画でだけでなく、シーンをテクスチャへレンダリングする場合もあり、その際には⑧ではポリゴンとテクスチャ画素（テクセル）への対応付けを行うことになる。

この⑧での処理は、実質的には、頂点パイプラインにて頂点単位（ポリゴン単位）の出力となっている計算結果を、ピクセル単位の仕事に分解して、続くピクセルパイプラインに向けて発注する、言わば仲介業的な役割になっている（次ページ 図2.15）。

この⑧の処理は「トライアングルセットアップ」、または「ラスタライズ処理」と呼ばれ、決まりきった処理系であることから、1990年代の初期のGPUからずっと固定機能としてGPUに実装されていて、今でも大きな進化はない。

通常、1つのポリゴンは複数のピクセルで描かれるので、ポリゴンはラスタライザによって大量のピクセルタスクに分解される。GPUにおいてピクセルシェーダの個数が圧倒的に多いのは、どうしてもピクセルシェーダの仕事のほうが増えてしまうからなのだ。

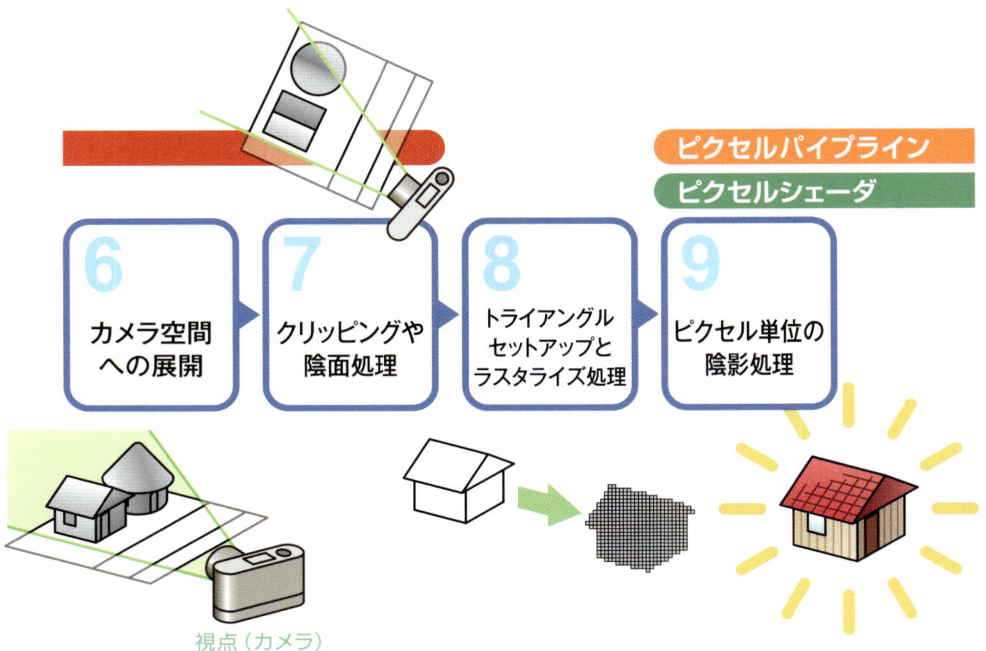

図2.14　DirectX 11/SM 5世代のグラフィックスレンダリングパイプライン（抜粋）

図2.15　ラスタライザはピクセルシェーダへの発注書を作成するところ…とも言える。なお、1つのポリゴンから複数のピクセルタスクが生まれる

ピクセル単位の陰影処理を行うピクセルシェーダ ～テクスチャは画像テクスチャだけではない

⑧の「ラスタライズ処理」によって生成されたピクセル単位の陰影処理の仕事をこなすのが、⑨⑩で表されるピクセルシェーダ（Pixel Shader）だ（**図2.16**）。また、レンダーバックエンドまでを含んだ部分（⑨～⑪）を「ピクセルパイプライン」と呼ぶことがある。

GPUによってその実装形態は様々で、⑨のピクセル単位の様々な陰影処理を行う機能ブロックのほうだけをあえて「ピクセルシェーダ」と呼ぶ場合もあるし、後述する「テクスチャユニット」の⑩をひっくるめてピクセルシェーダと呼んだりもする。

さて、その⑨のピクセルシェーダで行う計算だが、実は単位がピクセルになっただけで、行う処理内容そのものは頂点シェーダと似通った部分が多い。

ピクセル単位においても、光源ベクトル、視線ベクトル、そのピクセルにおける法線ベクトルを用いて反射方程式を解き、そのピクセルが何色になるかを求める「ピクセル単位のライティング」を計算することになる。

その場合、頂点単位のライティング結果をただ補間してそのピクセル色とする簡易的なライティングよりもなだらかな陰影や美しいハイライトが出せるようになる。これを特に「パー・ピクセル・ライティング」(Per Pixel Lighting) と呼んだりすることがある。

頂点シェーダで求められたテクスチャ座標を元にテクスチャからテクセルを読み出すのが、⑩のテクスチャユニットだ。

このテクスチャユニットから取り出したテクセル色と、先ほど求めたピクセル単位の陰影処理結果から求めたピクセル色の両方を配慮して最終的なピクセル色とする。

このピクセルシェーダで実行させるシェーダプログラムがピクセルシェーダプログラムで、その工夫次第でそのピクセル単位のライティングを特殊なものにすることができる。

通常「テクスチャ」と言うと、ポリゴンに貼り付ける画像を連想するが、現在のプログラマブルシェーダ時代では、その応用のされ方が拡張されてきており、なんとテクスチャに、画像ではない数学的な(あるいは物理的な) 意味を持つ様々な数値データを入れておく活用が台頭してきたのだ。ピクセルシェーダでピクセル単位に陰影処理を行う際には、その数値テクスチャから数値データを逐次取り出して計算に利用することになる。

テクスチャも、PC画面の画素 (ピクセル) がαRGB各8ビットで成り立っているのと全く同じ理屈でαRGBの4つの色要素から成り立っている。例えば32ビットカラーのテクスチャならばα (透明度) 8ビット、R (赤) 8ビット、G (緑) 8ビット、B (青) 8ビットという配分になっている。数値データをテクスチャに入れ込む場合、αRGBの4要素に入れ込むことを考えれば最大4要素のベクトルや行列を格納することができる。例えば三次元ベクトルならば、そのX,Y,Zの3要素の数値をαRGBのRGBに入れて格納しておくことができるわけだ。

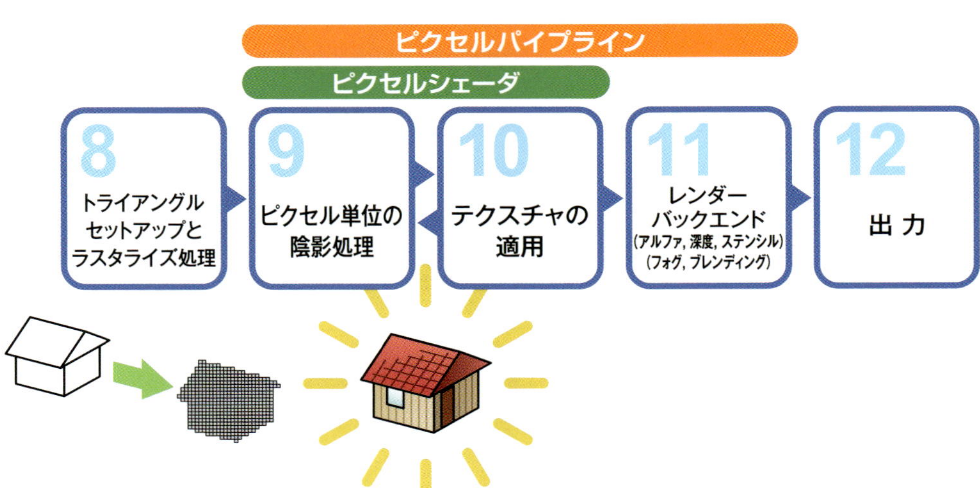

図2.16 DirectX 11/SM 5世代のグラフィックスレンダリングパイプライン (抜粋)

実際のピクセルシェーダの処理では、このベクトルテクスチャから適当なテクセルを取り出してこれをベクトルデータとし、視線ベクトル、光源ベクトル、法線ベクトルなどと組み合わせて特殊な反射方程式を解くことで、独特な材質表現を実現する。

図2.17では、法線ベクトルをテクスチャに入れ込んだ「法線マップ」を用いたバンプマッピングの例を示しておく。これは本書後半でもう一度解説するので、ここでは「ピクセルシェーダの仕事はこんな感じなんだ」ということが分かればいいだろう。

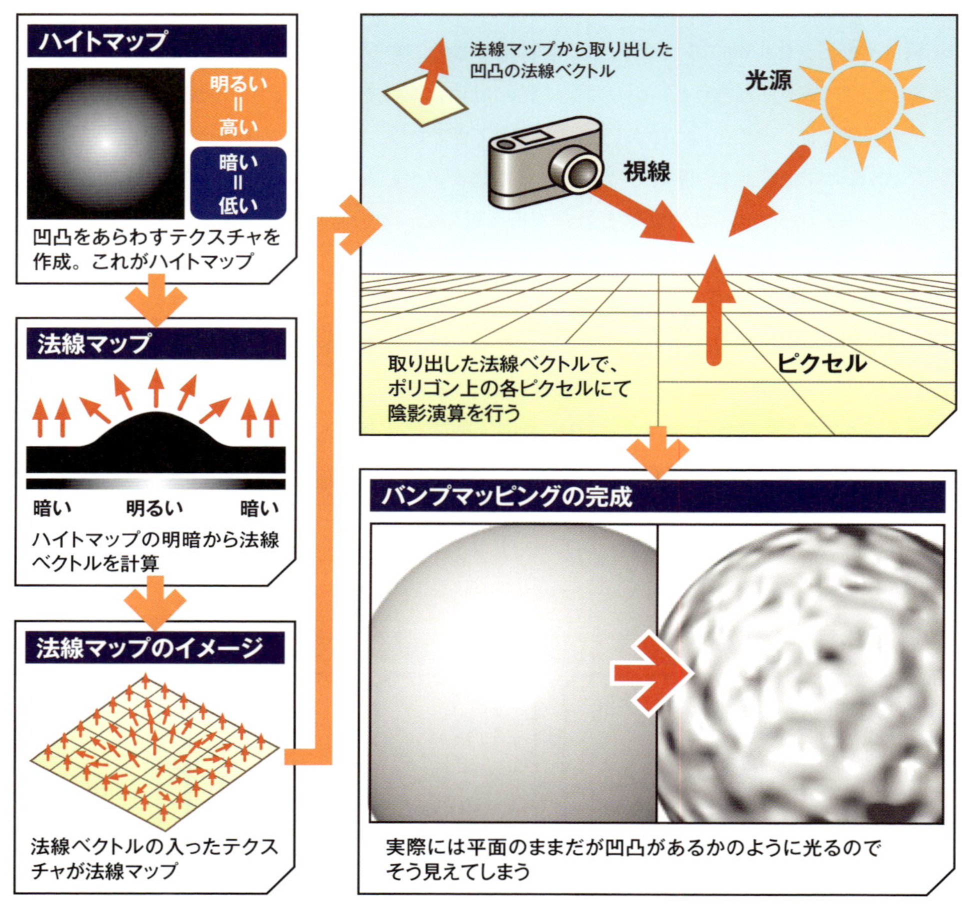

図2.17　ピクセルシェーダのお仕事の例：法線マップを用いたバンプマッピング

レンダリング最終工程〜レンダーバックエンド

ピクセルシェーダの出力は、ずばり言えば「ポリゴンを構成するその画素が、そのシーンではその色に決定されました」ということであり、そのままビデオメモリに書き込んで「1ピクセルの描画処理完了」としたいところなのだが、まだやることがある。

それが⑪のレンダーバックエンド(Render Backend)だ(図2.18)。NVIDIAではこの部分をROPユニットと呼んでいる。ROPユニットはRendering Output Pipeline、あるいはRaster OPerationの略という説があるが、定かではない。なお、本書では前者を正解と解釈しておく。

いずれにせよ、ここはピクセルシェーダからの出力を「書き込んでよいものかの検証」、書き込む際には「どう書き込むかの決定」などの、ビデオメモリへの書き込み制御部分になる。ピクセルシェーダ自身はテクスチャを読み出せても、ビデオメモリに書き出せないので(DirectX 11ではこの制限が撤廃されるが)、この処理はきわめて重要な部分になる。

ところで、DirectX 9/SM 2.0世代以前のGPUではピクセルシェーダの個数とROPユニットの個数が常に一致していたので、ピクセルシェーダとROPユニットは"対"のような関係をイメージできていた。しかし、DirectX 9/SM 3.0世代以降のGPUでは、ピクセルシェーダプログラムの高度化に伴い、ピクセルシェーダの個数の増強が重点的に行われ、結果、ROPユニットの個数はピクセルシェーダの個数よりも少ないことが一般的となった(次ページ 図2.19)。

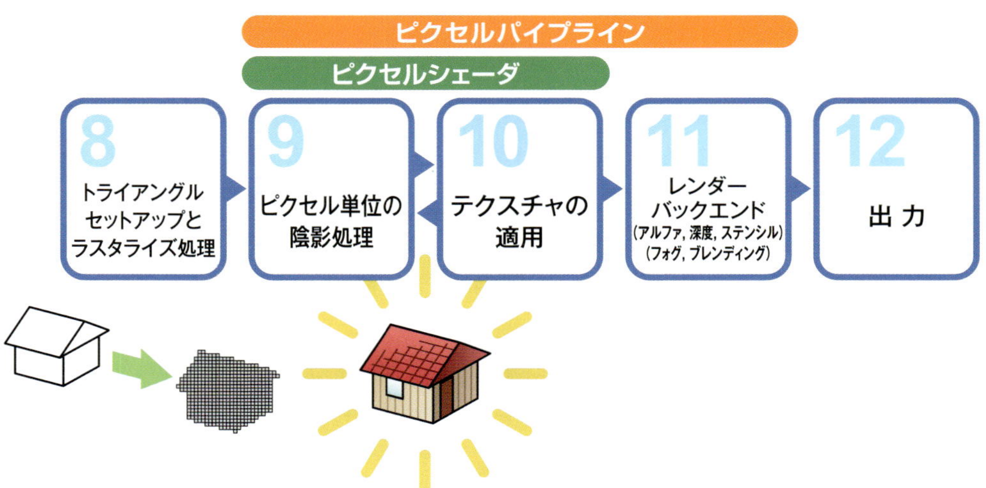

図2.18 DirectX 11/SM 5世代のグラフィックスレンダリングパイプライン(抜粋)

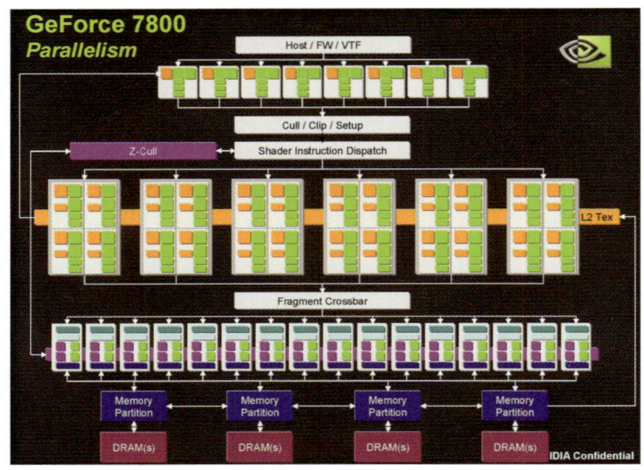

図2.19　DirectX 9/SM 3.0世代のGPUではピクセルシェーダ> ROPユニットの構成が一般的となった。図はGeForce 7800 GTXのブロックダイアグラム。中段の4×6＝24基がピクセルシェーダ。最下段の16基がROPユニット

「書き込んでよいものかの検証」としては「アルファテスト」「ステンシルテスト」「深度テスト」といったものがある。

アルファテストは、出力するピクセル色が完全に透明かどうかのテスト。α要素が0で透明であれば書き込む必要がないので、そのピクセル描画は破棄される（**図2.20**）。

ステンシルテストは、多目的な演算フレームバッファとして利用されるステンシルバッファの内容に従って、アプリケーションが設定した条件にパスできないとそのピクセル描画は破棄される（**図2.21**）。画面の一部をくりぬいたり、ステンシルシャドウボリューム技法による影生成の影型抜き処理などの際に応用される。

深度テストは、これから描画するピクセルが、視点から見て一番手前になってきちんと見えるピクセルとなるかどうかを検査するもの。描画するピクセルと1対1に対応するZバッファと呼ばれる奥行き値（Z値、深度値）を格納したバッファをあらかじめ用意しておき、ここから読み出した奥行き値と、これから描画しようとしているピクセルの奥行き値とを比較するのが「深度テストの実態」だ（**図2.22**、**図2.23**）。奥行き値はピクセルシェーダによって算出する。

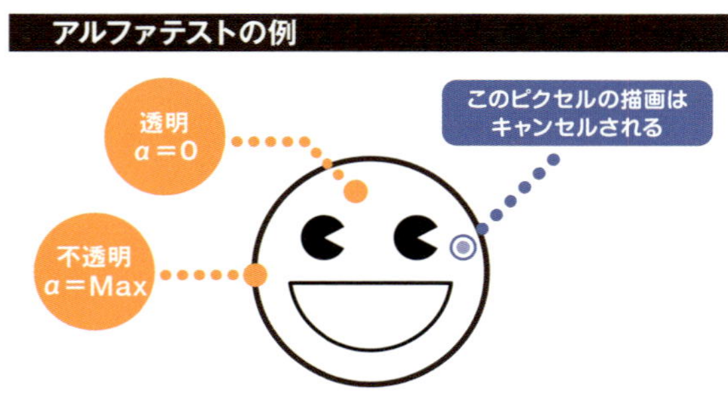

図2.20　アルファテスト：不透明の部分のピクセルのみが描かれる

ステンシルテストの例

図2.21　ステンシルテスト：ステンシルバッファの内容を参照して、あらかじめ設定したテスト条件を満たしていれば描画。この図は「ステンシルバッファの内容がAの部分のみにシーンを描く」という例

深度テストが必要なわけ

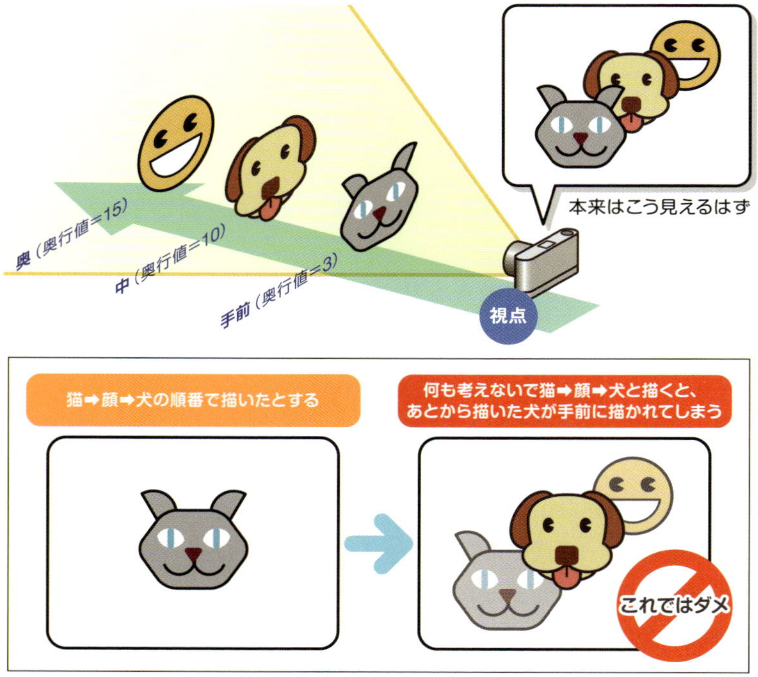

図2.22　深度テスト：順不同で描画する際、深度テストが重要になってくる

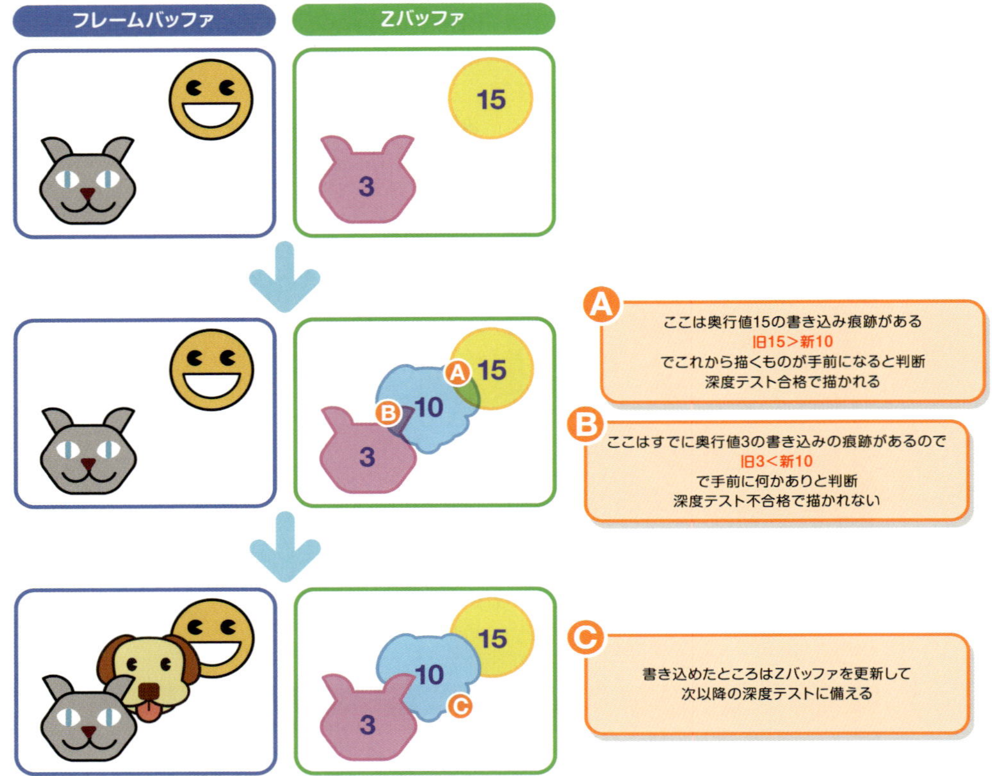

図2.23　Zバッファに深度値の書き込み痕跡がないところは無条件に書き込み（実際には初期化プロセスで初期値が書き込まれている）。書き込み痕跡があるところでは深度テストを行ってこれから描き出そうとしているピクセルが手前であると判断できる場合のみ描き出す

なお、半透明の3Dオブジェクトを構成する半透明ピクセルの描画の場合などはこの深度テスト自体を行わない場合もある。

「どう書き込むかの決定」のバリエーションとしては「α合成（αブレンディング）」、「フォグ（霧）」などがある。

α合成は、ただピクセルを上書きで書き込むのではなく、既に書き込まれているピクセル色と半透明合成の計算をして書き戻す…という処理を行うもの（図2.24）。レンダリング対象のフレームバッファからピクセル色を読み出す…すなわちビデオメモリの読み出し処理が介在し、さらにα合成計算までも行う必要があるので意外に負荷の高い処理となる。余談だが、3Dベンチマークソフトなどで、半透明ポリゴンの重ね描きを連続的に行ったりするのは、この性能を評価する狙いがあるためだ。

フォグは、これから描画するピクセルの奥行き値に従って、あらかじめ設定しておいたフォグカラーの混ぜ具合を調整する処理を行うもの（図2.25）。奥に行けば行くほどそのピクセル色を白に近づけるような設定にすれば、奥のほうが霞んで見える空気遠近の表現が行える。

図2.24　α合成：α合成では既にレンダリングしてある結果を読み出し、さらに合成計算を行って描き出すことになるので負荷が高い

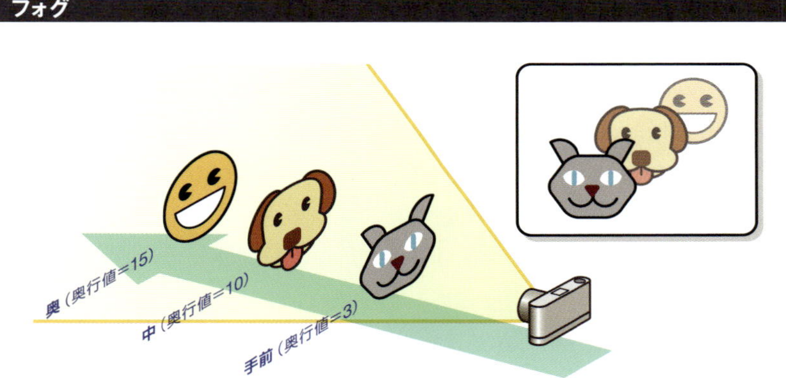

図2.25　フォグ：奥に行けば奥に行くほど霞むようなピクセル値にすることで空気遠近の表現ができる

もちろん、α合成もフォグ処理も行わない場合は、そのピクセル色をそのままビデオメモリへ書き出す処理を行う。そして書き出す際には、次回以降の別ピクセルの深度テストに備えて、奥行き値も更新しておく。

なお、格子型画素配列の画面描画におけるピクセルのカクカクした感じ（ジャギー）を低減させる、アンチエイリアス処理も、このレンダーバックエンドの部分で行われている。

DirectCompute ～待望のWindows環境下のGPGPUプラットフォーム

Chapter 1のGPUの進化の歴史を見てきても分かるように、GPUの浮動小数点演算能力は膨大なものになっており、例えば今やAMDやNVIDIAがリリースしている最新GPUは1プロセッサで10TFLOPS（10000GFLOPS）を超えている。そして、今後も、この演算能力は爆発的に上がり続けると予測されている。

プログラマブルシェーダアーキテクチャ採用後のGPUはCPUに迫るプログラマビリティを備えることとなり、次第に「膨大な演算パワーを3Dグラフィックス処理だけに用いているのはもったいない」という考えが生まれ始める。GPUを汎用用途に用いようとするアイディア…これがGPGPU（General Purpose GPU）という概念の発祥だ。

今でこそ、GPGPUの有効性は各方面から認められ、現在はいくつかのGPGPUプラットフォームがメインストリームとして認知されるようになり、実践的な応用も浸透しつつあるが、かつてはBrook、Rapidmind（Sh）、NVIDIA CUDA、Microsoft Accelerator、AMD Close To Metal（CTM）など、各社、各研究機関から様々なGPGPUを実現する仕組みが提唱され、かなり混沌としていた。

Chapter 1でも述べたように、GPGPU浸透のパイオニアとなったのは、NVIDIAがリーダーシップを取って立ち上げた「CUDA」（Compute Unified Device Architecture）で、これが「デスクトップHPC」の分野を開拓して一定の成功を収めることとなる。しかし、CUDAは、NVIDIAのGPU、GeForce（またはTesla）専用のものであり、現存する全てのGPUでサポートされるものではなかった。

しかし、CUDAの成功は、GPGPUの潜在能力の高さを裏付けることに貢献し、なお一層のGPGPU標準化への気運を高めていく（図2.26）。

こうした世相を反映してか、マイクロソフトは、このGPGPUをDirectX 11でサポートすることとなる。これが「DirectCompute」だ。

図2.26 「Bionic Commando」（カプコン）のPC版では、NVIDIAのGPGPU（CUDA）ベースの物理シミュレーションエンジン「PhysX」が採用されている。ゲームにもGPGPUが実践導入される時代が到来しつつある

「DirectCompute」と「ComputeShader」(演算シェーダ)が混用されることが多いが、正確にはDirectComputeはAPI名、ComputeShaderはDirectComputeを利用した際に起用されるGPUコア内のシェーダユニットの役割名である。

DirectComputeはDirectX 11に統合される形での実装となり、DirectX 11で取り扱えるリソース類は全て透過的にComputeShaderでも取り扱えるようになっている。機能的な側面で言うとDirectX 11に、GPGPU関連のAPIが追加されシェーダ言語のHLSLが拡張されたものというイメージになる。

それでは、CPUのように使えてしまうのかというとそういうことではない。DirectComputeの活用は、1つのプログラムで大量のデータを処理するような、SIMDならぬSPMD (Single Program Multiple Data) モデルの処理の実装に向いているとされる。例えば群集シミュレーションのAI (**図2.27**)、物理シミュレーション (**図2.28**)、映像のエンコード処理、3Dグラフィックスのポストエフェクト処理などには向いていると言える。

図2.27 ATI Radeon HD 4000シリーズのテクニカルデモとして公開された「Froblins」。GPGPUによって群集シミュレーションを実装したことがアピールされた

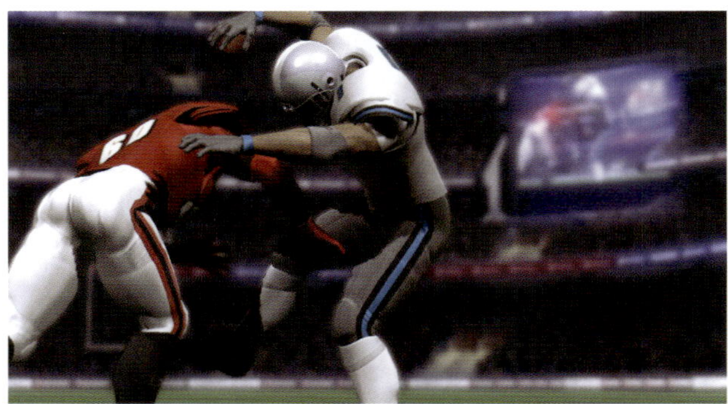

図2.28 NaturalMotionが開発した、人間のアクションを算術合成するミドルウェア (≒アニメーション合成エンジン)、「euphoria」。この画面は、それを応用したタイトル「Backbreaker」のもので、人間のアクションをGPGPUで自動生成するという発想に基づいている

使い方としては、処理プログラムと処理させるデータ群を用意して、DirectComputeを用いて「このデータをこのプログラムで処理してね」とGPUに受け渡し、実行させてその結果を得るという感じになる。そのため、少量のデータ処理は受け渡しのオーバーヘッドが大きく、向いていない。

DirectComputeにおいて、最も重要なポイントはAMD（旧ATI）、NVIDIA、Intelなどのメーカーの区別なくGPUのGPGPU活用がサポートされるところだ。このDirectComputeの仕組みによって、単一のGPGPUソフトウェアをメーカー不問のGPU環境下で透過的に動作できるようになる。これにより、これまでGPUメーカーごと、またはGPUの種類ごとに個別開発が必要で、何かと敷居の高かったGPGPUソリューションがグッと身近なものとなる。

GPGPUが登場して間もない頃、ペガシスの「TMPGEnc」シリーズをはじめとして様々なビデオエンコーダソフトウェアがNVIDIAのGPGPUプラットフォーム「CUDA」に対応したことがGPGPU関連のニュースとして大きく取り沙汰されて話題となったが、最近ではサイバーリンクのメディア管理ソフト「MediaShow」シリーズなどをはじめとして、いくつかのマルチメディア関連アプリケーションが、DirectCopmuteへの対応を行っている。

DirectComputeはグラフィックスレンダリングのためのDirect3Dのリソースを透過的に取り扱えるという点が、大きなアドバンテージとなる。この特長により、Direct3Dでレンダリングした3Dグラフィックスに対しての後処理や相互連携処理の仕組みとしてDirectComputeを利用できるのだ。

例えば、3Dグラフィックスとしてレンダリングした複数の映像フレームを、DirectComputeを使って適応型の処理を実現して1フレームに合成するといったことが実現できる。かねてから実装が検討されている、半透明オブジェクトの描画の順不同実行を容認する「A-Buffer」の仕組みも、DirectComputeをうまく活用すれば効率よく実現できるかもしれない。

また、3Dグラフィックスパイプラインで用いているアニメーション処理適用済みの基本3Dモデルを、DirectComputeで実装している物理シミュレーションの衝突判定用に流用したりといったことも実現できることだろう。これはGPUリソースの有効利用、余分なデータ転送の削減、パフォーマンスの向上につながるはずだ。

そこで気になるのは、このDirectComputeがGPGPUのメインストリームになり得るのかという部分だ。

まず、これまでの多様なGPGPUソリューションとは異なり、DirectX 11の一部として完全に統合されている点でゲームからの利用は扱いやすく、パフォーマンスの面でも有利だという点が挙げられる。例えばCUDAなどでは同じGPUでGPGPUと3Dグラフィックスを処理するにしても、DirectXとは論理的に別個なものであるため排他的な活用をしなければならず、CUDAで実行したGPGPUの結果をDirectXで利用する場合には、DirectX側へその結果を転送するような工程が必要になる。DirectComputeであればDirectX内でリソースが共有できる仕様であるため、その行為自体が不要だ。

Windows（およびXboxシリーズ）向けのゲーム開発やリアルタイムアプリケーション開発向けのGPGPUソリューションとして、DirectComputeはかなり高い潜在能力があると言えるだろう（図2.29）。

図2.29　EPIC GAMESのゲームエンジン「Unreal Engine 4」では、パーティクルシステムをDirectComputeにより実装している。これにより100万個ものパーティクルの挙動制御と描画を両立することができるようになった

OpenCL～非Windows環境向けのGPGPUプラットフォームの台頭

DirectComputeとは別に、オープン規格のGPGPUソリューションとして「OpenCL」（Open Computing Language）もリリースされ、こちらも近年では勢いを増している。

OpenCLはAppleが提唱し、オープンソースなグラフィックスAPI「OpenGL」の規格策定を行っているKhronosグループが標準化を行ったGPGPUプラットフォームだ。

OpenCLはDirectComputeと位置づけ的には似ており、OpenCLもオープン3DグラフィックスAPIのOpenGLとリソースの一部を共有できる。

OpenCLはApple主導で始まったプロジェクトであるため、Macをはじめとした、非Windows系プラットフォームではスタンダード的な立場を勝ち取っている。特にスマートフォンをはじめとした非Windows系の情報デバイスでは採用例を増やしており、Adobeをはじめとした、Windows環境以外のOSに対して広くアプリケーションを提供しているソフトウェアスタジオは、OpenCLのほうをGPGPUプラットフォームの本命として捉えている節がある。Adobeの「Photoshop」シリーズに搭載されるグラフィックス処理エンジンの「Mercury Graphics Engine」はOpenCLベースとなった(最新版はNVIDIA CUDAにも対応済み)。OpenCLの場合、GPGPUが利用不可の動作環境でも透過的にOpenCLベースのプログラムコードを実行できるという点も利点として捉えられているようだ。

当初、Khronosグループが提供するGPGPUプラットフォームは「OpenCL」だけであったが、3Dグラフィックスレンダリングに密接した形でGPGPU処理を行うにはDirectComputeの発想も有用だとして、2012年に発表されたOpenGL 4.3からは、OpenGLにもComputeShaderが追加されることとなった(図2.30)。

Khronosグループは、OpenGL 4.3にComputeShaderが追加されてからも、一般アプリケーションにおいてはOpenCLの優位性は変わらない、と主張している。

OpenCLは、マルチコアCPUやマルチGPU、あるいはCPU＋GPUに対して透過的にデータ並列コンピューティングのプログラムを走らせることができるのに対し、OpenGL 4.3のComputeShaderはその構造上、単一のGPU内でしか走らせることができない(これはDirectComputeも同じだが)。CPUとGPUが混在した異種混合コンピューティングにおいては、OpenCLのほうが向いているというわけだ。

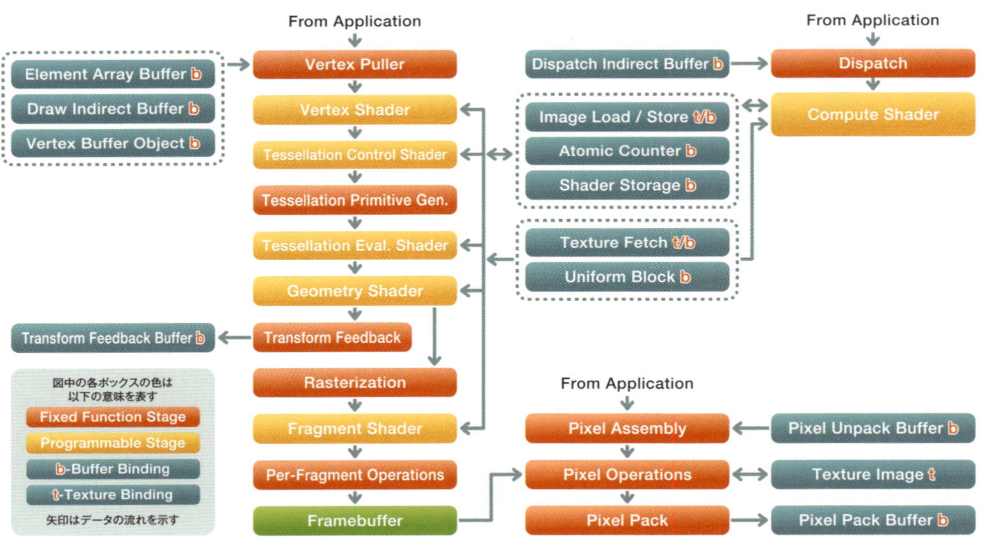

図2.30　ComputeShaderが追加されたOpenGL 4.3のブロックダイアグラム。これでOpenGLもかなりDirectX 11と似た構成となった

DirectX Raytracingのパイプライン

DirectXにレイトレーシングパイプラインを統合させたDirectX Raytracing（DXR）は、Chapter 1でも触れたように、2018年3月に発表され、同年10月より提供が始まった。基本的にDXRはDirectX 12上で動作するような構造になっており、DirectX 11からの利用は考慮されていない。

レイトレーシング法の概念自体はChapter 1で解説しているので、ここでは、DXRがどのようなパイプライン構造になっているのかを見ていくことにしたい。実際に、DXRに対応したGPUでは、どのようにレイトレーシングが実践されるのかから見ていこう。

レイトレーシングは、あるピクセルの色を計算するとき、当該ピクセルが受け取っているはずの光の情報を探るために光線（ray）を射出してたどる（trace）処理のことを指す（**図2.31**）。

光線の射出方向と角度は、回収したい情報の種類によって決まる。例えば、近くの光源に向かって光線を射出して光源に到達できれば、そのピクセルはその光源に照らされていることが分かる（**図2.31**の1-a～1-c）。光源に達する前に他の3Dオブジェクトと衝突すれば、そのピクセルは3Dオブジェクトによって影になっていることが分かる（**図2.31**の2-a～2-c）。さらに、当該ピクセルを見つめるユーザーの視線の反射方向に光線を射出して、他の3Dオブジェクトに衝突したとしたら、そのピクセルには「衝突した3Dオブジェクトが映り込んでいる」と判断できる（**図2.31**の3-a～3-c）。

そんなレイトレーシングにおける光線の生成処理（Generation）と、光線を動かす「トラバース」（Traverse、横断）処理、衝突判定を行う「インターセクション」（Intersection、交差）判定をハードウェアでアクセラレーションする仕組みを搭載しているのが、DXR対応世代のGPUということになる。

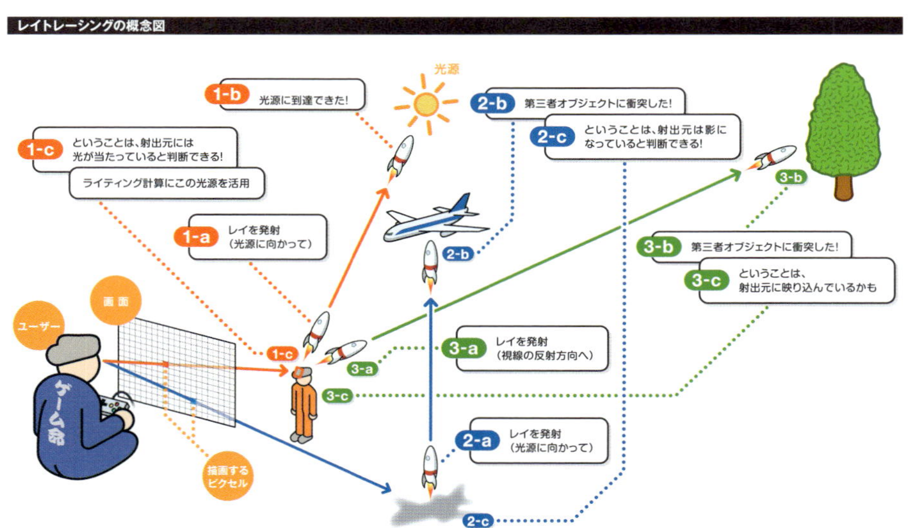

図2.31　レイ（Ray）とは、情報を回収してくるために飛び立つ調査ロケットのようなイメージで考えると分かりやすい

以上のことを踏まえたうえで、パイプラインを見ていくことにする。

Chapter 1でも触れているが、レイトレーシング法では描画起点となるカメラ位置から見えている光景、すなわち画面内情景に描かれる3Dオブジェクト以外についても処理対象となる。ここが従来のラスタライズ法とは大きく異なる部分だが、DXRでは、効率よくレイトレーシング法で処理するために、描画対象となる3Dシーンの表現・管理手法を規定している。

さて、射出されたレイが、3Dシーン内の3Dオブジェクトに衝突しているかどうかの判定を行う際の最もシンプルなアルゴリズムは、レイを一定距離分だけ進めて、その先で何らかの3Dオブジェクトに衝突していないかを判定するという処理系になる。ただ、何も考えずにこの処理系を実装した場合、光線が一定距離進むたびに「その3Dシーンを構成する全てのポリゴン」に対して総当たりで衝突判定を行わなければならなくなる。言うまでもないが、これはとんでもなく重い処理になってしまって現実的ではない。

そこで近代レイトレーシングのアルゴリズムでは、3Dシーンに存在する3Dオブジェクトを囲うようなXYZ各軸に平行な直方体(=箱)の階層構造で表現しておき、ポリゴン単位の衝突を突き止める前段階として直方体との衝突判定を行うような実装になっていることが多い。

DXRでは、この「直方体による階層構造」の管理手法に「Bounding Volume Hierarchy」(バウンディングボリューム階層構造、BVH)を利用する。

その際に「ボトム」(=下位)と「トップ」(=上位)という概念を導入している(図2.32)。

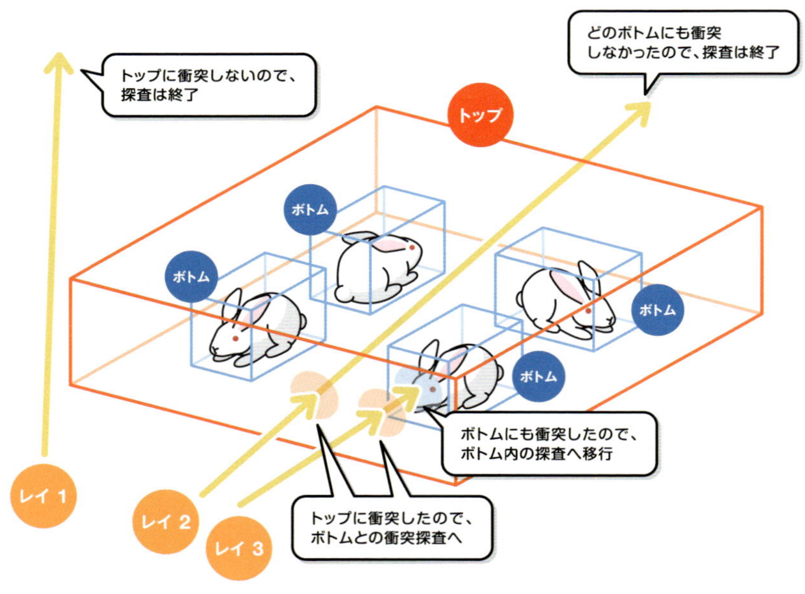

図2.32 トップとボトムの概念

例えば、3Dシーンにおいてウサギがいたとして、このウサギをちょうど取り囲める大きさの箱（直方体）を考える。この箱はボトムと見なす。そしてここにウサギが複数いたとして、そのウサギの全てを取り囲める大きさの箱（直方体）を考える。こちらの箱はトップと見なす。

この概念を導入すると、3Dシーン内にたくさんのウサギがいたとしても、放ったレイは3Dシーン内をチマチマと進むことなく、その射線上に「たくさんのウサギを1グループとして囲ったトップの直方体」があるかないかだけで、レイの初期衝突判定を行うことができる。もし、放ったレイの射線上に「たくさんのウサギを1グループとして囲ったトップの直方体」がなければ、今回放ったレイは、どのウサギにも衝突しないことは明白となる。

一方、放ったレイの射線上に「たくさんのウサギを1グループとして囲ったトップの直方体」があった場合は、レイはトップの直方体に突入して、その射線上に、どのボトムの箱があるかを判定する。その結果、「あるウサギに対応するボトムの箱」に衝突したことが分かったとすると、今度はそのボトムの箱内にあるウサギのどのポリゴンにレイが衝突するのかを突き止める。

ボトムの箱自体も管理上は細かい直方体の階層構造として表せるので、最下層の直方体に到達するまで、この「レイと直方体の衝突判定」を繰り返していく（図2.33）。最下層の直方体に到達したら、その中に含まれるポリゴン達との総当たり衝突判定をすることになる。

衝突判定の計算はどれほど複雑なのかという話だが、直方体との衝突判定は難しくない。直方体は8つの頂点を持っているので、レイの通過する座標が8頂点の内部に入り込んでいるか否かを計算するだけでいい。高級言語で言うところの「IF A < B」の組み合わせだけで判定できてしまう。

以上がDXRにおけるレイトレーシングの基本的な実行メカニズムだが、実際のDXRパイプラインは次ページ 図2.34のようになっている。図中の緑色のマスとして描かれているのが、DXRにおけるレイトレーシングを実践するためのプログラマブルシェーダに相当する。

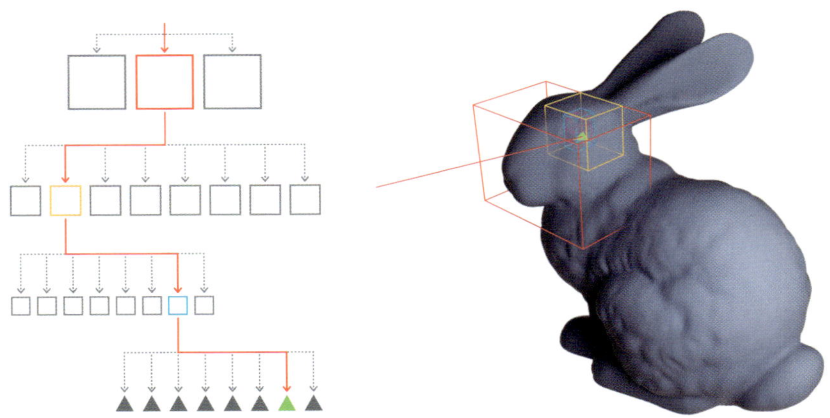

図2.33　ボトム内探査のイメージ。レイがボトムの箱（直方体）に衝突したと判定できた場合、その１段下に相当する階層の「より小さな直方体」への当たり判定フェーズへと移行する。「より小さな直方体における当たり判定」を、最下層の直方体に到達するまで繰り返し、最下層の直方体に到達したら、その最下層の直方体に含まれるポリゴンとの総当たり衝突判定を行う

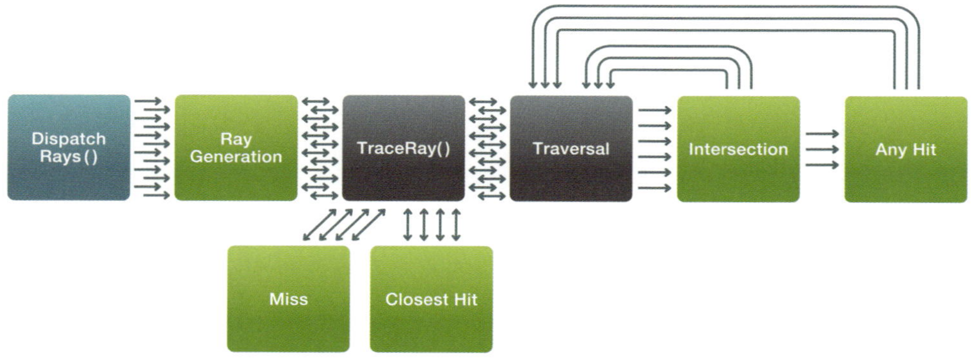

図2.34　DXRの実行パイプライン

各マスを1つ1つ見ていくことにしよう。

「DispatchRays()」は、従来のラスタライズ法で言うところの「描画コール」(DrawCall) フェーズに相当する。GPUに対して「GO」サインを送るようなイメージだ。

「Ray Generation」は、これから放つレイの定義を行い、初期化処理を行う。

「TraceRay()」は、「Ray Generation」で定義されたレイを放つ実務を行う。

「Traversal」は、前述したトップやボトムといった直方体で定義された3D空間の中を実際にレイを推進させるような処理系に相当する。

「Intersection」は、放たれたレイが何ものかに衝突した際に呼び出されるプログラマブルシェーダだ。なお、DXR発表時は「Hit」という名称で呼ばれていた。

「Any Hit」は、何ものかに衝突したレイをそのまま飛ばし続けるか、あるいは推進を終了させるかといった処理系を担当するプログラマブルシェーダになる。

レイは推進していく過程で、複数のオブジェクトに衝突することがあるが、レイの射出元から最も近い場所で衝突した際に一度だけ呼び出されるプログラマブルシェーダが「Closest Hit」だ。

「Miss」は、放たれたレイが何ものにも衝突しなかった際に呼び出されるプログラマブルシェーダになる。

ところで、このパイプライン図中に描かれている矢印に着目すると、「Ray Generation」「TraceRay()」「Traversal」「Miss」「Closest Hit」間のものは双方向の矢印になっていることが分かる。これは「Ray Generation」はプログラムによっては「TraceRay()」を何度も呼び出せることを意味しており、同様に「Miss」「Closest Hit」は「TraceRay()」を呼び出すことができるということだ。

また、「Intersection」や「Any Hit」からの矢印が「Traversal」に戻っているが、これは、一度、レイが何ものかに衝突したとしてもレイの推進を継続する場合があることを意味している。

ラスタライズ法のパイプラインと違い、複雑な条件分岐と、再帰的なプログラム実行が起こりうるため、プログラムの仕方によっては相当に複雑で負荷の高い処理系になりうることが想像できるだろう。

このため、ゲームグラフィックスの全てをレイトレーシング法で描画することは現状は現実的でない、と目されており、当面のゲームグラフィックス用途においては、メインは従来通りにラスタライズ法で描画し、ラスタライズ法では実現が困難な表現をワンポイントリリーフ的にレイトレーシング法で実践するという、「ハイブリッドレンダリング法」が主流になるとみられている。

「ラスタライズ法では実現が困難な表現」とは、そのゲームグラフィックスが「何を重要視するか」によって変わってくるが、概ね「映り込みなどの鏡像表現」（図2.35、図2.36）や「間接照明（大局照明）」、「影生成」（次ページ 図2.37～図2.39）あたりが定番になる見込みである。

図2.35 Realtime Local Reflections（RLR）/ Screen Space Reflections（SSR）で生成した鏡像。床下に映るキャラクタの鏡像が歪んで見える。本来なら床下から見上げるような情景になるはずだが、レンダリング結果フレームをベースにして作るSSRではこのように不自然な鏡像となる場合がある。なお、RLR/SSRについての詳細はChapter 10の351ページを参照のこと

図2.36 同一シーンの鏡像をレイトレーシングで生成した場合。床下に映る鏡像は歪んでいない。床に「面の粗さ」が存在するため、影と同じく投影距離の短い鏡像はくっきりと、投影距離の長い鏡像はぼやけている。それに加えて、画面外にある天井の情景が、オブジェクトに映り込んでいる点にも注目したい

図2.37　ラスタライズ法のデプスシャドウ技法（シャドウマップ技法）による影生成。デプスシャドウ技法（シャドウマップ技法）については Chapter 4の122ページを参照のこと

図2.38　1ピクセルあたり1レイを放ってレイトレーシング法で描画した影。「1spp」とは「1 sample per pixel」（ピクセルあたり1サンプル）の意。このままではノイズまみれとなってしまう

図2.39　上のノイズまみれの描画結果をバイラテラルフィルタ系のポストエフェクト処理でボカしてソフトシャドウ表現とした事例。当面のDXR対応GPUでは、1ピクセルあたりたくさんのレイを放ってのレイトレーシング実践が性能的に厳しいため、このような「ノイズまみれのレイトレーシング結果を後処理でボカす」といったような方策が主流となることだろう

次のChapterからは、実際の3Dゲームグラフィックスで利用されている代表的な技術を見ていくことにしよう。また、このChapterでも触れた、新しいシェーダステージ「ジオメトリシェーダ」「テッセレーションステージ」についての詳細はそれぞれChapter 5、Chapter 6を参照していただきたい。

Chapter 3

微細凹凸表現の基本形「法線マップ」とその進化形

ここまでで、リアルタイム3Dグラフィックスの歴史や概念を解説してきたが、大体の全容は把握できたのではないだろうか。
これ以降は、実際に3Dゲームなどで応用されている3Dグラフィックス技術の概念などについて細かく紹介していこうと思う。

法線マップ技術の台頭

2000年、DirectX 8が発表され、GPUがプログラマブルシェーダ・アーキテクチャ・ベースとなって、最も普及した技術が法線マップを用いたバンプマッピングだろう。

以降しばらくは、「法線マップ」の技術的概念を解説すると共に、実際のゲームタイトルにおける応用のされ方を紹介していく。

1ポリゴン未満の微細な凹凸を表現するために

リアルタイム3Dグラフィックスは最終的には適当な解像度の2Dフレームに対して描かれる。当たり前のことだ。

例えば数百万ポリゴンの高精細3Dモデルがあったとして、これを640×480ドットの画面で表示すると、ほとんどのポリゴンが1ピクセル未満でしか表示されないだろう。

これは極端な例だが、一生懸命に細かいモデリングをしても、実際の表示時にはそのモデリング精度が無駄になることが多いということだ。特に、それが顕著になるのが、微細な凹凸だ。

例えば、人間の皮膚上のシワ、石畳や煉瓦の継ぎ目、爬虫類や魚類のウロコ、武器や装飾品に刻み込まれたレリーフ模様のような細かい凹凸はポリゴンでモデリングしたところで、それがディスプレイに表示されるときに報われないことが多い。報われないだけならばまだいいが、ポリゴンデータとしてあれば、それはメモリをより多く消費してしまうし、CPUからGPUへの3Dモデルの転送も余計に時間がかかってしまう。そして実際にはほとんどが1ピクセル以下に落ち込んでしまうのに、それでも頂点シェーダはその微細凹凸のポリゴンの全てを処理しなければならないので、無駄に高負荷を強いられることになる。

そこで発想を転換し、細かい凹凸がそれらしく見えればいい、というフェイクの技法が模索されだす。これに対する1つの解が「法線マップを利用したバンプマッピング」だ。

この方法は、最終的に凹凸があるかのように陰影が出ることの再現に注力し、そこに実際のポリゴンレベルでの細かい凹凸は設けないのが特徴だ(大ざっぱな凹凸は設けておく場合が多い)。

法線ベクトルさえあれば陰影は出せることに着目

微細な凹凸が「凹凸として見える」のはなぜだろうか。

それは凹凸に明るいところや暗いところができるから…すなわち陰影が出てくるからだ。

では「陰影が出る」というのは、どういうことか。

これはライティング(光源処理)がなされるからだ。

ではライティングに必要なものは何だろうか。

反射方程式には、その表現したい材質ごとに様々なものがあるが、ライティングに必要な基本パラメータは、視点から視線を表す「視線ベクトル」、そして物を照らす光の向きを表した「光源ベクトル」の2つに加え、光に照らされる面(ピクセル、ポリゴン) の向きを表すベクトル「法線ベクトル」だ。

法線ベクトルは、表現したい凹凸に密接に関わってくるパラメータであり、その凹凸の法線ベクトルだけがあれば、これを使って反射方程式を解くことで、凹凸らしい陰影が出せるのだ (**図3.1**)。ただ、実際には凹凸がないので、その凹凸が実際にあるかどうか判別しにくいくらいの角度や遠目でないと不自然さが露呈してしまう。逆に、本当に凹凸があるのか分からない程度の非常に微細な凹凸の陰影表現には向いているということになる。

それでは微細凹凸の法線ベクトルをどう取り扱えばいいのか。最終的に微細凹凸の陰影はピクセル描画の結果として出ればいいのだから、つまり、ピクセル単位に法線ベクトルを与えるには何が都合がいいかを考えればいい。すると、答えは自ずと導かれてくる。「テクスチャ」だ。

テクスチャと言うと一般的にはポリゴンに貼り付ける画像や模様を連想しやすい。例えば、画像テクスチャをポリゴンに貼り付ける場合は、テクスチャから読み出したテクセル (テクスチャを構成する画素) の色を、これから描画するピクセルの色としてしまう。このテクスチャに微細凹凸の法線ベクトルを入れ込んでおき、テクスチャから読み出したテクセルを、法線ベクトルと見なし、その時点でピクセル単位のライティングの反射方程式を解けば、表現したい微細凹凸の陰影が出せることになる。

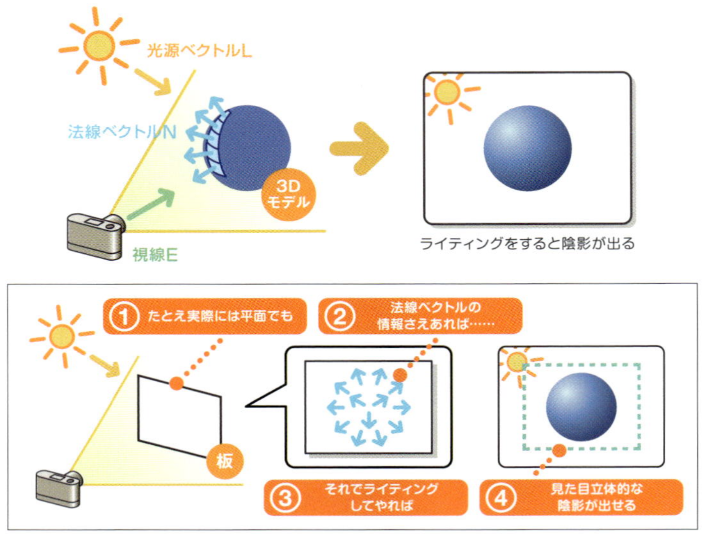

図3.1　法線マップを用いたバンプマッピングの概念

一般的なテクスチャのテクセルは画像テクスチャの場合、α（透明度）、R（赤）、G（緑）、B（青）の最大4要素の色情報に割り当てられているが、これを例えばαを除くRGBの3要素に法線ベクトルのx成分,y成分,z成分を割り当てて記録しておく。レンダリング時にはピクセルシェーダでこのテクスチャからテクセルを取り出した際に、このRGB成分を法線ベクトルのxyz成分と見なして反射方程式を解く。

この法線ベクトルを格納したテクスチャを特に「法線マップ」（Normal Map）と呼ぶ。一般に、この法線マップを活用した微細凹凸表現は「法線マップを利用したバンプマッピング」と呼ぶのが正しいはずだが、バンプマッピングの技法として法線マップを活用する手法がスタンダードになってしまったので、バンプマッピングと「法線マップを利用したバンプマッピング」が同義になりつつある。また、テクスチャマップを貼り付けることをテクスチャマッピングと呼ぶのにちなんで、この技法を「法線マップを貼り付ける」という意味を込めた「法線マッピング（Normal Mapping）」と呼ぶことも多くなってきている。

微細凹凸の高低を濃淡で表現したハイトマップから法線マップ

法線マップのデザインツールは、フリーウェア・シェアウェアの双方で数多くリリースされているが、商用アプリケーションではPixologic社の「ZBrush」が有名だ。なお、ZBrushでは、多ポリゴンでモデリングした微細凹凸のディテールを、低ポリゴンモデル＋法線マップに落とし込んで出力する機能にも対応している（**図3.2**）。

あるいは、「白を高い」「黒を低い」と定義し、高さ低さを表現するようなハイトマップ（高さマップ、ディスプレースメントマップと言ったりもする）を用意し、この白黒グレースケールのテクスチャから

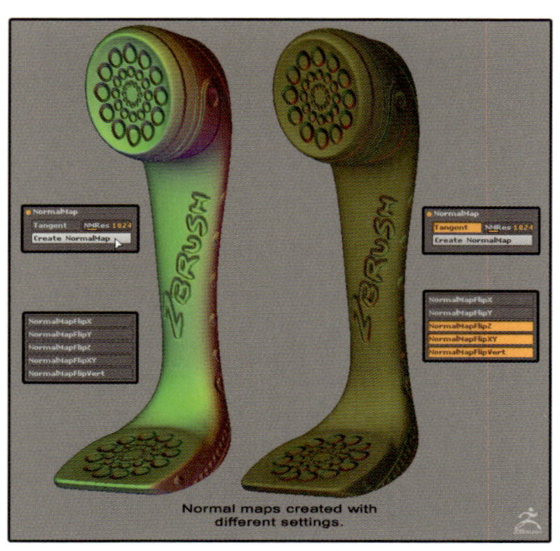

図3.2　Pixologic社の「ZBrush」による多ポリゴンモデルからの法線マップ生成

法線マップを生成する、という方法もよく活用される。ハイトマップは白黒の濃淡で凹凸を表現できるので、手描きで微細凹凸を制作する際には直観的で分かりやすい。前出のZBrushは、多ポリゴンモデルを低ポリゴン＋ハイトマップに変換する機能も持っている。

ハイトマップは微細凹凸の高低そのものを表しているだけなので、法線マップへの変換が必要になる。

これはハイトマップの各テクセルにおける隣接する高低値を求め、横方向と縦方向についての傾きを計算する。各点における法線ベクトルは、そこにおける横方向の傾きと縦方向の傾きの双方に直交するベクトルなので、これを計算する。これをハイトマップの全テクセル単位に計算し、求めた法線ベクトルをテクスチャに出力すれば法線マップはできあがる(図3.3)。

このハイトマップから法線マップの変換生成はピクセルシェーダを活用することでリアルタイムに生成することも可能だが、法線マップ自体が動かないことが分かりきっている場合は、あらかじめオフラインで事前に生成しておくこともある。逆にハイトマップを動かし、これをリアルタイムに法線マップへと変換し、アニメーションする微細凹凸を表現する…といったユニークなテクニックも実現可能だ。ちなみに、Chapter 8で取りあげる「水面のリアルタイムさざ波アニメーション」などの表現は、まさにこのテクニックを利用している。

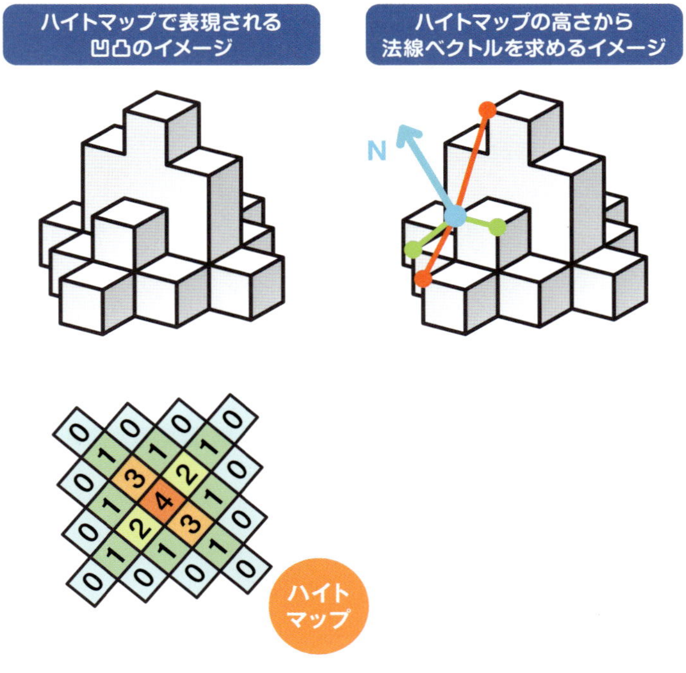

図3.3　ハイトマップから法線マップへの変換イメージ

法線マッピングの実際

実際の法線マップを用いたバンプマッピングの流れは図3.4のようになっている。

ハイトマップを法線マップに変換し、ピクセルシェーダで、法線マップを参照して法線ベクトルを取り出し、これを用いてピクセル単位のライティングをする。

ここで、1つ注意しなければならないのは、法線マップにおける法線ベクトルは、単にテクスチャという平面の上に構成された微細凹凸面の向きでしかなく、これから貼り付けるポリゴンの向きを全く考慮していないということだ。法線マップはただの2Dテクスチャなので、貼り付けるポリゴンの座標系のことは全く配慮されていない（図3.5）。そのため、座標系の統一のための変換処理が必要になるのだ。

最も直観的なのは、法線マップから取り出した法線ベクトルをワールド座標系やローカル座標系にその都度変換する方法だろう。この方法だと、全ピクセルにおいて、取り出した法線ベクトルに対していちいち座標系変換の計算を行う必要があり、負荷が高い。

そのため、頂点シェーダの時点で、ピクセルシェーダに受け渡される光源ベクトルや視線ベクトルを、法線マップを適用するポリゴン基準の座標系とテクスチャの座標系がピッタリ合うように変換しておく手法が一般化している（図3.6）。適用する法線マップが固定的な場合は、法線マップ自体を事前にオフラインで3Dモデルのローカル座標系に変換しておく、といった手法も用いられる。このあたりの実践的な方法の違いは3Dゲームエンジンの設計などによって様々だ。

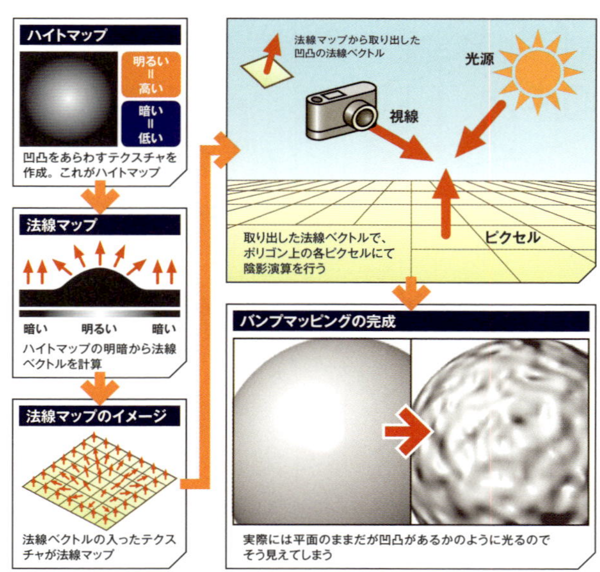

図3.4　ピクセルシェーダのお仕事の例：バンプマッピングが完成するまでの概念図。ハイトマップから法線マップへの変換もピクセルシェーダで行うことができる。法線マップは法線ベクトルを格納したテクスチャで、1テクセルあたりに1個のXYZで表される3次元の法線ベクトル値が格納されている（XYだけを格納してZは計算で求めるという手法もあり）

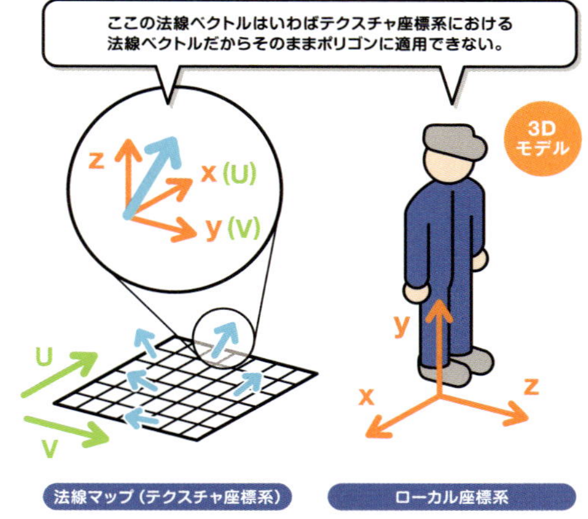

図 3.5　法線マップはポリゴンの座標系のことが考慮されていない

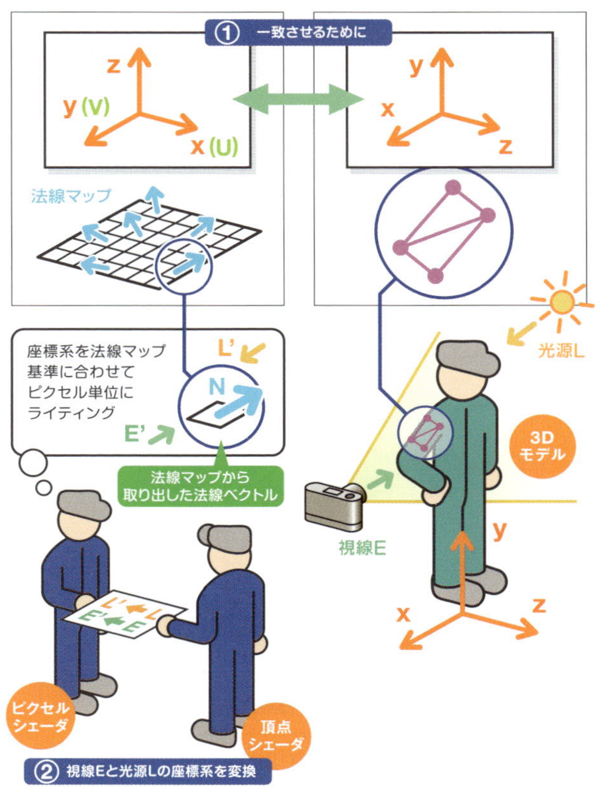

図 3.6　ポリゴン基準の座標系とテクスチャの座標系が合うように変換する

実際の3Dゲームに見る法線マッピング活用例

法線マッピングはどのような場面で使われることが多いのだろうか。実際の3Dゲームで見ていくことにしよう。

最も基本的なのは、煉瓦や岩壁のような背景オブジェクトの材質表現だ(**図3.7**)。全く動かない、背景ポリゴンに適用する法線マップであれば座標系は固定されるので、計算負荷を低減させるために、法線マップに仕込む法線ベクトルのほうを事前にローカル座標系やワールド座標系に変換した状態で生成してしまうのもいいかもしれない。

また、動物や怪物の皮膚の微妙な凹凸感、服のシワ、車や飛行機、ロボットなどのメカのモールドディテールなども法線マップの定番活用例だ(**図3.8～図3.11**)。

キャラクタの皮膚などの質感表現に用いる場合には、ウロコやトゲトゲのような複数のパターン法線マップを適当にスケーリングしつつ混ぜて適用するというのも面白い。ベクトルの和の計算は単純に対応要素同士の加算で済むのでそれほど大きな負荷にはなりにくい。

図3.7 「Half-Life 2」(Valve, 2004) より。法線マップのオフ (左) とオン (右)。丸太の木の皮の微細凹凸に注目

図3.8 「ロストプラネット」(カプコン, 2007) より。法線マップのオフ (左) とオン (右)。モンスターの不気味な皮膚の質感も法線マッピングでよく表現される

図3.9 「CALL OF DUTY 2」(ACTIVISION, 2005) より。服のシワなども法線マップの定番適用例。キャラクタの手足が動いて、服も伸び縮みするのに、法線マップの服のシワだけは変化しない…というのは不自然に見えたりすることも

図3.10 「CALL OF DUTY 2」(ACTIVISION, 2005) より。法線マップのオフ (左) とオン (右)。メカのモールド表現も法線マップの格好の活躍の場

図3.11 「DOOM3」(id Software, 2004) より。人間の顔のシワ表現に法線マッピングを使うことはよくあるが、このように顔に傷を増やしてグロテスクに変化する様を表現するといったことにも使える

法線マッピングは微細凹凸表現に向くとはいえ、やはりそのポリゴンに視点が近づきすぎては、さすがに実際に凹凸がないのはバレてしまう。

これを改善するために独CRYTEK社の3Dシューティングゲーム「Far Cry」では、ユニークな方法を実装している。

一般的な3Dゲームでは、視点から近いときに表示するための多ポリゴンで構成された高品位モデルと、視点から遠いときに表示するための低ポリゴンで構成された低解像度モデルを使い分けている。Far Cryでも同様の手法を利用しているが、ユニークな点は、この「視点から遠く離れたときの表示に利用する低ポリゴンモデル」に対しての工夫だ。

それは、低ポリゴン化で失われたディテールを法線マップに落とし込んで用意しておき、低ポリゴンモデルにはこれを適用することで、近くのときも遠くにいるときも同等のディテール表現がなされているように疑似的に見せているのだ（**図3.12～図3.14**）。CRYTEKでは、このテクニックを「POLYBUMP」テクノロジーと命名している。

ある意味、法線マッピングを、LOD（Level of Detail: 視点からの距離に応じて適宜、表現の品位を操作すること）システムに組み込んだ好例だと言える。

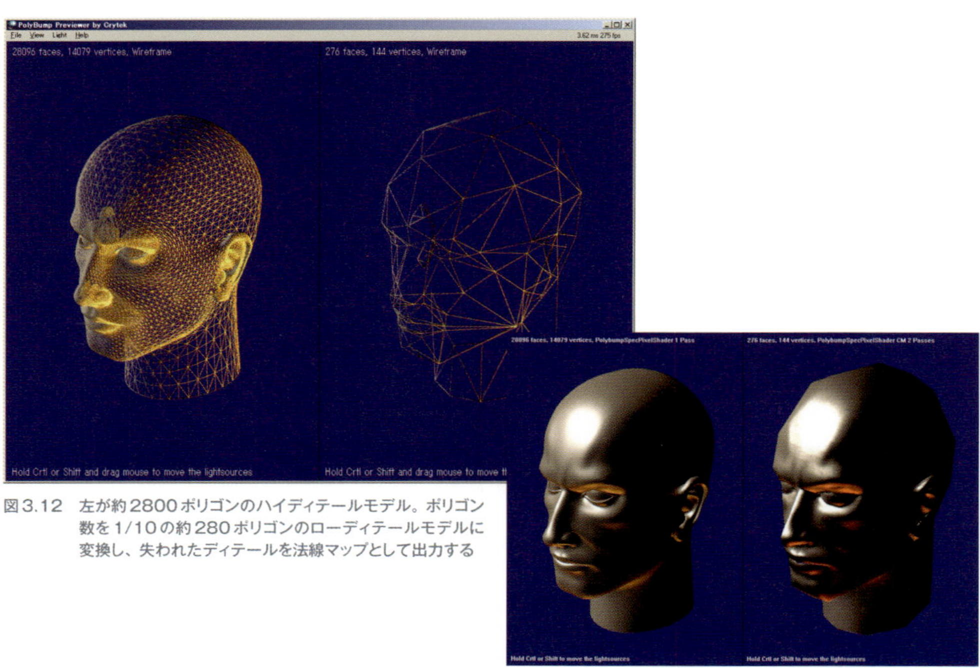

図3.12　左が約2800ポリゴンのハイディテールモデル。ポリゴン数を1/10の約280ポリゴンのローディテールモデルに変換し、失われたディテールを法線マップとして出力する

図3.13　1/10のポリゴン数のモデルに法線マップを適用したのが右の図。視点から遠くなったときの低ポリゴンモデルがこのレベルで表示されていれば、ローディテールモデルに切り替わったことにほとんど気が付かないかもしれない

図3.14　法線マップに落とし込まれた顔のディテールに注目

法線マッピングの先にあるもの

法線マップを活用したバンプマッピングは、1ポリゴンで表現するにはコストパフォーマンス的に見合わない微細凹凸を表現するために非常に重宝する技術であった。実際、プログラマブルシェーダ・アーキテクチャ・ベースのGPUとなって以降、3Dゲームグラフィックスにおいて最も普及した技術と言えるかもしれない。

ところが、この技術も万能ではなく、特定の条件下では破綻してしまう。これを改善する改良版バンプマッピングとも言えるのが「視差遮蔽マッピング」(Parallax Occlusion Mapping) だ。

法線マップによるバンプマッピングの弱点

法線マップを活用したバンプマッピングは、微細凹凸の法線ベクトルを用い、リアルタイムに光源に対してピクセル単位に陰影計算を行うため、その立体的な陰影は光源が移動すればきちんと動くし、遠目には本当に微細凹凸があるように見える。しかし、実際には凹凸のジオメトリ情報はないので、視点をこの凹凸に近づかせすぎるとウソが露呈する(次ページ **図3.15**)。

三人称視点の3Dゲームであればある程度、視点（カメラ）を対象物から引き離しておくことができるが、一人称視点のゲームではなかなかそうもいかない。

バンプマッピングにおいて、視点が近づいて「不自然さ」が露呈する理由は何かと考えてみると、実際に凹凸があれば、その凹凸による前後関係の遮蔽が感じ取れるはずなのに、それがなく、平面に陰影が付いたように見えてしまうという部分にあることが分かる。

これを解決していけば、バンプマッピングの弱点を克服できるはずだ。

図3.15 「F.E.A.R.」(MONOLITH,2005)より。遠目には凹凸がちゃんとあるように見えた煉瓦の壁も近づいて見ればこの通り。実際に凹凸はなく、平らなのに陰影が付くという不自然さが露呈する

改良型バンプマッピング「視差マッピング」

こうした考えのもと、現在までに様々な改良型バンプマッピングが考案された。

SIGGRAPH 2001で発表された「Polynomial Texture Mapping」(多項式テクスチャマッピング http://www.hpl.hp.com/research/ptm/) などがその一例だが、それよりもシンプルで、事前計算が不要で実装しやすい「視差マッピング」(Parallax Mapping) のほうが人気を集め、その改良と普及が進んできている。

法線マップを活用したバンプマッピングでは、微細凹凸の情報として、その微細凹凸の法線ベクトルのみを利用するが、視差マッピングでは、法線ベクトルに加え、その微細凹凸の高さ情報も利用する。高さ情報は、法線マップを作成するときの中間情報であった「ハイトマップ」(Height Map) そのものに相当するので、面倒がない。

法線マップベースのバンプマッピングの場合、あるピクセルについての描画を行う場合、そのピクセルに対応した(テクスチャ座標の) 法線マップから取り出した法線ベクトルで、陰影計算をする。これは、つまり、視線とそのポリゴン上のピクセルの交差点について、実際の凹凸量を無視して、陰影計算をしていることになる。

そのポリゴンに対して正面同士、相対して見ているようなときにはこれでも不自然さはないのだが、視線が斜めになってくると、この凹凸の陰影と、その表現したい凹凸量のズレが大きくなり不自然となってしまう。

そこで、この凹凸量に配慮してやろうというのが視差マッピングである(**図3.16～図3.18**)。

表現しようとしているその凹凸が「ものすごくなだらかである」という仮定を立てられるとき、描画しようとしているピクセル位置の高さと、その視線がその凹凸と交差する場所の高さはほぼ同じと言うことができる。であれば、描画しようとしているピクセル位置の高さ情報と視線が交差する位置の足元が、高さ情報に配慮した法線マップの参照位置ということにできる。

この「操作」により、かすめるような角度の視線の先にある凹凸もそれなりに立体的に見えるようになる。これが視差マッピングだ（図3.19、図3.20）。

この視差マッピングを採用した3Dゲームは既にいくつか存在している（次ページ 図3.21、図3.22）。ピクセルシェーダの負荷はほとんど法線マップベースのバンプマッピングと変わらないという特性もその採用を積極化させているようだ。

図3.16　法線マップによるバンプマッピングの場合、凹凸を相対して見ているときには不自然さはそれほどないが…

図3.17　斜めからかすめて見ると、凹凸の遠近が配慮されないためにこんな感じになってしまう

図3.18　本来ならば凹凸の遠近が配慮されてこう見えるはず。これをやろうというのが視差マッピング

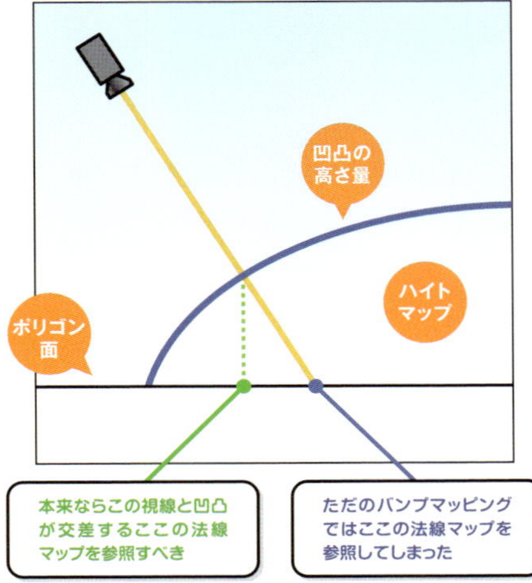

図3.19　普通のバンプマッピングで起こる不自然さの原因

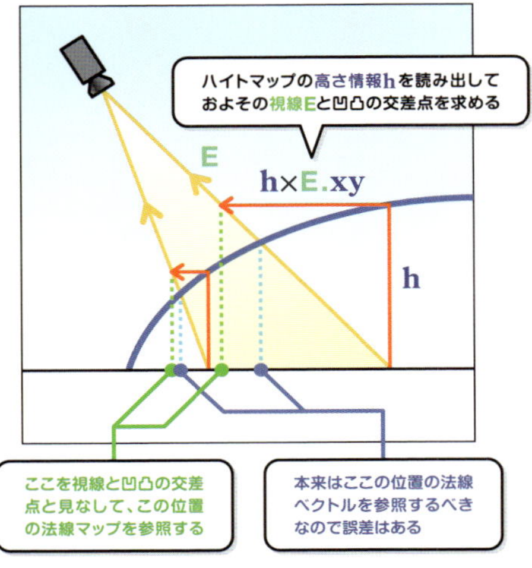

図3.20　視差マッピングは、凹凸の高さを記録したハイトマップの情報を元に法線マップ参照位置をずらしたアレンジ版バンプマッピング

図3.21 「F.E.A.R.」(MONOLITH,2005) より。左がただの法線マップベースのバンプマッピング、右が視差マッピング

図3.22 「Tom Clancy's Splinter Cell Chaos Theory」(Ubisoft,2005) より。上がただの法線マップベースのバンプマッピング、下が視差マッピング

改良型視差マッピング「視差遮蔽マッピング」

改良型のバンプマッピングと言える視差マッピングだが、冒頭で述べたバンプマッピングの弱点について若干の改善を見たにすぎず、不自然さは依然として残る。

例えば、凹凸の変化が激しい場合には、大胆な近似で求めた凹凸と視線との交差点とのズレが大きくなり無視できなくなってくるし、依然として凹凸の前後関係や遮蔽は無視されたままだ。

そこで、次に考案されたのが、この凹凸と視線の交差点を求める際の精度を上げていこうというアプローチだ。これはピクセルシェーダのプログラマビリティとGPU性能が非常に向上したDirectX 9世代/SM（Shader Model）3.0対応GPUが登場してきて初めて現実味を帯びてきた技術だ。

この改良版の視差マッピングは、細かい凹凸の遮蔽（Occlusion）関係が配慮されることから「視差遮蔽マッピング」（Parallax Occlusion Mapping）と呼ばれている。

これまでは平面に凸を貼り付けるというイメージだったが、視差遮蔽マッピングでは平面に凹を彫り込むようなイメージで実装されるのがスタンダードのようだ。

「視線と凹凸の衝突点を求めて、その位置の法線マップを取り出す」という根本的な考え方は視差マッピングと変わらないが、問題はどうやって凹凸と視線の衝突点を効率よく求めていくか、という部分だ。これは、意外にも地道なリアルタイム計算を行って実現する。

具体的には、図3.23のように、ポリゴン面から調査点を、その視線の延長線上に沿って少しずつ潜らせていき、そのつど、凹凸との衝突判定を行っていくのだ。衝突と判定できたらば、その直下の、対応する法線マップを参照する。法線マップから法線ベクトルを取り出してからの陰影計算自体はバンプマッピングや視差マッピングと同じだ。

調査点を視線に沿って潜らせて進めて、その位置の直下のハイトマップを参照してその高さが、進んだ視線の高さより低ければ、まだ視線は進めることになる。

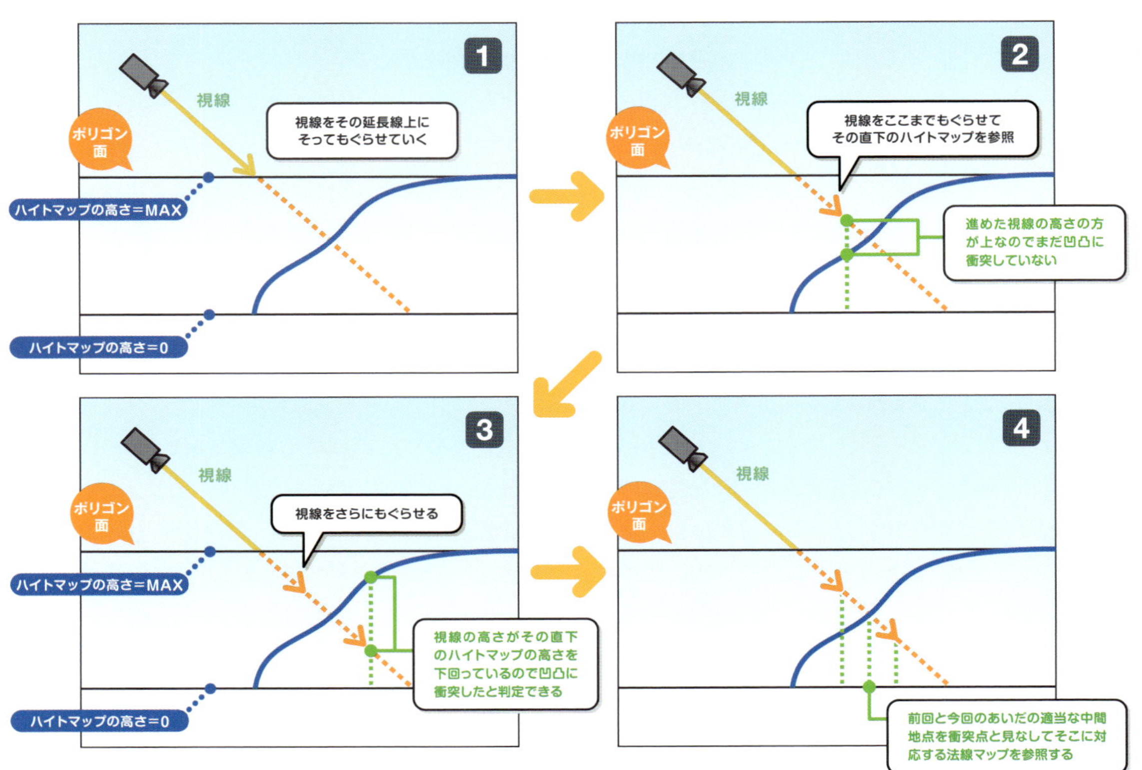

図3.23　視差遮蔽マッピングの動作概念図

さらに調査点を視線に沿って進めていき、いずれはハイトマップの高さのほうが、そのときの調査点の高さを上回ることになる。これはつまり、凹凸の中に潜ったことになり、衝突点は前回と今回の間にあると判定できる。「前回と今回の中間地点に衝突点があった」と判断してそこを交差点とする妥協をしてもいいし、あるいは一回立ち戻って、そこから視線を進める距離を短くして正確な衝突点を求める努力をしてもいいかもしれない。

いずれにせよ、この技法の描画品質を決定づけるのは、この調査点を視線に沿って潜らせながら進めていく際の、ステップの細かさ(分解能)ということになる。

描画の結果としては、視差マッピングとは異なり、凹凸と視線の遮蔽を比較的正しく取ってくることになるため、手前の凹部分の隙間から後ろの凸部分が見える、というような凝った凹凸の前後関係や遮蔽関係が描き出せる。

セルフシャドウ付き視差遮蔽マッピング

ひとたび、視線と凹凸の交差点が求まったら、前述したようにライティング自体は、その交差点直下の法線マップから取り出した法線ベクトルを活用して計算すればいい。

このときに、もう一工夫すると、この微細凹凸にセルフシャドウ(近隣の凹凸の影)を生成することができる。考え方は、これまでの視線と凹凸の交差点を求めるのと近い。

求まった視線と凹凸の交差点から、光源の方向に向かって同じように衝突判定を行ってやるのだ。

図3.24のように、視線と凹凸の交差点から、光源の方向に向かって少し進んでは、その位置のハイトマップを参照して衝突したかどうかを判定する。もし、一度も衝突しないで、ポリゴン面を抜け出ることができれば、何物にも遮蔽されていないことになり、ここ(視線と凹凸の交差点)に光は当たっていると判定できる。

逆にポリゴン面を抜け出る前に、その他の凹凸に衝突した場合は、他の凹凸に光が遮蔽されていると判断でき、光がやってきていないと判定できる。すなわち、ここ(視線と凹凸の交差点)は影と言うことができるわけだ。

このままでは、影か、そうでないか、というキッチリしすぎたものとなり、影の輪郭がきつく出てしまう。場合によってはデプスシャドウ技法の影生成(Chapter 4で解説)のときのような、おかしなエイリアシングが出てしまう可能性がある。そこで、調査点が凹凸に衝突した後もしばらく光源方向に調査を進めていき、「影であるにしても、どのくらい遮蔽されているのか」を調査する。

具体的には、光源に戻って突き進んでいるこの調査点の高さと、その調査点における凹凸の高さとの距離を求め、これを「遮蔽具合」として計測していくのだ。適当なところで調査を打ち切り(理想はポリゴン面を抜け出るまで)、一連の調査の中で最も高い遮蔽具合を結果として、影の色を決める。具体的には遮蔽具合が低ければ薄色の影、すなわち半影(ソフトシャドウ)となるようにする(図3.25)。

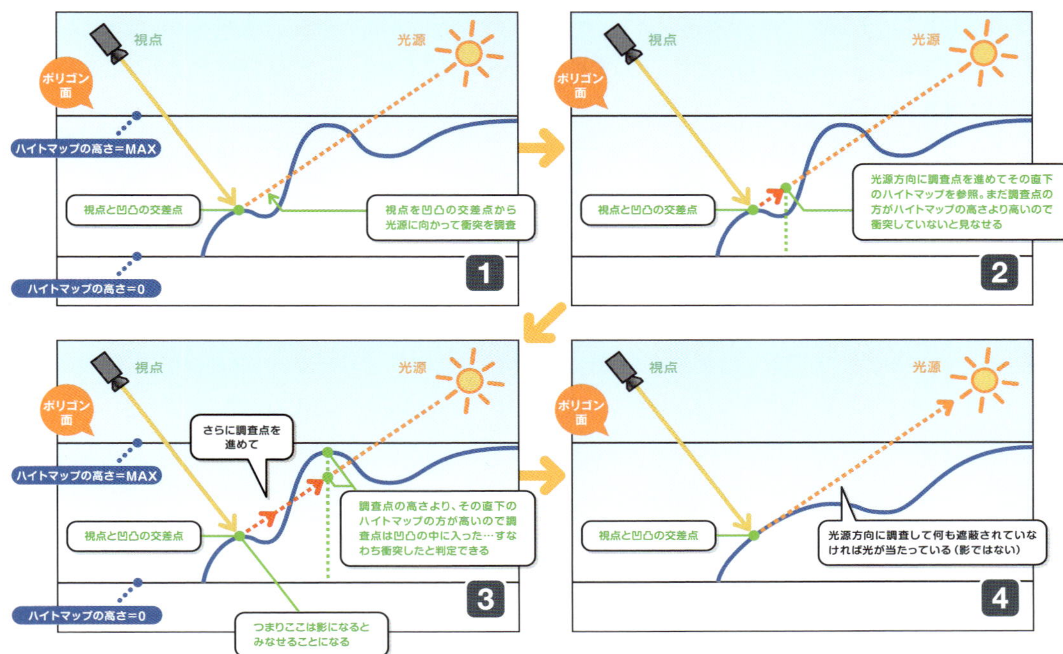

図3.24　セルフシャドウ付き視差遮蔽マッピングの動作概念図

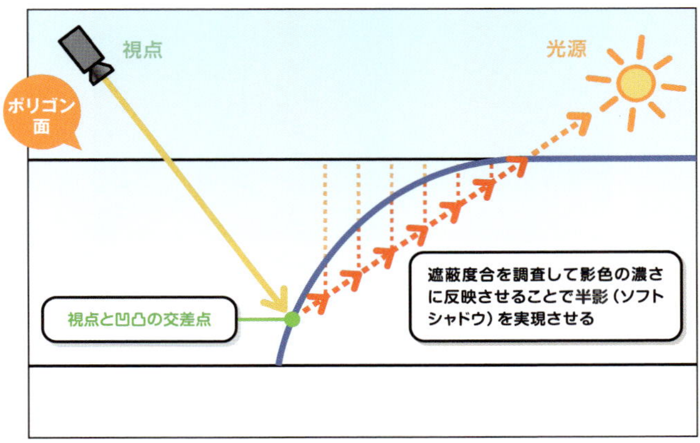

図3.25　セルフシャドウ付き視差遮蔽マッピングにおけるソフトシャドウの実現方法

これで影のエッジ付近が柔らかくボケるようになり、リアリティが増すというわけだ（次ページ 図3.26～図3.28）。

このテクニックはPS3,Xbox 360世代のGPUでの活用は負荷的に厳しかったが、PS4やXbox OneなどのDirectX 11世代プラットフォームのゲームでは採用が進んできている（105ページ 図3.29）。

このように、「法線マップによるバンプマッピング」、すなわち法線マッピングを発端とした微細凹凸表現は、最終的に視線が寄っても、そして凹凸をかすめ見てもかなりリアルに見られるような表現にまで到達している。

興味深いのは、視差遮蔽マッピング以降の技術については、かなり演算負荷の高いレイトレーシングやボリュームレンダリング的な手法になっているということだ。今後、GPU性能がさらに向上した場合は、さらにこうしたアプローチが増えるかもしれない。

逆の見通しもある。

テッセレーション（Chapter 6参照）が標準的に搭載されるDirectX 11/SM 5.0世代以降のGPUが主流となってからも、微細凹凸表現は「法線マッピング、あるいはその発展形で表現する」という設計のグラフィックスエンジンが多い。理論上は、テッセレーションによって、ジオメトリレベルのLOD処理がレンダリングパイプラインからシステマティックに面倒を見てもらえるようになるはずだったのだが、そうした実装に移行したグラフィックスエンジンはほとんどないのが現状だ。こうした背景もあることから、このChapterで取り上げた微細凹凸表現のテクニックの数々は今後も活用は続くと思われる。

図3.26　マイクロソフトのDirectX SDKデモより。法線マップによるバンプマッピング

図3.27　視差遮蔽マッピング

図3.28　セルフシャドウ付き視差遮蔽マッピング（ソフトシャドウ対応）

図3.29 「CRYSIS 2」(EA,2011) より。上が視差遮蔽マッピングなし (法線マッピングのみ)、下が視差遮蔽マッピングあり

▶ Column

最先端の3Dゲームグラフィックスにおける法線マップ利用事例

ポリゴンで表現するまでもない微細な凹凸表現として今や定番中の定番となった法線マッピング（≒法線マップを活用したバンプマッピング）だが、これは光源や環境マップ等が強く反映されないと陰影が際立たず、リアルに見えにくいという弱点がある。暗いシーンや、動的に設定した光源の影響が弱かったり、または遠かったりすると、この法線マップの効果が分かりにくいのだ。

暗いシーンでは、事前計算したライトマップ（*1）を適用すれば、見た目には明るくなるが、法線マップの適用効果としての陰影の濃淡は分かりにくいままだ。

(*1) 最近の3Dゲームグラフィックスでは、シーンの相互反射（ラジオシティ）を事前計算して、そのシーンにどのように光が分布するのかをテクスチャとして生成する技法が一般に用いられる。一般にこれは「ライトマップ」(Light Map) と呼ばれる。

「Half-Life 2: EPISODE ONE」の場合

この地味ながらも重要な問題に取り組んだのは「Half-Life 2: EPISODE ONE」（2006年）を手がけたValveだった。

通常、ライトマップ上のルクセル（*2）は、方々反射してきた光が最終的にこの地点に到達したときの色を記録している。これはフルカラーの1色だが、方向と大きさを持ったベクトルとしての情報は失われてしまっている。

(*2) ライトマップのテクセルのこと。ライトマップは"明るさの分布"の意味であり、それを構成する画素は"明るさ（Lux）"の"要素(Element)"ということでLuxelと呼ばれる。

Valveでは、法線マップの陰影を豊かでリアルにするために、このライトマップにベクトル情報を持つように改善する「ラジオシティ法線マップ」（Radiosity Normal Mapping）という手法を考案した。

ラジオシティ法線マップの実現のために用意するライトマップでは、各地点について3方向についての色を求める。その3方向とは、法線に対して（面に対しても）角度が同じで、互いに直交する基底ベクトルとする（**図3.A**）。

ルクセルに記録する「3方向の色」とは、逆に言うと、このルクセル地点にやってくる3方向からの光量ということであり、つまりは光源ベクトルであるとみなせることからライティングに効果的に利用できることになる。

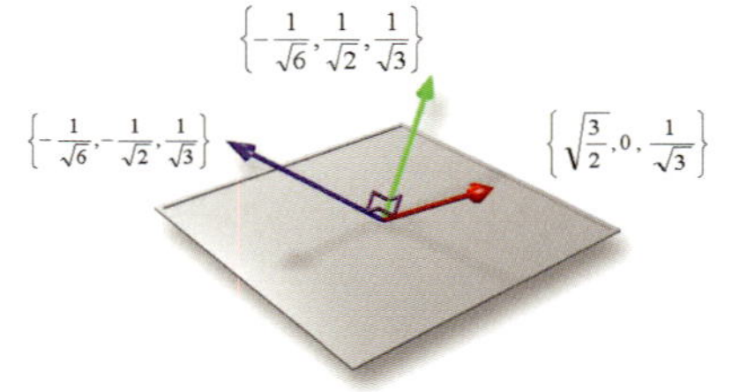

図3.A　ラジオシティ法線マップ用のライトマップ計算用基底ベクトル

実際のリアルタイムレンダリング時には、法線マップから取り出した法線ベクトルと、この３方向の光量を格納してあるライトマップから取り出した３方向の３つのルクセルについてライティング計算をすることになる。

この技法のポイントは、通常は向きの概念を持っていないライトマップに、限定的ではあるが向きの概念を持たせるところにある。これで、向きの概念を持つ法線マップとの親和性が改善され、シーンにより溶け込んだ法線マップによるバンプマッピングが実現されるというわけだ（**図3.B～図3.E**）。ただし、容量は通常のライトマップの３倍、メモリ（テクスチャ）アクセス、計算量も３倍に増える。

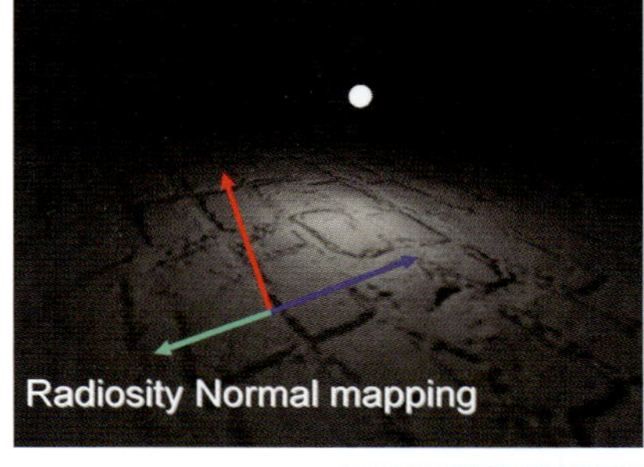

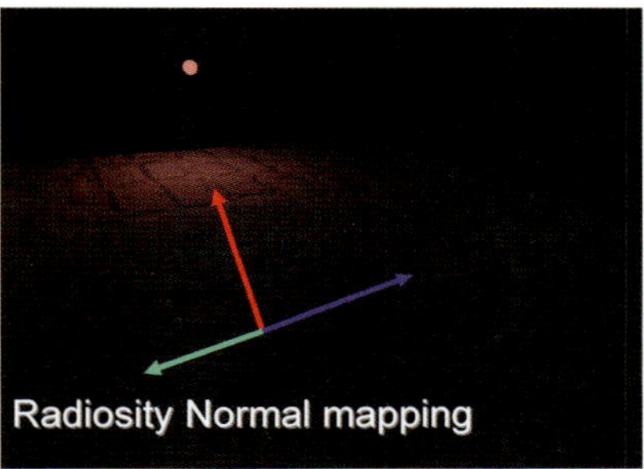

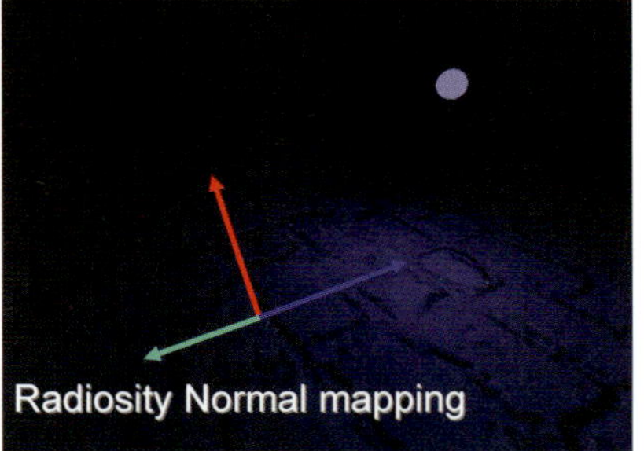

図3.B　３方向分の光の情報量を持ったライトマップで法線マップをライティングしてやる。図は便宜上、一方向ずつのライティング結果を個別に見せたもの

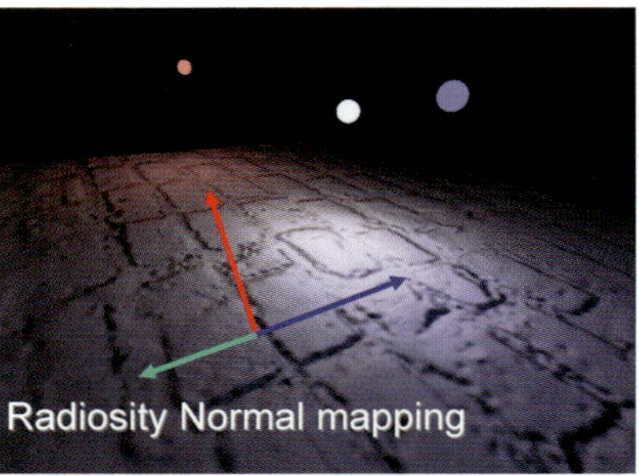

図3.C　最終的にはこうなる

図3.D　通常のライトマップと法線マッピング適用例

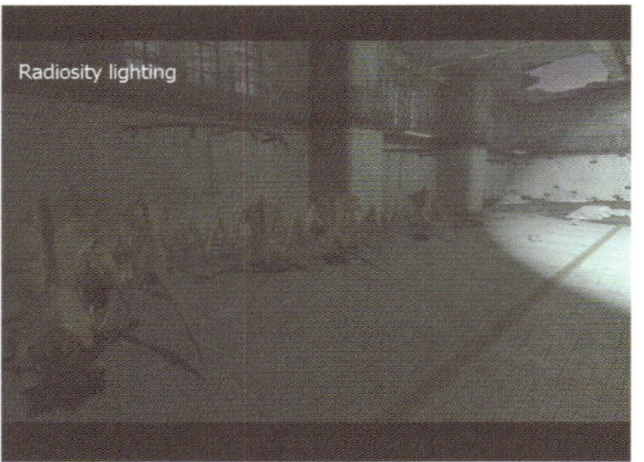

図3.E　3方向ライトマップと法線マッピングを適用した「ラジオシティ法線マップ」の場合

「メタルギアソリッド4」の場合

コナミの「メタルギアソリッド4」(2008年)では、着想はValveと同じだが、データ量を大幅に削減した「分離プリライティング」という技法を導入していた(**図3.F**)。

これは、背景などの静的なポリゴンモデルの各頂点の付随属性に事前計算した3方向分のライティング結果を焼き込んでおくテクニックであり、ちょうど、Valveのラジオシティ法線マップの考え方を頂点単位に落とし込んだバージョンと言うことができる。ライティング結果の焼き込みは、互いに直交する3方向の基準ベクトルに対して行うという点もラジオシティ法線マップと同じだ。

背景などで用いられる静的オブジェクトのポリゴンの各頂点にはこの3方向のライティング結果が焼き込まれていることになり、各ポリゴンに適用する法線マップの陰影計算には、この3方向のライティング結果を利用する。

効果はもちろんラジオシティ法線マップと同じで、陰影に乏しくなる薄暗い中での法線マップベースのディテール陰影が非常に豊かになる(**図3.G**、**図3.H**)。光の分布解像度自体が頂点単位となる関係上、ラジオシティ法線マップよりも大ざっぱにはなるが、その分テクスチャメモリの消費が圧倒的に少なくて済むメリットがある。

なお、背景ポリゴンの各頂点にライティングを焼き込む工程は開発段階ではなく、ゲーム起動後のPS3実機上のランタイムで行っている。この実装のおかげで動的なシーンの変化にも対応できる副次的メリットもあるのだ。

例えば街灯が点灯した場合ならば、その街灯の光の影響が出そうなところに新たに分離プリライティング用の光源を設置して、再計算して分離プリライティング情報を更新すればいい。こうすることで、街灯がともった後の相互反射効果を動的に得られる。さらに、この街灯を破壊したときには、逆に分離プリライティング用の光源を削除して分離プリライティング用情報を更新すれば、街灯が消えた後の相互反射を表現できる（**図3.I**）。

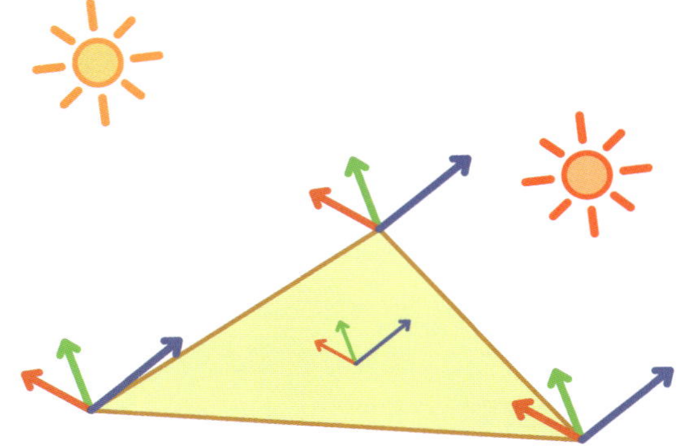

図3.F　各頂点に対して基準３方向のライティング結果を焼き付けておき、これを法線マップなどの陰影処理計算に利用する。このテクニックをコナミでは「分離プリライティング」と呼称している。考え方はラジオシティ法線マップの頂点バージョンというイメージ

図3.G　分離プリライティングの要素だけを可視化した画面

図3.H　これに法線マップ、テクスチャなどを適用した最終的な完成映像

図3.I　分離プリライティングは動的シーンにも対応する。電気スタンドを撃ち消したときに、ちゃんと周囲の環境光が消失する。これは消失後の分離プリライティング用の光源を削除することで実現している

近年では拡散反射ライティングに加えて、鏡面反射ライティングも行われるように

「Half-Life 2: EPISODE ONE」時点のラジオシティ法線マップや、「メタルギアソリッド4」時点の分離プリライティングにおけるライティングでは負荷低減の思惑があって、視線ベクトルに依存しない拡散反射ライティングの計算のみが行われていたが、GPUの基本性能が上がった現在では、同種の手法を実装したゲームタイトルにおいて、鏡面反射ライティングの計算も行い、一般的なマテリアル表現と処理系を統一する傾向が見られる。

視線ベクトルに依存する鏡面反射ライティングを加えることで、法線マップの微細凹凸表現において、視線との位置関係に呼応して変化するスペキュラハイライトが得られるようになる。これは、事前計算した相互反射効果や大局照明効果によるスペキュラハイライトを、法線マップによる微細凹凸表現に対しても出せるようになるため、凹凸感に一層の説得力を与えるとともに、環境光効果にさらに溶け込んだ微細凹凸表現の実践につながる(**図3.J**、**図3.K**)。

環境光による鏡面反射効果なし

環境光による鏡面反射効果あり

図3.J　オンではタイヤのホイールや輪郭、タイヤドレッド部の凹凸に柔らかいハイライトが出ているのが分かる

環境光による鏡面反射効果なし

環境光による鏡面反射効果あり

図3.K　オンでは衣服の襟のヘリ部分や頭髪に柔らかいハイライトが出ているのが分かる

※ 図3.J、図3.Kは「Physically Based Shading Models in Film and Game Production - Practical implementation at tri-Ace」(トライエース五反田義治,SIGGRAPH 2010)より。

Chapter 4

動的影生成の主流「デプスシャドウ技法」とその進化形

現在の3Dグラフィックスにおいて、最も重要なテーマの1つが影生成だ。シーンのリアリティを演出する要素として、今や欠かせない存在となっており、3Dゲームグラフィックスの設計をする際においても、どんな影生成技法を実装するかが、最重要検討項目にもなっている。
このChapterでは、最近の3Dゲームによく用いられる典型的な影生成技法の話題を取り扱ってみたい。

影生成の進化の系譜

3Dグラフィックスにおける2つのカゲの存在

現在のリアルタイム3Dグラフィックスにおける"影"(カゲ)は、大きく分けると2通りのものがある。

日本語でもカゲは「陰」の字を書くカゲと「影」の字を書くカゲがあるが、リアルタイム3Dグラフィックスにおける2種類のカゲは、この日本語のカゲの定義と対応している(**図4.1**)。

1つは、ライティング(陰影処理)の結果として暗くなる「陰」だ。

現在の3Dグラフィックスはポリゴン、あるいはピクセル単位のライティングを行うが、その際、ポリゴンやピクセルが、光に当たっているか、いないかを計算して、そのポリゴンやピクセルの明るさを決めている。光が当たっていないところは当然暗くなる。これが「陰」であり、この陰は、特別な処理をしなくても普通にレンダリングすれば自ずと出せてしまうカゲである。

もう1つは、何かによって遮蔽されてできる「影」だ。晴れの日、外に出れば自分の体が太陽からの光を遮蔽していることで地面に自分の体の形の影ができるが、その「影」である。

実は現在のリアルタイム3Dグラフィックスの基本レンダリングパイプラインでは、この遮蔽されてできる影については全く考慮されていない。つまり、普通にレンダリングしていただけでは、「影」は出ないのだ。

逆に言えば「影」を出すためには、何か別処理を行って生成しなくてはならないのだ。このChapterでテーマにするのは「陰」ではなく、こちらの「影」のほうだ。

この「影」の生成は意外にも高負荷な処理であり、GPUが高性能ではない1990年代の3Dゲームでは、この影生成を行っていないタイトルがほとんどだった。初代PS時代のゲームソフトを見ると、「影」のないものが多いことに気が付くはずだ。

現在、3Dゲームグラフィックスなどで用いられる、「影」の生成は、大ざっぱに考えるとおよそ3種類に分類できる。これらについては以降で1つずつ紹介していく。

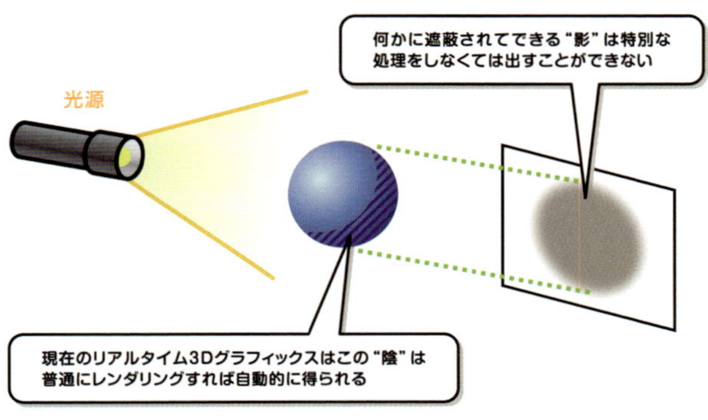

図4.1　2つのカゲ「陰」と「影」

投射テクスチャマッピング技法

1990年代の3Dゲームの影生成技法で主流だったのが、3Dキャラクタの足元に黒いマルを置くだけの簡易的な影、通称「丸影」だ。

1枚の板ポリゴンに丸い影テクスチャを貼り付けたものを足元に描くだけなので、負荷は非常に軽い。3D空間上におけるキャラクタ位置を立体的にプレイヤーに伝えるという程度の情報量はあるが、あらゆるキャラクタの影が同様に丸く描かれるだけなので、「影」としてのリアリティはほとんどなかった(**図4.2**)。

これを若干進化させたのが、「投射テクスチャマッピング」(Projected Texture Mapping)による疑似影生成だ。

これは、光源から見たキャラクタのシルエットをテクスチャにレンダリングし、これを光源位置から、映写機で投影するようにシーンにテクスチャマッピングすることで実現する(次ページ **図4.3**)。

投射テクスチャマッピングはほぼ全てのGPUでサポートされるため、互換性が高い。ただ、地面に丸い影を描くのではなく、そのキャラクタのシルエットをシーンに投射するので、あるキャラクタの影が、別のキャラクタに投射されるような相互投射影表現も実現できる。

影を出したいキャラクタのシルエットを毎フレームテクスチャに生成しなくてはならないが、視点から遠いキャラクタについては影生成を省略するといった手抜きをすれば、パフォーマンス的にスケーラブルな実装も可能だ。

図4.2 「Oni」(BUNGIE,2001)より。最初期のゲームグラフィックスの影は、このように足元にただ丸い影スプライトを描くだけの超簡易影生成技法「丸影」法が使われていた

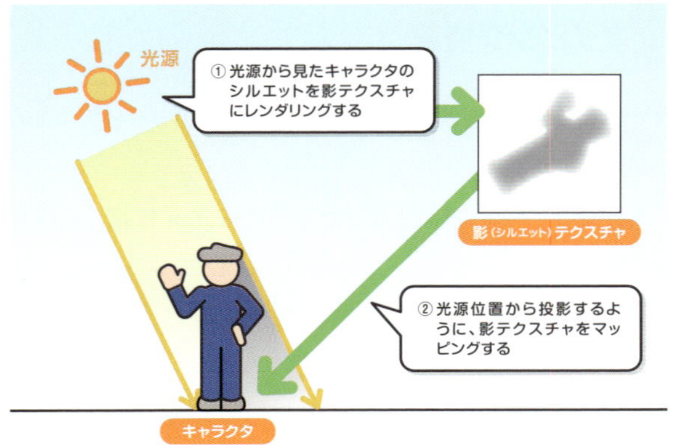

図4.3　投射テクスチャマッピングによる簡易影生成技法の概念図

図4.4　「GOD FATHER THE GAME」(EA,2006) より。PS3時代のタイトルだが、投射テクスチャマッピングによる影生成技法が採用されていた

この投射テクスチャマッピングを使った影生成は、原始的ではあるが、比較的最近の3Dゲームでもしばしば採用されることがある。PS2のタイトルなどはこの技法を採用したものが多いようだ(図4.4)。

投射テクスチャマッピング技法の問題

この手法の弱点は「セルフシャドウ」表現が行えないという点にある。

セルフシャドウとは、自分自身の部位の影が自身に投射されるような影表現のことだ。

例えば現実世界で、電灯の下に立って腕を前に突き出してみると、その腕の影が自分の胸から腹にかけて投射されるはずだ。この、自分の腕の影が自身の体に投射されるような表現をセルフシャドウと言う(図4.5)。

投射テクスチャマッピングを使った影生成では、影の最小生成単位がキャラクタ単位となることから、セルフシャドウ表現が難しいのだ。

また、このシルエットテクスチャをどこに貼るのか(=影がどこに落ちるのか)の判定をきちんとしないと、あり得ないところに影が落ちて不自然に見えてしまうことがある(図4.6)。

図4.5 セルフシャドウは自身の影が自身に投射されること。現実世界ではなんてことのない影も、リアルタイム3Dグラフィックスでは特別な処理をしなければ出すことができない

図4.6 「Half-Life 2」(Valve,2004)の影生成は投射テクスチャマッピングの技法を実装していた。階段の踊り場にいるキャラクタの影が、踊り場の床を通り越し、壁に投射されてしまっている。これはシルエットテクスチャをどこに落とすべきかの判定がいい加減であったために起きてしまった不具合

ステンシルシャドウボリューム技法

結局のところ、セルフシャドウ表現までを含んだ正確な影を出すためには、光源からの光を誰がどう遮蔽しているか、という情報を求めることが不可欠である。つまり、そのシーンの、光から見た遮蔽構造を求めなければならないのだ。

比較的、互換性が高く、汎用性が高い技法としてかつては採用例が多かったのが「ステンシルシャドウボリューム技法」(Stencil Shadow Volume) だ。この技法は2004年を代表する3D-PCゲームとなった「DOOM3」(id Software,2004) が採用したことでも話題になった(**図4.7**)。

この技法では、シーンをまずレンダリングし、そのシーンの視点から見た深度情報をZバッファに生成する。ちなみに余談ではあるが、シーンの深度情報は影生成のためだけに…ということではなく、後段のレンダリングや、様々なポストエフェクトに活用するため、先にシーンの深度情報だけをレンダリングしてしまうテクニックが利用される場合が多くなってきている。

続いて、光源から見て、そのシーンの3Dモデルの輪郭となる頂点を光の進行方向、すなわち光源ベクトル方向に引き伸ばす。この引き伸ばしてできた領域が「影となる領域」であり、これが技法名にもなっている「シャドウボリューム」となる(**図4.8**、**図4.9**)。

続いて、このシャドウボリュームをレンダリングして影を求めるわけだが、このレンダリングは少々技巧的で、表示用のフレームバッファではなく、「ステンシルバッファ」(Stencil Buffer) という多目的に活用される算術処理用のフレームバッファに対して行うのだ (ステンシルバッファはあらかじめ "0" に初期化しておく)。

図4.7 ステンシルシャドウボリューム技法による影生成の代表作とも言える「DOOM3」(id Software,2004)

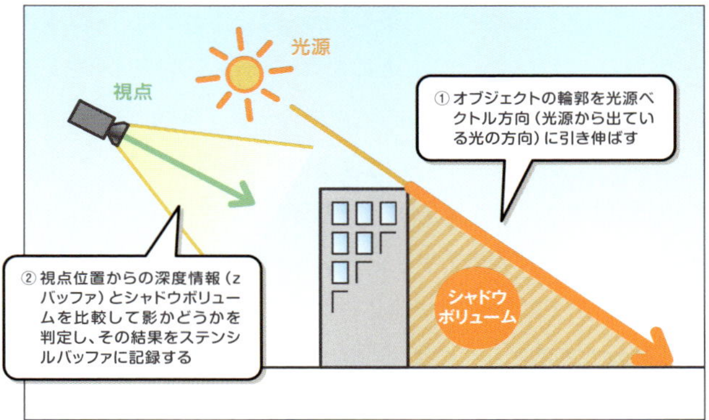

図4.8　ステンシルシャドウボリューム技法による影生成の動作概念図

図4.9　光から見て輪郭となる頂点を引き伸ばして生成したシャドウボリュームを、可視化した図

このシャドウボリュームのレンダリングは2ステップにて行うのが特徴だ。

第1のステップでは、視点から見て、このシャドウボリュームの前面（表面）となるポリゴン（視点方向に面を向けている影領域）のみをステンシルバッファに"＋1"演算でレンダリングする(次ページ図4.10)。

光源が複数ある場合や3Dオブジェクトが重なり合っているときは、この影領域の前面となる箇所は"＋1"が重複されてレンダリングされることになり、ステンシル値は大きくなることもある。

第2ステップでは、このシャドウボリュームの、視点から見て後面（裏面）となるポリゴンを、同じように先ほどのステンシルバッファにレンダリングするのだが、今度は"－1"演算で行う（図4.11）。

何も遮蔽物がない影領域では、第1ステップで表面をレンダリングした箇所の"＋1"された回数分だけ、今度は"－1"されることになるので、ステンシル値は"±0"に戻る。ステンシル値がゼロとなった部分は、つまり"影領域ではない"ということになるのだ。

しかし、何らかの遮蔽物があると、この影領域の裏面ポリゴンが描かれない。つまり"－1"されないことになり、そのステンシルバッファの内容は"0"にならず"1"以上の値を残したままになってしまう。なお、遮蔽物があるかないかの判断は、事前にレンダリングしておいたZバッファの内容（シーンの深度情報）を吟味して行う。

ステンシルバッファのピクセルのうち"0"にならなかった部分のピクセルは、「影となるピクセルである」ということを表すことになる（図4.12）。

図4.10　第1ステップ。まずはシャドウボリュームの表面となる部分を"＋1"としてステンシルバッファにレンダリング

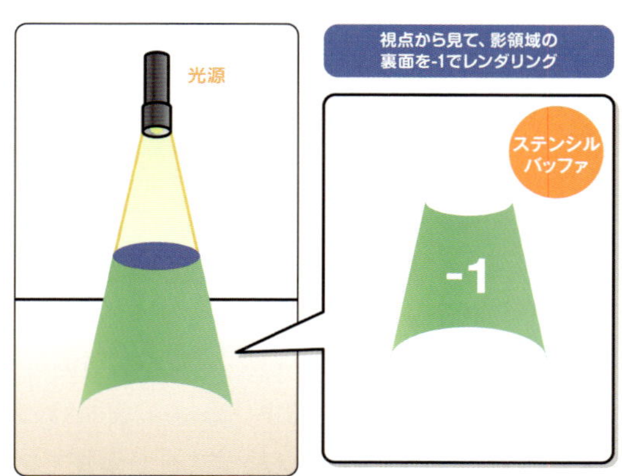

図4.11　第2ステップ。続いてシャドウボリュームの裏面となる部分を"－1"としてステンシルバッファにレンダリング

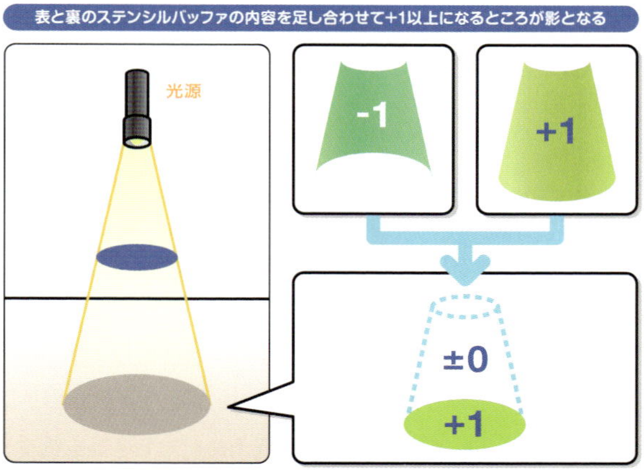

表と裏のステンシルバッファの内容を足し合わせて+1以上になるところが影となる

図4.12　演算して＋１以上になった部分が影として見える部分になる

影領域の前面と裏面を描き終わったステンシルバッファは、そのフレームのどのピクセルが影か否かを表しているので、最終的なレンダリングフェーズでは、このステンシルバッファの内容を参照して、影であれば影の色を付けていけばいい。ステンシルバッファは、特定の値で描画をマスク処理することも可能なので、ベタっと影色を塗ってもちゃんと影となるべきところにだけ"影色"を付けることができる。"影色"とは真っ黒にしてもよいし、そのシーンを普通にレンダリングして求まったピクセル色に、適当な透明度で暗い色（あるいは環境光の色）をミックスして暗色を出すようにしてもいい。このあたりの表現はアーティスティックなセンスに左右される部分になる。

この技法では、結果的に、光源ごとに生成されたシャドウボリュームが、その光源からの光の遮蔽構造をステンシルバッファに記録するようなことになるため、セルフシャドウ表現も正しく考慮され、3Dモデルが相互に影を落とし合う相互投射影表現についても正しく描き出される。

ステンシルシャドウボリューム技法の問題

この技法の弱点は、影の生成単位がポリゴン単位に限定されてしまうという点にある。

例えば、葉っぱのテクスチャを貼り付けた四角形のポリゴンがあったとする。見た目は「葉っぱ」だが、実際には、葉っぱの絵の外周は透明色なだけで、実態は四角形ポリゴンのままだ。この葉っぱに影を生成してしまうと、この技法は頂点単位の影生成技法なので、四角形ポリゴンの形状の影が出てしまう（次ページ **図4.13、図4.14**）。

そして、この技法の実装における悩み所は、頂点を引き伸ばしてシャドウボリュームを生成する処理系だ。

一口に「影生成のために引き伸ばす」とは言っても、引き伸ばし元の頂点と引き伸ばし先用の頂点を用意しておかなければ、影領域、シャドウボリュームが生成できない。しかも3Dキャラクタが動き回り、光源が動くような動的なシーンでは、その瞬間において、シーン中のどの頂点が影領域として引き伸ばされるか分からない。

そのため、この技法を採用するにあたっては、3Dモデルを構成する各頂点に対し、影生成専用の引き伸ばし用頂点（実際にはポリゴン）を仕込んでおくような工夫が必要であった（**図4.15**）。どの頂点がいつ引き伸ばされるか分からないので、3Dモデルの頂点全てに引き伸ばし用のポリゴンを仕込む必要がある（**図4.16**）。さらに引き伸ばされた/されなかったに関係なく、頂点シェーダは仕込まれた全ての頂点について処理をすることになるので、必然的に頂点シェーダへの負荷が高くなってしまう。

3Dモデルのデザインの際も、あらかじめ影領域引き伸ばし用の頂点をポリゴン予算に入れておかなければならず、形状表現に用いられるポリゴン数は控えめにならざるを得なくなってしまっていた。前出の「DOOM3」の写真を見ても分かるように2004年に登場したタイトルの割には妙に3Dモデルがカクカクしているのはこうした理由からだ。

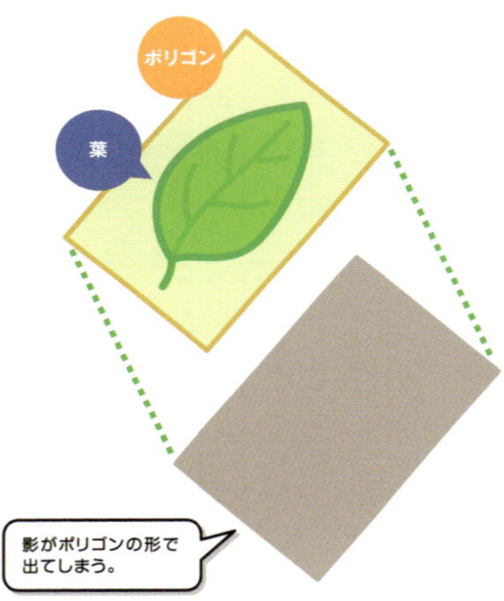

図4.13　あくまでポリゴン単位の影生成となるので、テクスチャの内容に配慮した影が生成されない

図4.14　「EVERQUEST2」（Sony Online Entertainment,2004）より。左の椰子の木の葉に注目。葉そのものはちゃんと葉の形をしているのにその陰は四角いポリゴンの形状になってしまっている

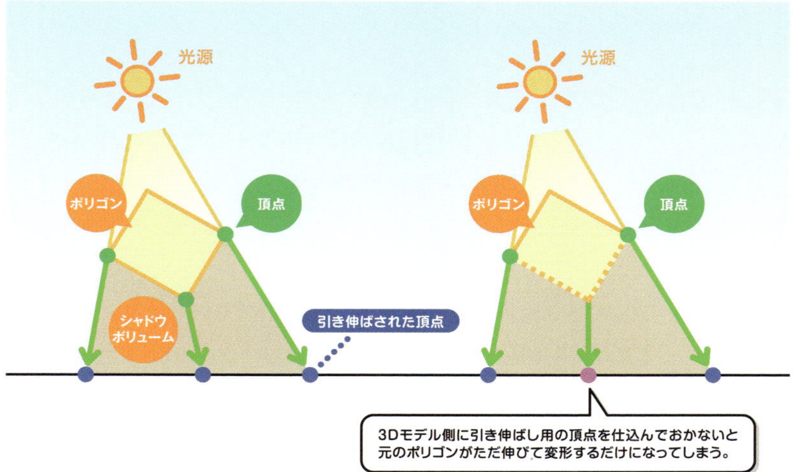

図4.15　シャドウボリュームを生成する際の専用頂点（ポリゴン）をどのように3Dモデルに仕込んでおくかがポイントになる。アルゴリズムはシンプルだがDirectX 9/SM 3.0までのGPUでは実装は意外に厄介だった

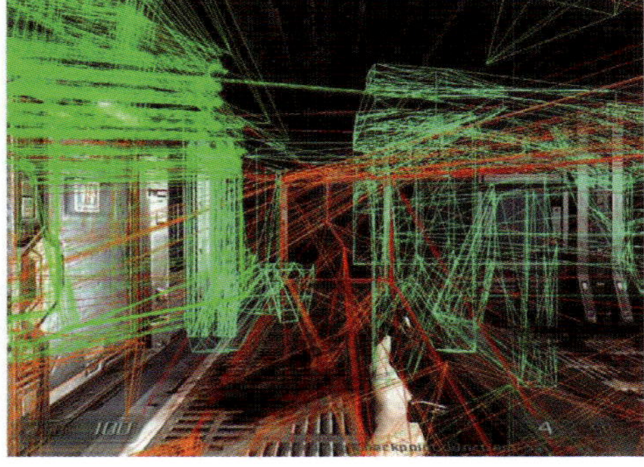

図4.16 「DOOM3」の1シーンより（左）。何気ないシーンだが、生成されたシャドウボリュームを可視化するとこのようになっている（右）。ステンシルバッファにレンダリングすると"±0"となって影にはならなくても、実際には、これだけのシャドウボリュームが生成されている

グラフィックスエンジン側（CPU側）で、どの頂点が今回引き伸ばされるのかを判定して引き伸ばし用の頂点を仕込むようなアイディアを実装しているケースもあるが、その場合はCPUに高負荷がかかり、（CPU性能が十分でないと）こちらにボトルネックが発生しがちになる。

なお、DirectX 10/SM 4.0時代には、動的に頂点を増減できるジオメトリシェーダがGPUに標準実装され、これを活用することで、この技法のポイントとなる「影領域の引き伸ばし用頂点」を「事前仕込み」で行わずともレンダリング時に臨機応変に生成はできるようにはなる。しかし、次に紹介するデプスシャドウ技法のほうに影生成の主流はシフトすることになる。

デプスシャドウ技法～その基本形

GPUのピクセルスループット(テクセルフィルレート)が劇的に向上したことに後押しされて、最近では「ステンシルシャドウボリューム技法」よりも、採用例が多くなってきているのが「デプスシャドウ技法」(Depth Shadow)だ。この技法は「シャドウマップ技法」(Shadow Maps)や「デプスバッファシャドウ技法」(Depth Buffer Shadow)とも呼ばれたりするが、本書では「デプスシャドウ技法」で統一する。

この技法はDirectX 9/SM 3.0時代に様々な改良版が生まれており、本書では、その改良版までを紹介しようと思う。まずは、この基本形の概念から解説しよう。

この技法では光源からの遮蔽構造を、「光源から遮蔽物までの距離」の情報で表現するのが肝となる。

「光源から遮蔽物までの距離」と言うと難しいイメージがあるが、実はこれは光源の場所を仮想的な視点として、そのシーンの深度値を求めるZバッファレンダリングを行うことで得られてしまう(**図4.17**)。

この光源からの距離をまとめたZバッファ(デプスバッファ)の内容は実質的に「遮蔽の分布」を表すので、これを特に「シャドウマップ」と呼ぶ(**図4.18**)。この技法を「デプスシャドウ技法」「デプスバッファシャドウ技法」「シャドウマップ技法」と呼ぶのはこのあたりから来ているのだ。なお、このシャドウマップはZバッファではなくテクスチャ(最近では浮動小数点テクスチャなど)に対して生成する場合もある。

最終的なシーンのレンダリング時には、描画対象ピクセルについて、光が当たっているピクセルなのか、そうでないのか(＝影になる)を、そのシャドウマップを参照し判定しながら描いていく。

描画対象ピクセルとシャドウマップとの対応は、そのシャドウマップを、前述した投射テクスチャマッピングの要領でシーンにマッピングしてやることで実現される。

描画対象ピクセルが3D空間上において、光源からどれくらいの距離にあるのかを計算して求め、それと対応するシャドウマップの値を比較する。

この比較は、イメージ的には、描画するそのピクセルに対して光が届いているかどうかの判定に相当する。届いている場合、そのピクセルの光源からの距離とシャドウマップ側の値は一致することになる。つまり、この場合は"光が当たっている"という判断になる。

一方、シャドウマップ側の値のほうが小さい場合は、描画対象ピクセルのところまで光が届かなかった(＝つまり遮蔽されている)ことを表すので影になるのだ(124ページ **図4.19**)。

光の遮蔽構造がちゃんと考慮されるので、この技法でもセルフシャドウ表現は行われる。そしてもちろん相互投射影の表現も自ずと現れる。

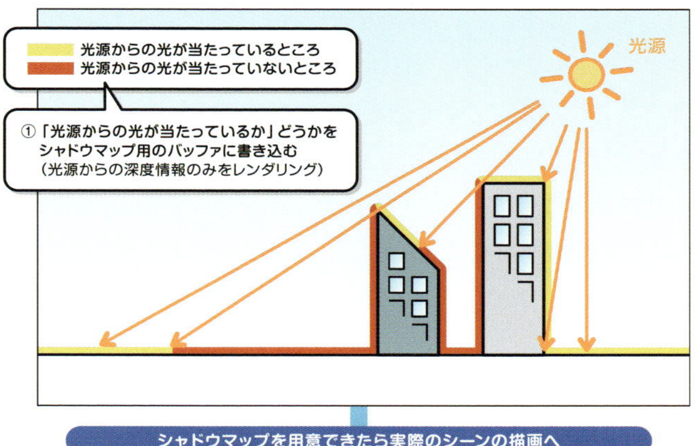

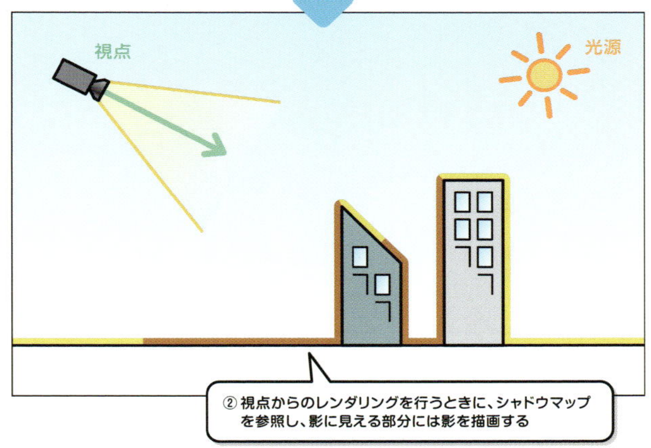

図4.17　デプスシャドウ技法の動作概念図

図4.18　「GRAVITY DAZE/重力的眩暈：上層への帰還において彼女の内宇宙に生じた摂動」（SIE,2012）より。ゲーム画面（左）とこのシーンにおけるシャドウマップを可視化したもの（右）。シャドウマップは、カメラを光源位置に光の照射方向に向けて置いて、そこからシーンの深度を描画したものに相当する。このシャドウマップ画像の白黒濃淡が、光源から遮蔽物までの距離の遠近に対応している。黒ければ黒いほど遮蔽物までの距離が近く（光源から近い）、白ければ白いほど遮蔽物までの距離が長い（光源から遠い）ことを表している

シャドウマップの生成は、実際にそのシーンに登場する全てのポリゴン（3Dモデル）を光源位置からレンダリングすることに相当するので負荷は高そうだ。しかし、テクスチャ適用や特別なピクセルシェーダによるライティングを行わないZ値出力だけのZバッファレンダリングは、最新GPUであれば倍速で動作するので比較的高速に完了できる。

このシャドウマップ生成のZバッファレンダリングの際、ポリゴンに貼られたテクスチャの内容に配慮したシャドウマップの生成も可能だ。ステンシルシャドウボリューム技法で問題となった、四角ポリゴンに葉テクスチャを貼ったケースにおいても、きちんと葉の形で影を落とすことができる（図4.20）。

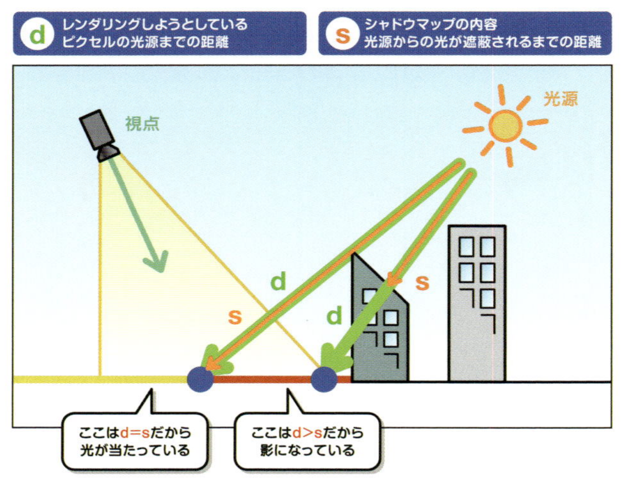

図4.19　影か否かの判定

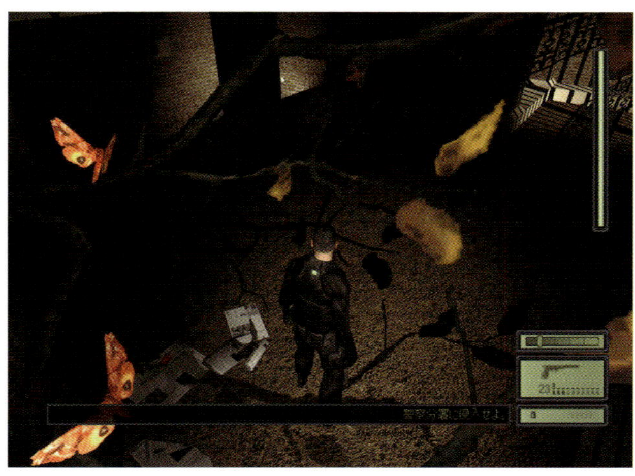

図4.20　シャドウマップ技法採用の代表作と言えば「Tom Clancy's Splinter Cell」（Ubisoft,2002）だ。葉のテクスチャが描かれたポリゴンも、きちんとその葉の形で影が落ちてくれる

デプスシャドウ技法の問題点

この技法のキーポイントは、そのシーンの光の遮蔽構造を表したシャドウマップの精度にある。つまり、生成される影の品質や精度は強くシャドウマップの解像度に依存してしまうのだ。

広いシーンの遮蔽構造を解像度の不十分なシャドウマップで生成した場合、影は非常に大ざっぱになるどころか、強いジャギーが出てしまう(**図4.21～図4.23**)。

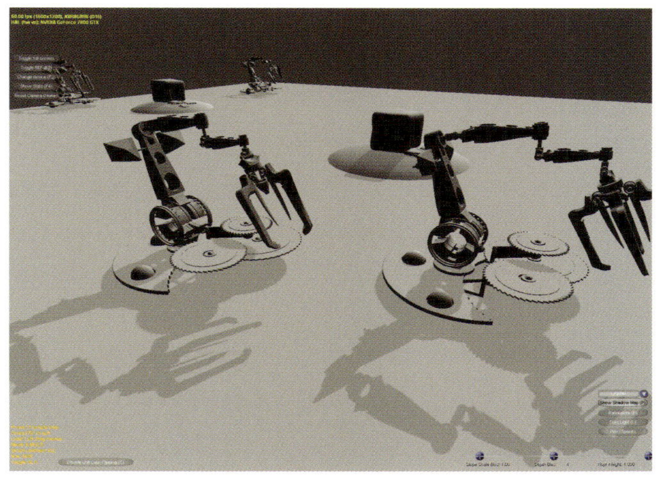

図4.21　シャドウマップ解像度が十分な場合

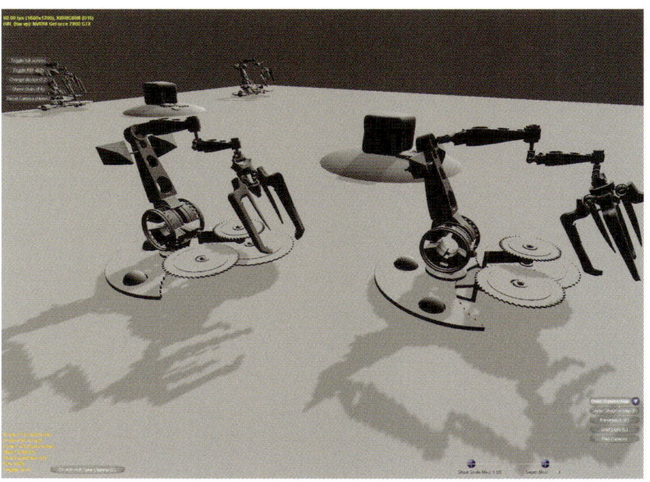

図4.22　シャドウマップ解像度が不十分な場合。影がカクカクしたものになってしまう

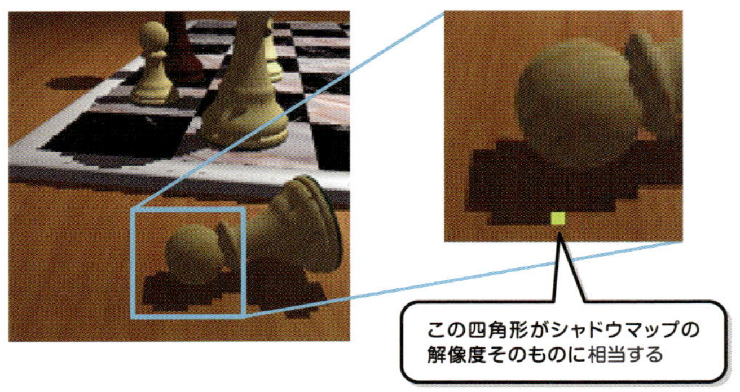

図4.23　このカクカクをなくすためにはシャドウマップの解像度を上げなければならない

例えば、100m×100mからなるシーンの全ての影を256×256テクセルのシャドウマップで表したとしよう。すると、(100m÷256テクセル) で、約40cm×40cmの領域の遮蔽構造がわずか1テクセルに落ち込んでしまう。要するに、ある程度狭い屋内のようなシーンならまだしも、屋外などの広い空間では、高解像度のシャドウマップを生成しなければ、影の品質はかなり落ちてしまうのだ。

シャドウマップ解像度が不十分だと、このデプスシャドウ技法はカクカクした影になってしまうのに対し、ステンシルシャドウボリューム技法ではこうした問題は起こらない。このカクカクした影のジャギーをなくすには、短絡的にはありったけの高解像度のシャドウマップを作ることだが、それは実際問題として難しい。

このデプスシャドウ技法の進化の歴史は、この影のジャギーをなくすための工夫に等しく、今でも様々な改良型デプスシャドウ技法が編み出されている。

改良型デプスシャドウ技法

現在は、影生成技法の主流になりつつあるデプスシャドウ技法だが、前にも指摘したように、シャドウマップの解像度を十分に高くしないと、生成した影にジャギーが出やすいという弱点がある。

研究が進むにつれて、この影のジャギーを低減させるための様々なアイディアが発表されてきている。ここからは、このデプスシャドウ技法の改良形の代表的なものをいくつか紹介していきたいと思う。

デプスシャドウ技法の弱点を根本的に解決するには？

デプスシャドウ技法のジャギーの問題を、この技法の根本から改良することで低減していこうとするアイディアもいろいろと提案されており、そのいくつかは実際の3Dゲームタイトルにも活用され始めている。

デプスシャドウ技法のジャギーは、遮蔽分布を表すシャドウマップの解像度が足りないことが主な原因となっている。

例えば、前に解説したように100m×100mのシーンの遮蔽部分布を256×256テクセルのシャドウマップに生成したとすると、約40cm×40cmの遮蔽構造が1テクセルでまとめられてしまう。捉えようとする遮蔽構造の精度とその対象範囲がアンバランスだと、そうしたジャギーが出やすくなるのだ。

一方、DirectX 11/SM 5.0対応GPUにおけるテクスチャの最大サイズは16,384×16,384テクセルもあるので、前出の100m×100mの例で考えると、1テクセルで約6mm×6mmの遮蔽構造を表すことができる。

しかし、視点から遠い箇所の遮蔽構造を6mm×6mmで取るのはやりすぎだ。100m先の6mmの遮蔽構造は1ピクセルにもならない。光源からシャドウマップを生成する際のシャドウマップの解像度の使い方は、視点からシーンをレンダリングする際に必要とするシャドウマップ精度とはバランスがとれていないのだ。

であれば、このアンバランスな関係を解消すればよいのではないか。

こうした発想から様々なデプスシャドウ技法の改良版が提唱されてきている。

パースペクティブ・シャドウマップ技法〜デプスシャドウ技法の改良版（第1形態）

その1つが、2002年、ドイツのエアランゲン・ニュルンベルグ大学（University of Erlangen-Nuremberg）のMarc Stamminger氏らがSIGGRAPH 2002で発表した「パースペクティブ・シャドウマップ技法」（PSM: Perspective Shadow Maps）だ。

デプスシャドウ技法による影のジャギーは、遮蔽構造の取り方がどうしても荒くなってしまう視点近くの領域に目立つ（次ページ 図4.24）。そこで「視点に近い位置のシャドウマップを高解像度で生成し、遠くに行くに従ってそれなりの解像度で処理する」という発想でシャドウマップの生成をすればよいのではないか。

このシャドウマップ生成の際の、特殊なバイアスのかけ方として「視界からの座標系に配慮して生成しよう」というアイディアを取り入れたのがPSM技法なのだ。

具体的には、シャドウマップを、透視投影変換（Perspective Projection）して生成すればいい。もちろん「パースペクティブ・シャドウマップ技法」の"Perspective"はここから来ている。

これで都合よく、近い位置のシャドウマップは高解像度になり、奥に行くに従ってそれなりの解像度になる（次ページ 図4.25）。これで生成される影のクオリティが視点からの距離に左右されることは改善されるわけだ。

このパースペクティブ・シャドウマップ技法は、業界標準のベンチマークソフト「3DMark05」（Futuremark,2004）に採用されたことで注目された。

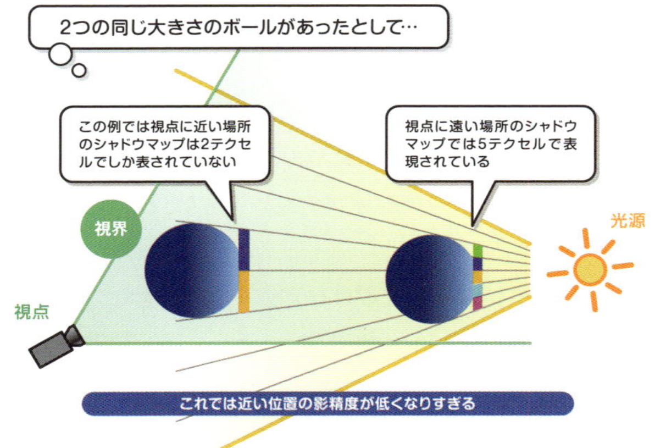

図4.24　デプスシャドウ技法の弱点は、欲しいシャドウマップの解像度と生成されるシャドウマップの解像度のアンバランスさから生まれている

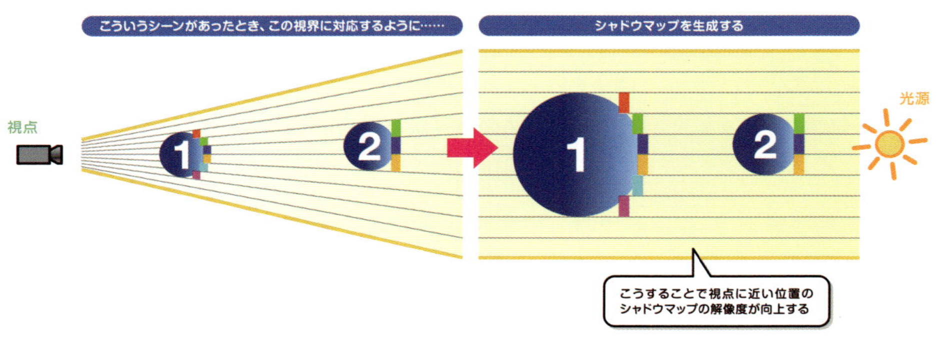

図4.25　PSM技法の概念図

ライトスペース・パースペクティブ・シャドウマップ技法～デプスシャドウ技法の改良版（第2形態）

前述の改良型デプスシャドウ技法のPSM技法にも弱点はあった。

視点よりも背後にあるような「3Dオブジェクト本体は視界に入っていないものの、影だけは視界に入ってくるようなケース」では、透視投影変換した座標系でシャドウマップを生成する原理上うまく行かない。

また、視線と光源が相対するような位置関係（完全逆光状態）のときには、通常のデプスシャドウ技法の影生成とやっていることがさほど変わらなくなってしまい、そうした条件下ではやはりジャギーが出てしまうのだ（**図4.26**、**図4.27**）。

そこで改良型のPSM技法が、2004年のEurographics Symposium on Renderingにてウィーン工科大学のMichael Wimmer氏他らによって発表された。それが「ライトスペース・パースペクティブ・シャドウマップ技法」（LSPSM: Light Space Perspective Shadow Maps）だ。

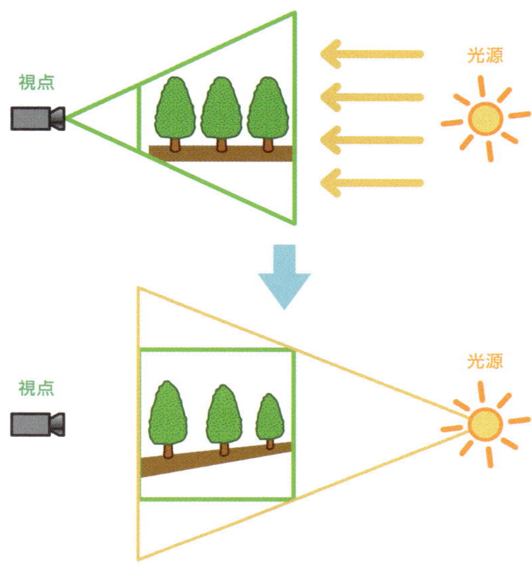

図4.26　視界と光源からの光が相対するケースではせっかくのPSMならではの工夫が台無しになる

図4.27　「3DMark05」より。視界と光源との位置関係が悪条件になるとPSMでも影に毛羽立ちが目立つようになる

LSPSM技法は、PSM技法の最良状態を得られるように、シャドウマップ生成時の座標系を調整するもので、かなり技巧的な工夫が盛り込まれている。

調整の条件とは、1つは、「視点の背後にある3Dオブジェクトの影が視界に入り込んでくるようなケース」に対処するために、シャドウマップを生成する範囲（光源からの仮想的な視界）を「影生成元になりうる全ての3Dオブジェクトを捉える」ように調整し、なおかつ「視点からの視界（視錐台）全体を含めるようにする」というもの。

条件の２つ目は、「なるべくPSM技法の長所が得られやすいようなシャドウマップ生成を行う」ために都合のよい座標系を求めるというもの。この都合のよい座標系とは、PSMの特長の「シャドウマップの解像度が視点から近い領域については細かく、遠くなるにつれてそれなりにする」というシャドウマップのバイアスのかかり方を一定に維持できる座標系のこと。これは「視点からの視界になるべく近いこと」（**図4.28**）が条件になる。

この２つの条件を同時に満たす座標系でシャドウマップを生成すれば（**図4.29**）、後はPSM技法（というかデプスシャドウ技法）とやることは同じだ（**図4.30**～**図4.35**）。

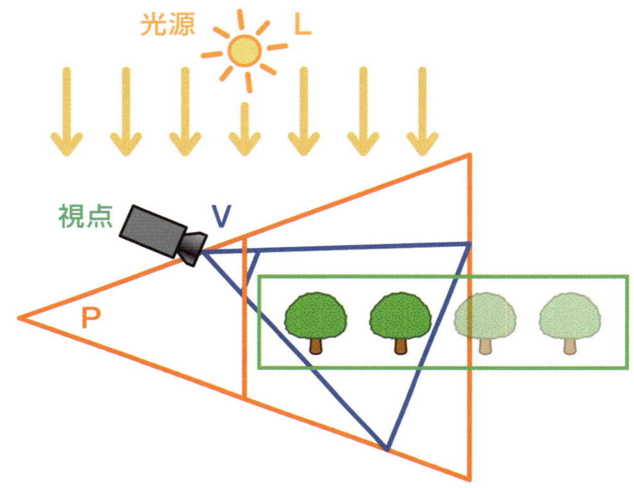

図4.28　Vが視点からの視界（視錐台）。Lは光源。シャドウマップを生成するための座標系Pは、このように「視点からの視界Vを含み」「影を落とす可能性のある3Dオブジェクトを全て含み」、なおかつ「視点からの視界に近い」という条件のものを算出して求める

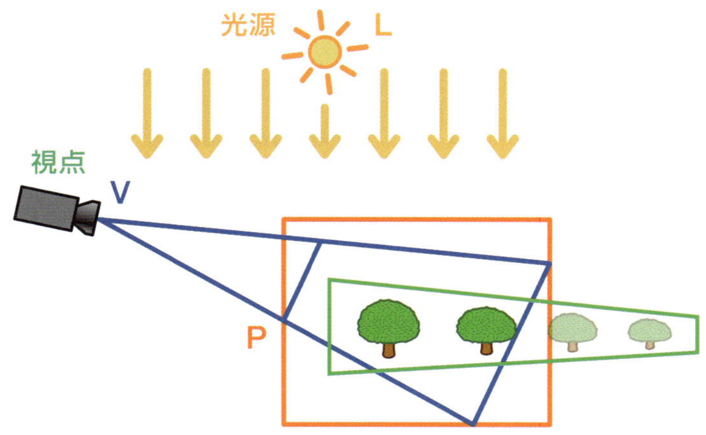

図4.29　実際のシャドウマップ（"□"で囲まれている部分）は、このような変形された座標系で生成される。このシャドウマップを生成するための座標系の変形に工夫があるだけで、技法としての方針はPSMと同じであると言える

図4.30　通常のデプスシャドウ技法。手前の影が相当大ざっぱになっている

図4.31　図4.30のシャドウマップの内容

図4.32　PSM技法。手前の影は相当緻密に出ているが奥の影が逆に大ざっぱになっている

図4.33　図4.32のシャドウマップの内容

図4.34　LSPSM技法。手前の影も奥の影も両方とも精細に出ている

図4.35　図4.34のシャドウマップの内容

カスケードLSPSM技法〜デプスシャドウ技法の改良版（第３形態）

LSPSM技法でデプスシャドウ技法の弱点がだいぶ克服はできるものの、それでも、遠方までが描かれるような広大な屋外シーンでは、やはり１枚のシャドウマップで遮蔽構造を生成していたのでは解像度不足が生じてしまうことがある。

１枚のシャドウマップで不足してしまうならば、複数のシャドウマップを利用してはどうか、という明解な改善策として自然発生的に生み出されたのが「カスケードLSPSM技法」（Cascaded LSPSM）だ。

１つの光源からの遮蔽構造を記録するのに複数のシャドウマップを用いるわけだが、複数のシャドウマップをどのように生成するのかが、この工夫のポイントになる。

様々な方法が考えられるが、一番分かりやすいのは、視点からの視界（視錐台）を視点位置から近い位置から遠方に向かって適当に分割し、分割された視界それぞれに対して、前述したLSPSM技法に求められた２つの条件を満たす座標系でのシャドウマップ生成を行えばよい。

概念図的には**図4.36**のようになる。この図は視界を視点から近距離、中距離、遠距離の３段階に分割して、それぞれにシャドウマップを生成する、という例を示したものである。

３つに切り分けた各視界の境界付近は重なり合っていることが分かると思うが、この部分についてはシャドウマップは重複して生成されることになる。その意味ではこの方法は多少なりとも冗長性があり、それが余計な負荷となる。

最終的なレンダリング時には、この複数枚生成したシャドウマップを使い分けて影生成を行うことになる（**図4.37**〜**図4.40**）。

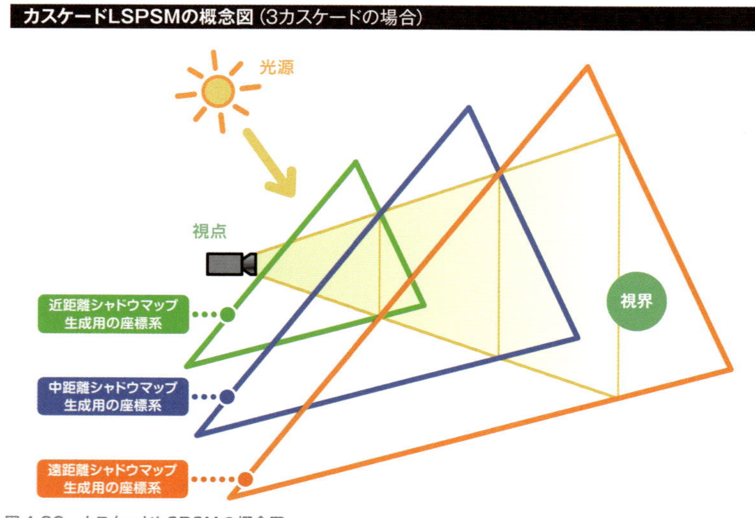

図4.36　カスケードLSPSMの概念図

図4.37　「ロストプラネット」（カプコン,2007）はカスケードLSPSM技法を採用していた。ロストプラネットでは1,024×1,024テクセルの３枚のシャドウマップを、視点からの距離の近中遠で切り分けて生成していた

図4.38　このシーンの近距離シャドウマップ

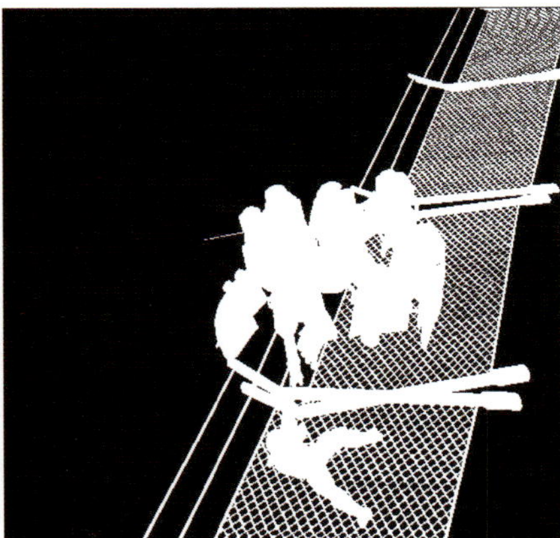

図4.39　同じシーンの中距離シャドウマップ

図4.40　同じシーンの遠距離シャドウマップ

デプスシャドウ技法では、あるピクセルをレンダリングする際、そのピクセルと光源までの距離を算出し、これと、そのピクセルに対応するシャドウマップに格納されている値との比較を行う。あるピクセルをレンダリングする際には、当然、深度値(Z値)を求めることになるので、この深度値をキーにして複数生成しておいたシャドウマップから、どれを選択して参照すればいいかを決定する。

なお、どのくらいで分割するか、いくつに分割するかは、影に求めるクオリティのレベル、あるいはGPUの処理能力、ビデオメモリの容量などの様々な要因で臨機応変に決める必要がある。

ボカし付きデプスシャドウ技法〜手軽にソフトシャドウを得る

デプスシャドウ技法の弱点は、シャドウマップの解像度が不十分だと、影にジャギーが出てしまうということだった。

他の解像度が高いのに、影だけにジャギーが出ているのは不自然だ(図4.41)。かといってビデオメモリ使用予算の関係からシャドウマップの容量を闇雲に増やすことができない場合もある。

影のジャギーが目立つのは影の輪郭付近なので、だったら、このジャギーを積極的にボカして消してしまってはどうか。つまり、影生成技法そのものを改良するのではなく、生成された影のジャギーをポストプロセスで消そうとするアイディアだ。

このテクニックの場合、影生成自体は通常のデプスシャドウ技法の実装でよい。ただし、このとき、影生成だけを表示フレームと同解像度のテクスチャに対して行う。これで作り上げられるのは画面上の「日影と日向」の0か1の2値画像テクスチャになる(図4.42)。

今度はこの「日影と日向」の2値画像テクスチャを、バイリニアフィルタを使った縮小バッファやガウスフィルタ等を使ってぼやかしてしまう(図4.43)。こうすることで、影の詳細情報は失われてしまうが、その代わり影の輪郭のジャギーは低減される。

図4.41 「バーチャファイター5」(セガ,2006)より。デプスシャドウ技法をそのまま実装して生成すると、このように影に毛羽立ったようなエイリアシング(ジャギー)が出てしまう(胸元あたりに注目)

図4.42　デプスシャドウ技法で影フレームを生成。この時点では毛羽立っている

図4.43　その影フレームをボカす

図4.44　ボカした影フレームを表示フレームと合成する。前出の画像と比較すると影の毛羽立ちが低減されていることが分かる

後は、普通に各種シェーダを動作させてレンダリングした通常の表示用フレームと、このボカしてできた影フレームを合成して完成になる（**図4.44**）。

こうしたボケた影の表現は「ソフトシャドウ表現」（Soft Shadow）と呼ばれる。

現実世界においても影がシャープに出ることは珍しいのでややボケているくらいのほうがリアルに見える。そのため、このテクニックはジャギーも消えてリアルに見えて一石二鳥の方法だと言えるわけだ。

しかし現実世界の影のボケは、影自体の投射距離が長いときに光の散乱によって影の外周に光が入ってきてしまうことによるボケだったり、あるいは光を作り出す光源自体に大きさがあることでボケる場合もあり、その要因は様々だ（次ページ **図4.45**）。このテクニックでは、影のボカし処理を二次元的に（正確には画面座標系で）行ってしまうため、影のボケ方は物理量的には正しくはない。

とはいえ、比較的単純な実装で見栄えの悪いジャギーを消せて、ソフトシャドウの効果が得られるのは効果として大きい。

ただ、このテクニックには少々問題点がある。

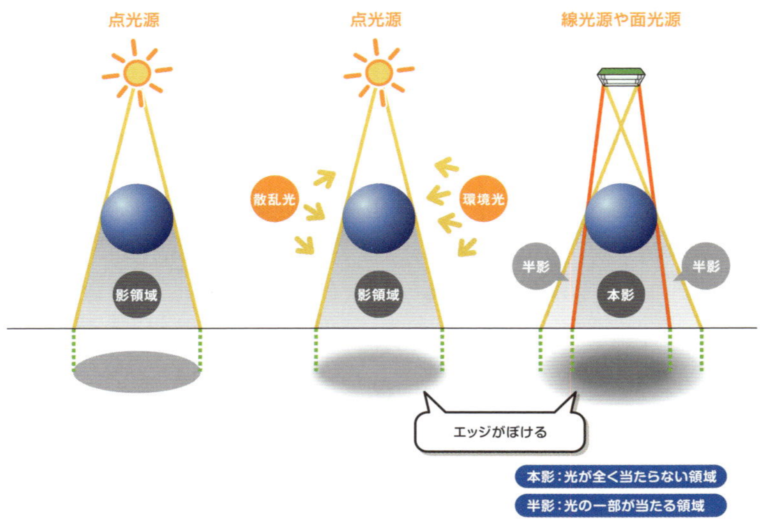

図4.45　ソフトシャドウ

このテクニックでは影をボカす際の処理を二次元的に行っているので、このボカした影を合成すると、ボケてにじんだ影のエッジが、3Dグラフィックスの前後関係を無視してあふれてきてしまうのだ。例えば、奥の影のボケ部分が手前の3Dオブジェクトの日向部分にあふれてきてしまったりする。

これを改善するアイディアもいくつかある。

例えば影フレームのボカし処理をシーンの深度値を見て、シーンの前後関係に配慮しながらボカすといった案が1つ。あるいはボカす際に、「どの深度値の影のボケなのか」に相当する情報をボカした影フレームにも保存しておき、これを合成時に配慮する、というのもいいだろう。

なお、シャドウマップの解像度が低すぎると、いくら影フレームをボカすからと言ってもジャギーを消しきれない。このテクニックを使う場合は、「シャドウマップの解像度」と「どのくらいボカすか」の調整は慎重に行う必要がある。比較的視点が寄ったり離れたりするような3Dゲームでは、一定のシャドウマップ解像度や一定のボカし量では「粗」が目立ってしまうことがあるかもしれない。比較的視点位置が落ち着いている三人称視点のアクションゲームやリアルタイムストラテジー、RPGのような3Dゲームとの相性がよいかもしれない。

バリアンス・シャドウマップ技法〜効率よくソフトシャドウを得る

デプスシャドウ技法の影のジャギーをボカしてソフトシャドウ表現にしようとするアイディアは他にもある。今でもそれなりに採用事例が多い「バリアンス・シャドウマップ技法」(VSM: Variance Shadow Maps) だ。

VSM技法でも、シャドウマップを生成するところは全くデプスシャドウ技法と同じである（それこそPSM、LSPSM技法で生成してもよい）。ただし、実際の最終的なシーンのピクセルを描画する際の、影かどうかの判定で、やや特殊な計算を行うために、シャドウマップは浮動小数点テクスチャを用いる。さらに、シャドウマップを生成する際に、光源からの遮蔽物の深度値だけでなく、その深度値の二乗の値も格納する。よって、1つの値しか格納できない1要素テクスチャではなく、一般的な αRGBで表される複数要素からなるカラー・テクスチャフォーマットにする必要がある。

最終的な視点から見たシーンの描画時には、描画する各ピクセルについて、そのピクセルから光源までの距離を求め、シャドウマップからそのピクセルと対応する光源と遮蔽物までの距離を比較し、「影か否か」の判定を行う。ここまではデプスシャドウ技法の基本形と同じだ。

最大の違いは、この「影か否か」の判定に、確率論でよく用いられる「チェビシェフの不等式」と呼ばれる方程式を用いるところである。

通常のデプスシャドウ技法では、「影か否か」のYES or NOの二値判定をするが、VSM技法ではここで「チェビシェフの不等式」を用いて「光が当たっている最大確率」を算出するのだ。3Dグラフィックスに確率論の方程式を持ってくるところがユニークだ。この影か否か判定の結果が最大確率の0.0～1.0の実数で表されるので、この値はそのまま影の色（≒影の濃さ）として利用できる。

通常のデプスシャドウ技法において影領域の輪郭にジャギーが出やすいのは、この箇所の「影か否か判定」が難しいのに「影（0）か、光が当たっている（1）か」の二択にしてしまっていたからだ。ここを確率、すなわち実数で表せることになるので滑らかにできる。影の本体に近ければ近いほど影の確率は高くなって影は濃くなり、遠ければ遠くなるほど影の確率は低くなり薄くなる、というイメージだ。このように影の輪郭付近が滑らかになるというのは、ちょうどソフトシャドウ表現になる。もちろん、物理的に正しい結果のソフトシャドウではないが、見た目的には強い説得力がある（**図4.46**）。

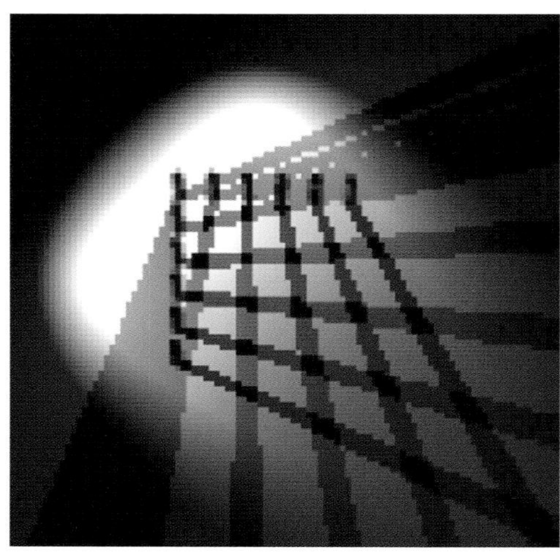

図4.46　通常のデプスシャドウ技法（左）とVSM技法（右）との比較

さて、チェビシェフの不等式は以下のように表される。

$$P(x \geqq t) \leqq \frac{\sigma^2}{\sigma^2 + (t - E(x))}$$

これは、分散 σ^2 と平均値 $E(x)$ のデータがあるときに「$x \geqq t$」となる確率 $P()$ の最大値はこう計算される、ということを表した数式だ。

デプスシャドウ技法において、「シャドウマップに記録されている値（遮蔽物から光源までの距離）」≧「レンダリングしようとしているピクセルの光源までの距離」となったときには光が当たっていると判断できる。

そこで、求めたい確率「$P(x \geqq t)$」において、t を「レンダリングしようとしているピクセルの光源までの距離」としてこの不等式を活用すると、確率 $P(x \geqq t)$ は光が当たっている確率を求めることに相当する。少し分かりにくかった人は**図4.47**を見たうえで、この式の「$x \geqq t$」の部分を「d ≧ s」と置き換えたものとして考えると分かりやすいかもしれない。

分散 σ^2 は以下のように表され、平均値 $E(x)$ はシャドウマップに記録されている値を用いて計算する。$E(x^2)$ はシャドウマップの参照範囲内の値を二乗したものの平均値、$E(x)^2$ はシャドウマップの参照範囲内の値の平均値の二乗値に相当する。

$$\sigma^2 = E(x^2) - E(x)^2$$

この技法はそのままでも、影のエッジが柔らかくなるが、生成したシャドウマップに対してブラーをかけてやると、さらに影境界が柔らかくなる。ただし、このブラーを極端にかけると、影の輪郭が重なり合う箇所で、光が漏れてきているような"筋"が出てしまう。シャドウマップ側へのブラーのかけ方は、この"筋"の出方を意識しつつ調整する必要があるのだ。

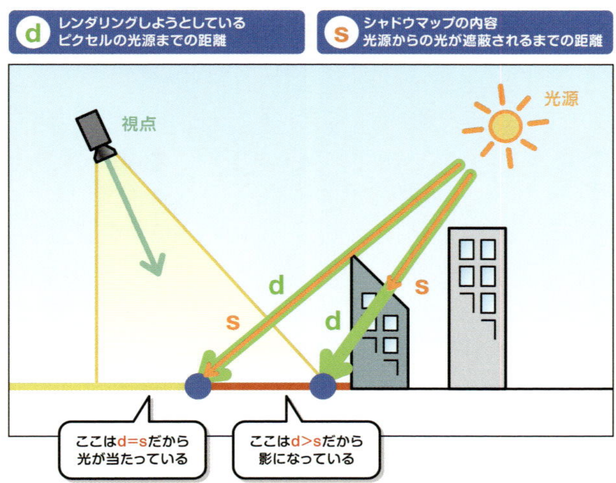

図4.47　影か否かの判定（図4.19再掲）

図4.48 VSM技法の代表格と言えばUnreal Engine 3.0だ。画面はUnreal Engine 3.0ベースで制作されているゲーム「Gears of War」(EPIC GAMES,2006) のもの

さて、このVSM技法は、「影か否か判定」の工夫がメインの技法であるため、前述したPSM、LSPSM、カスケードLSPSMといったシャドウマップ生成側に工夫をしたデプスシャドウ技法の改良形と組み合わせて使うこともできる。近場から遠いところまでは高品位に、なおかつソフトシャドウまでを出したいときには、そうしたハイブリッド技法を活用するといいだろう。

影生成技法に万能な方法はなし？

このChapterで述べてきた影生成はほんの一部で、まだまだ各所で様々な改良技法の開発が進んでいる。

例えば、Guerrilla Gamesが「KILLZONE 2」(2009年)にて、デプスシャドウ技法特有の影輪郭付近の点滅弊害について特別な対策を施したことを明らかにしている。

デプスシャドウ技法では、視点が動いたときに、シャドウマップ用のテクスチャが視線ベクトルの変化にシンクロして回転してしまうことが原因で、影輪郭が点滅してしまうことがあった。見ている対象物が動かなくても、見ている側が動くことで、シャドウマップ内に書き出された影領域の描かれ方が変わってしまい、これが最終的なシーンに描かれた影の輪郭にブレ(揺れ)を生じさせるのだ(**図4.49**)。

「KILLZONE 2」では、これを改良するために、ワールド座標系で回転させないでシャドウマップをカスケードさせる工夫を盛り込んでいる(**図4.50**)。ただ、この方法も一長一短で、影の輪郭の振動は抑えられたものの、シャドウマップの利用効率が一定でなくなるため、場合によっては影解像度が低くなる状況があり得るという。

現状、万能で完璧な影生成手法はなく、レンダリングするシーンに最も適した手法を採択し、さらに地道なチューニングも同時に必要になるということなのだ。

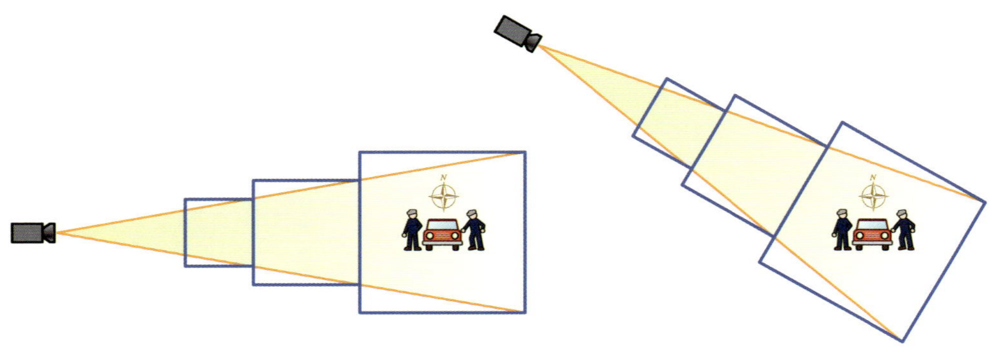

図4.49 一般的な視点基準のシャドウマップにおけるカスケードの考え方。これでは対象物が動かなくても、視点が動くだけでシャドウマップへの書き出され方が変わり、生成される影も微妙に変わる。これがブレや揺れを生む

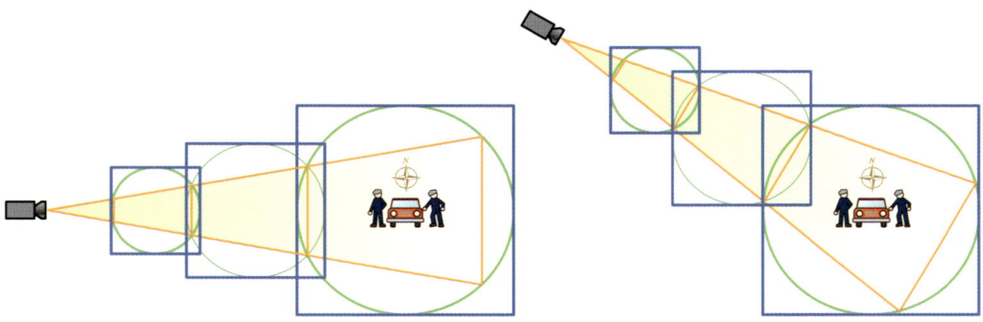

図4.50　これに対処するために「KILLZONE 2」では、視線が動いてもシャドウマップを、ワールド座標系基準で回転させずにカスケードさせる工夫を盛り込んだ。これによりブレや揺れが低減されたが、前出の図と見比べても分かるように冗長性は大きくなってしまっている。どの方法にも一長一短がある

Chapter 1とChapter 2で取り上げたように2018年より、リアルタイムグラフィックスにハードウェアアクセラレーションを伴ったレイトレーシングが導入されたことで、レイトレーシングを活用した影生成を採用したゲームも登場してきている。例えば「シャドウ オブ ザ トゥームレイダー」（スクウェア・エニックス,2018）では、「平行光源による影」「点光源による影」「面光源による影」「丸形スポットライトによる影」「半透明材質の影」など5種類の影生成にレイトレーシングを活用したとしている。

ただ、現状のGPUでは、そのパフォーマンス的な制約から、ゲームプレイに耐え得るフレームレートでレイトレーシングを行おうとすると、フルHD（1920×1080ピクセル）解像度で1ピクセルあたり1レイ、ないしは数レイ（1桁台）のレイしか投げることができないため、シーン内の全ての影をレイトレーシングで実践するのは難しそうだ。実際、前出の「シャドウ オブ ザ トゥームレイダー」でも、シーンの広範囲に対して投射される影についてはデプスシャドウ技法の影生成を利用しており、レイトレーシングは「着目しているピクセルから影の落とし主（遮蔽物）が比較的近い位置にある場合の影生成」（≒比較的、投写距離の短い影生成）にのみ採用している（次ページ **図4.51～図4.55**）。

レイトレーシング対応GPUが普及した後も、しばらくは、このChapterで解説してきたような影生成技法とレイトレーシングによる影生成は併用されると予想される。

デプスシャドウ技法のみによる影生成結果

デプスシャドウ技法による影生成とレイトレーシングによる影生成を適材適所で組み合わせた影生成結果

図4.51　「シャドウ オブ ザ トゥームレイダー」（スクウェア・エニックス,2018）における影生成。細部の拡大画像は図4.52～図4.55を参照

図4.52　画面左側の岩の影は、デプスシャドウ技法（左）では影投射元の3Dモデルが大ざっぱなものになっているため、角張った形状になっている。レイトレーシングによる影（右）は、しっかりと岩の形状で影が出ている

図4.53　画面中央のシダ植物の影は、デプスシャドウ技法（左）では影投射元の3Dモデルが大ざっぱなものになっているため、ボヤっとした曖昧な形状になっている。レイトレーシングによる影（右）は、きちんとシダ植物特有のギザギザした葉の形で影が出ている

図4.54　画面中央上の橋の影は、デプスシャドウ技法（左）では手すりの影が描画できていないが、レイトレーシング（右）では橋桁上に手すりの影が出ている

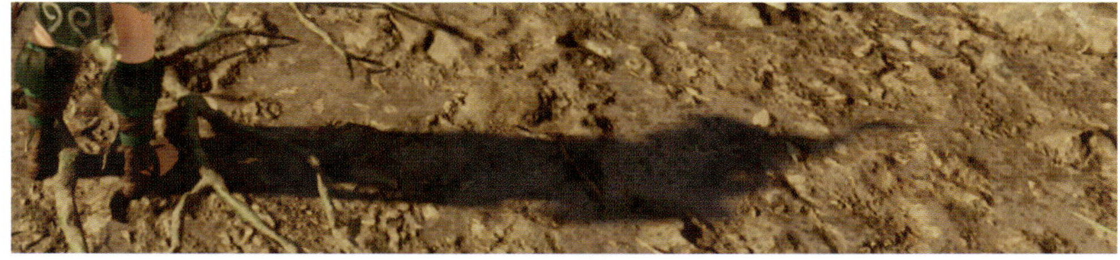

図4.55　画面下部の主人公の影は、デプスシャドウ技法（上）では影投射元の3Dモデルが大ざっぱなものになっているため、形状がはっきりしていないが、レイトレーシング（下）では主人公の着ている衣装のディテール形状までが分かる正確な影が出ている

▶ Column

最新3Dゲームに見る影生成のテクニック

最新3Dゲームの影生成技法の主流はPSMやLSPSM

現在の3Dゲームにおける主流の影生成技法は「デプスシャドウ」技法系となっている。逆に「DOOM3」(id Software,2004)で一世を風靡したステンシルシャドウボリューム技法は、最近ではほとんど採用例が見られなくなった。

デプスシャドウ技法が主流になったとはいえ、原形の技法では、やはり広範囲に影が落ちるような屋外シーンなどでは能力不足であることから、タイトルごとに独自の工夫を盛り込んでいる場合が多い。

最近は、このChapterでも紹介したパースペクティブ・シャドウマップ技法（PSM: Perspective Shadow Maps）や、ライトスペース・パースペクティブ・シャドウマップ技法（LSPSM: Light Space Perspective Shadow Maps）の発展形などの採用例が目立つ。

PS3時代の代表作で言えば、「メタルギアソリッド4」（コナミ,2008）はPSM技法を採用していたし、「ソニック ワールドアドベンチャー」（セガ,2009）、「バイオハザード5」（カプコン,2009）などはLSPSM技法を採用していた（**図4.A**）。

PSM技法やLSPSM技法が原形のデプスシャドウ技法よりも改良されているとはいえ、もちろん万能ではない。やはり屋外のシーンで広域に影を生成する場合には、どうしても1枚のシャドウマップではまかないきれない。そのため、このChapterでも紹介したような、複数のシャドウマップをカスケードして利用する工夫が採用される場合が多い。

図4.A 「メタルギアソリッド4」はPSM技法を採用していた

図4.B 「ロストプラネット」において1枚だけのシャドウマップによって試験的に影を生成したショット。このように1枚のシャドウマップではLSPSMでの破綻条件（光源ベクトルの向きと、視点の向きが近いとき）では破綻する

図4.C 同一シーンでも、3枚のシャドウマップを用いたカスケード拡張されたLSPSMでは破綻を回避できる

「ロストプラネット」（カプコン,2006）では、1枚のシャドウマップでは光源ベクトルの向きと、視点の向き（視線ベクトル）が近い（≒およそ同じ方向を向いている）ときに破綻することがあるため、このChapterでも紹介したように近、中、遠の3段階(3枚)のシャドウマップを生成していた(**図4.B**、**図4.C**)。

なお、ソニック ワールドアドベンチャーでは、複数のシャドウマップをカスケードさせる工夫を採用せずに、動的影の破綻を見る者に気づかせないユニークなテクニックを採用していた。

ソニック ワールドアドベンチャーでは、LSPSMで動的キャラクタと静的オブジェクト、双方のシャドウマップを生成するものの、そのシャドウマップを用いた影描画段階で適応型の処理をしている。

まず、地形に落ちている背景などの影は、実は事前生成された焼き込みの静的な影だ。そして原則として、静的なオブジェクトのリアルタイム影（動的影）は静的オブジェクト上には描かない。つまり、例えば木の影は、LSPSMによるリアルタイム影として地面には描かれず、事前生成された静的な影のみが描かれる。しかし、動的なキャラクタ上にはLSPSMベースで全ての影を描画する。例えばソニックの影は地面にも描画するし、ソニックに投射してくる木のリアルタイム影はソニックの身体には描画するのだ（次ページ**図4.D**～**図4.F**）。

言い方を変えれば、静的な焼き込み影が動的キャラクタと交差するようなときには、静的な焼き込み影をあたかも動的キャラクタに投射させているかのように見せているということだ。つまり動的なキャラクタには、LSPSMで生成した静的オブジェクトのリアルタイム影を投射してごまかしているだけなのだ。

このテクニックによって、ソニック ワールドアドベンチャーでは、広範囲に及ぶ背景などの静的オブジェクトのリアルタイム影描画をほとんど省略している。静的オブジェクトのリアルタイム影描画は動的キャラクタに投射されているものだけ行えばよくなるので、効率のよい負荷低減にもなっているのである。

なお、このテクニックはバイオハザード5でも用いられている（**図4.G**～**図4.H**）。

図4.D　動的オブジェクトの影はLSPSM技法で生成して描く

図4.E　背景などの静的オブジェクトの影は事前生成した焼き込みの影を基本とする

図4.F　両者を合成した完成画面。テーブル、椅子、ソニックなどの動的オブジェクトに投射されている影は、LSPSM技法で生成された静的オブジェクトの"動的"影。静的オブジェクトの影は、動的オブジェクトに投射されるものだけを動的影として描いているのだ

図4.G　静的オブジェクトの動的生成影をキャンセルしたショット。足元の地面に落ちている影は事前生成された焼き込み影だ

図4.H　右は静的オブジェクトの動的生成影が投射された完成画面

Chapter 5

ジオメトリシェーダとは何か

2007年、Windows Vistaの登場と共に提供されたDirectX 10、そしてプログラマブルシェーダ4.0。これを転機に、リアルタイム3Dグラフィックスパイプラインは新しい第三のプログラマブルシェーダ「ジオメトリシェーダ」を得ることになった。
このChapterでは、この新しいプログラマブルシェーダについての解説を行っていく。

ジオメトリシェーダの２つの活用法

2007年1月、Windows Vistaの登場と共にDirectX 10がリリースされ、同時にプログラマブルシェーダ仕様（SM: Shader Model）は4.0へとバージョンアップがなされた。このSM 4.0で最大のトピックと言えるのが「ジオメトリシェーダ（Geometry Shader）」の新設だ。これは、これまでGPU内部では行えなかった頂点の増減を可能にする画期的な仕組みだ。

誕生してしばらくが経つが、その応用方法は現在も各開発シーンにおいて未だ研究が進行しているという状況だ。

ここではジオメトリシェーダの代表的な活用の仕方をいくつか紹介する。

前述の通り、ジオメトリシェーダはDirectX 10/SM 4.0以降の環境でないと使えない。DirectX 10はWindows Vista以降に専用供給されるので、すなわち、ジオメトリシェーダはWindows XP以前の環境では利用できないことになる。

ジオメトリシェーダの仕事は、プログラムに従って頂点を増減することだ（**図5.1**）。正確に言うと線分、ポリゴン（三角形）やパーティクルのような「プリミティブ」を増減できる。ちなみに、余談になるが、ジオメトリシェーダはDirectX 10開発当初「プリミティブシェーダ」（Primitive Shader）と呼ばれることも多かった。

さて、このジオメトリシェーダを使って一体何ができるのか。

現在までに登場している様々なジオメトリシェーダの活用を、カテゴライズすると２種類に分類できる。１つは「ジオメトリシェーダのアクセラレーション的活用」、そしてもう１つは「ジオメトリシェーダを活用した新表現」だ。

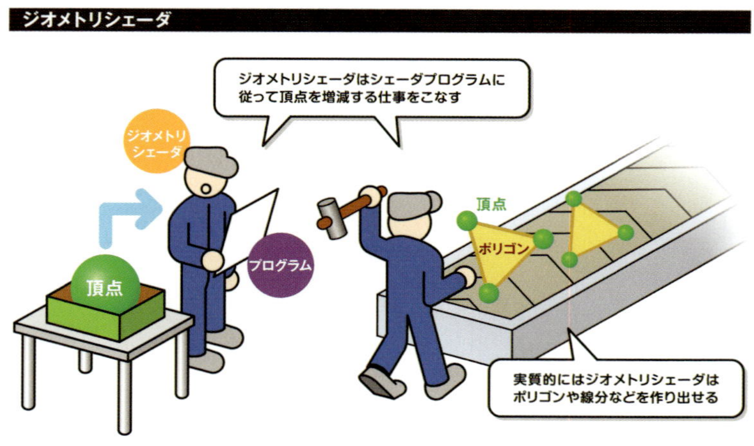

図5.1　ジオメトリシェーダの概念

前者は結果の表現こそ変わらないが、ジオメトリシェーダによって描画パフォーマンスが大きく加速するような活用だ。後者は、これまでは実現が難しかった表現が、ジオメトリシェーダを活用することで容易に実現可能になるというものだ。

現在は、前述したように登場して間もない、ジオメトリシェーダ黎明期とも言える時期であるため、どちらかと言えば前者のアクセラレーション的活用が多いようだ。

まずは、この「ジオメトリシェーダのアクセラレーション的活用」のほうから見ていくことにしよう。

ジオメトリシェーダのアクセラレーション的活用（1）～ステンシルシャドウボリューム技法の影生成を加速する

Chapter 4の「影生成の進化の系譜」のところで触れた、「ステンシルシャドウボリューム」技法による影生成では、光源から見て輪郭となる頂点を、光源ベクトル方向へ引き伸ばしてシャドウボリューム（影領域）を生成することから始まる。

SM 3.0世代までの頂点シェーダとピクセルシェーダしか持たないGPUでは、この影領域生成用の（つまりは引き伸ばし用の）頂点を、影を生成させる3Dモデル側に仕込んでおく必要があった。この方法では、影生成に全く無関係であっても影領域引き伸ばし用の頂点計算に頂点シェーダがかり出されてしまうため、頂点負荷が高い。この頂点負荷を軽減するために影引き伸ばし専用の、非表示の低ポリゴンモデルを用意し、これに対してシャドウボリューム生成を行うテクニックもある。しかし、この最適化では影の生成元が低ポリゴンであるため、カクカクとした影ができやすくなるという弱点がある。

根本的な問題を解決するためには、動的に光源方向から見て輪郭か否かを判断して、もしそうであればここで影領域引き伸ばし用の頂点を動的に生成すればいい。

ジオメトリシェーダを使えば、この処理が実現できる（図5.2）。これまで面倒だった、3Dモデル

図5.2　シャドウボリュームを可視化した例。光源に対して輪郭となる頂点を、動的にジオメトリシェーダで複製し、これを引き伸ばす処理を行うように処理を改善

への「引き伸ばし用頂点の仕込み」が不要となり、さらには影領域に関係のない余計な頂点処理からも解放され、開発作業効率にも、データレベル的にも、パフォーマンス的にもアクセラレーションが実現される。

ジオメトリシェーダのアクセラレーション的活用（2）～ファーシェーダを加速する

3Dキャラクタに毛を生やす「ファー（毛）シェーダ」（Fur Shader）と呼ばれるテクニックがある。

このファーシェーダには大別して２通りの方法があり、これらのどちらか、あるいは両方を組み合わせて活用することが一般的になっている。

フィン法のファーシェーダ

１つは毛を描いたテクスチャを貼り付けたポリゴンを3Dキャラクタに植え込むアプローチの「フィン（Fin: ヒレ）」法だ（**図5.3**）。

この手法では、事前に3Dキャラクタに植毛をするように毛ヒレを3Dキャラクタ本体に植え込んでおく必要がある。

この方法では、毛の有無などが分かりにくいほど視点から遠い位置の3Dキャラクタにおいても、GPUは植え込んだ毛の頂点処理やピクセル描画を行う必要があり無駄が多い。

ジオメトリシェーダを用いれば、事前に3Dモデルに対して毛を生やしておく必要はなく、描画時にリアルタイムに動的に"植毛"することができるようになる（**図5.4**）。

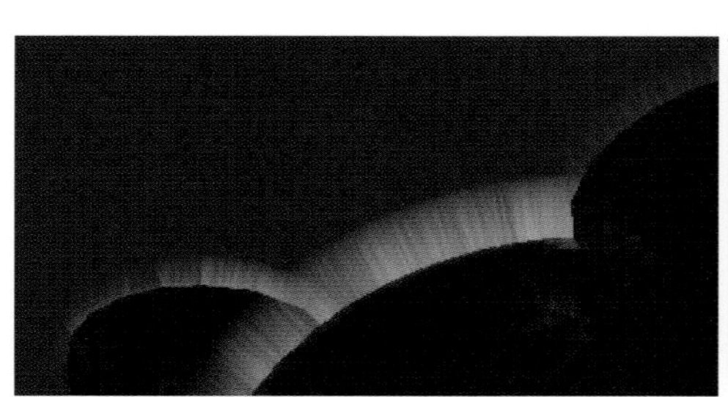
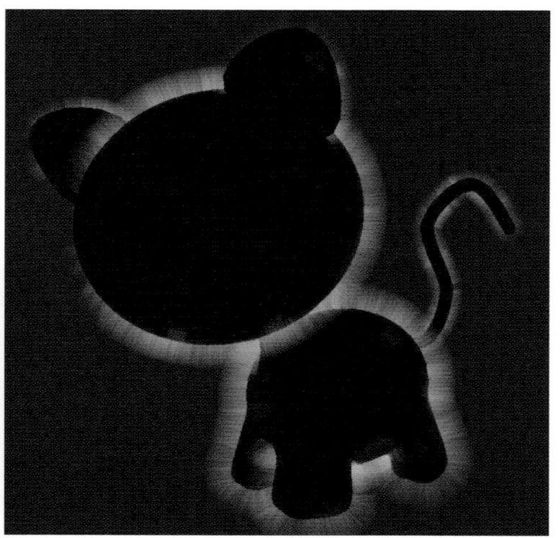

図5.3　"毛ヒレ"を植え込んで毛を再現するフィン法。毛ヒレを連結させて長髪を表現する場合もある

動的に生成することで副次的なメリットも生まれる。

例えば、3Dモデル情報をいじらずに、1つの3Dモデルを流用して、毛の長さや毛並み(毛の密度)を変えた3Dキャラクタ描画を行うことができるようになる。

また、視点から遠いキャラクタに対しては毛ヒレの植え込み個数を少なくして手を抜いたり、あまりにも遠い場合は毛ヒレを植え込まないといったLOD (Level of Detail: 視点からの距離に応じて高負荷の処理と低負荷の処理を使い分ける処理系) 的な仕組みを実装することもできることだろう。

フィン法のファー表現のライティングに関しては様々なものが考案されているが、最も単純なのは毛ヒレに対して簡易的な頂点単位のライティングを施すもの (図5.5) が比較的負荷が軽く、よく用いられるようだ。

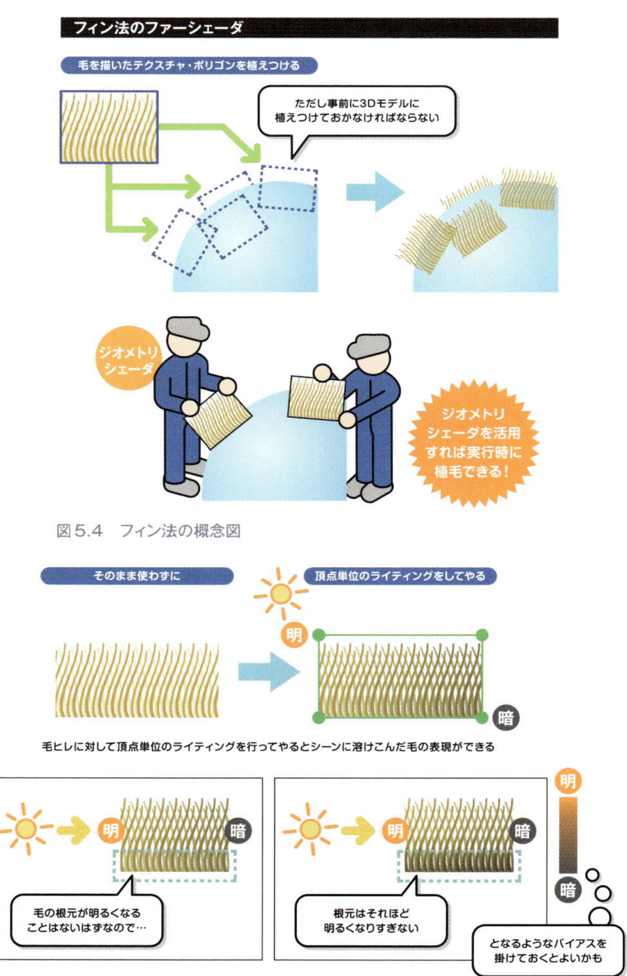

図5.4　フィン法の概念図

図5.5　フィン法の毛の簡易ライティング

これは、毛ヒレに対して光源方向に近い方角から明→暗とグラデーションをかけるだけの簡単なものである。毛の根元のほうは他の毛に光が遮断されているはずなのだが、この簡易方法ではそこまで対処できないため、ハイライトがあまり毛の根元のほうに出ないような工夫を施しておく必要がある。

シェル法のファーシェーダ

フィン法で生成されたファーは、毛ヒレを側面に近い方向から見た場合はフサフサとした感じが得られるのだが、毛先が視線方向に近い場合、すなわち毛ヒレを直下で見下ろすような方向関係で見たときには毛のボリューム感に乏しくなるという弱点がある。

もう1つのファーシェーダは、フィン法のファーシェーダの弱点を補完・克服するような特長を持つ技法だ。

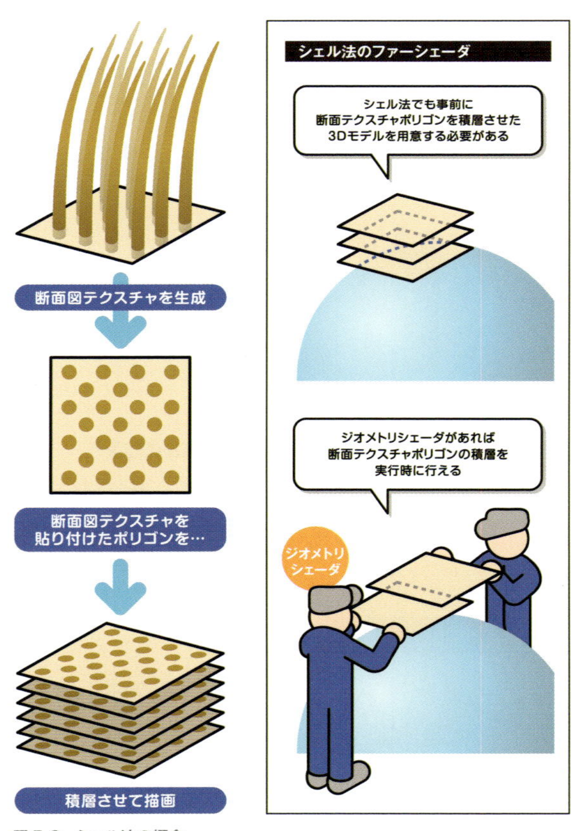

図5.6　シェル法の概念

フィン法では縦方向に切った毛の断面図を用意したが、もう1つの方法では、横方向に輪切りにしたような断面図を用意し、これを一定間隔に積み重ねるような感じで描いていく(図5.6)。輪切りにした断面図を重ねて元に戻すようなイメージになり、これがちょうど外皮(Shell)を形成するように積層させる感じであることから、このアプローチのファーシェーダは「シェル」(Shell)法と呼ばれる(図5.7)。断面テクスチャから立体的なモノを再構成するレンダリング技法にはボリュームレンダリングというものがあるが、イメージ的にはこれに近いとも言える。なお、断面図画像テクスチャに透明要素を加味して半透明とすることで、毛の透き通った感触を出すこともできる。

シェル法は断面図を適当な間隔で積層させるが、この間隔を密に多量の断面図を積層させることが毛の品質に関わってくることになる。積層させる枚数が少なければスカスカに見えるし、積層させる枚数が多くては高負荷になる。あまり視線が対象物に近寄らないものであれば、最近の3Dゲームでは4～8層程度の積層が一般的なようだが、視線が3Dキャラクタによったときには積層数が多いほうが見応えがあるはずだ(次ページ 図5.8)。

しかし、フィン法と同じように、SM 3.0世代までのGPUでは、シェル法においても、断面図テクスチャを適用するポリゴンを、3Dモデル上に事前に仕込んでおく必要があった(次ページ 図5.9)。

ジオメトリシェーダを活用すれば、この事前の仕込みをせずに、リアルタイムに動的に生成することが可能になる。また、視線と対象物の位置関係に応じて、断面図テクスチャの積層数を増減させるようなLOD的な実装をすることも可能だ。

断面図テクスチャは単なる画像テクスチャだけでもよいが、一緒に対応する法線マップも用意しておき、光源ベクトルや視線ベクトルの位置関係に応じてピクセル単位の異方性のライティングを行ってやることで、ファーに独特の光沢感を出すこともできる。

ライティングは、フィンのときのように、やはり毛の根元のほうはハイライトが暗くなるように調整したほうがよいだろう。

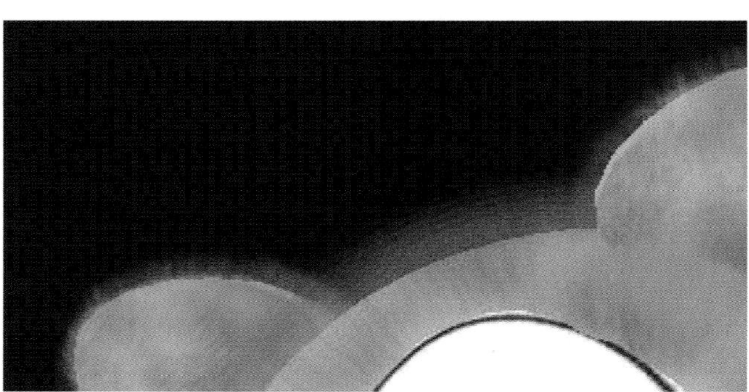

図5.7　シェル法によるファー

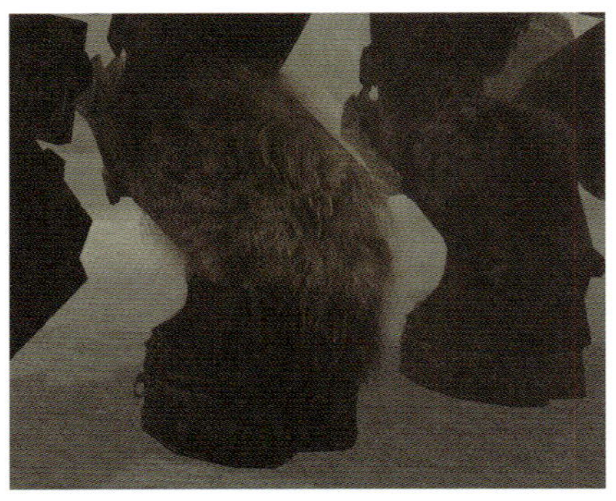

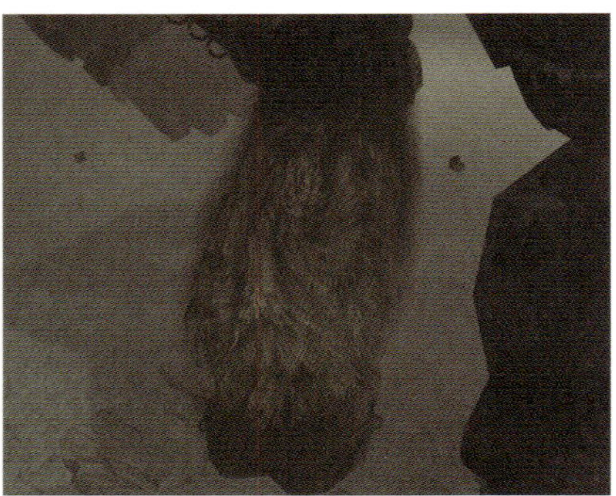

図5.8　PS2用ゲームソフト「ワンダと巨像」では毛の表現にシェル法のファーシェーダを活用していた

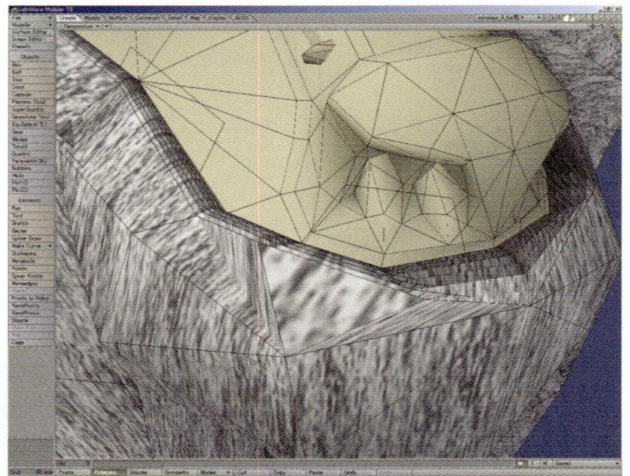

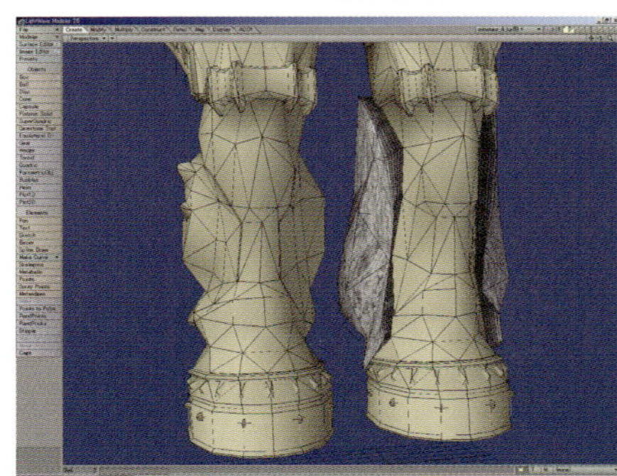

図5.9　PS2にはジオメトリシェーダはなかったため、3Dモデルのオーサリング段階から、このファーを積層させなくてはならなかった

絨毯のような短い毛では、視線から見て毛が"点"と見えるような毛先ではハイライトが弱まり、逆に毛の側面、すなわち毛が"線"として見えるときにはよく光が反射してハイライトが出やすい。この特性を実装するには、通常の拡散反射処理に加えて、法線ベクトルが視線ベクトルと相対しているとハイライトを弱める異方性処理をすればよい（**図5.10**、**図5.11**）。このアイディアはPS2用ゲーム「ワンダと巨像」に活用されている。

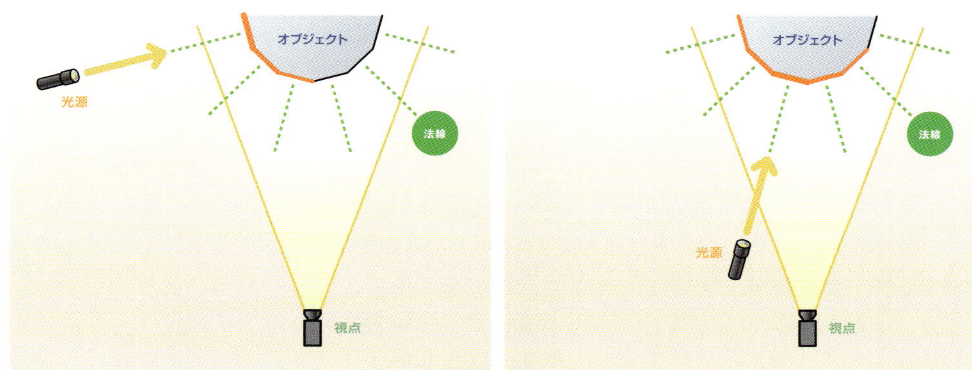

図5.10　通常の拡散反射ライティングでは、光源に相対しているところほどハイライトが出る

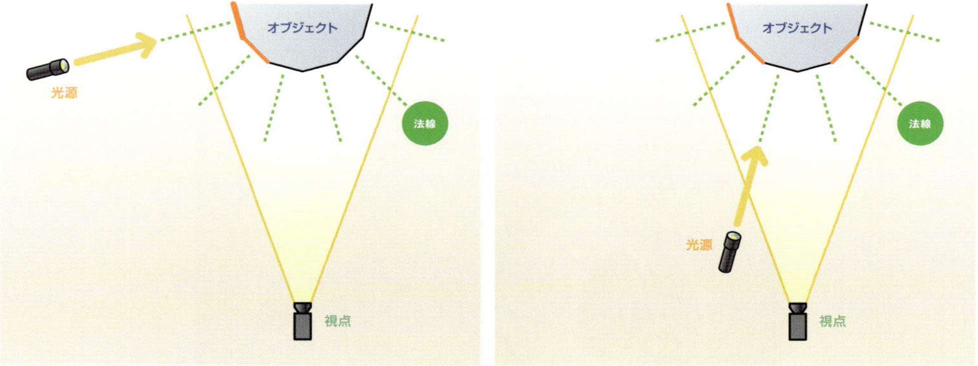

図5.11　視線と面の向き（法線ベクトル）が向かい合っているところでは、ハイトライトが減退する処理を入れると短い毛の表現の陰影がリアルになる

ファーシェーダの応用

シェル法は、フィン法とは逆に、毛先の延長線上に視線があるような、視線と毛の先端が相対しそうなくらいの位置関係のときに、ふんわりとしたボリューム感が得られるファーシェーダだ。

フィン法とシェル法は共に補完関係にあるので、実際に毛むくじゃらのキャラクタをリアルに表現しようとする場合は両方を同時に組み合わせて使用するのがよいとされる。

これをジオメトリシェーダなしでやろうとすると事前に毛ヒレは植え込まなくてはいけないし、毛の断面図ポリゴンを事前に積層させなければならず、何かと大変だ。

ジオメトリシェーダがあれば、2種類の"毛生え"を、事前準備なしで両方実践することができる(**図5.12**)。

より高度な実装にするならば、毛を生やす地肌ポリゴンの法線ベクトルと、視線との関係を見て、毛の側面を見てしまいそうな位置の地肌にはフィン法の毛を多めに適用し、毛先と視線が相対しそうな位置の地肌にはシェル法の毛を多めにするといった適応型のコンビネーション・ファーも実現可能なはずだ(**図5.13**、**図5.14**)。

また、ジオメトリシェーダや頂点シェーダのプログラムをやや高度にして、毛を風になびかせたり、加速や減速、重力や完成などに配慮して、生成した毛にアニメーションを与えるのも応用として面白いはずだ。この場合、毛同士の衝突や、毛と外界オブジェクトとの衝突は取りにくいので無視することになるだろうが、CPUが介在せずに毛のアニメーションが実現できる。

図5.12　フィンとシェルを両方実装したNVIDIAのデモの実装例

また、こうしたファーシェーダは毛を生やすだけでなく、応用次第で別の表現にも使える。最も手近な例は雑草の表現だ（次ページ **図5.15**）。

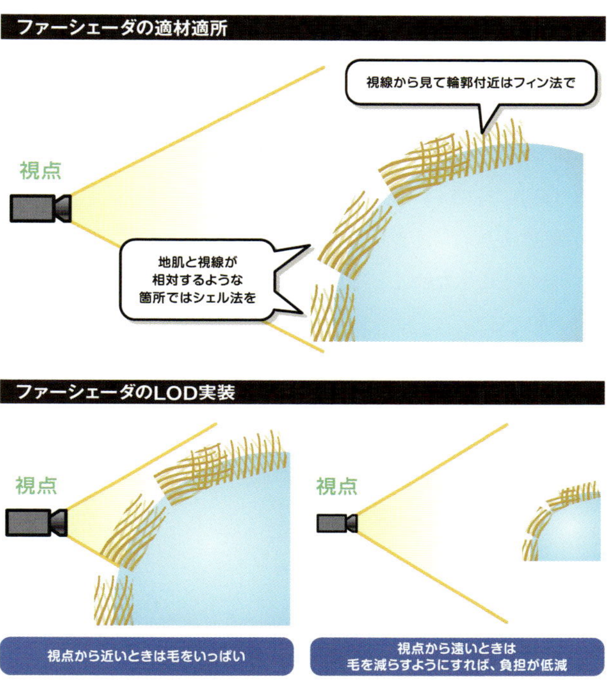

図5.13　ファーシェーダの応用発展形

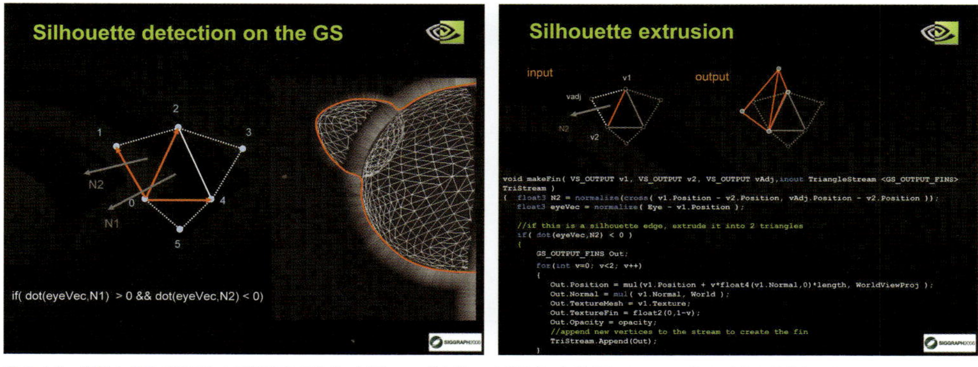

図5.14　視線から見て輪郭となる頂点からジオメトリシェーダを使ってポリゴンを生成してここに毛ヒレを植え込むというNVIDIAのデモの実装例

フィン法で、髪の毛のテクスチャにしているところを草木の横から見た画にして、これを地面に生やせば密集して生えている草木のできあがりだ。

また、シェル法ならば、断面図テクスチャの色を適当な緑系や茶系の色にして地面に適用すれば芝生のような葉先の短い植物が絨毯のように密集して茂っている地面を表現できる。

この場合にも風でなびくようにすれば、リアリティはさらに向上する。

ただし、3Dキャラクタが草木を押しのけていく様のような、動的キャラクタと、ファーシェーダで生やした草木とのインタラクションを取るのは難しい。草木をあまり背を高く生やしすぎると葉が動的キャラクタの体にめり込んだりといった不自然さが目立つことになる。

シェル法の背の低い草木であれば、動的キャラクタが踏みならした部分のファーの積層間隔を詰めたり、あるいはファー自体を出さないことで足跡の表現などはできそうだ。

図5.15 「ワンダと巨像」ではファーシェーダを草木の表現にも応用していた

ジオメトリシェーダを活用した新表現 ～モーションブラー

ジオメトリシェーダの活用方針の２つ目、「ジオメトリシェーダを活用した新表現」とは、ジオメトリシェーダを用いることで、これまでのGPUでは難しかった表現を行えるようにするものである。

徐々にユニークなテクニックが登場し始めているが、ここでは最も基本的なものを紹介する。

モーションブラー

比較的、実装がシンプルで、効果の大きいのがジオメトリシェーダを活用したモーションブラーだ。

実は、ジオメトリシェーダを使ったモーションブラーにはいくつかの種類がある。ここではそのうち3パターンを紹介する。

まずはモーションブラーとは何か。この基本を整理しておこう。

リアルタイムのコンピュータグラフィックスは、ある意味、シャッター速度1/∞秒のカメラで撮影しているのと同じであるために、どんなに被写体が高速で動いていても、生成したフレームがボケることはない。これが「いかにもCG」っぽさになっていることも事実で、これをまるでカメラで撮影したようなフォトリアリスティックに見せるために、速い動きに対して"ブレ"のエフェクトを付加するテクニックが「モーションブラー」だ。

モーションブラーの副次的効果として、表示フレームレートが一定を維持できなくても、見た目的に分かりにくくする効果もあるため、最近では多くの3Dゲームなどで採用されるようになってきている。

結局、モーションブラーとは、どのような手法で"ブレ効果"を描画していくかがキーポイントになってくる。

最も基本的なのは、映像フレーム全体に一様にかけてしまう「カメラブラー」だ。

これは、現在の描画フレームを、視点(カメラ)の移動ベクトルに従った形で拡大縮小、あるいは回転などを施して、半透明にて重ね描き合成することで実現できる。

このカメラブラーはレースゲームのような画面全体が動くことを主としたケースにはうまくはまる。馬で走ったり、動き回る巨像にぶら下がる、カメラ全体がドラスティックに動くアクションが際だっていたPS2用「ワンダと巨像」ではこの手法を活用し、非常に高い効果を得ていた(図5.16～図5.19)。

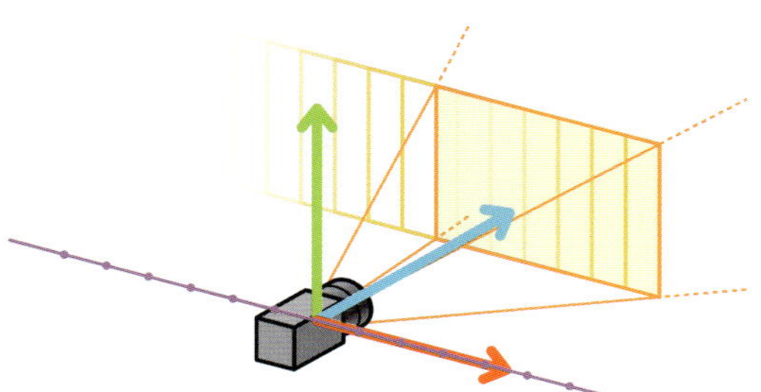

図5.16　横方向の二次元的な処理のカメラブラーの概念図

図5.17　元フレーム（左）とブラー処理したフレーム（右）※「ワンダと巨像」より引用

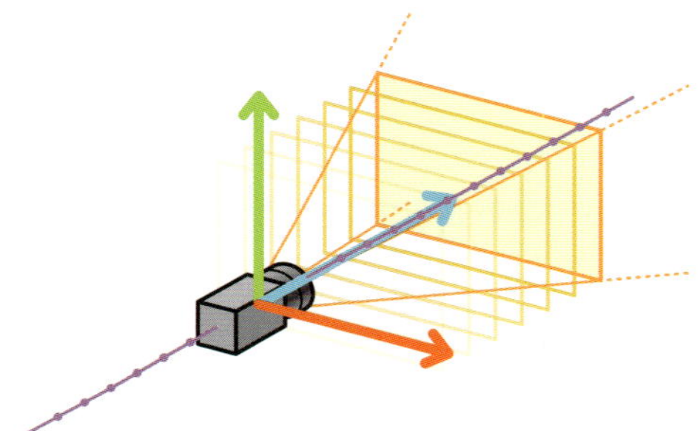

図5.18　奥行き方向の二次元的な処理のカメラブラーの概念図

図5.19　元フレーム（左）とブラー処理したフレーム（右）※「ワンダと巨像」より引用

しかし、このカメラブラーでは、シーン内に存在する1つ1つの3Dオブジェクトが、バラバラに、任意の速い動きを行ったときの、その動きそれぞれにつじつまのあったブラーを出すことができない。これはカメラブラーが表示フレーム(2D映像)を画像処理しただけの「2Dブラー」だからだ。

後に紹介する3つのモーションブラー手法は、それぞれのキャラクタ達に個別の立体的なブラーが出せる、言わば三次元ベースのモーションブラーを実現する。そして、この三次元的なブレの生成にジオメトリシェーダを用いることになるのだ。

そのキャラクタの動きにブラーを施す「アクション・ブラー」

キャラクタがパンチやキックなどの高速アクションを行った際に起こるブラー表現に適した技法だ。あえて命名するならば「アクション・ブラー」といった感じの技法になる。最近では「オブジェクト・モーション・ブラー」(OMB)と呼ばれることも多い。

この技法では、3Dのキャラクタの頂点情報に速度ベクトル(速さ、動く方向)の値を持たせ、この情報を元に、ジオメトリシェーダで頂点を引き伸ばすようなイメージでポリゴンを新規に生成する。なお、その動きの過去の軌跡だけでなく、未来の進行方向にもポリゴンを生成するのがミソだ(**図5.20**)。

そして、生成したポリゴンに対して、現在を基準として、遠く離れれば離れているほどα値(透明度0〜1の値を取り、0が完全に透明、1が完全に不透明)を低くするように設定する。このα情報は近似的には「画面上における各ピクセル単位の速度情報分布に相当する」と見なすことができるので、元のポリゴンに貼り付けるテクスチャに対し、この情報に従ってずらしてテクセルを参照してやり、テクスチャを適用していく。現在時間から遠ければ遠いほど、α値がゼロ(透明)に近づくの

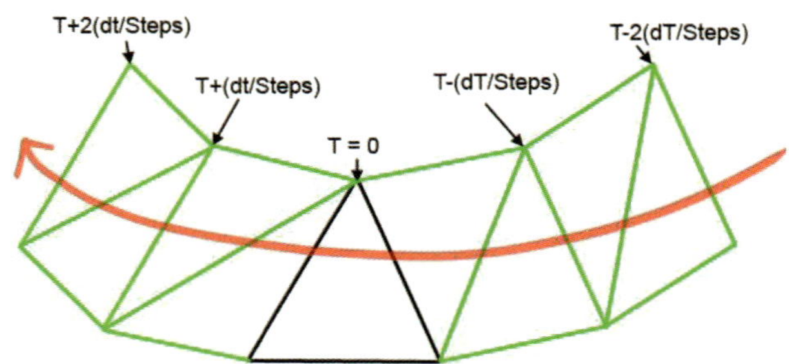

図5.20　ジオメトリシェーダを活用して、動いている速度とその向きにポリゴンを生成。現在位置を中心に、過去の軌跡と未来の軌道にも生成してやるのがミソ

でサンプルしたテクセルの色は薄く合成される（**図5.21**）。これにより一番過去と一番未来のピクセルは薄く、現在に近いほど濃く…といった描画になり、速度感が演出できることになる（**図5.22**）。

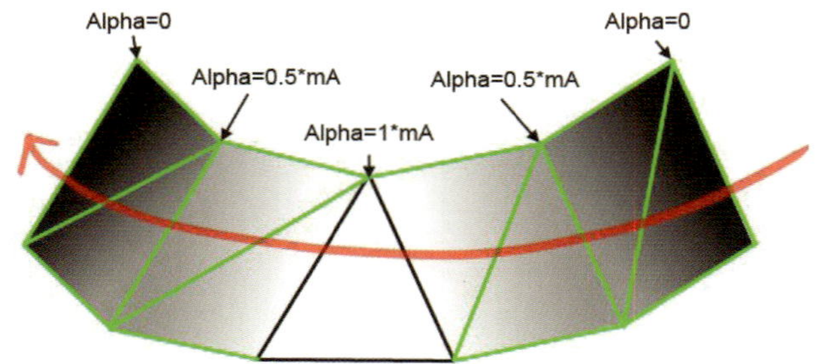

図5.21　現在位置から遠ければ遠いほどα値はゼロに。これは近似的に画面上におけるピクセル単位の速度を表していることになる。この値をオフセット値にして、テクスチャからサンプルしてブラーを表現する

図5.22　マイクロソフト、DirectX 10のデモより。風車は常に等速回転運動をし、モンスターは格闘アクションを披露。それぞれの速度と向きに応じたブラーがきちんと出ている点がカメラブラーとは大きく異なる点

立体的なモーションブラーを画像処理で実現させる2.5Dブラー技法

前述のオブジェクト・モーション・ブラー（アクション・ブラー）とよく似ているが、微妙に実装の異なる手法が2003年のゲーム開発者会議「GDC 2003」にてNVIDIAのSimon Green氏より発表された。それが「2.5Dブラー」と呼ばれる手法だ。これはカプコンの「ロストプラネット」やCRYTEKの「CRYSIS」が効果的に実装したことで、その有効性が広く知られることとなった。

基本方針は以下のような手順になる。

まず、シーンを通常通りにレンダリングし、これを後のレンダリングパスで参照するための素材とする。

ブラーを出したい対象3Dオブジェクトの頂点には前フレームの画面上の座標を保持しておき、頂点シェーダで、現在フレームの画面座標位置を計算して、保持しておいた前フレームの画面座標位置と差分を算出して速度と向きを計算して求め、これらの値をテクスチャへとレンダリングする。ポリゴンを色で描くのではなく、この速度と向き情報で描くというイメージになる。この処理によって生成される、画面上の全ピクセルの速度情報をこの技法では特に「ベロシティマップ」（速度マップ）と呼んでいる（図5.23）。

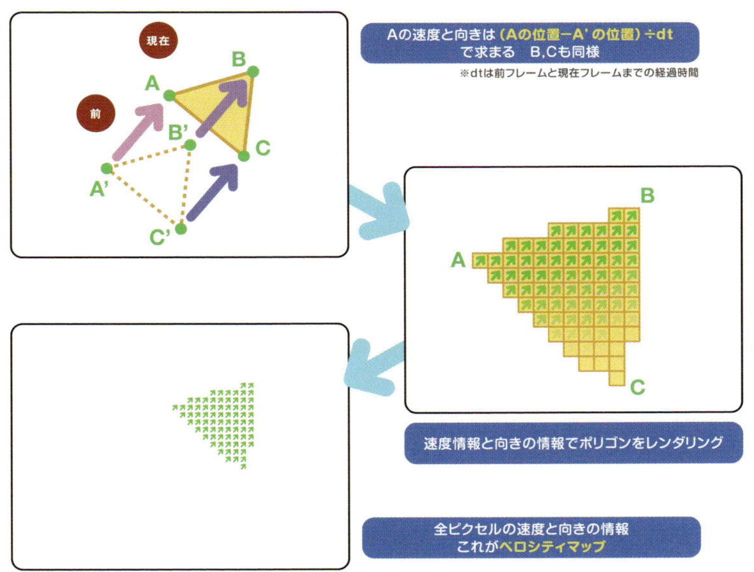

図5.23　ベロシティマップの概念

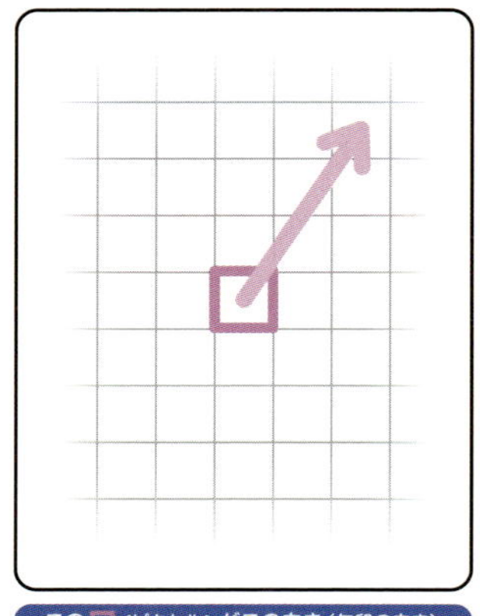

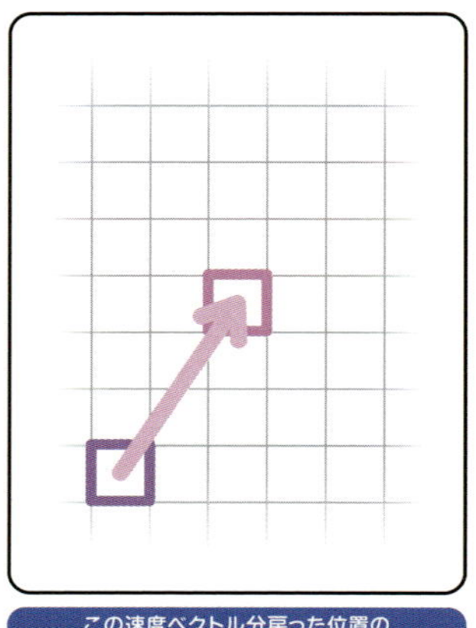

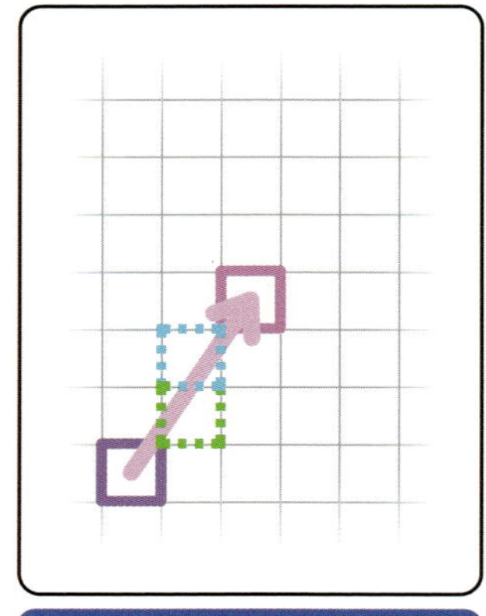

図5.24　ベロシティマップを参照してのブラー生成の原理

最終レンダリングパスでは、このベロシティマップを参照して速度情報を取り出し、最初にレンダリングしたシーンテクスチャに対してこの速度情報分ずらしてサンプルする(読み出す) ことで最終フレームを生成する(**図5.24**)。

シーンテクスチャからのサンプルは1個だけでなく、現在位置から前フレーム位置までをN等分した各地点から合計N個読み出していくのが一般的だ。現在位置と前回位置の位置が大きく離れている場合は速度が速かったということであり、シーンテクスチャからサンプルしたテクセルは薄くブレンドするような重み付けをするのもよく用いられる。こうすることで現在地に近い残像が濃く見え、遠いところの残像を薄くでき、より躍動感が際だつ。

この方法でポイントとなってくるのはベロシティマップの作成の部分だ。

ある点が別の位置に動いたときにはその前後の位置情報の差分だけで速さと向きが算出できるが、これがポリゴンとなってくるとちょっとややこしい。あるポリゴンがある位置から別の位置に動いたときに、前の位置から現在の位置までのそのポリゴンの"面"としての軌跡とその向きを求めたいのだ。

これはイメージ的に言うと、動いているポリゴンに対し、前フレームの位置から現在位置までビヨーンと引き伸ばしたようなポリゴンに変形することで求められる。

この変形処理には米ブラウン大学のMatthias M. Wloka氏らが「Interactive Real-Time Motion Blur」(1995年) にて発表した、動きに即したポリゴンの変形処理を応用する。

これは、各頂点に着目し、その向き (法線ベクトル) が、進行方向に近ければ近いほど現在の状態に近い頂点座標とし、違っていれば違っているほど過去の頂点座標とするように頂点を変位させる、という処理で実現される。

つまり、この処理では、もともと持っていた現在位置の頂点と、前回位置に新たに頂点を生成して新規にポリゴンを作り出す必要が出てくる。そう、ここでジオメトリシェーダが活躍するのだ(**図5.25**)。

なお、ジオメトリシェーダを持たないDirectX 9世代SM 3.0対応GPUでこの2.5Dブラー技法をやるには、前回位置に引き伸ばすための頂点を3Dモデル側に仕込んでおく…といった工夫が必要であった。ちょうどステンシルシャドウボリューム技法の影生成における、影領域生成のための引き伸ばし用頂点を仕込んでおくのとよく似ている。

カプコン「ロストプラネット」ではポリゴン軌跡生成のためのダミーポリゴン(縮退ポリゴン)が3Dモデルに仕込まれていた(次ページ 図5.26)。ジオメトリシェーダが使用可能なGPUであればこの事前処理は不要だ。その意味では、この2.5Dブラー技法においては、ジオメトリシェーダのアクセラレーション的活用と言えなくもない。

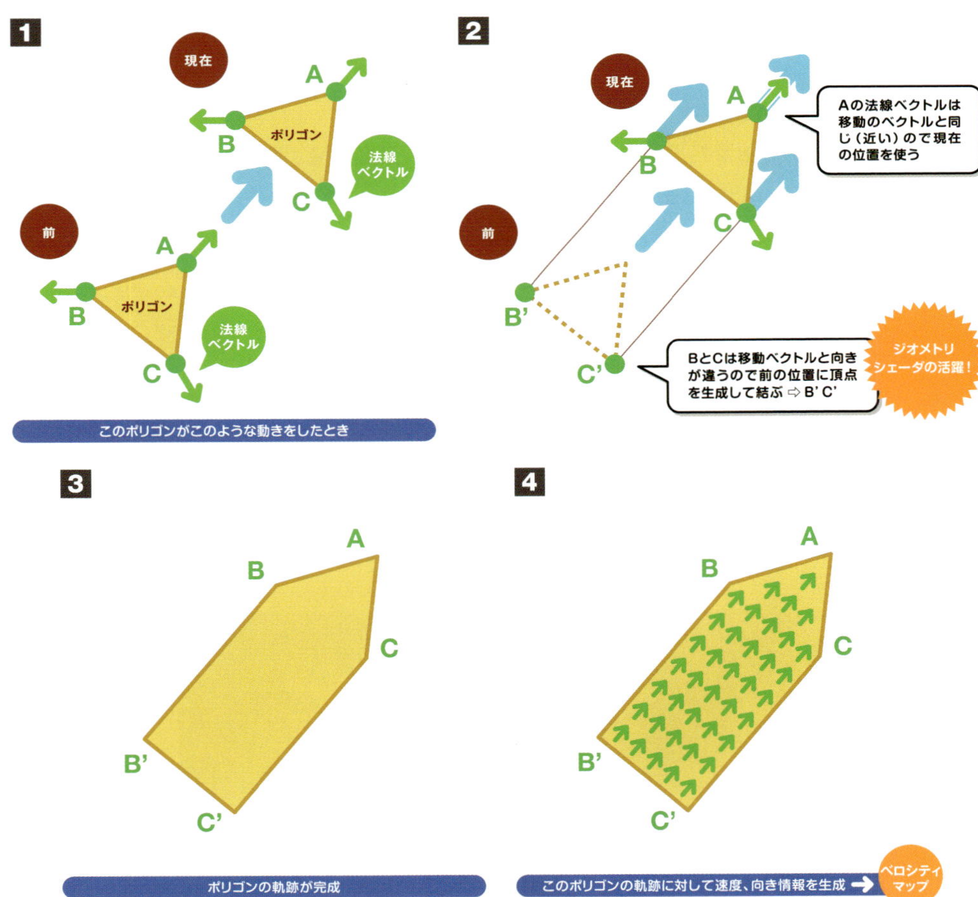

図5.25 移動ベクトルとポリゴンの法線ベクトルの関係性を見てそのポリゴンの軌跡を生成。実際のベロシティマップ生成はこのポリゴンの軌跡情報を参照して行われることになる

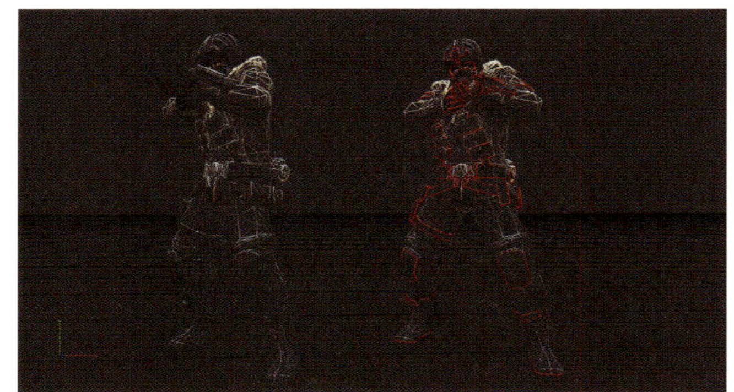

図5.26　左が縮退ポリゴンなしで12,392ポリゴン。右が縮退ポリゴンありで17,765ポリゴン。
この差だけ、このモーションブラー生成のための無駄な頂点処理負荷となりうる

この2.5Dブラーの技法には、1つ問題点がある。

それは、最終的には画像処理的にブラー処理するので、速度の違う物が重なり合っているような場所で不自然なブラーが出てしまうことだ。例えば、動いているものの手前に静止物があった場合、この静止物のピクセルが動いているもののブラーに入り込んできてしまったりするのだ（**図5.27**～**図5.30**）。

これについては単純な工夫である程度対処できるとされている。

ベロシティマップ生成時には、前述の3Dモデルの引き伸ばしが行われるが、この処理が終わったときには、引き伸ばされた3Dモデルを含んだシーンの深度情報（Zバッファ）が完成しているはずだ。これを利用し、ブラー生成時のシーンテクスチャ読み出し時に、このZバッファを参照して、そこの参照先が奥行きとして参照元よりも手前であれば、これは残像生成の参照先としては不適合という判断を下すのだ。これにより不適切なブラーピクセルの流れ込みを回避できる（**図5.31**、**図5.32**）。

図5.27　シーンテクスチャ

図5.28　シーンテクスチャの深度情報

図5.29　ベロシティマップ

図5.30　なんの工夫もしないとこのように、ブラーにシーンの前後関係を無視したピクセルの侵入が起こってしまう

図5.31　ベロシティマップの深度情報も求めて、これを吟味し、手前のオブジェクトのピクセルが後ろのブラーに影響しないように工夫すると…

図5.32　ピクセルの侵入を大幅に低減できる

なお、「ロストプラネット」では、遠方の動きについては、この2.5Dブラー生成をしても目立ちにくいため、一様なカメラブラーで代用できるという近似概念を導入し、モーションブラー生成負荷の低減と均一化を図っている。

前述のセオリー通りのカメラブラーを導入してしまうと、画面全体が動きすぎてしまい、2.5Dブラーとの親和性がよくないため、カメラブラーを2.5Dブラーの仕組みに統合する形を取る。

これにはシーンの深度情報を用いる。シーンの深度情報はシーンの各ピクセルの遠近情報が記録されているので、それぞれのピクセルに対し、この遠近情報とカメラの移動ベクトルの情報を利用して概算して、ベロシティマップ用の値を出力してしまうのだ。例えばカメラが横に移動した場合、近いピクセルはたくさん横移動し、遠いピクセルはちょっとだけ横移動する。こうした情報をベロシティマップに描き込んでしまうのだ。こうすることで、カメラブラーと2.5Dブラーを統合させることができる。

ジオメトリシェーダによるラインベースのブラー

「ロストプラネット」のDirectX 10パッチ適用後は、前出の2.5Dブラーに、さらにジオメトリシェーダを効果的に活用したラインベースのモーションブラーを追加合成している。

ラインベースのモーションブラーでも、ベロシティマップを生成するところと、ブラー生成元となる通常レンダリングしたシーンテクスチャを用意するところまでは2.5Dブラーと同じである。

そして、ベロシティマップを参照して、取り出した速度と向きに呼応する線分（ライン）をジオメトリシェーダを使って生成する（**図5.33**）。

この線分の色は、用意しておいたシーンテクスチャから取り出した色を、線分の始点の色として、終点に向かって色を薄くして描画する。ラインが長ければ長いほど色が薄くなり、その薄くなる度合いをα値に入れていく。後で、このα値は2.5Dブラーとの合成マスクとして利用する。

なお、ラインの描画は画面座標系で行われるが、きちんとシーンの深度値を吟味して行うので、シーンの遮蔽構造に配慮されてブラーが描画されることになる。

この工程をベロシティマップの全てのテクセルに対して行うことになるが、さすがにこれをレンダリング解像度で行うと線分が多くなりすぎるので、線分生成用のベロシティマップは適当な低解像度なものとし、これと同じく、ラインブラーとして生成するバッファも適当な低解像度なものにする。

最終的には低解像度のラインブラー結果を拡大し、レンダリング解像度と同解像度の2.5Dブラーの結果と解像度を一致させて合成して完成となる（**図5.34**、**図5.35**）。

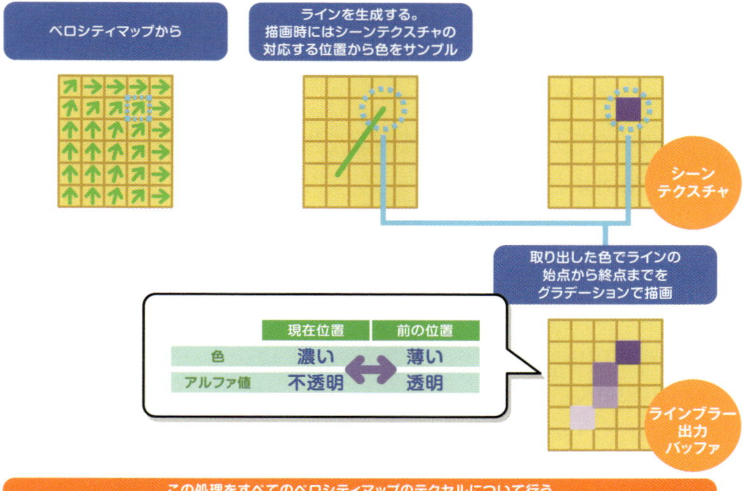

図5.33　ラインブラーの概念図

図5.34　「ロストプラネット」より。2.5Dブラーだけの場合。ブラーに面の境界のようなものが出てしまっている

図5.35　2.5Dブラーにラインブラーを付加した場合。面の境界感は消え、動きの躍動感を強調するような劇画的な効果線に見える

現在、ゲーム機、PC、スマートフォンなどに至るまで、そのGPUのグラフィックスパイプラインにはジオメトリシェーダの機能が組み込まれているが、残念ながら、その活用は思うように進んではいないというのが実情だ。

というのも、ジオメトリシェーダと同等機能以上のことが、DirectX 11/12世代のGPUのComputeShader（GPGPU）で実践できるようになってしまったからである。また、ジオメトリシェーダで実践するよりも、ComputeShaderで実践したほうが、GPU内部での処理並列性が高くなることもあり、パフォーマンス面でもジオメトリシェーダより優位になるケースも多い。

こうした経緯により、PS4,Xbox One世代のゲームグラフィックスでもジオメトリシェーダを積極活用したタイトルは非常に少ない。

これを受けてGPU業界では、この後Chapter 6で解説するテッセレーションステージも含め、近代GPUのレンダリングパイプラインにおける頂点パイプライン全体を見直そうという動きが出てきている。このあたりの詳細については、次のChapterの後半で触れることにしたい。

Chapter 6

DirectX 11の テッセレーション

このChapterでは、Chapter 1、Chapter 2で簡単に紹介した、DirectX 11で新設されたシェーダステージである「テッセレーション」について詳しく見ていくことにしよう。

現在の主流ゲームエンジンにおける3Dモデルの取り扱いの「無駄」とは何か

ポリゴンを与えた条件で自動的に分割するテッセレーション(Tessellation)。

既にオフラインCG技術としては使いこなされたテクノロジーだが、これをリアルタイムに行うための機能をGPUに搭載することは、何度か挑戦されてきたものの、積極的に活用されたことがない。

振り返って印象深いのは、今は3Dグラフィックスプロセッサ(GPU)事業からほぼ撤退したMATROX社が2002年に発表したDirectX 8世代GPU「Parhelia-512」だろうか(**図6.1**)。これがハードウェアテッセレータ(Tessellator)を搭載した初めての民生向けGPUであった。

その後、ATI RADEON 9000シリーズ(DirectX 9世代)、RADEON HD 2000/3000/4000シリーズ(DirectX 10世代)でもテッセレーション技術を提供する機能が搭載されたが、いずれも業界にて広く活用されることはなかった。

その最大の理由は、それらGPU専用の独自機能となってしまい、他社製GPUと機能互換性がなかったためだ。こうした経緯から、テッセレーション技術は「面白そう」とは言われつつも、本格活用されずに今の今まで来てしまったのだった。

しかし、DirectX 11では、ついにテッセレーション技術が、プログラマブルシェーダアーキテクチャの中に標準仕様として組み込まれることが決定されたのだ。

DirectX 11に必須仕様として組み込まれるため、「ATI、NVIDIAのどちらかでしか動かない」という踏み絵はない。

テッセレーション技術がDirectX 11にやっと実装されたのにはいくつかの理由がある。

図6.1　ハードウェアテッセレータを搭載した初の民生向けGPUはMATROX「Parhelia-512」だった

1つは、この技術が必要とされてきたこと。もう1つは、これまでのGPUメーカー各社が提案しては消えていった様々なテッセレーション技術から、ちょうどよい実装の仕方が見えてきた…ということ。

まずは、前者の理由「時代が必要としてきた」ということについて説明しよう。

現在は映像機器が高解像度になり、ハイデフだ、ハイビジョンだ、と、高解像度映像をもてはやすようになり、これに伴って3Dゲームグラフィックスも多ポリゴンで表現されることが当たり前になりつつある。

現在の3Dゲームグラフィックスではデザイナやアーティストが100万ポリゴン・オーダーの多ポリゴンで3Dモデルを構築することが多いが、ゲームエンジンのランタイムで表示する際には、ポリゴン量を削減した数千から数万程度の3Dモデルを利用することが一般的だ。そして、100万ポリゴン・オーダーで表現されていたディテール表現部分は法線マップに落とし込んで、ランタイムではピクセルシェーダにて法線マッピング（バンプマッピング）を適用して表現する。

これでも表示するキャラクタが多くなったりするとGPU負荷が重すぎるため、視点から遠くに表示される3Dキャラクタに対しては、さらにポリゴン数を減らした低ポリゴンモデルで表示することが多い。

この視点からの距離に応じて、ポリゴンモデルのクオリティを変化させる処理系はLevel of Detail（LOD）と呼ばれ、これも一般的な3Dゲームエンジンにはよく実装されている仕組みだ。

しかし、このLODの現在の実装方法にはいくつかの問題点があるとされる。

視覚的な問題となるのが、ポリゴン数の違う（クオリティの違う）3Dモデルに表示が切り替わった瞬間をユーザーに気づかれてしまうこと。一瞬だけキャラクタの体積が変わったように見えたり、あるいは遠ざかった3Dキャラクタが急に角張ったり、逆に近づいてきた3Dキャラクタが急に滑らかな曲面で再現されたり…と症状は様々だ。こうしたLODにまつわる不自然な表示の異変現象は「ポッピング」（Popping）と呼ばれて忌み嫌われる。

このポッピングを回避するには、うまくLODシステムをチューニングするか、あるいは多ポリゴンモデルと低ポリゴンモデルをうまく作り込むかなど、人為的な工夫が必要で、とても面倒だ。

また、低ポリゴンモデルと一口に言っても、メモリ上に多ポリゴンモデルとは別に持つことになるので、メモリの消費量が増える。LODレベルを3段階にしたら、1つのキャラクタに対して3個分のクオリティの違う（ポリゴン数の違う）3Dモデルを用意して、メモリ上に置かなければならない。これは情報として冗長である。

また、3Dキャラクタが歩いたり、剣を振ったり、ジャンプしたり…といったアクションを行う場合のポーズ変更は、3Dキャラクタの外皮ポリゴンが変形することになる。その際、頂点アニメーションの処理、スキニングの処理が行われるのだが、この処理を多ポリゴンモデルで行うと、当然だが処理する頂点が多くなり、演算量が増える。

しかし、こうした姿勢変更は、その3Dキャラクタに仕込まれたボーンをベースにして行うことが基本であり、その外皮ポリゴンはこのボーンの動きに追従するように変形されているだけ。低ポリゴンのモデルでも多ポリゴンのモデルでも、そこで表現されるアクションの品質そのものには差がない。モーションキャプチャの映像などで体に付けるドットマーカーの数があまり多くないのもそういう理由だ。少ないマーカーでも基本的なアクションが取れるからだ。つまり、極端に言えば、3Dキャラクタのアクションやアニメーションは「多ポリゴンモデルでやることは無駄」ということになる（図6.2）。

図6.2　アクション制御やアニメーション処理は低ポリゴンモデルでやっても実害はないはず。逆に言うと、多ポリゴンでやっている状況には無駄があるということ

テッセレーション技術の美点とは？

まとめると、「現状のゲームエンジン側で行う手動式LODは無駄が多く、表現としても完璧でない」「不要なときに多ポリゴンモデルが利用されている局面がある」という問題点があり、これを解決しうるテクノロジーがDirectX 11に搭載されたテッセレーション技術だということだ（図6.3）。

テッセレーション技術ではポリゴンを自動分割できるが、その機能がこうした問題をどのように解決できるのだろうか。DirectX 11側が用意した模範的シナリオを使って解説していこう。

まず、LODについては、多ポリゴン・低ポリゴンで切り換えることをやめる。その代わりに、テッセレーションメソッドを使って、原型形状に復元できる程度にポリゴンをそぎ落とし、ジオメトリ量を減らしたポリゴンモデルを用意する。

また、多ポリゴンモデルに対して作り込んだ凹凸のディテールデザインについては、凹凸の量をテクスチャ化したハイトマップ（ディスプレースメントマップ：変位マップ）に落とし込んでおく。

実際に3Dモデルをランタイムで表示するときは、この基本形状モデルに対して、視点からの距離や表示解像度に応じてテッセレーションを使い、適当なポリゴン数に増加させる。その際、ポリゴンをそぎ落とすことで失われてしまった曲面形状は、適切なテッセレーションメソッドを使って復元させる。具体的なメソッドとして、Catmull-Clarkサブディビジョン・メソッドやPNトライアングル（N-PATCH）メソッドなどがあるが、どれを使うかは3Dグラフィックスエンジン上のデータ管理等の都合や、オーサリング時のツールとの相性などで決めればよい（図6.4、図6.5）。

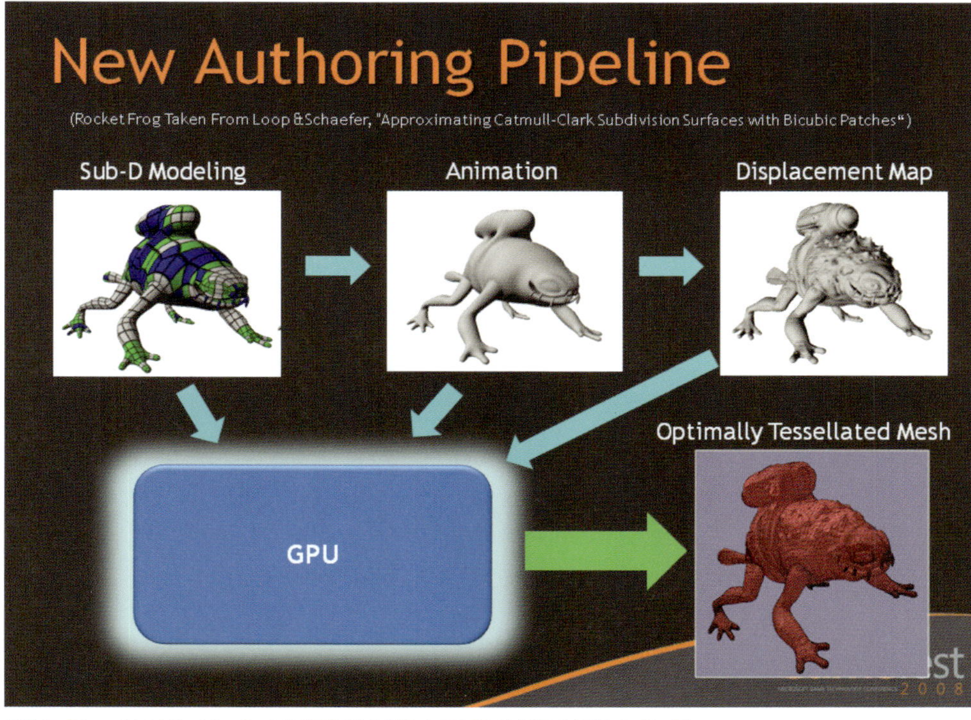

図6.3　DirectX 11テッセレーション技術が想定する新しい3Dモデル描画パイプラインの一例

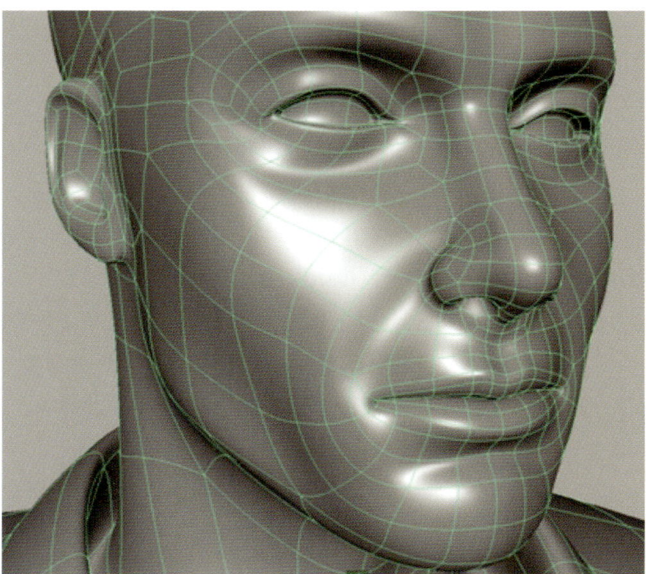

図6.4　ピクサー社が採用するテッセレーションメソッドが「Catmull-Clark」法

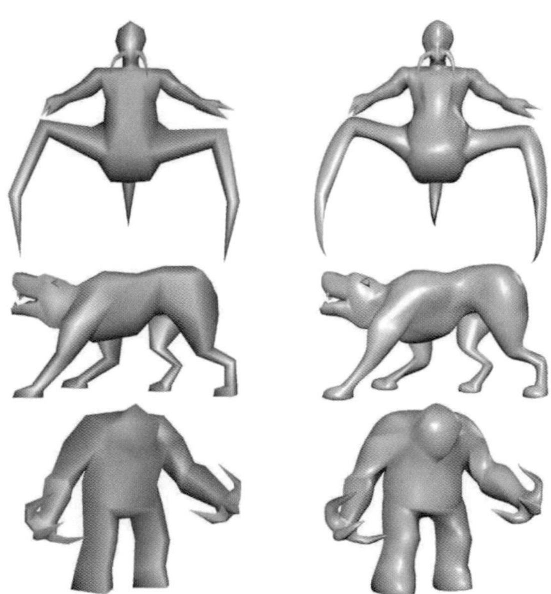

図6.5　シンプルかつコストパフォーマンスの高いテッセレーションメソッドである「PNトライアングル」法。RADEON 8000/9000系で採用されていた「N-PATCH」と同種技術だ

3Dモデルは、テッセレーションによって適当なポリゴン数・適度な形状になるので、表面の凹凸表現は、あらかじめ用意しておいたハイトマップに沿ってディスプレースメントマッピングを使い、ポリゴンレベルで追加する（**図6.6**、**図6.7**）。また、3Dモデルが視点から遠い場合は、バンプマッピング程度のクオリティでごまかす。

この仕組みにより、実質的に無段階のLODがGPU内部で実現されるので、手動LODのときのように低ポリゴン・多ポリゴンの3Dモデルを複数持っておく必要がなくなる。すなわち冗長性が解消される（**図6.8**）。

さらに、実質的に無段階に低ポリゴンモデルから多ポリゴンモデルまでがGPU側で動的に生成されることになるので、ポッピングも起こりづらい（**図6.9**）。

また、この仕組みならば、基本的なジオメトリ処理（3Dモデルに対して姿勢変更などを行う頂点アニメーション・スキニング処理）は、最終的に表示される3Dモデルの精細度（ポリゴン数）とは無関係に、一貫して、低ポリゴンな基本形状モデルに対してのみ行えばよくなる。

つまり、基本形状モデルに対して頂点アニメーション・スキニング処理をした後にテッセレーションを行い、ディテールについては、必要に応じてディスプレースメントマッピングまたはバンプマッピングで付加する、という流れになる。

理想論ではあるが、DirectX 11のテッセレーション技術があれば、LOD処理と頂点アニメーション・スキニング処理は「必要最低限のジオメトリデータとハイトマップだけで」実現できることになり、さらに描画については「的確な演算量で」「リーズナブルな表示品質で」行うことができるようになるのだ。

図6.6　基本形状モデルにディスプレースメントマッピングなしの状態

図6.7　基本形状モデルにディスプレースメントマッピングありの状態

  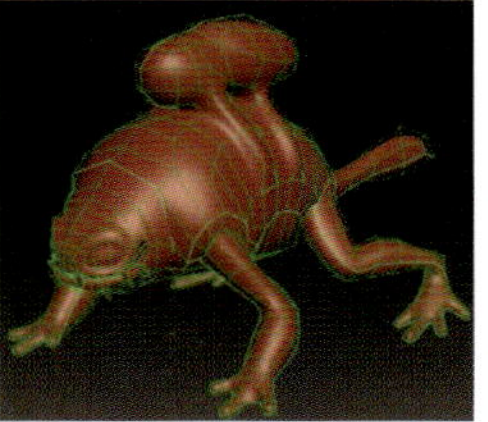  

© Bay Raitt

	Level 8	Level 16	Level 32	Level 64
通常メッシュモデルでの表現時	16MB	59MB	236MB	943MB
ディスプレースメントマッピングを利用しての表現時	1.9MB	7.5MB	30MB	118MB

図6.8　各ポリゴン粒度（LEVEL）における3Dモデルのデータ量を比較した一例。多ポリゴンモデルと同じクオリティを、バス消費とメモリ消費を少なく抑えて実現するのにテッセレーション技術は向いていると言える

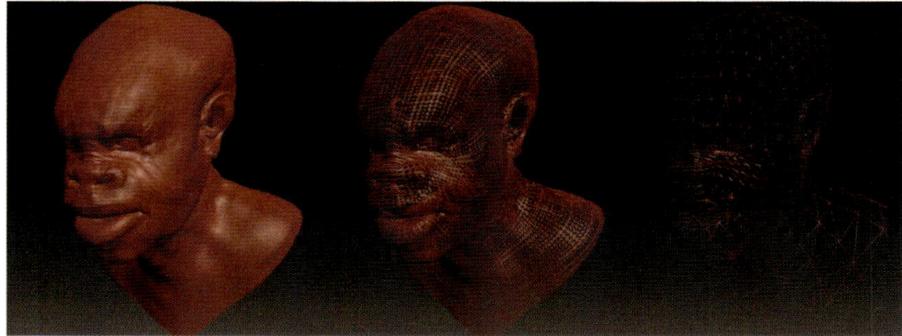

© Pixolator @ ZBrushCentral

図6.9　テッセレーション技術があれば、複数のポリゴンモデルを用意せずとも無段階LODの実現が可能になる

DirectX 11のテッセレーション技術

テッセレーションを実現するDirectX 11における3つの新シェーダステージ

理想論が分かったところで、DirectX 11ではどのようにテッセレーション技術を扱っているのか、詳細を見ていくことにしよう。

DirectX 11では、Chapter 2で取り扱った「演算シェーダ」(ComputeShader) 以外に、3つのシェーダステージが新設される(**図6.10**、**図6.11**)。

Chapter 1やChapter 2でも軽く触れたように、この3つの新シェーダステージのうち、2つが新しい「プログラマブルシェーダ」で、1つが固定機能シェーダだ。

2つの新設プログラマブルシェーダは「ハルシェーダ」(Hull Shader) と「ドメインシェーダ」(Domain Shader) で、固定機能のシェーダステージがテッセレーションを行う「テッセレータ」(Tessellator) となる。

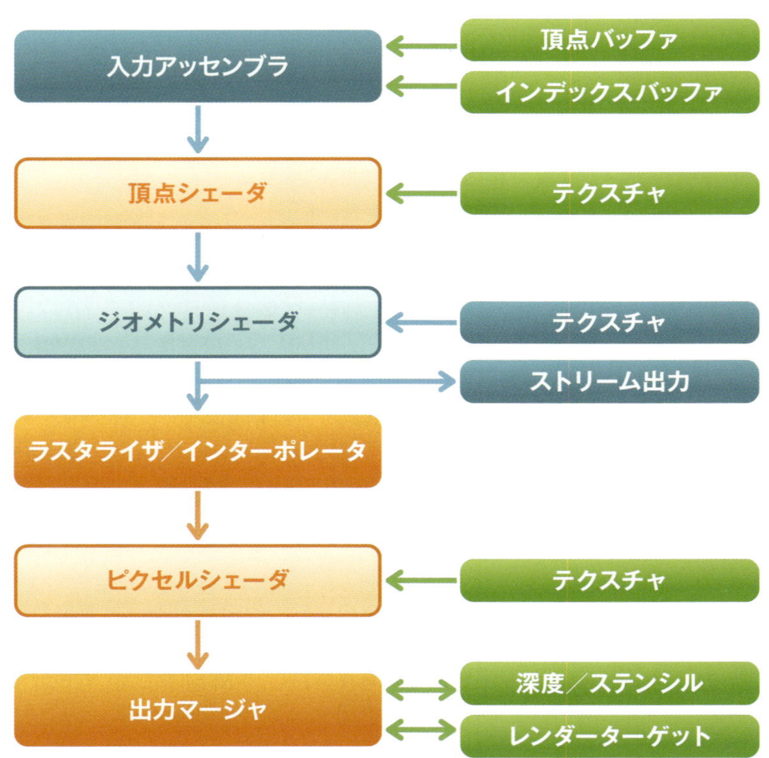

図6.10　DirectX 10のDirect3Dのシェーダパイプライン図

「固定機能」と言うと「テッセレーションがプログラマブルに行えないのか」という誤解を生みそうだが、プログラマブルシェーダであるハルシェーダ・ドメインシェーダの助けを借りて、結果的にはテッセレーションをプログラマブルに行う仕組みが実現されている（次ページ 図6.12）。

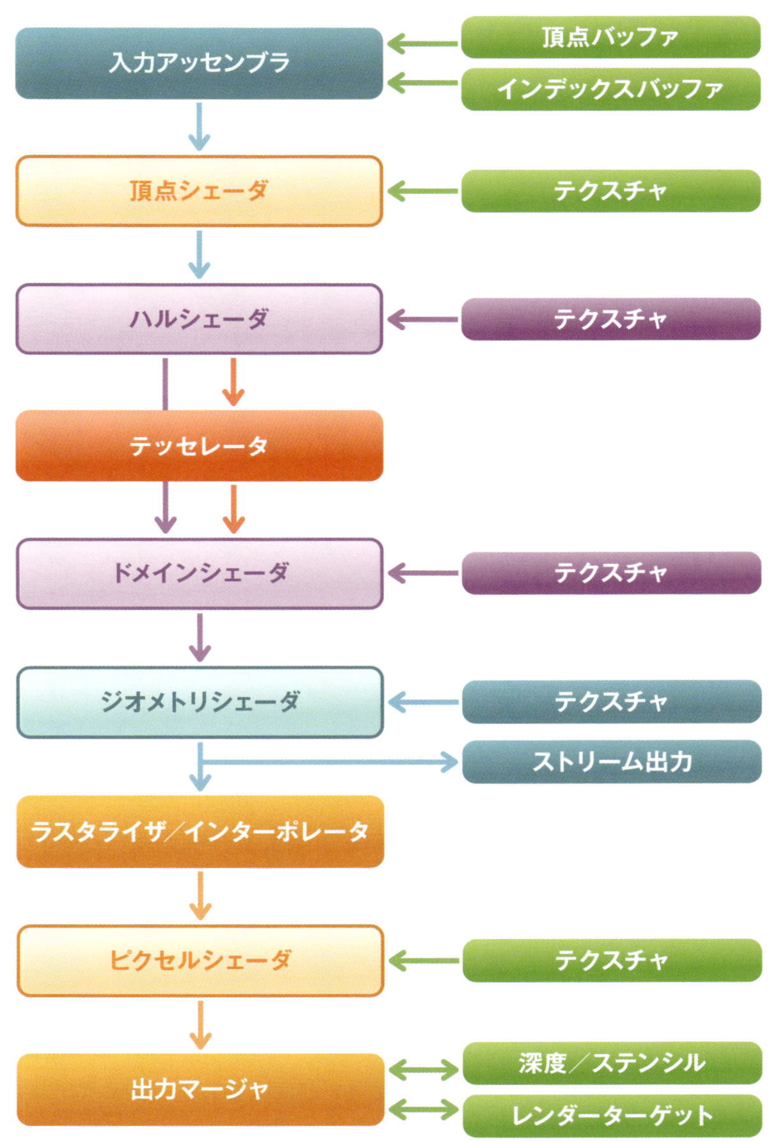

図6.11　DirectX 11のDirect3Dのシェーダパイプライン図。「ハルシェーダ」「テッセレータ」「ドメインシェーダ」の３つが新設されたシェーダステージ

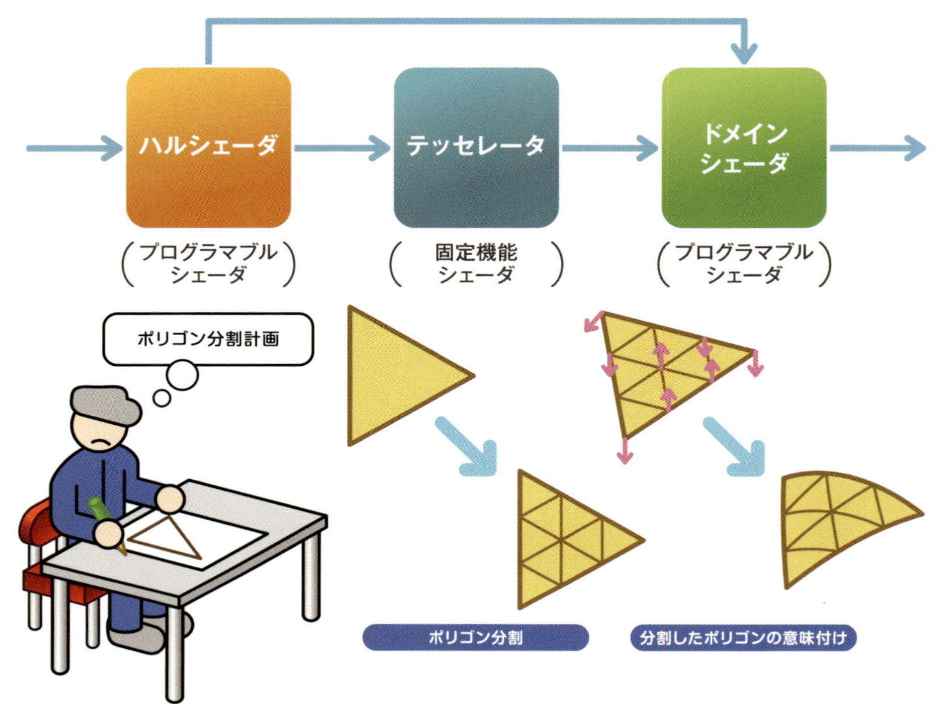

図6.12　テッセレーションステージをになう３つの機能ブロックのイメージ

ここからは順番に、実際のDirectX 11シェーダパイプラインの流れに従って、３つのシェーダステージの役割について見ていくことにしよう。

ハルシェーダ～テッセレーション方針を決めるところ

ハルシェーダのハルはHull、すなわち「外皮」を意味している。

具体的に言うと、ハルシェーダは、着目している3Dモデルの表皮ポリゴンをどのような形状にするかを計画して決定する役割を果たす。ハルシェーダ自身にはポリゴンを分割する役割（テッセレーション）はない。

ハルシェーダでは、取り扱っているポリゴンを「どんな曲面にするか」を決めうる制御点の算出を行う。

なお、ハルシェーダには、入力アッセンブラ→頂点シェーダという流れで、最大32頂点からなる「パッチ」（PATCH）と呼ばれるDirectX 11で新設されたプリミティブが入力される（**図6.13**）。逆に言うと、ハルシェーダに続くパイプラインでテッセレーションを実施するためには、パッチのプリミティブタイプでなければならない。

ハルシェーダは各種計算を行う際、分割対象となるポリゴンの周辺にあるポリゴンの形状や頂点座標までが必要になる場合があるので、これに対応させるために「パッチ」という新しいプリミティブが作られた。

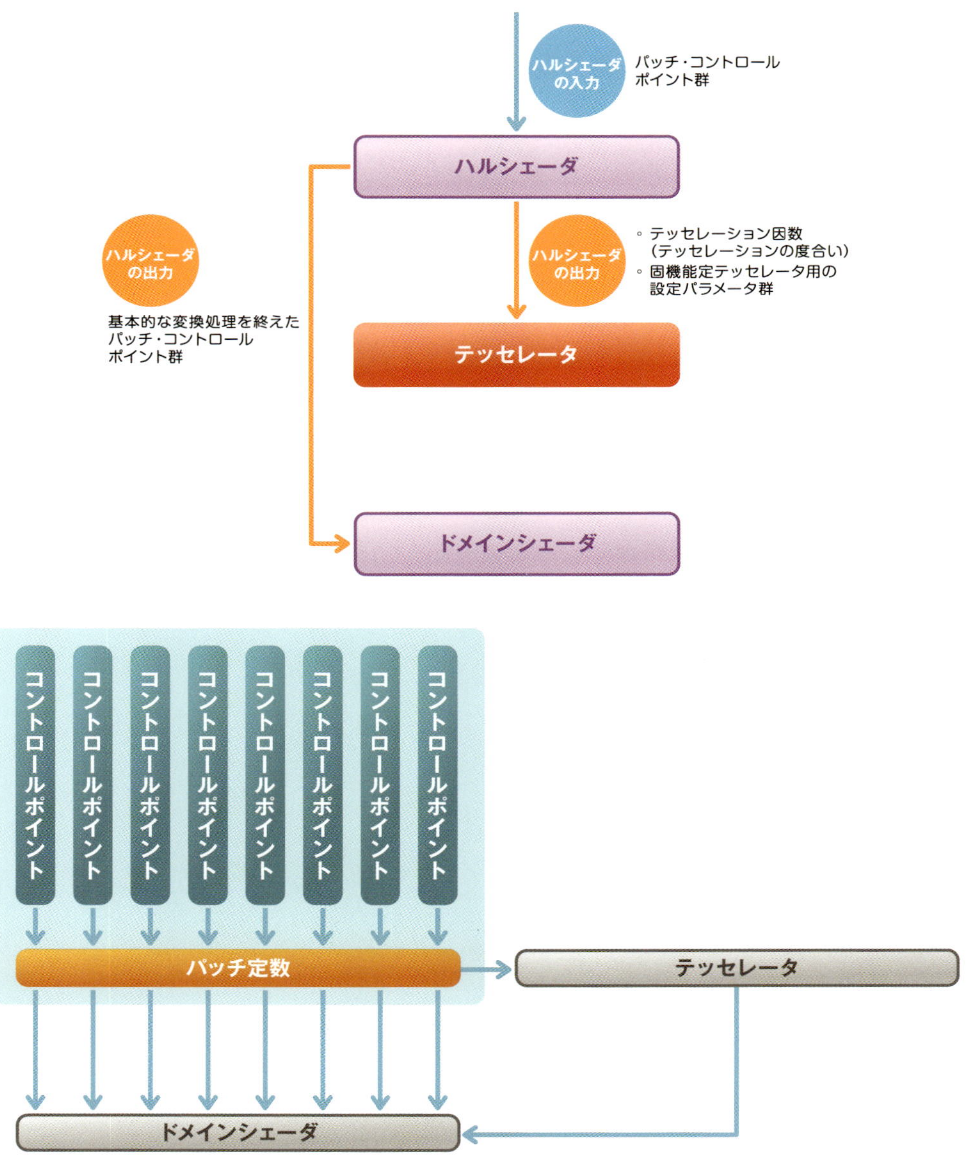

図6.13　実際のハルシェーダの処理は１パッチあたり２フェーズかかる。１フェーズはコントロールポイント（制御点）単位によるもの。もう１フェーズはパッチ定数単位によるもの。なお、パッチ定数単位のフェーズではコントロールポイントの参照は可能。なお、この２フェーズは並列処理として進行する

入力されたパッチプリミティブは頂点シェーダに入力され、姿勢変更のための頂点アニメーションや、これに伴うスキニング処理が実践される。これらの処理はテッセレーション前に行われることになる。すなわち、ポリゴンが増加する前の基本形状モデルに対して頂点シェーダ処理が行われるということだ。

そして、頂点シェーダからの出力がハルシェーダへと受け渡され、ハルシェーダではポリゴン分割計画に相当するシェーダプログラムが実行される。

前述したように、ハルシェーダはプログラマブルなので、多様なロジックを組み込むことが可能だ。公式通りの曲面生成ハルシェーダではなく、異方性&適応型のハルシェーダにすることもできる。

例えば、法線マップでディテール表現に凝っていても「あ、ポリゴン数少ないじゃん」と気づけてしまうことがある。これは、「輪郭」のポリゴン数が少なくてカクカクしているときに気づきやすい(図6.14)。車のタイヤや人間の頭などは、ポリゴン数が少ないと、輪郭がカクカクに見えてしまい不自然に感じてしまう。逆に、輪郭が多ポリゴンで滑らかに表現されていれば、輪郭ではない部分のポリゴン数が少なくても法線マップのディテールで十分ごまかしきれる。

そこで、取り扱っているポリゴンと視線の位置関係を考慮して、輪郭付近と判断できる場合は多ポリゴンにするような適応型のハルシェーダを書くことができる(図6.15～図6.17)。

図6.14 「DOOM3」(id Software,2004)より。法線マップによるディテール表現は魅力的だったが、輪郭がカクカクしていてあからさまにポリゴン数が少ないのが露呈してしまっていた

図6.15　ハルシェーダに適応型の処理を実践させることも可能。この図は、シピアな滑らかさの表現が必要な部分だけを多ポリゴンにテッセレーションした例

図6.16　ハルシェーダで視線ベクトルと法線ベクトルを検査して視線に対する面の向きを検査すれば、視線から見て輪郭となる部分だけを多ポリゴンで表現することも可能

図6.17　例えば地形表現などは輪郭部分の滑らかさが重要となる。山岳などの表現において、近くと遠くで山の高さや稜線の滑らかさが違ってしまっては不自然に見えてしまう

テッセレーター～ハルシェーダの計画書に従って実際の分割を行う

続くテッセレータは、固定機能シェーダだが、「コンフィギュラブルである」という表現をマイクロソフトは使っている（図6.18）。どういうことかと言うと「テッセレーションという機能は固定だが、テッセレーションの仕方をコントロールできる」という意味になる。逆に言うと、テッセレータをどうコントロールするかをハルシェーダが担当する…というイメージになる。

テッセレータは、ハルシェーダから与えられた「ポリゴン分割計画書」に従い、実際のポリゴン分割に取りかかる。「ポリゴンの分割」と言うとイメージがしにくいが、テッセレータへ入力されたパッチ単位に対し、そのパッチを拡張して成形するような処理を行う。

ちなみに、ポリゴンの分割単位は三角形、四辺形、あるいは線分で、その分割メソッドは離散的分割、連続的分割、2のべき乗単位分割といったものが用意されている（図6.19）。

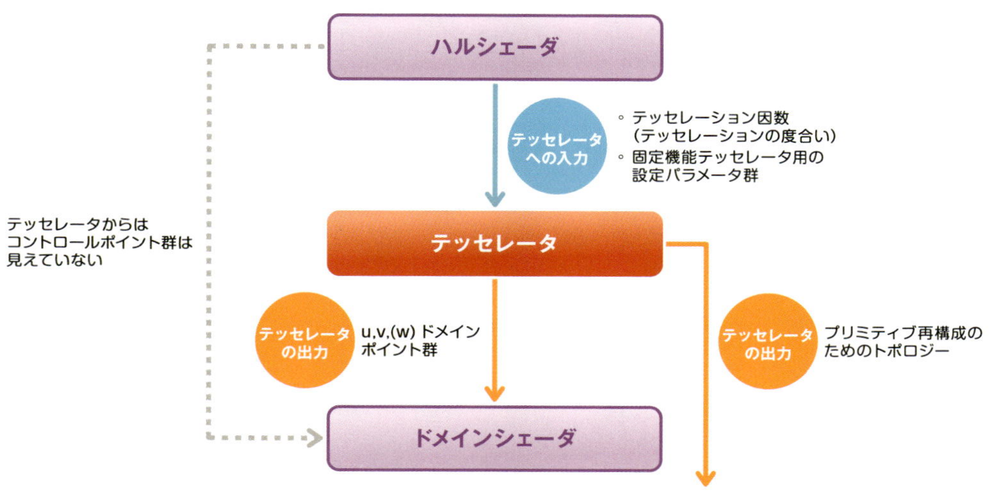

図6.18　テッセレータは固定機能シェーダだがコンフィギュラブル

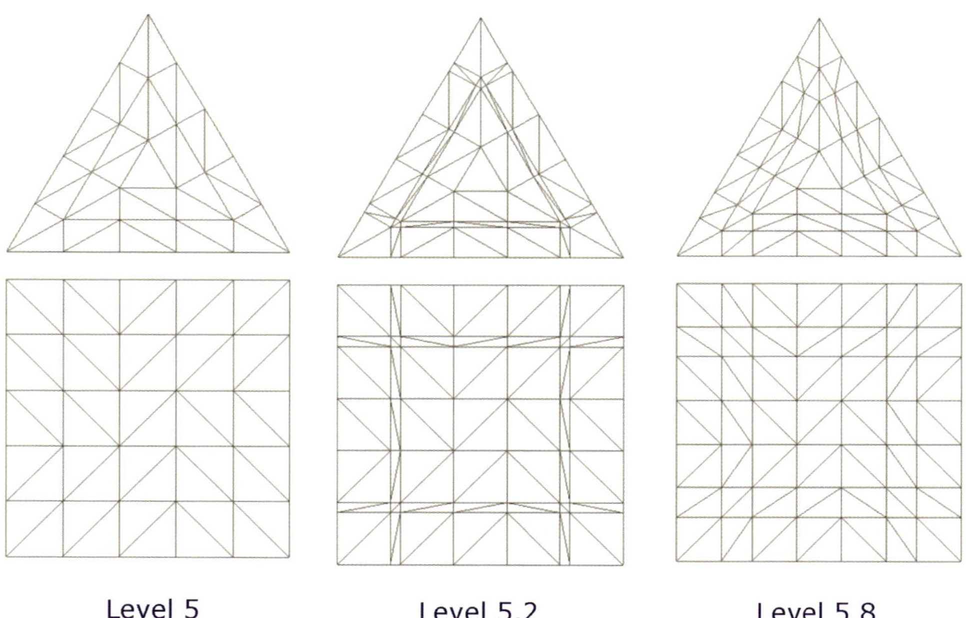

図6.19　テッセレーションの例。左端は離散的分割。真ん中と右は連続的分割

ドメインシェーダ～分割されたポリゴンに意味づけを行うテッセレーション専用ローカル系頂点シェーダ

テッセレータは、ただポリゴンを分割しただけで（実際には前述したように三角形、四辺形、線分といった分割単位があるが、便宜上、ここでは"ポリゴン"という表現を用いる）、分割されたポリゴン自体にはまだ意味が持たされていない。

意味…というのは「どんな曲面か」を表す、接平面上の変位のことだ。

ハルシェーダで算出された曲面生成用の制御点は、ドメインシェーダに渡される。ドメインシェーダは、受け取った情報を元に、テッセレータによって分割されたポリゴン達がきちんと曲面を形作れるよう、それらの頂点を変位させていく。

折り紙で例えるならば、

①【ハルシェーダ】折り方を計画する
②【テッセレータ】折り目の線を引く
③【ドメインシェーダ】実際に折る

というイメージだろうか（図6.20）。

このドメインシェーダはプログラマブルシェーダなので、これもまた異方性＆適応型の小細工を盛り込める。

例えば、理想論のところで述べたような、微細凹凸などのディテール情報を記録したハイトマップを元に、分割されたポリゴンをへこませたり、突き出したり…といったディスプレースメントマッピング処理が行える（図6.21）。

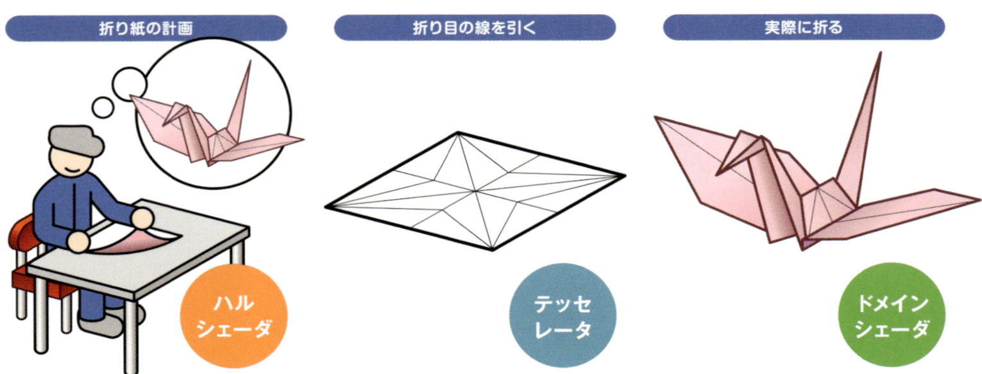

図6.20　3つの新シェーダを折り紙に喩えるならば…

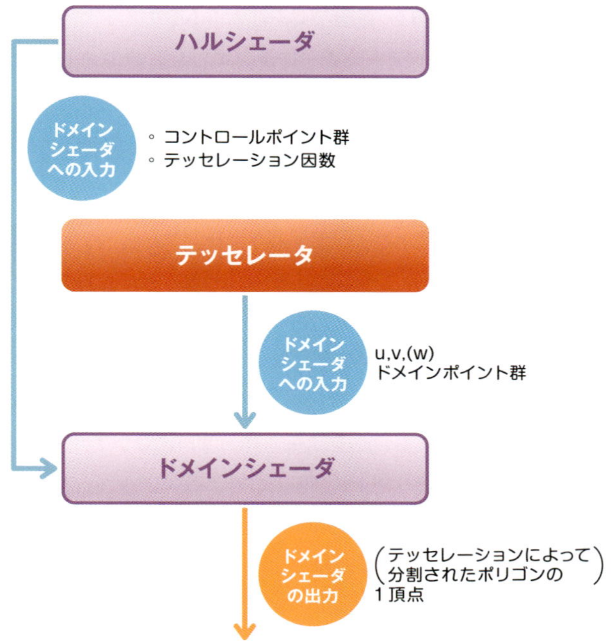

図6.21 ドメインシェーダは大胆に例えるならば、テッセレーション専用の頂点シェーダのようなもの。出力は「意味」を持たせた分割後、ポリゴンを形成する1個の頂点。なお、この図を見ても分かるように、ドメインシェーダは分割されたポリゴンの頂点の個数分だけ仕事の発注があることになる。また、細かい凹凸などのディテール表現を行うためのディスプレースメントマッピングもこのドメインシェーダで行うことになる

DirectX 11のテッセレーションを活用した実例

これまで生まれては消えていった「サブディビジョン・サーフェース」「テッセレーション」の仕組みに対して、マイクロソフトが初めてイニシアチブを取って標準化し、プログラマブルシェーダの一環に組み込んだことの意義は大きい。

DirectX 11で実装されたテッセレーションの仕組みは、既存のグラフィックスパイプラインも、3Dゲームグラフィックスエンジンの構成も、大きく変えることなく利用できる点で優秀だ。テッセレーションの仕組みを使いたくなければ、ハルシェーダ、テッセレータ、ドメインシェーダをすっ飛ばせばいいし、DirectX 10におけるジオメトリシェーダの主たる活用形態のように、"つまみ食い"的に活用すればいい。

そして、DirectX 11に採用されたテッセレーションの仕組みは、Xbox 360 GPUのテッセレータの仕様をベースにして標準化されたと推察されている。マイクロソフトも「DirectX 11のテッセレータのサブセットがXbox 360 GPUのテッセレータである」と公式に述べており、Xbox 360 GPUとDirectX 11アーキテクチャの親和性は高い。

DirectX 11のテッセレーション技術は、最近ではPCゲームを中心に活用が進んでいる。

しかし、PCゲームでは、実行環境のハードウェアが必ずしも最新のDirectX 11世代GPUを搭載しているとは想定できないため、DirectX 10世代以前のGPUを搭載したシステムにおいても見映えのするゲームグラフィックスを提供する必要がある。そこで、多くのPCゲームでは、DirectX 11世代GPUを搭載したシステムで実行された場合に限って「追加ディテールを付加する」という形で、テッセレーションステージを活用するようなケースが多い。言わば「DirectX 11世代GPUを搭載していれば、"ボーナス"的に、より精細なディテールが追加される」というようなイメージだ(**図6.22**)。

ただ、タイトルによっては、PC専用ではなく、DirectX 9世代GPU搭載の家庭用ゲーム機であるPS3、Xbox 360向けにも展開しているマルチプラットフォームなものがあるが、例えば、多ポリゴンで既にモデリングされているようなキャラクタに対して、PC版ではテッセレーションステージを利用した追加ディテールを付加したとしても、その効果がユーザーには伝わりづらいようだ(**図6.23**)。

付け加えるならば、DirectX 11世代GPUが主流となり、PS4やXbox OneといったDirectX 11世代GPUを搭載した家庭用ゲーム機が普及している現在においてもテッセレーションステージの活用は消極的なままである。これについては次節で解説することにしたい。

とはいえ、DirectX 11世代GPU搭載の現行ゲーム機を想定したゲームエンジンでは、DirectX 11のテッセレーションステージの対応は行われている。

図6.22 レーシングゲーム「Colin McRae: DiRT 2」(Codemasters,2010)では、DirectX 11世代GPU搭載環境でのプレイに限り、テッセレーションステージによってダイナミックに動く水面の表現が実装された。上がDirectX 10世代以前GPUでの実行結果、下がDirectX 11世代GPUでの実行結果

図6.23 「ロストプラネット 2」(カプコン,2010)では、PC版において、テッセレーションステージの活用によるキャラクタモデルへの追加ディテールの付加が行われた。オリジナルのPS3、Xbox 360版でも十分にハイディテールなモデルであったため、せっかくの追加フィーチャーの良さはユーザーに伝わりにくかった。上がDirectX 10世代以前GPUでの実行結果、下がDirectX 11世代GPUでの実行結果

例えば、EPIC GAMESのゲームエンジン「Unreal Engine 4」ではTessellation Multiplier機能から、そしてUnity Technologiesのゲームエンジン「Unity」ではSurface Shader機能からテッセレーションステージの活用を可能にしている。

また、スクウェア・エニックスの新世代ゲームエンジン「Luminous Studio」もテッセレーションステージに対応しており、そのテクニカルデモ「AGNI'S PHILOSOPHY」では、毛髪の一本一本を線分として生やし、それら線分をテッセレーションステージの「Isoline Tessellation」(次ページ **図6.24**)機能を活用し、入力された線分に平行線を引くような感じの等値線(Isoline)を生成することに応用している。言わば、"増毛"処理にテッセレーションステージを活用した格好だ(次ページ**図6.25**)。

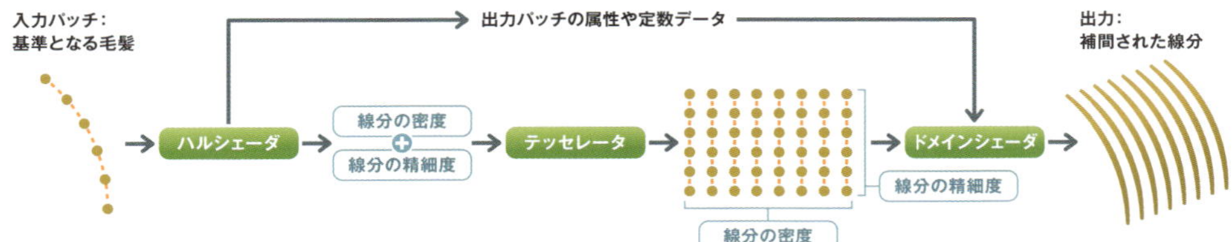

図6.24　DirectX 11のテッセレーションステージでは、分割対象となるプリミティブとしてポリゴン（三角形）やクワッド（四辺形）以外に線分も選択できるのだが、その際，入力された線分に平行線を引くような感じの等値線（Isoline）を生成することができる。これがIsoline Tessellationである

図6.25　スクウェア・エニックスの新世代ゲームエンジン「Luminous Studio」ベースのテクニカルデモ「AGNI'S PHILOSOPHY」（2012年）では、人物キャラクタの毛髪や髭の表現において、線分として生やした毛をテッセレーションステージのIsoline Tessellation機能を活用し増毛させていた。なお、線分（≒毛髪や髭）の曲線化にはComputeShaderを用いていた

始まりつつあるジオメトリパイプライン再考

Chapter 5で取り扱ったジオメトリシェーダ、そしてこのChapterで取り扱ったテッセレーションステージは、鳴り物入りでグラフィックスパイプラインに取り入れられたものの、実際のゲームグラフィックス開発においてはあまり積極的に活用されていないという実態がある。

グラフィックスパイプラインの基本解説がこのChapterでひとまず終わったところなので、この現状について考察をすると共に、最近のこうした状況に対するGPU業界の動きについてまとめてみることにしたい。

DirectXの歴史をあらためてここで振り返ると、DirectX 9までは以下のような構成だった。

頂点シェーダ(Vertex Shader)→ピクセルシェーダ(Pixel Shader)

DirectX 10時代になると、頂点シェーダ側にジオメトリシェーダ(Geometry Shader)が加わって、以下のようになる。

(頂点シェーダ→ジオメトリシェーダ)→ピクセルシェーダ

そしてDirectX 11時代になると、頂点シェーダとジオメトリシェーダの間にテッセレーションステージ(Tessellation Stage)が加わった。テッセレーションステージは「ハルシェーダ」(Hull Shader)と「テッセレータ」(Tessellator)、そして「ドメインシェーダ」(Domain Shader)の3ブロックからなるため、構成としては以下のようになる。

(頂点シェーダ→(ハルシェーダ→テッセレータ→ドメインシェーダ)→ジオメトリシェーダ)→ピクセルシェーダ

こうして並べてみると、頂点シェーダからジオメトリシェーダまでのジオメトリパイプラインが煩雑だと分かる。

実際、ゲーム開発者の間でも、「テッセレーションステージとジオメトリシェーダは使いにくい」「GPU世代によっては性能が出にくい」と言われ始め、最近では高度なジオメトリ処理を行う場合は、汎用性の高いComputeShader(GPGPU)に"外注"する実装のほうが主流になりつつあるほどである。

プログラマブルシェーダアーキテクチャの進化が2009年リリースのDirectX 11で停滞している背景には、煩雑になりすぎてしまったジオメトリパイプラインに原因があるのではないか、という指摘は、開発者の間ではよく挙がる。

こうした声を受けてGPUメーカーのAMDやNVIDIAが、このジオメトリパイプラインの再構成案を提唱してきている。こうした新ジオメトリパイプライン案は、2020年より提供が始まったDirectX 12 Ultimateにて、NVIDIAが提案した「メッシュシェーダ」案が採用されたことで業界動向的にはこちらが本流の技術として浸透していく可能性が高いと思われるが、SIEが2020年に発売したPS5では、AMDが提案した「プリミティブシェーダ」案を採用しており、実際のゲーム開発において、どちらが積極的に活用されるかの動向は見えていない。このため、本書では、このAMDやNVIDIA

の新ジオメトリパイプラインの素案については簡単に紹介するにとどめておく。

まず、この新ジオメトリパイプライン提案に最初に乗り出したのはAMDのほうだった（**図6.26**）。

AMDが2017年7月に発表した「Radeon RX Vega」では、新しいシェーダステージ「プリミティブシェーダ」（Primitive Shader）を提唱し、実質的にこれが「新ジオメトリパイプラインそのもの」ということになる。

まず、機能面で重複する頂点シェーダとドメインシェーダをプリミティブシェーダに統合し、「ポジションシェーディング」（Position Shading）という機能ブロックとして扱う。ドメインシェーダは「テッセレータ実行後の頂点シェーダ」のようなものなので、まとめることには合理性がある。

次に、「ジオメトリパイプラインの後段に行けば行くほど、頂点データと、付随する属性パラメータが爆発的に増えていく」ことを防ぐため、ジオメトリパイプラインの上流で早期カリング（描画不要なポリゴンの破棄）を行う機能ブロック「プリミティブカリング」（Primitive Culling）を置く。

加えて、複数ビューポートへ向けた投射のような、ジオメトリシェーダが持つ特殊なジオメトリパイプライン機能は、「アトリビュートシェーディング」（Attribute Shading）という機能ブロックが担当する。

以上の3ブロックが、プリミティブシェーダという新シェーダステージを司るプログラマブルシェーダとなるのだ。

さらに付け加えると、従来はジオメトリパイプライン後段に位置し、ジオメトリシェーダと一部機能がダブる部分もあったテッセレーションステージは、最上流に再配置となり、頂点（≒ポリゴン）分割機構であるテッセレータを制御するハルシェーダと共に、「サーフェスシェーディング」（Surface Shading）という機能ブロックとして再構成を果たしている。

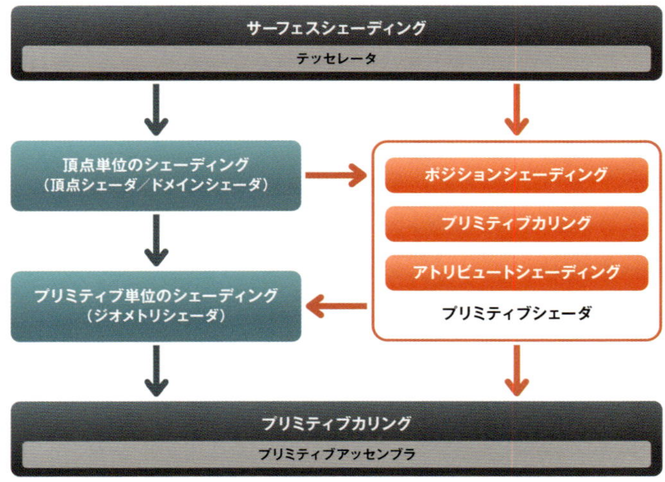

図6.26　AMDは「プリミティブシェーダ」（Primitive Shader）という新ジオメトリパイプライン案を提唱した

全体として、従来の「無計画な違法建築」然としていたジオメトリパイプラインが、リフォームされて美しい構造となった印象を受ける。

AMDに続き、NVIDIAも2018年8月に新ジオメトリパイプライン案「メッシュシェーダ」（Mesh Shader）を提唱し、これをGeForce RTX/Quadro RTXシリーズに実装した（**図6.27**）。

NVIDIAのメッシュシェーダは、このChapter冒頭で触れたLODシステムを、ジオメトリパイプラインで高効率に面倒を見ていこうという動機で開発されたものだ（次ページ **図6.28**）。

実際には、メッシュシェーダを制御する上層のプログラマブルシェーダとして、NVIDIAは「タスクシェーダ」（Task Shader）も新設している。パイプライン構造としては、あらかじめ複数のLODレベルに分かれた3Dモデルをタスクシェーダの管轄下に置いておき、タスクシェーダが適宜メッシュシェーダを活用するという流れになる。

このタスクシェーダの仕事は、これから描画する3Dモデルと視点との距離、視点との向きに応じた、適切なLODレベルの計算などだ。例えばLODレベルが「2.5」だった場合、LODレベル2の3DモデルとLODレベル3の3Dモデル、この両者の中間となる（すなわちLODレベル＝2.5の）ディテールを持った3Dモデルをメッシュシェーダで生成することになる。

この説明だと、タスクシェーダとメッシュシェーダの処理系が3Dモデル単位のように思えるかもしれないが、実際の処理系は3Dモデルを構成する複数のポリゴングループ単位となる。なお、NVIDIAではこのポリゴングループをMeshletと呼んでいる。

要するに、異なるLODレベルの3Dモデル同士に対してMeshletがどう対応するか、トポロジーの事前の定義が不可欠ということである。したがって、「従来型の離散的なLODシステムを採用したグラフィックスエンジンがGeForce RTX/Quadro RTXシリーズで実行された場合、自動的に無段階LODシステムに変身してしまうような万能なシステムになってはいない。

NVIDIAによれば、パフォーマンス面では従来のテッセレーションステージを活用して動的なLODシステムを実装するよりはかなり優位になるということだが、3Dモデルのデータ構造は、タスクシェーダやメッシュシェーダで実装したシェーダプログラムの仕様に合わせていじる必要があり、ここが少々面倒な点ではある。

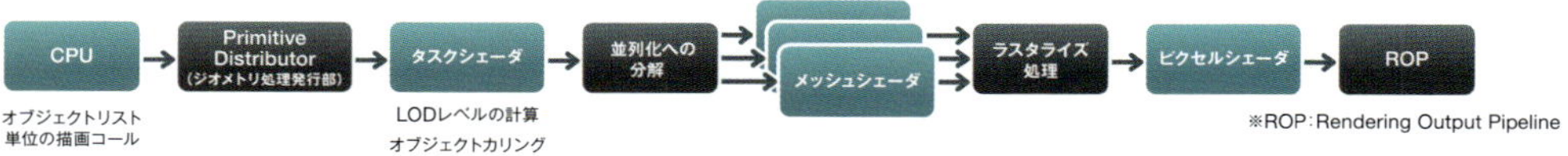

図6.27　NVIDIAは「メッシュシェーダ」（Mesh Shader）という新ジオメトリパイプライン案を提唱した。テッセレーションステージを使いやすくすることに主眼を置いている。タスクシェーダは複数のメッシュシェーダを並列駆動できるメカニズムになっているのが特徴的である

図6.28　NVIDIAが発表したメッシュシェーダ活用事例デモ「Asteroids Demo」より。最終描画結果（上）とワイヤーフレーム表示（下）。ワイヤーフレームの色分けはLODレベルを表している。白が最もLODレベルが低く（多ポリゴンモデル）、白-紫-青-水色-緑-黄-赤という具合に高LODレベル（低ポリゴンモデル）として描画されている

いずれにせよ、AMDのプリミティブシェーダとNVIDIAのメッシュシェーダには互換性がないため、開発者目線では、今後しばらくは、こうした新ジオメトリパイプライン案がどう収束していくのかを見守っていく必要がある。

さて、Chapter 5、Chapter 6では、ややハードウェアよりの、DirectX 10、DirectX 11における新しいシェーダステージの解説を行ったが、Chapter 7からは、再び話題を「3Dゲームグラフィックスで用いられている代表的技術」のほうに戻すこととしよう。

▶ Column

代表的な３つのテッセレーションメソッド

ゲーム向けのリアルタイムテッセレーションメソッド

一口に「テッセレーション」と言っても、様々なメソッドが存在する。

現在、リアルタイム3Dグラフィックス、ゲームグラフィックス向けに実装実験や研究開発が行われているものとしては「PNトライアングル法」「Phong Tessellation法」「Approximating Catmull-Clark法」といったものがある。

PNトライアングル法は、基本的なテッセレーションメソッドの1つで、分割対象である三角形の３つの頂点を通るベジェ曲面を生成し、その曲面に対して、分割した三角形を当てはめていくようなイメージの手法になる。３つの頂点を通るベジェ曲面は一意的に決まらないが、制御パラメータとして各頂点の法線ベクトルを導入すれば、適合するベジェ曲面を決定することができる。

この手法は、既存の3Dモデルデータを大幅に加工することなくテッセレーションステージを適用できるメリットがあることから、ゲームでの採用例が多い。しかし、分割の対象が１ポリゴンで帰結するという特性が裏目に働いてしまい、分割した後、隣接したポリゴン同士の滑らかさが乏しくなってしまうという弱点を持つ（**図6.A**）。

図6.A　PNトライアングル法の適用前（上）と適用後（下）の対比。「ロストプラネット 2」（カプコン,2010）より

Phong Tessellation法も、とてもシンプルなテッセレーションメソッドで、ポリゴンの各頂点座標と、その法線・重心座標を利用する手法となっている。

重心座標でポリゴンを分割し、その重心座標がどのくらい盛り上がるかを、各頂点の法線ベクトルの線形補間値から求める。この手法も、既存の3Dモデルデータをそのまま利用してテッセレーションを適用することができ、比較的パフォーマンスも高いため、ゲームでの採用例も増えてきている。しかし、曲面の連続性（滑らかさ）は、PNトライアングル法よりもさらに乏しい（**図6.B**）。

Approximating Catmull-Clark（ACC）法は、Catmull-Clark法の近似手法だ。Catmull-Clark法とは、対象となる3Dモデルを構成する面と、その輪郭線の平均値を求めながら、再帰的に細かく分割を進める手法で、多くのDCC（Digital Content Creation）ツールにおいて標準機能としてサポートされるテッセレーションメソッドである。そして、ACC法は、このCatmull-Clark曲面をベジェパッチで近似（Approximating）させる手法になる。このメソッドでは3Dモデルを構成する各頂点に近傍の情報を仕込ませる工夫が必要であり、その分、曲面の連続性は高くなる特長がある（**図6.C**）。しかし、この手法の実践には専用のデータ構造が必要になる上、計算負荷もそれなりに高い。もともと、この手法は、オフラインCG向けの技術で、比較的少ないデータ量で高品位な3Dモデルを表現する手段として用いられてきた経緯がある。

図6.B　Phong Tessellation法の適用前（上）と適用後（下）の対比。
「ロストプラネット 2」（カプコン,2010）より

図6.C　Catmull-Clark法の適用前（上）と適用後（下）の対比。「DirectX Sample Browser」（マイクロソフト,2010）より

Catmull-Clark法の関連特許がライセンスフリーに

Catmull-Clark法は1978年にEdwin Catmull氏とJim Clark氏が発表した技術で、「トイ・ストーリー」で有名なPixar Animation Studios（以下、ピクサー）が実用化したことでも知られている。

Catmull-Clark法では、頂点の価数（＝隣接している頂点の数）が4となるクアッド（四辺形）の場合、Catmull-Clark法のテッセレーションにより生成される曲面は、双三次B-Spline曲面（Bicubic B-Spline Curved Surface）と等しくなる。しかし、各頂点の価数が4ではなく、例えば3や5といった頂点のクアッドに対するテッセレーションにおいては特別な処理を行い、必要な精度まで再帰的に分割する必要がある（次ページ **図6.D～図6.F**）。

ところで、Catmull-Clark法に限らず、こうした算術的な曲面分割では、角張ったものが何でもかんでも丸くなってしまうため、3D

モデルの形状が全体的に丸まっているような結果を生んでしまう。例えば、刀のような武器ならば、鋭利で角張った部分があるべきだし、プラスチック製の日用品などでは、尖っているわけではないが、やや丸みを帯びた角（Semi-Sharp Crease、本書では以下

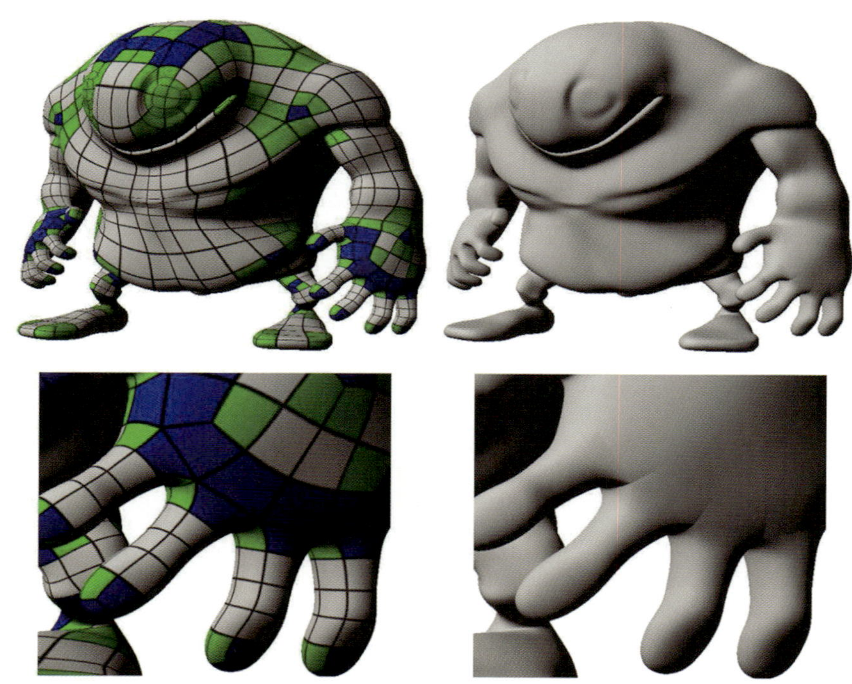

図6.D　左はCatmull-Clark法によるもので、右はPNトライアングル法によるもの。左側の、青で塗られている部分が特異頂点のあるクアッドになる。特異頂点の箇所に注目すると、右のPNトライアングル法では不連続な曲面になっているのが見て取れる

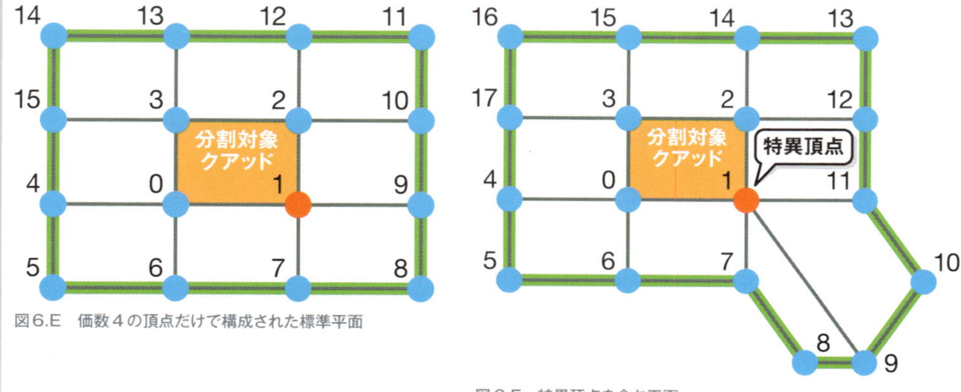

図6.E　価数４の頂点だけで構成された標準平面

図6.F　特異頂点を含む平面

「丸角」と記する）になっていることなどが望ましい。

そこでピクサーは、そうした特異箇所の取り扱いを、長年制作してきたCGアニメを通して、コンテンツ作成パイプラインに適合するように成熟させてきた。前述した角や丸角の表現にあたっては、3Dモデル側にそうしたテッセレーション制御を行うようなパラメータを仕込んでおく仕組みを考案している（**図6.G**）。

こうしてピクサーは、Catmull-Clark法をベースとした3Dモデル表現の標準化環境を整備し、今では「3ds Max」「Softimage」「Maya」などの多くのDCCツールでこのメソッドがサポートされるようになったのであった。

ただ、このメソッドを利用する際のデータ構造やその取り扱いアルゴリズムについてはピクサーが広く特許を押さえたため、ゲーム（エンジン）はもちろん、その他の一般的なアプリケーションからは、やや手を出しにくいメソッドにもなってしまった点は否めなかった。

そこで、こうした状況を打開すべく、2012年8月、ピクサーは、Catmull-Clark法にまつわる関連特許の使用権をライセンスフリー化する発表を行った。また、同時に、ピクサーが実際にGPUで実装したCatmull-Clark法のコードや、角や丸角の取り扱い等の特異頂点処理のサポートまでを行うアルゴリズムなどを全てオープンソース化する「OpenSubdiv」プロジェクトもアナウンスしている（次ページ **図6.H**）。

それまで特許的な問題のために取り扱いづらい側面があったCatmull-Clark法は、この発表により一気に障害がなくなり、今後

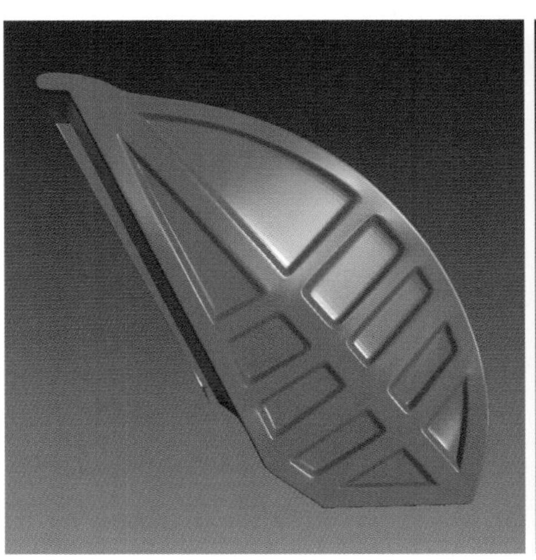

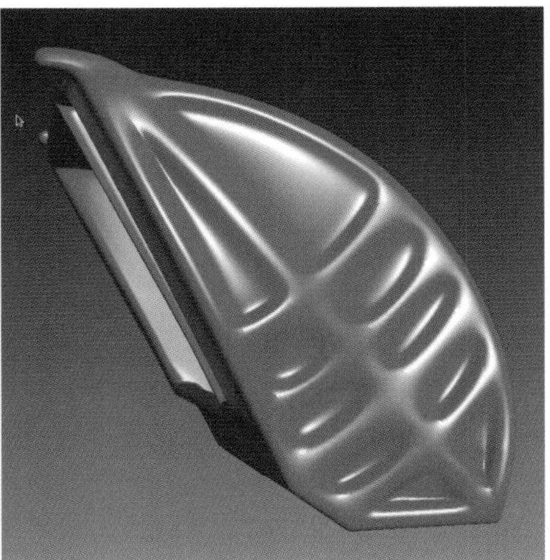

図6.G　左が丸角機構を組み込んだピクサー拡張型のCatmull-Clark法。右がCatmull-Clark法の原形で、全体的に丸くなってしまっているのが分かる

は、この手法の積極的な応用が進められていくかもしれない。

例えば、新世代ゲーム機のゲーム開発においては、テッセレーションステージが標準搭載されるDirectX 11以上のGPUがベースとなるため、「低ポリゴンモデルでモデルデータを持ち、滑らかな曲面表現をテッセレーションで実現し、より詳細なディテールをディスプレースメントマッピングで付加する」という**図6.3**（175ページ）のような、ピクサー的なレンダリングパイプラインを採用するゲームスタジオが出てきても不思議ではない。

そうなれば、それこそ、映画向けのCGモデルとゲーム向けのCGモデルの親和性も高まるため、例えば映画用のモデルをそのままゲームで動かすといったことが、技術的かつコンテンツパイプライン的にも可能になることだろう。

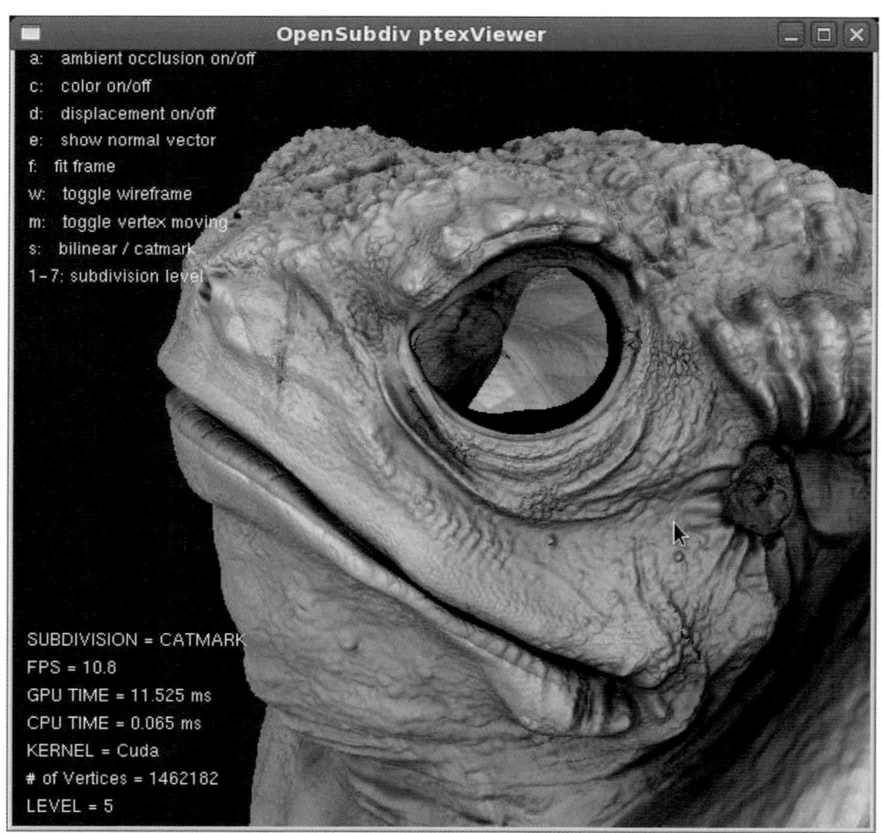

図6.H　OpenSubdivプロジェクトにより、ピクサークオリティのテッセレーションがライセンスフリーで利用できるようになった

Chapter 7

HDRレンダリング

ゲームグラフィックス、コンピュータグラフィックスは共に、ディスプレイ装置に表示することが前提であったために、レンダリングパイプラインが、「ディスプレイの表示性能基準」で組み立てられてきた経緯がある。ところが、現実世界をリアルに表現しようとした場合、これは足かせとなる。この足かせを断ち切ろうという動きが近代リアルタイム3Dグラフィックスにおいても見られるようになってきた。

それが「ハイ・ダイナミック・レンジ・レンダリング」(HDRレンダリング: High Dynamic Range Rendering)だ。

もともとは学術的な研究テーマとして盛んだった「HDR」というキーワードは、今や、PCにおけるリアルタイムレンダリングのみならず、家庭用ゲーム機のグラフィックス表現としても標準となりつつある。

このChapterでは、このHDRレンダリングというテーマについて見ていくことにしよう。

HDRレンダリングとは？

そもそもHDRレンダリングとはどういう意味があるのだろうか。まずはここから解説していこう。

「HDRレンダリング」の定義としては「表示に用いるディスプレイ機器の輝度/色域の限界にとらわれず、幅広い輝度/色域でレンダリングを行うこと」となる。

現在のPCで日常的に取り扱う色表現は、RGB（赤、緑、青）の三原色がそれぞれ8ビットずつで表現される24ビットカラー・1,677万色が最も身近な存在だと言える。

この、ディスプレイに採用されている「1,677万色」とは、ブラウン管テレビ時代に規定された最大100nitの輝度範囲において、人間が一度に視覚できる輝度や色の範囲をRGB三原色光の256段階（0〜255）で表現するものだ（R256×G256×B256＝16,777,216）。「最大100nitの輝度範囲において」という条件のもとでは、人間が一度に見ることのできる輝度範囲/色範囲をこの1,677万段階の分解能で表現する分にはほぼ必要十分だが、現実世界の輝度範囲/色範囲をそのまま再現するには不十分な状況が発生してくる。

図7.1は人間の視覚を分かりやすく図解したものだ。

例えば、「太陽光を反射する雪原（$1E+6=10^6$）」は相当明るく、「夜空の星が地表を照らす明るさ（$1E-6=10^{-6}$）」は相当暗いことがイメージできる。この明るさや暗さは、ルミナンス値（$lum/m^2=cd/m^2=nit$）において実に10の12乗（10^{12}）の"格差"がある。

全ての3Dグラフィックスがルミナンス値でレンダリングするパイプラインを採用しているわけではないが、いずれにせよ現実世界の明るさと暗さをエネルギーとして記録するには、とてつもない表現域が必要になるということは想像できる。

前述の雪原と夜空の例が現実世界の最大の明るさと暗さを示していたとして、これを数値表現するためには10^{12}の範囲を表現できなければならないことになる。

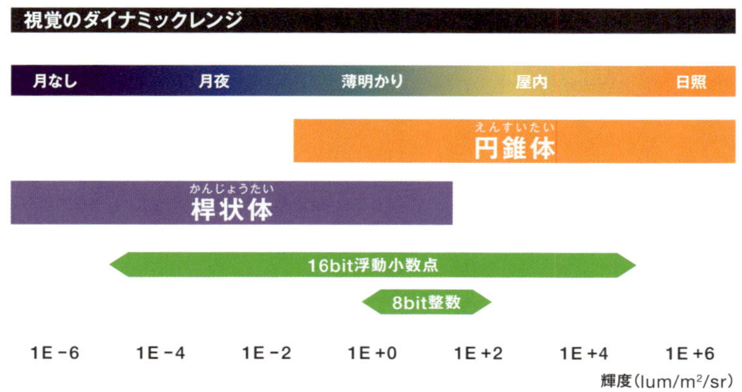

図7.1　視覚のダイナミックレンジ。桿状体は暗い光を感じるための視覚細胞。そして円錐体は明るい光や色を感じる視覚細胞。下の数値の単位はルミナンス値（$lum/m^2/sr$）。これはいわゆるcd/m^2（カンデラ平方メートル）やnit（ニト）と等価な単位である

話を分かりやすくするために、「取り扱える数値の範囲」という意味においての「ダイナミックレンジ」を計算してみよう（用語の定義としての「ダイナミックレンジ」とは、表現できる最小値と最大値の対比を表す単位である）。

対数を取って10を掛けたものをdB（デシベル）と言うが、10^{12}の表現幅が必要ということは120dBのダイナミックレンジが必要になるということだ。

いわゆる1,677万色は、輝度を整数8ビット＝256段階で記録する方式だから$256 \fallingdotseq 10^{2.4}$となり、約24dB分しか記録できないことになる。つまり、現実世界（120dB）の1/5しか記録できないということなのだ。もちろん、10^{12}の幅の階調を8ビットの256段階で無理矢理表現することもできるが、これでは分解能としては粗すぎる。

この広大なダイナミックレンジの明るさ、暗さを、なるべく正確に記録しようというのがHDRレンダリングの基本的なアプローチである。

現実世界を記録するのに必要なダイナミックレンジとは？

そこで、DirectX 9世代SM 2.0対応GPUの時代に、HDRレンダリングを実現するのに必要な120dBほどの数値表現能力を持ったフレームバッファフォーマットとして提供されたのが、各RGBが16ビット浮動小数点（FP16）で表されるフォーマットだ。

「FP16」は、符号1ビット、仮数10ビット、指数5ビットで成り立っている浮動小数点フォーマットだ。表現の範囲は（2^{10}）×（2^{32}）≒ 4.4×10^{12}、つまりダイナミックレンジとしては120dBとなる（指数5ビット＝2^5、つまり32）。「FP16」は、現実世界において、かなりの部分の輝度レンジを記録できるポテンシャルがあることが分かる。

コンピューティングの世界で浮動小数点表現と言うと、「単精度」と言われる32ビット浮動小数点（FP32）と、「倍精度」と言われる64ビット浮動小数点（FP64）が一般的だが、このFP16は主にグラフィックス用として提唱されたものだ。ちなみに、この提唱者はSF映画「スターウォーズ」の特殊効果でお馴染みのILM（Industrial Light & Magic）のCG部門だ。「FP16」は、このILMが提唱するHDR映像のオープンソース規格「OpenEXR」（http://www.openexr.com/）の中に定義されている。

単精度の「FP32」は符号部1ビット、指数部8ビット、仮数部23ビットで成り立つ浮動小数点フォーマットなので、表現範囲は(2^{23})×(2^{256})＝9.7×10^{83}であり、ダイナミックレンジは830dBと、こちらは逆にオーバースペックすぎる。

そうした経緯があり、最新世代のGPUでは、αRGBが各FP16で表される64ビットバッファ（16ビット×4、以下FP16-64ビットバッファ）が、リアルタイム3Dグラフィックス向け、3Dゲーム向けの標準的なHDRレンダリング用のバッファのフォーマットとなっている。

ただ、従来のαRGBが各整数8ビットで表される32ビットバッファ(以下、int8-32ビットバッファ)

と比較すると倍のビデオメモリを消費し、32ビットバッファと同等パフォーマンスを実現するには単位時間あたりに求められる帯域やバス性能は2倍になる。

これはDirectX 9世代/SM 2.0対応GPUのときは、負荷的にかなり厳しいものであったのだが、最新世代のDirectX 11世代/SM 5.0対応以降のGPUにおいては、現実的に問題なく活用できるソリューションとなりつつある。

HDRレンダリングのメリットとは？

HDRレンダリングは、現実世界に近いダイナミックレンジの情報を、ほぼそのまま記録していくようなレンダリング技法であるということはイメージできたと思う。

とはいえ「それが一体どうした?」という疑問も浮上するかもしれない。ハイダイナミックレンジでレンダリングしたとはいえ、表示するディスプレイ装置が一般的な1,677万色のディスプレイの場合は、そのまま表示することができない。

FP16-64ビットのHDRバッファにHDRレンダリングをしたところで、結局は表示させる段階でint8-32ビット相当のLDRバッファに丸め込んで減色処理しなければならないのだ。2015年以降に登場してきたHDR映像表示対応ディスプレイであっても、表示できる最大輝度は規格上1万nitであり、現在市販されている民生向けのHDR対応ディスプレイは最大1,000nit前後の輝度までしか表示できないので、いずれにせよ、減色処理(→輝度の圧縮処理)を行う必要がある。

となれば、HDRレンダリングのメリットとは一体どこにあるのか?

それは、主に、次の3つの要素(効能)にあるとされる。

(1) 陰影がよりリアルになる
(2) 露出のシミュレーションが行える
(3) まぶしさの表現が可能になる

HDRレンダリングの第一の効能 ～陰影がよりリアルになる

HDRレンダリングの第一の効能は、陰影がよりリアルになる点だ。

例えば、光をあまり反射しない材質として、道路の路面のアスファルトについて考えてみよう。

道路の材質で知られるアスファルトの光の反射率はわずか7%程度だという。これは「ほとんど反射しないが全く反射しないわけではない」という反射率だ。

この反射率を、一般的な1,677万色モードで置き換えてみると、8ビット整数表現で最も明るい「255」の7%は「約18」となる。つまり、RGBの全てが「255」の明るい白色光でライティングしても、その陰影処理の結果は、RGBの全てが「18」という、かなり暗い色になってしまうということなのだ(図7.2)。

しかし、現実世界では、高輝度の太陽光を受けた路面は鈍く輝いて見える。

これは3Dグラフィックスに置き換えると、光源の太陽がディスプレイで表現される最高輝度の「RGB全てが255」(規格上100nit) どころではない、とてつもなく高い輝度値を持っているためだ。

HDRレンダリングは、描画先バッファがたとえ従来のαRGB各整数8ビットであっても、光源だけでもより大きな値、例えば65,535などで与えることができれば、従来のレンダリング技法ではどうしても埋もれてしまっていた陰影を浮かび上がらせる効果が期待できるのである(図7.3、図7.4)。

ただし、光源だけをHDR化して描画先バッファが従来のαRGB各整数8ビットのままだった場合は、「RGBの全ての値は255で頭打ち(≒飽和してしまう)」という制約は残ったままになる。見た目的に不自然ではない適切な陰影を表現するためには、後節の「露出のシミュレーション」の処理系が必要になってくる。

図7.2　8ビット、256階調における18はこんなに暗い(イメージ)

図7.3　「Half-Life 2: Lost Coast」(Valve,2005)より。LDRレンダリングではこのように全体が暗い

図7.4　HDR光源を用いたHDRレンダリングでは、このように埋もれた陰影が見えるようになる。画としては全体が明るくなったような感じになる。なお、「Half-Life 2: Lost Coast」では、レンダリングにFP16-64ビットバッファのレンダーターゲットを採用している

HDRレンダリングの第二の効能 ～露出のシミュレーションが行える

第一の効能は、埋もれていた低い反射率の陰影が見えるようになる、というような分かりやすい例だった。しかし逆に、高輝度の光源で高反射率の材質(金属のような鏡面反射など)がライティングされれば、陰影処理の結果は当然ディスプレイ表示色を超えた色(輝度)になってしまう。現在、多くのメーカーからハイダイナミックレンジ対応ディスプレイ、あるいはテレビが発売されており、普及しつつあるが、市販されている多くのHDR対応ディスプレイ/テレビは、超ハイエンド品で4,000nit程度で、普及価格帯モデルでは1,000nit前後からそれ未満といったところである(図7.5、図7.6)。

図7.5 HDR対応4Kテレビの一例。東芝4K有機ELレグザ「55X930」(2019年モデル)

図7.6 アスペクト比21:9のHDR対応ウルトラワイドモニター、LG「34WL850W」(2019年モデル)

現実世界の地球上から見える太陽の輝度は約20億nitと言われているので、HDRレンダリングによって生成されたフレーム（映像）を、一般に普及しているHDR対応映像機器で表示する場合、どうしても「表示するための調整(≒減色) 加工処理」が必要になってくる。この処理系は「トーンマッピング」（Tone Mapping）と呼ばれ、広義には、この処理までを含めてHDRレンダリングと呼ぶこともある。

さて、202ページの**図7.1**「視覚のダイナミックレンジ」で示したように、人間の視覚において、人間が知覚できるダイナミックレンジは80～120dB前後と言われる。しかし、実際に一度に色として知覚できる範囲は、見ているシーンの最大輝度、あるいは平均輝度に引っ張られてしまう。

例えばこういう経験があるはずだ。携帯電話を室内で開いたときには液晶画面がよく見えるのに、晴れた日の屋外で開くとほとんど見えない。携帯電話の液晶ディスプレイの明るさは変わっていないのに、見えるときと見えないときがある。

これは、人間の眼にある虹彩（Iris）という部位が、見ている情景全体の輝度に適応して閉じたり開いたりして、眼球内に通す光量を調整しているために起こる現象だ。室内では虹彩を開いて網膜に光を多く取り入れていたので、液晶画面の光も明るく見えるが、屋外では虹彩が絞られて網膜への光量が減り、液晶画面程度の輝度では網膜に届きにくくなっていた、というわけだ。

HDRレンダリングでは、とても暗い輝度領域からとても明るい輝度領域までの陰影を正しくバッファに記録している。そのため、そのシーンの平均輝度を求めてから、その値を中心としてトーンマッピングを行えば、そのシーンを適正輝度で見ることができる。もちろん、適正輝度範囲以下の階調は黒に落ち込んだり、範囲以上の階調は白に飛んだりしてしまうわけだが、実際我々の視覚もそうなのだから、リアルな視界を再現するという意味合いにおいては、それはむしろ好都合となる。このトーンマッピング工程は、眼の虹彩が見やすい絞りで見る動作を真似たことに相当するのである。

なお、このトーンマッピングを毎フレーム単位で瞬間に行うのではなく、若干の遅延を伴って徐々に行うと、さらにリアリティが増す。

現実世界でも、暗い部屋から明るい屋外へ飛び出すと、一瞬目がくらむまぶしさに包まれるが、次第に目が慣れていき、適正な輝度バランスで情景が目に入ってくるようになる。

このように、適正輝度に調整する動的なトーンマッピング処理を、わざと若干の遅延を伴って行うようにすれば、「明るさ/暗さに目が慣れていく」様子を表現できるのだ。

こうした動的なトーンマッピング処理は、眼で言えば虹彩、カメラで言えば「絞り」制御に相当し、こうした光量調整による明暗のコントロールは、カメラ用語で言うところの「露出補正」に近い。

HDRレンダリングの第二の効能は、こうした露出のシミュレーションが行えるところにあるのだ（次ページ **図7.7～図7.9**）。

図 7.7　「Half-Life 2: Lost Coast」（Valve,2005）より。暗い屋内に目が慣れている状態

図 7.8　このまま屋外に飛び出すと屋外の情景が白飛びして見える

図 7.9　次第に目が慣れてきて、石壁のハイライトの陰影が正しく見えてくる。これで屋外に露出が適正となった状態だ

HDRレンダリングの第三の効能
～まぶしさの表現が可能になる

人間の眼やカメラで高輝度のものを見ると、その光があふれ出ているように見え、いわゆる「まぶしく」感じる。これは前述した露出補正がたとえきちんとしていても、極端に明るい箇所はそう見える。

また、その高輝度な物体の姿の大半が、遮蔽物に遮られていても、その高輝度物体が少しでも遮蔽物から頭を覗かせていれば、その遮蔽物との前後関係を超越して、その強い光がこちらに漏れてくるように見える。

身近な例で言えば、夏の昼間、木陰から空を見上げ、枝や葉越しに太陽を見ると、枝や葉の遮蔽を超えて、光がぱーっと放射状に広がって見えるという体験をしたことがあるだろう。

これはきわめて輝度の高い光がレンズ内で反射した結果であったり、目の睫毛（まつげ）のところで光が回折する（回り込む）現象がそういった見え方をさせていると言われている。

HDRレンダリングの第三の効能は、こうした高輝度部分の表現を工夫することで、映像としてのリアリティ、人間の視覚としてのリアリティを演出することができるという点にある。

ただし、こうした「まぶしさ」の表現は、光学現象を正しくシミュレートするような実装ではなく、アーティストや3Dグラフィックスエンジン設計者のセンスに基づいて、画像処理的なアプローチで実装される手法が主流となっている。

最も代表的なのは、高輝度部分から光がぼやっとあふれ出す表現で、これを特に「ライトブルーム」（Light Bloom）と呼ぶ（図7.10、図7.11）。

また、水面のさざ波に反射した光などで放射状に光があふれ出す表現は「グレア」（Glare）と呼び分けられる（次ページ 図7.12）。

図7.10 「Deus Ex 2」（ION STORM,2004）より。ライトブルームなし

図7.11 ライトブルームあり。「あり」にするとシーンの高輝度部分から淡い光があふれ出したような柔らかいイメージの映像になる

図7.12 「3DMark06」(Futuremark,2006) より。グレアの例。湖面に映り込んだ太陽からの高輝度光が放射状にあふれ出ている

HDRレンダリングの歴史と動向

HDRレンダリングの基本的な概念が分かってきたところで、ここ最近までのHDRレンダリングの技術動向を簡単に振り返っておこう。

前節までは、HDRレンダリングはFP16-64ビットバッファのような浮動小数点バッファを活用して行うもの、と解説してきた。浮動小数点バッファが実装されたのはDirectX 9世代/SM 2.0対応GPUになってからなので、それまでHDRレンダリングの実装はなかったのかというと、実はそうではない。

それよりもわずかに前に、「疑似的なHDRレンダリング」というアプローチで3Dゲームに実装された例がある。

この技術で注目を集めたのは、Xbox用ゲームとして発売された「DOUBLE-S.T.E.A.L」(ぶんか社, 2002) だ(図7.13)。これは日本で開発されたゲームで、疑似的なHDRレンダリングではあったが、その後に現れる本物のHDRレンダリングの実装にも応用できる、数々の基礎技術を確立したものであった。

XboxのGPUはDirectX 8世代/SM 1.x対応のもので、FP16-64ビットの浮動小数点HDRバッファは取り扱うことができない。そのため、通常のint8-32ビットの整数LDRバッファを使って、ユニークな方法で疑似HDRレンダリングのテクニックを実装した。具体的には、αRGBのうちのα部に、8ビット/256段階では表現できない高輝度情報を格納させて実現したのだ。

この疑似HDRレンダリング技術については後の節で解説する。

2002年後期、DirectX 9世代/SM 2.0対応GPUが登場して、浮動小数点バッファがサポー

トされるようになったものの、マルチサンプル・アンチエイリアス（MSAA: Multi-Sampled Anti-Aliasing）処理が適用できないという制約があったため、実は、この後もしばらくは、3Dゲームの HDRレンダリングは、「DOUBLE-S.T.E.A.L」的な疑似HDRレンダリングの実装が主流となっていたのであった。

2004年に「本格的なHDRレンダリングを実装した」という触れ込みで登場した3Dゲーム「Half-Life 2」（Valve,2004）でも、α値にRGBに共通利用されるスケール値(倍率値）を入れて、各RGBの値をX＝X×α×16でデコードするような疑似HDRレンダリングを実装していたにすぎなかった。そのため、動的なトーンマッピングは実装されておらず、環境マップなどもHDR情報は切り捨てるような簡易実装になっていた(**図7.14**)。

図7.13 「DOUBLE-S.T.E.A.L」（ぶんか社,2002）より。3DゲームにおけるHDRレンダリングの開祖的な存在

図7.14 「Half-Life 2」（Valve,2004）より。空の太陽はHDR情報が活用されたブルームを起こしているのに、水面に映り込んだ太陽は暗くなってしまっている。Half-Life 2では、テクスチャにHDR情報が反映されていなかった

2004年にはDirectX 9世代/SM 3.0対応GPUが発表され、FP16-64ビットバッファのブレンディングがサポートされるなど、その実用性も高まってくる。これを受けて、2005年頃になると徐々にFP16-64ビットバッファを活用したHDRレンダリングを実装した3Dグラフィックスエンジンも登場し始めるが、主流にはなりきれなかった。というのも、FP16-64ビットバッファに対するアンチエイリアス処理に対応したGPUが、ATI（現AMD）のRADEON X1000シリーズのみに限られ、競合のNVIDIA GeForce 6000/7000シリーズでは対応していなかったためだ。

2006年になると、FP16-64ビットバッファを活用したHDRレンダリングに対する研究が進み、これを実装した3Dゲームグラフィックスが増えてくる（図7.15）。これは、2005年末に発売されたXbox 360の登場の影響も少なからずあったと思われる。Xbox 360はDirectX 9世代/SM 3.0対応のGPUを搭載していたが、3Dゲームグラフィックスの設計も同じくDirectX 9世代/SM 3.0対応のGPUを前提にしたものになってきたためだ。

PS3のGPU「RSX」は、NVIDIAのGeForce 7800 GTXをベースにした設計であるため、FP16-64ビットバッファに対してMSAAが利用できない制約も受け継いでしまっている。コナミのPS3専用タイトル「メタルギアソリッド4」（2008年）では、この制約とフィルレートに配慮して、FP16-64ビットバッファの採択を断念した（図7.16）。

なお、やや変則的な手法ではあるが、「Half-Life 2」の開発元のValveは、このFP16-64ビットバッファに対する制約を回避しつつ、FP16-64ビットバッファに対してHDRレンダリングするテクニックを発表している。

図7.15　「AGE OF EMPIRES III」（ENSEMBLE STUDIOS,2005）は、メインストリームなPCゲーム作品としては初めてFP16-64ビットバッファによるHDRレンダリングを採用したタイトルとなった

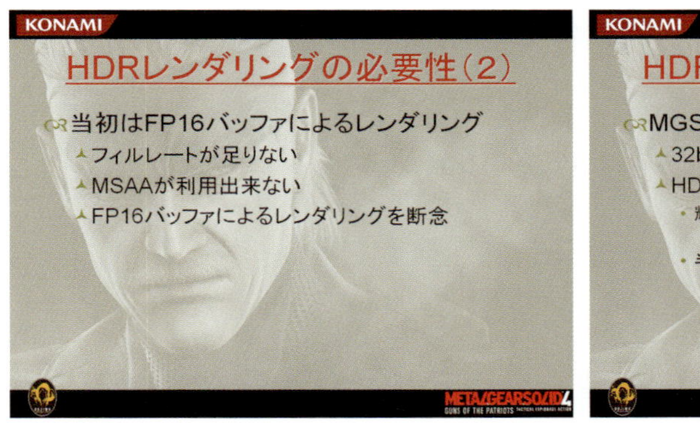

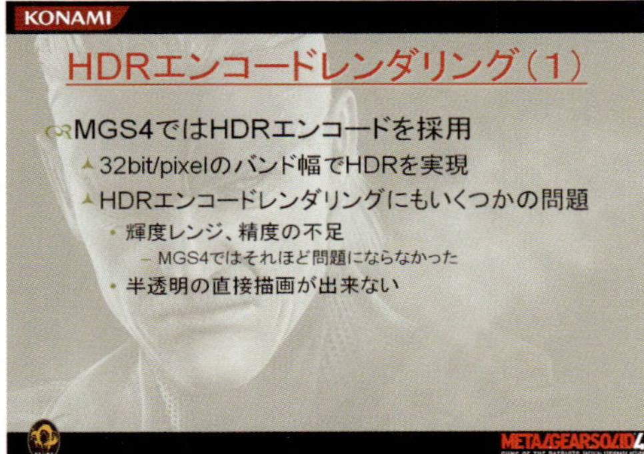

図7.16　CEDEC 2008のスライドより。「メタルギアソリッド4」では32ビット整数バッファでのHDRレンダリングを採用した

このValveの実装では、テクスチャやレンダリング先をFP16-64ビットバッファとするが、ブルーム効果やグレア効果の処理の前にトーンマッピングを行って、32ビットのLDRバッファにしてしまう(**図7.17**)。

この方法では、ブルーム効果やグレア効果を処理する時点ではHDR情報は完全に失われてしまっているわけだが、LDR(RGBが0～255)バッファ中の高輝度領域(例えばRGBが平均240以上など)を抽出し、そこからブルーム効果やグレア効果を生成する(次ページ **図7.18～図7.20**)。反射や屈折した情景(動的生成されるキューブ環境マップなど)についても、レンダリング自体はHDR次元で行われ、そのシーンに適合したトーンマッピングが行われるので、HDR情報は失われてしまうが、後段のブルーム効果、グレア効果も矛盾のない出方をしてくれるという。厳密なHDRレンダリング手順としては正しくはないのだが、総じて不自然さはないとしている。

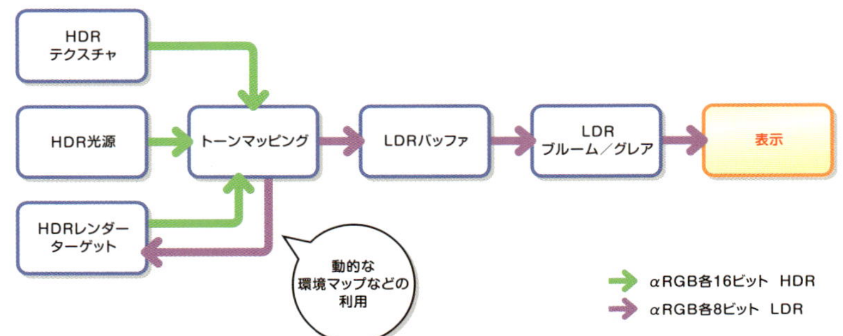

図7.17　Valveが実装した妥協案的リアルHDRレンダリング

図7.18　トーンマッピングされた後のLDRフレーム

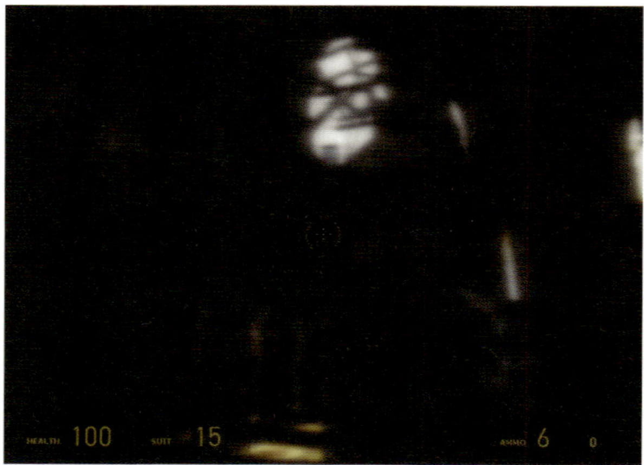

図7.19　ここから高輝度部をボカしてブルーム効果フレームを生成

図7.20　これらを合成

図7.21　妥協案的リアルHDRレンダリング技法を実装した「Half-Life 2: Lost Coast」（Valve,2005）より。左が2004年のオリジナル「Half-Life 2」時代の疑似HDRレンダリング。右が妥協案的リアルHDRレンダリングによるもの。右のほうは水面に映り込んだ太陽にもちゃんとブルーム効果が出ていることが分かる

この方式のメリットは、ブレンディング、MSAAなどがLDRバッファで行えるということ。つまり、FP16-64ビットバッファでMSAAが使えないDirectX 9世代のGPUでも互換性が保証されるのだ。この妥協案的リアルHDRレンダリングは「Half-Life 2: Lost Coast」（Valve,2005）、「Half-Life 2: EPISODE ONE」（Valve,2006）で採用されている（**図7.21**）。

2007年に発売されたWindows Vistaとほぼ同時に提供が開始されたDirectX 10世代/SM 4.0世代のGPUでは、FP16-64ビットバッファ、FP32-128ビットバッファに対してもMSAA処理が適用できるようになり、理想通りのHDRレンダリングの工程が全てのメーカーのGPUで実装できるようになっている。

こうして見てくると、2002年頃から始まった疑似HDRレンダリングの期間が意外にも長かったことが分かる。

HDRレンダリングのプロセス

ここからは、具体的にどういったプロセスでHDRレンダリングは実現されるのかを解説していきたいと思う。

HDRレンダリングの流れ

最初に全体的な流れを示し、その要所要所において、実装に必要な各種技術を紹介していくことにしたい。なお、各ポイントでは、長らく主流となってきた「疑似HDRレンダリング技法」と、現在の主流である「リアルHDRレンダリング技法」の両方に言及していく。

HDRレンダリングは、レンダリングをHDR次元で行うことが基本コンセプトとなる。

従来のαRGB各8ビットのint8-32ビットの整数バッファで疑似的なHDRレンダリングを行う疑似HDRレンダリングと、αRGB各FP16ビットのFP16-64ビットの浮動小数点バッファで行うリアルHDRレンダリングがあることは既に述べた。また、Valveが「Half-Life 2: EPISODE ONE」で実装した妥協案的なリアルHDRレンダリングについても紹介した。

ここまでに紹介した様々なアプローチのHDRレンダリングのスタイルはともかくとして、理論を理想通りに実装したHDRレンダリングは図7.22のような流れになる。

図7.22について解説しよう。

左端下の「HDRレンダーターゲット」、すなわちHDRレンダリングに用いるバッファは、FP16-64ビットバッファが標準的な存在となる。DirectX 9世代SM 2.0/SM 3.0対応GPUで完璧ではなかったFP16-64ビットバッファのレンダーターゲットに対するマルチサンプル・アンチエイリアシング（MSAA）処理が、DirectX 10世代/SM 4.0対応以降のGPUでは動作保証がなされているため、ビデオメモリ占有量増加、メモリバス消費を除けば、使い勝手はほとんどint8-32ビット整数バッファと変わらないレベルに引き上げられた。HDR記録に必要なダイナミックレンジも、リアルタイム3Dグラフィックス用としては必要十分だ。

左端中央の「HDR光源」は、HDRレンダリングに用いるための光源で、int8-32ビットに制限されない高輝度な光源を取り扱う必要が出てくる。

左端上の「HDRテクスチャ」は、HDRレンダリングの際に3Dモデルに適用するテクスチャも、HDRフォーマットに対応することを意味している。

3Dモデルに貼り付けるような画像テクスチャ（デカールテクスチャ）は、通常のint8-32ビットのLDRテクスチャでもよいが、周囲の映り込み情景を表した環境マップや、テクスチャ自体を発光物として取り扱うような「自己発光テクスチャ」については、HDRテクスチャを使用したほうがよい。具体的には、この場合もFP16-64ビットのテクスチャ（あるいはこれに準じたHDR形式テクスチャ）が理想になる。

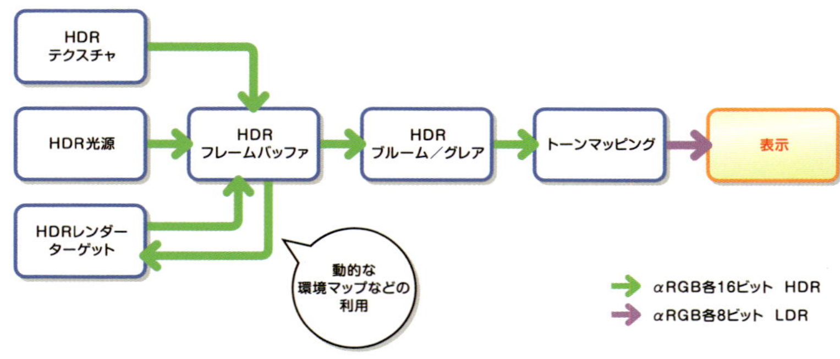

図7.22 HDRレンダリングの理想的なレンダリングパイプライン

FP16-64ビットのHDRテクスチャは、DirectX 11世代以降のGPUでは「BC6H」形式と呼ばれるHDRテクスチャ専用の圧縮メカニズムがサポートされるようになっている(詳しくは後述)。なお、DirectX 10世代以前のGPUではFP16-64ビットのHDRテクスチャはそのままでは圧縮ができないため、この時代の3Dゲームなどの場合はよほどビジュアル品質に影響が大きいと判断されるテクスチャ以外は、int8-32ビットのLDRテクスチャにHDR情報を盛り込む、言わば疑似HDRテクスチャを利用するケースが多かった。この実装方法については後述する。

こうして、「HDRテクスチャ」や「HDR光源」を用いて、HDRレンダリングを行って「HDRレンダーターゲット」にHDRフレームが生成されることになる。完成したフレームが「HDRフレームバッファ」だ。

この後、このHDRフレームを検証して、HDRフレーム中のある一定の輝度以上の高輝度部分を抽出し、これからブルーム効果やグレア効果のエフェクトフレームを生成する。これが「HDRブルーム/グレア」の処理系だ。

「HDRトーンマッピング」はHDRフレームを一般的なディスプレイ機器に表示するための処理を行うところだ。簡単に言えば減色処理のようなものだが、前節で述べたように、ここでそのフレームの平均輝度などを算出して(≒ヒストグラムを求める)、そのフレームに適した輝度バランスに調整することで、眼やカメラの自動露出補正効果を演出できる。

ここからは、この**図7.22**に示した、HDRレンダリングパイプラインの各工程についてのポイントを解説していくことにする。

互換性とパフォーマンスを重視するならば疑似HDRレンダリング?

DirectX 10世代/SM 4.0対応以降のGPUでは、FP16-64ビットのレンダーターゲットをただ利用すればよい。幅広いダイナミックレンジを、FP16-64ビットならば特別な小細工なしに絶対値でレンダリングが行える。

それ以前のDirectX 9世代/SM 2.0～3.0対応GPUでも、互換性やパフォーマンスの問題がクリアできるのであれば、FP16-64ビットバッファを利用するといいだろう。

そうでない場合は、int8-32ビットの整数LDRバッファを利用した疑似HDRレンダリングの採用が適しているかもしれない。

8ビット整数であれば0～255の値が表現できるわけだが、通常はこれを0.0～1.0の値に対応付けた輝度表現になる。これを例えば0～255を0.0～2.0までの値に対応することにして、通常時の2倍のダイナミックレンジ(表現域)を持つと見なすようにするのだ。つまり、イメージ的には色表現の分解能を半分にする代わりに、輝度表現を2倍にする、と見なしてレンダリングをするのだ。つまり、通常のレンダリングで、最大に明るい255がこの疑似HDRレンダリング技法では128となるわけだ。

このまま全ての疑似HDRレンダリングとブルーム/グレア生成を終え、トーンマッピングに移る際には、輝度の範囲は0～127から0～255の範囲に戻されることになる。

もちろん、0～255を0.0～4.0まで…というようにダイナミックレンジをさらに広げることもできる。しかし、後段のトーンマッピングの処理で、幅63の範囲が0～255に戻されることになり、分解能は前述の0.0～2.0のケース以上にさらに低下してしまう。

そのため、この手法を使う場合には「0～255→0.0～2.0」とする利用が多いようだ。

前節で紹介した疑似HDRレンダリングの開祖的存在である「DOUBLE-S.T.E.A.L」や、「ヴァルキリープロファイル2」(トライエース,2006)などでも、「0～255→0.0～2.0」とした疑似HDRレンダリングを採用している(**図7.23**、**図7.24**)。

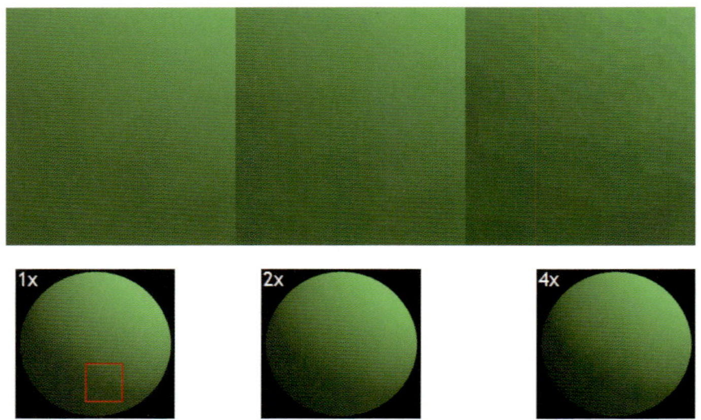

図7.23　左から0.0～1.0(通常)、0.0～2.0(2倍の輝度まで対応する疑似HDR)、0.0～4.0(4倍の輝度まで対応する疑似HDR)。2倍ではやや、4倍ではひどく疑似輪郭(マッハバンド)が目立つ

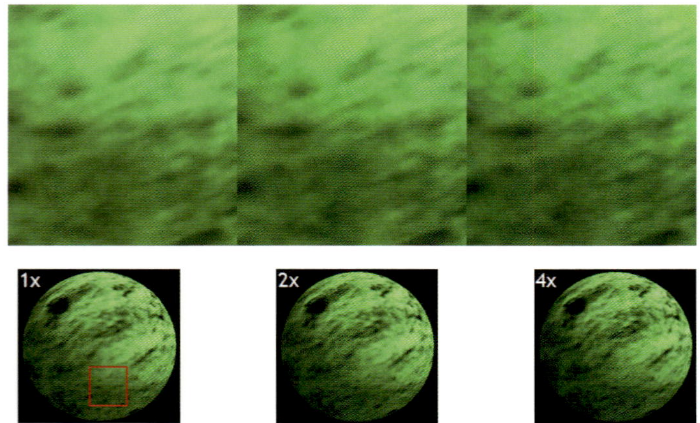

図7.24　図7.23に画像テクスチャを適用したケース。画像テクスチャを適用すると疑似輪郭は視覚上、だいぶ目立たなくなる。特に2倍ではよく見ないと分からないくらい

HDRテクスチャ～DirectX 11世代以降のGPUではHDRテクスチャが圧縮可能に

HDRテクスチャも、DirectX 9世代/SM 3.0対応以降のGPUであれば、普通に浮動小数点テクスチャを活用すれば問題はない。FP16-64ビットテクスチャであれば、テクスチャフィルタリングもバイリニアから異方性までの全てを適用できる。DirectX 10世代/SM 4.0対応以降のGPUでなければFP32-128ビットテクスチャへのフィルタリングはできないが、一般的な3Dグラフィックスのレンダリングで、ここまでのHDRテクスチャを必要とする局面は少ないだろう。

FP16-64ビットテクスチャは汎用性が高いが、ビデオメモリ（グラフィックスメモリ）の占有量と読み出し時の帯域消費が、αRGB各8ビットのint8-32ビットの従来のLDRテクスチャと比べると大きいということだ（レンダーターゲットのときと同じ問題である）。

ただし、FP16-64ビットのHDRテクスチャは、前節で少し触れたようにDirectX 11世代以降のGPUであれば「BC6H」形式と呼ばれるHDRテクスチャ専用の圧縮メカニズムを利用することができ、16ビット浮動小数点からなるRGB各16ビット/αなしのHDRテクスチャを6分の1に圧縮して利用することができるようになっている。BC6H形式で圧縮されたFP16-64ビットテクスチャは、圧縮された状態のままGPUコアが直接アクセスできるため、活用すれば省ビデオメモリとアクセス速度向上に貢献できる。

なお、BC6H形式は大別すると符号ビットなしの仮数11ビット＋指数5ビットの「DXGI_FORMAT_BC6H_UF16」フォーマットと、符号1ビット＋仮数10ビット＋指数5ビットの「DXGI_FORMAT_BC6H_SF16」フォーマットの2種類のHDR圧縮フォーマットが規定されており、用途に応じて使い分けが可能だ。BC6H形式の詳細については、マイクロソフトの開発者向けサイト（https://docs.microsoft.com/en-us/windows/win32/direct3d11/bc6h-format）を参照して欲しい。

従来のLDRテクスチャ（αRGBが各8ビットのint8-32ビット）であれば、テクスチャ圧縮メソッドであるDXTC（DirectX Texture Compression）が利用できる。

3Dゲームグラフィックスにおいて、全てのテクスチャをHDRテクスチャでまかなうには、ビデオメモリ予算、帯域予算が厳しすぎる場合もあり、最新のDirectX 11世代以降のGPUにおいても、LDRテクスチャを疑似HDRテクスチャ的に活用することはある。以下にそのテクニックを紹介しよう。

疑似HDRテクスチャは、フォーマットとしてはLDRテクスチャなので、DXTCを効かせて圧縮することができる。

ポイントとなるのは、どうやってLDRテクスチャにHDR情報を格納するかなのだが、これについては様々なテクニックが考案されている。ここでは「ロストプラネット」（カプコン,2007）で採用された方法を紹介しよう（次ページ **図7.25**）。

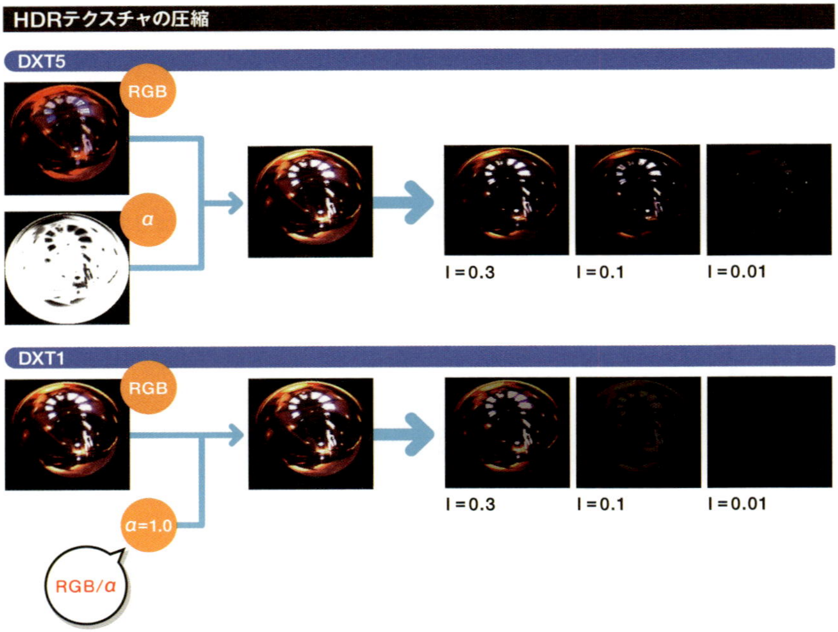

図7.25　HDRテクスチャを疑似HDRテクスチャとしてLDRテクスチャに変換。それなりの品質でよいというようなHDRテクスチャは、これで利用すればDXT圧縮が効く

この方法で用いるのはα値とRGBの全てが1/4に圧縮されるDXT5（BC3）モードのDXTCだ。

HDRからLDRへの変換（エンコード）は、まず、{R,G,B,1.0}のうち最大値Mを選択し、その逆数1/Mをαに格納する。続いて{R,G,B}の全てをMで割ったものをRGBに格納する。

元に戻すデコード処理は{R,G,B} ＝ {R,G,B}÷αだけで求められる。

これで、分解能は低下してしまうものの、HDRのダイナミックレンジは維持され、それなりにRGBのカラーも保持されるのだ。

HDRテクスチャであっても、高輝度なHDR値のテクセルよりは、RGBが0.0～1.0のLDR値のテクセルのほうが多いはずだ。この方法は、その計算アルゴリズムの特性上、その大半を占めるであろうLDR値のテクセルの保持品質が高くなるのが特徴だ。

また、エンコードすれば、HDR値に戻るのでFP16-64ビットのHDRテクスチャとの混用も容易だと言える。さらに、この方法は、圧縮率の高いDXT1（BC1）で圧縮したLDRテクスチャを同一シェーダで取り扱えるというメリットもある。

DXT1（BC1）はα ＝ 0かα ＝ 1のどちらかでしか利用できないが、α ＝ 1としてLDRテクスチャをDXT1（BC1）で圧縮しておけば、先ほどのDXT5（BC3）の疑似HDRテクスチャを{R,G,B} ＝ {R,G,B}÷αにてデコード処理したとしても{R,G,B} ＝ {R,G,B}÷1であり、つじつまは合う。

HDRブルーム/グレア処理〜あふれ出す光を生成する方法

ブルーム効果やグレア効果は、レンダリングしたフレーム中の高輝度部分を抽出して行うことになる。言わばペイントソフトでフォトレタッチをするような行為をピクセルシェーダでするイメージだ。

疑似HDRレンダリングにしろ、リアルHDRレンダリングにしろ、高いダイナミックレンジの輝度情報が各画素に記録されているので、「どこからが高輝度なのか」を判断しないといけない。

例えば0.0〜2.0までの輝度値を記録していたとして幅1.0の範囲を表示する場合を考える(図7.26)。そのフレームが1.0〜2.0の分布だったとき、1.0は最暗部となるが、逆に0.0〜1.0の分布だったとき1.0は最明部になる。HDRレンダリングしたそのフレームの平均輝度を求め、どこからを「高輝度である」と判断できるかを決定する必要があるのだ。この処理については、後述のトーンマッピングの解説で詳しく触れることにする。

そのフレームに対する「高輝度」と判断できる「輝度基準値」を得られたら、その値以上の輝度の画素を別バッファに抽出する。

こうして"精製"した高輝度抽出フレームを"種"にして、ブルーム効果やグレア効果のエフェクト画像を生成するのが、この「HDRブルーム/グレア効果」の工程になる。

ブルーム効果は、この高輝度部分がじわっと「にじみ出る」ような効果とすればよいので、この高輝度抽出フレームをぼやかす処理をすればよい、という方針となる。

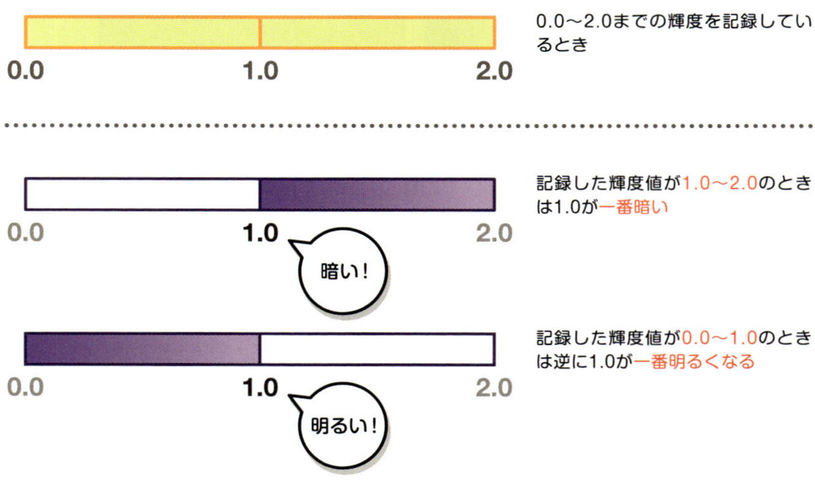

図7.26 トーンマッピングの必要性

ここで、ポイントとなるのはそのボカし方だ。

ボカしの際に使われるボカしフィルタとして定番なのは「ガウスフィルタ」（Gaussian Filter）だ。これは簡単に言えば、あるピクセルに着目したときに、そのピクセルの色を、外に行けば行くほど淡く薄く、同心円状に適用していくような処理になる。広範囲のピクセルをボカすためには、大規模に処理を繰り返して行う必要があるので、負荷が高くなる。

そこで、高輝度抽出フレームをダウンサンプルして低解像度版の高輝度抽出フレームを生成し、これに対して適当な規模のガウスフィルタを適用する代案がよく利用される。低解像度版の高輝度抽出フレームは、解像度が1/2のものから1/4、1/8、1/16、1/32、1/64というように、適当に複数の種類を用意するのが一般的だ。ブルーム自体にそれほどの高解像度情報が必要ない場合は、最初に生成する高輝度抽出フレームを元フレーム解像度の1/4あたりにしておき、そこから始めて1/8、1/16、1/32、1/64などの低解像度版を用意するといった省略の仕方も考えられる。

なお、ボカす際には、低解像度版の高輝度抽出フレームほど暗くボケるように、ガウスフィルタ適用時のピクセルカラーの減退率を下げる処理（ローパス化）を行っておく（図7.27）。

こうして生成された複数の高輝度抽出フレームは、それぞれの解像度が異なるため、バイリニアフィルタを適用して、同じ解像度に拡大させる。これら全てを合成することで、遠くに行くほど淡くて強くボケていくブルーム効果が得られたフレームになる（図7.28、図7.29）。

1/4 x 1/4（256x192 pixels）　1/8 x 1/8（128x96 pixels）

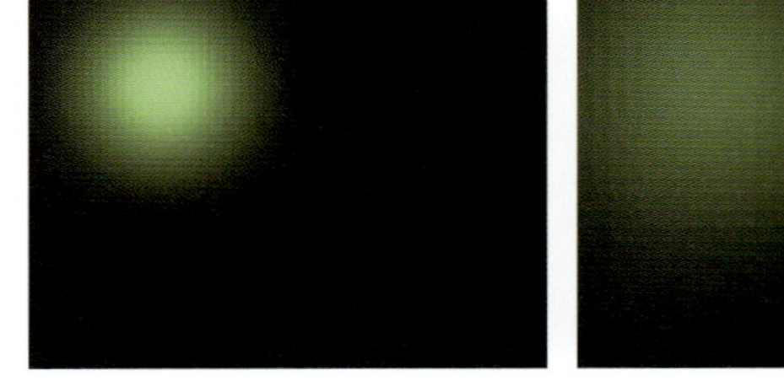

1/16 x 1/16（64x48 pixels）　1/32 x 1/32（32x48 pixels）　1/64 x 1/64（16x12 pixels）

図7.27　段階的に解像度化した高輝度抽出フレームに対して異なる減退率のガウスフィルタを適用

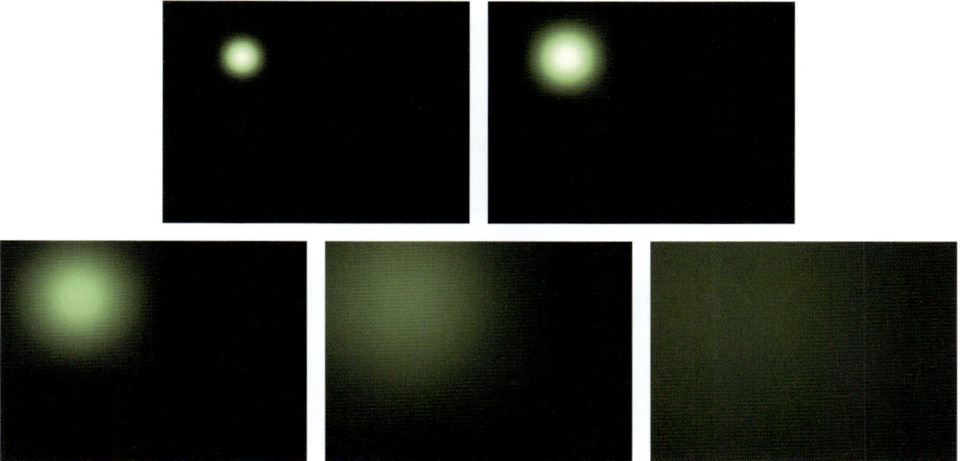

図7.28　同解像度に拡大して全て合成

図7.29　広範囲にボケがあふれ出す効果フレームが完成

「最初に高輝度抽出フレームを低解像度にしておき、合成時には元の解像度に拡大して戻す」というテクニックは、本来ならば反復して散らさなければ実現できないような広範囲のボケを1回だけのボカし処理で実現させるためのテクニックだったということが分かる。もちろん低解像度になったことで色と解像度の情報量は激減しているわけだが、外郭に行けば行くほど色を淡くボカすことを望んでいたので、解像度もそれほど重要ではなくなる。実際、見た目の品質もそれほど悪くはない。

この手法は、前節で紹介した疑似HDRレンダリングの開祖的存在である「DOUBLE-S.T.E.A.L」で実装されて話題を呼んだテクニックだ。この手法は「縮小バッファへのガウスフィルタ」法と呼ばれ、現在では広く活用されており、考案した開発者の名前を付けて「川瀬式MGF（Multiple Gaussian Filter）」と呼ばれることもある。

なお、整数LDRバッファを使用して疑似HDRレンダリングを実装していた「DOUBLE-S.T.E.A.L」では、HDR環境マップや高輝度テクスチャの α 部を輝度情報格納用として利用し、この情報を効果的に活用することで、ブルーム/グレア効果の処理を効率よく行えるようにしていた（次ページ 図7.30）。

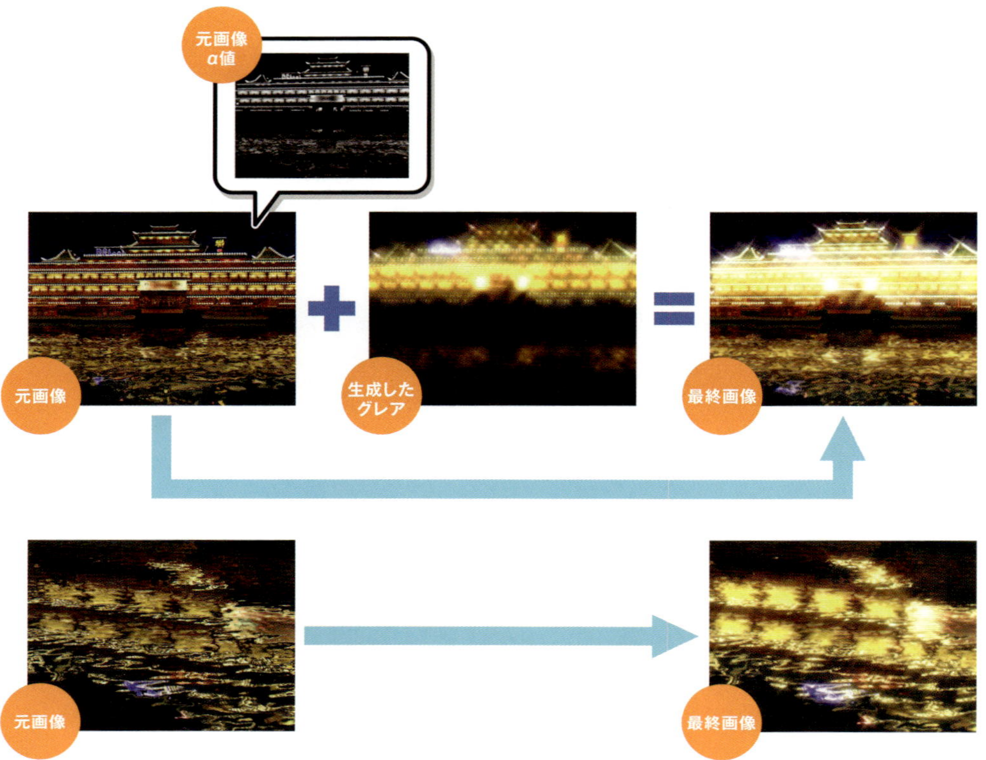

図7.30　CEDEC 2002「DOUBLE-S.T.E.A.Lによるリアルタイム表現技法」より。疑似HDRレンダリングにおけるブルーム／グレア効果

シーンのレンダリング時に、こうしたHDR環境マップや高輝度テクスチャを適用する局面では、それらのα部から輝度情報を取り出して、陰影計算をこの輝度情報に対しても行い、レンダリング結果のカラー共々出力するようにする。最終レンダリング結果のα部には、疑似HDRレンダリングながらも、陰影処理の結果として高輝度となった情報が残るので、きちんと二次反射以降の表現でもHDR表現を実現できる。そして、ブルーム／グレア効果の工程では、このα情報を利用すればよい。

グレア効果（光芒、スター効果）も、高輝度部の「あふれさせ方」が異なるだけで、原理としてはブルーム効果と全く同じだ。どういったあふれさせ方を実装するかは、アーティスティックなセンスに委ねられる部分になる。

「スターオーシャン3」（トライエース,2003）では、高輝度抽出フレームを潰した後に回転させてボカし、また回転させて元に戻してから、解像度を合わせて合成させる手法を用いた。その結果、非常に鋭い光芒のグレア効果を実現させている（**図7.31**、**図7.32**）。

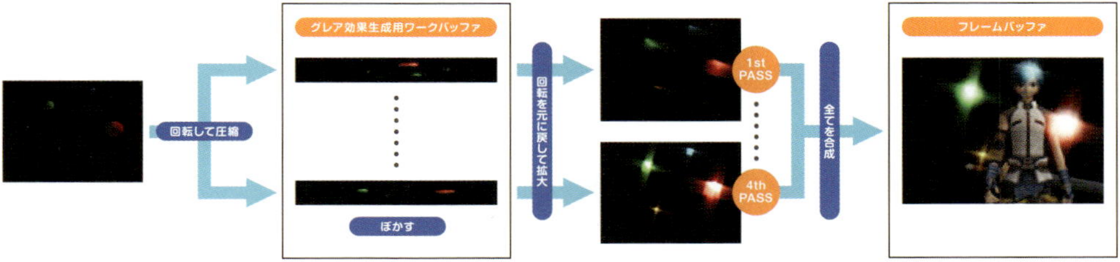

図7.31 「スターオーシャン3」(トライエース,2003)より。この例では4方向、十字状に光があふれ出す光芒を表現したグレアを生成する流れを示している図

図7.32 「スターオーシャン3」(トライエース,2003)での光芒

トーンマッピング〜平均輝度をいかに求めるか、輝度変換をいかに行うか

トーンマッピングは平均輝度をいかに求めるか、どういった手法で輝度変換を行うのかがポイントとなる。

これまでに解説したように、HDRレンダリングを行って完成した映像フレームは、そのままでは表示することができない、または表示できたとしても意図した結果にはならない。

そこで必要となるのが、表示に適した輝度レンジに変換する処理、すなわち「トーンマッピング」(Tone Mapping)の処理だ。

カメラや人間の視覚がそうであるように、正しく「映像」として認識できるのは、ある一定の輝度範囲に限られるので、そのHDRフレームの平均輝度を求め、そこを中心にして一定の輝度範囲に変換し、表示可能な映像を生成する(次ページ **図7.33**、**図7.34**)。

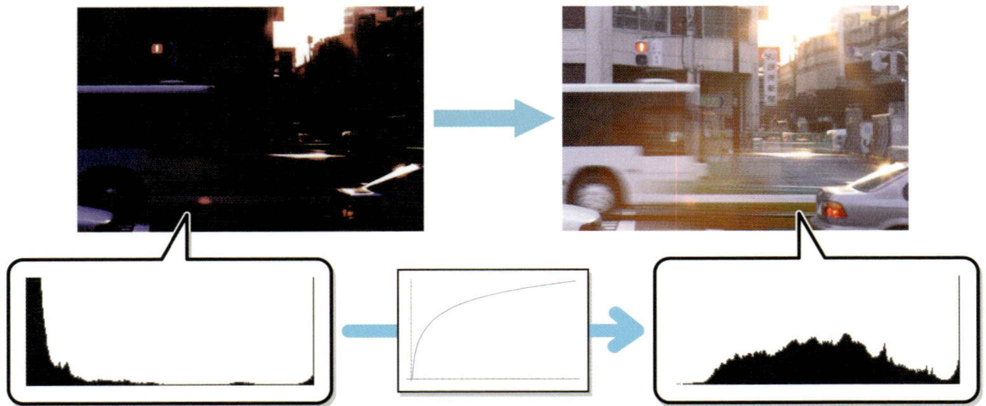

図7.33　トーンマッピングのイメージ。カメラで言うところの、ヒストグラムを算出してこれを元に露光調整を行うようなイメージ

図7.34　これら3つは同一シーンの映像だが、どの輝度を基準に映像を調整するかでシーンの見せ方を変えられる。これが「トーンマッピング」の基本的な概念

求めた平均輝度が暗ければ、HDRフレーム中の暗い色であっても、それなりに明るく持ち上げられる。また、表示範囲を大きく超えた輝度のピクセルは、みんな白に飽和される。

求めた平均輝度値を基準にして、HDRフレーム内のピクセルカラーを1,677万色に丸めていく処理が「トーンマッピング」の処理なのだ。

最も単純な手法は、平均輝度を中心にして、線形に変換してしまう処理だ。しかし、一般的にこの変換処理で用いる関数カーブは、線形ではないほうが(非線形)、現実的な視覚に近く、リアリティが増すことが分かっている。

具体的には、輝度が低いところはやや持ち上げ気味にして、明るいところはそれほどでもない…というような変換カーブがよいとされる。非線形の実装が難しい場合には、異なる複数の傾きの線形変換を組み合わせたマルチバンド式が実装されることもある(**図7.35～図7.39**)。

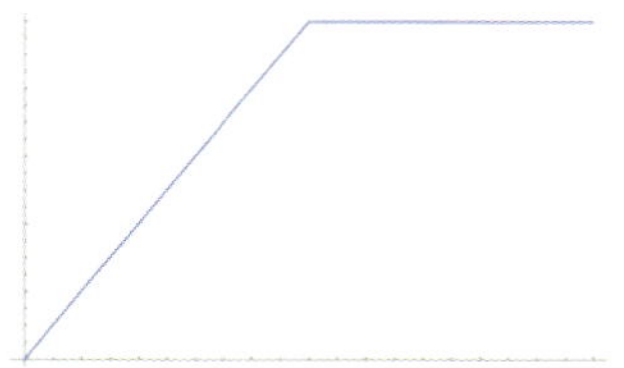
図7.35　最も単純な線形変換

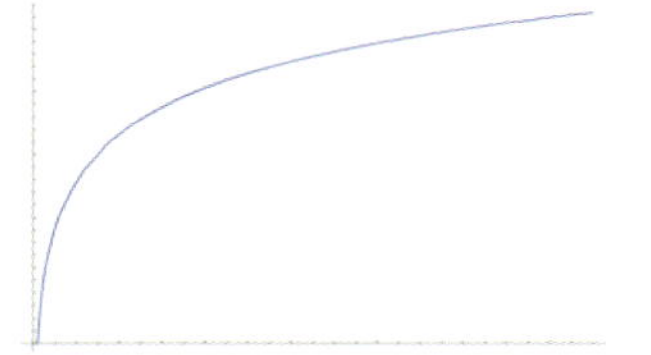
図7.36　こうした非線形カーブのほうが自然に見えるとされる

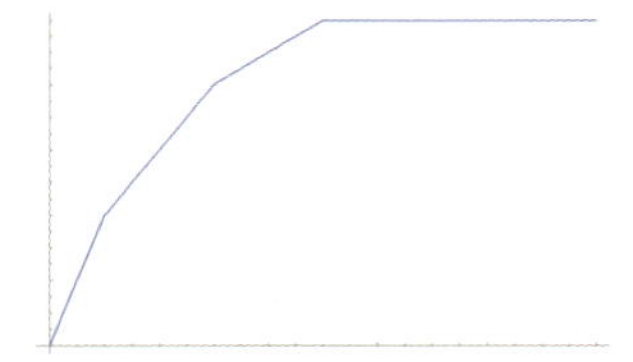
図7.37　複数の線形関数を組み合わせて非線形カーブを近似するような代案でもそれなりの見栄えが得られる

図7.38　「ヴァルキリープロファイル2」（トライエース,2006）より。線形変換のトーンマッピングによる映像

図7.39　3バンドの線形変換で非線形カーブを近似してのトーンマッピングによる映像

キーポイントとなる平均輝度の取得技法はいくつかの手法が考案されている。

「Half-Life 2: EPISODE ONE」では、連続するフレームに対して、各バンドのヒストグラムを測定するという方法で平均輝度を求めている(図7.40、図7.41)。例えば、8バンド(8段階)のヒストグラムを求めるときには、最初は真っ黒から1/8の階調までの輝度の画素を数え、続くフレームでは次の1/8階調の輝度の画素を数える。つまり、8フレームかかって全バンドのヒストグラムを得るというわけだ。もちろんリアルタイム3Dグラフィックスである以上、1フレーム単位に異なる映像になるため、正しいヒストグラムではないはずなのだが、連続的なフレーム間は似通っているので、大きな問題にはならないとしている。

数えた結果の反映のさせ方は単純である。レンダリングする際、ピクセルシェーダで調べたい輝度レンジになっているピクセルがあった場合、MRT(Multiple Render Target: 一度のレンダリングパスで、複数のバッファに対して異なる値を同時に出力する機能)を使い、対応している非表示のステンシルバッファにマークする。このステンシルバッファに対して非同期のocclusion queryを実行し、マークしたピクセルの数を取得するのだ。

平均輝度の測定方法には別なシンプルな方法もある。それはHDRフレームをダウンサンプルして、1×1テクセルまで縮小して求めるという手法だ(図7.42)。この場合も、求められた平均輝度情報は、次フレームのトーンマッピングに活用する方針で問題ない。

図7.40　計測する対象輝度をフレーム単位に切り換えて、複数フレームに渡って計測することでヒストグラムを求めている「Half-Life 2: EPISODE ONE」(Valve,2006)。なお、測定対象は画面の中央寄りに限定するという重み付けもしている

図7.41　「Half-Life 2: EPISODE ONE」(Valve,2006)によるトーンマッピング

トーンマッピングはリアルタイムに行うよりも、若干の遅延を伴って行ったほうが、人間の目やカメラのレンズのように、明るさへの順応による遅延を再現できて、リアルになるとされる。また、複数フレームにまたがって行うことで、フィルレートの節約にもなるという副次的な恩恵も得られる。

なお、ここまで述べてきたChapter 3の「法線マッピングによる微細凹凸表現」、Chapter 4の「動的な影生成」、このChapterの「HDRレンダリングの導入」の3つのレンダリング技術は、現在の家庭用ゲーム機はもちろんのこと、スマートフォンをはじめとした携帯情報機器における3Dゲームグラフィックスではごく当たり前の技術として活用されている。

128×128

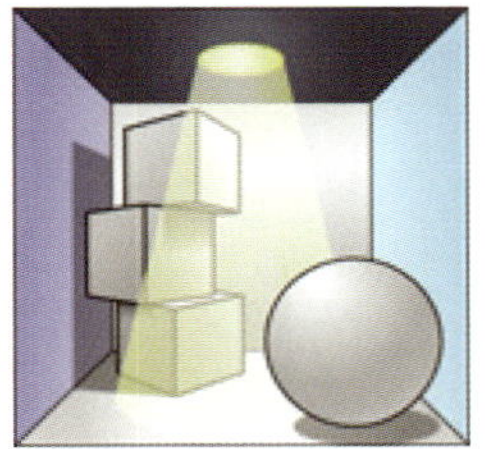

64×64

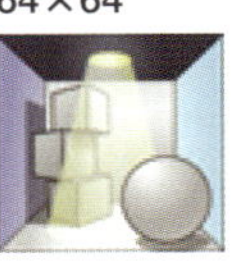

32×32

16×16　8×8　4×4　2×2　1×1

図7.42　縮小バッファを利用した平均輝度の測定

動的露出補正トーンマッピングあり

動的露出補正トーンマッピングなし。全体的に白飛びしてしまう

動的露出補正トーンマッピングあり

動的露出補正トーンマッピングなし。全体的に暗すぎる

図7.43　「バーチャファイター 5」（セガ,2006）より。この作品では1×1ピクセルにまで縮小したHDRフレームをテクスチャとし、VTF機能を使ってこのテクスチャを頂点シェーダ側で読み出し、映像の平均輝度を頂点パイプライン側で計算してしまうテクニックを実装していた。その計算結果をトーンマッピング用の定数として続くピクセルパイプライン（ピクセルシェーダ）に渡し、CPUも使わず、GPU内でトーンマッピングを実現していた

HDR対応テレビ/ディスプレイ時代のトーンマッピング

HLGとPQ

HDR対応テレビ/ディスプレイが一般向け製品として製品化されだしたのは、2015年からである。それ以前の、それこそPS3、Xbox 360が全盛を誇った2006年くらいには既にHDRレンダリングの概念の重要性が理解されていたということは、このChapterで解説してきた通りである。

一般的にHDRレンダリングと言えば、ライティング等の各種計算をディスプレイ表示用階調の「ガンマ空間」ではなく、物理的なエネルギー量として取り扱う「リニア空間」で行うことが規範となっている。

このChapter冒頭でも触れているが、HDR対応テレビ/ディスプレイ登場以前のHDRレンダリングでは、ブラウン管テレビ時代に規定された100nitを最大輝度と考え、リニア空間でライティング計算した映像を、この100nitの範囲に収め、さらに同時にディスプレイ表示用階調のガンマ空間に変換する必要があった。

これが事実上の「トーンマッピング処理」である。

このトーンマッピング処理系は、HDR対応テレビ/ディスプレイ登場以前の非HDR（以下、Standard Dynamic Rangeの略語である「SDR」と記する）前提のディスプレイ/テレビを想定したパイプラインに対してだけでなく、HDR対応テレビ/ディスプレイに対して映像を表示する場合にも必要である。というのも、いくら最新のHDR対応テレビ/ディスプレイのハイエンド機と言えど、現実世界の明るさをそのまま再現できるほど高輝度なテレビ/ディスプレイなど存在し得ないからだ。

では、どうすればいいか、という話になるのだが、話はシンプルだ。そのトーンマップ処理を、HDR映像規格や出力先のHDR対応テレビ/ディスプレイの表示性能などに合わせた形で実践すればいいのだ。本節ではそのあたりの基礎知識を整理してみよう。

まず第一に、HDRレンダリングされた映像（CG）をHDR対応テレビ/ディスプレイに出力するにあたっては、従来のガンマカーブとは異なるEOTF（Electro-Optical Transfer Function）を利用する必要がある。

HDR対応テレビ/ディスプレイ向けのEOTFには、現在、HLG（Hybrid Log-Gamma）とPQ（Perceptual Quantization）の２種類がよく知られている（**図7.44**、**図7.45**）。前者はNHKやBBCが提唱するもので、従来のガンマカーブと高い互換性を持つEOTFとして訴求されている。一方、PQは、4K Blu-rayことUHD Blu-rayに標準採用された「HDR10」規格のEOTFに相当する。

検討結果　～符号化映像フォーマット～（つづき）　6

HDR-TVにおける伝達関数

HLG (Hybrid Log-Gamma)方式	PQ (Perceptual Quantization)方式
$E' = r\sqrt{L} \quad (0 \le L \le 1)$ $E' = a \cdot \ln(L - b) + c \quad (1 < L)$	$E' = \left(\frac{c_1 + c_2 L^{m_1}}{1 + c_3 L^{m_1}}\right)^{m_2} \quad (0 \le L \le 1)$
ただし、rは基準白レベルに対する映像信号レベルであり$r = 0.5$とする。Lは基準白レベルで正規化したカメラの入力光に比例した電圧とし、E'は映像信号のカメラ出力に比例した電圧とする。a, b, cは定数であり、以下のとおりとする。	ただし、Lはカメラの入力光に比例した電圧とし、$L = 1$が表示輝度10,000 cd/m^{2}に対応するものとする。E'は映像信号のカメラ出力に比例した電圧とする。m_1, m_2, c_1, c_2, c_3は定数であり、以下のとおりとする。
$a = 0.17883277$ $b = 0.28466892$ $c = 0.55991073$	$m_1 = 2610/4096 \times \frac{1}{4} = 0.1593017578125$ $m_2 = 2523/4096 \times 128 = 78.84375$ $c_1 = 3424/4096 = 0.8359375 = c_3 - c_2 + 1$ $c_2 = 2413/4096 \times 32 = 18.8515625$ $c_3 = 2392/4096 \times 32 = 18.6875$

図7.44　情報通信審議会 情報通信技術分科会資料より引用。２種類のHDR出力向けEOTF/OETFとしてHLGとPQがある。映像業界的には現状、PQが標準規格扱いとなっている

OETF の内容

- HLG (Hybrid Log-Gamma) の OETF
  - 0.0～12.0を0.0～1.0に非線形変換
    - ただしシステムガンマ1.2と規定された
      - 12.0 に復元された輝度信号はさらに 1.2 乗されて出力される
    - 0～20 程度までの輝度情報を 1/1.2 乗でガンマ補正
      - 0～12.0 の入力にしてから OETF を適用
- PQ (Perceptual Quantization) の OETF
  - 0.0～100.0を0.0～1.0に非線形変換
    - 入力値の 1.0 を 100.0(10000nits) とみなしている
      - 最初に 1/100 で乗算してから OETF を適用

25

図7.45　シリコンスタジオ・ミドルウェア開発部 川瀬正樹氏「シリコンスタジオのHDR対応への取り組み」の資料より引用。ブラウン管時代に規定された100nitを1.0として考える

コンテンツ側（すなわちCG側）としては、どのHDR方式のEOTFに対応するかを選定したうえで、そのEOTFの逆関数であるOETF（Opto-Electronic Transfer Function）を掛けた映像信号を出

力する必要がある(従来のSDRで言うところのガンマ補正に相当)。

要するに、従来のSDRでも気にしていたガンマの取り扱いがHDR対応EOTF/OETFになるということである。

HLGは、従来のSDRとの互換性が高く、コンテンツ制作者がSDR環境でHLG対応HDR映像を確認したとしても、明るい部分が飛んでしまう感じになる程度で、映像としてはまあまあ見られるという特徴がある。しかし、PQは、想定される最大輝度にもよるが、数値量と輝度の対応がかなり変わってしまうので、SDR環境でPQ対応HDR映像を見ると、かなり変な映像に見えてしまう。仕様上はPQのほうがより高いダイナミックレンジを表現できるが、民生向けのHDR対応ディスプレイ/テレビは、当面は1,000nit + α程度であるため、HLGで十分だという声がある。ちなみに、映像制作現場で活用されているHDRマスターモニターで最も明るいものでも、最大4,000nit程度だ。

HDR対応ディスプレイ/テレビは、色空間モードとして現実世界の物体色の99%をカバーするBT.2020規格の色空間に対応していることもあり、HDR映像の出力に関してはこれとセットで設計を行うことが多い。

採用しているレンダリングパイプラインやテクスチャなどの関連アセットが従来方式のsRGB(BT.709)前提で制作/設計されている場合は、レンダリングをsRGB色空間で行い、これをOETF変換の前にsRGB色空間からBT.2020色空間に変更しなければならない(**図7.46**)。

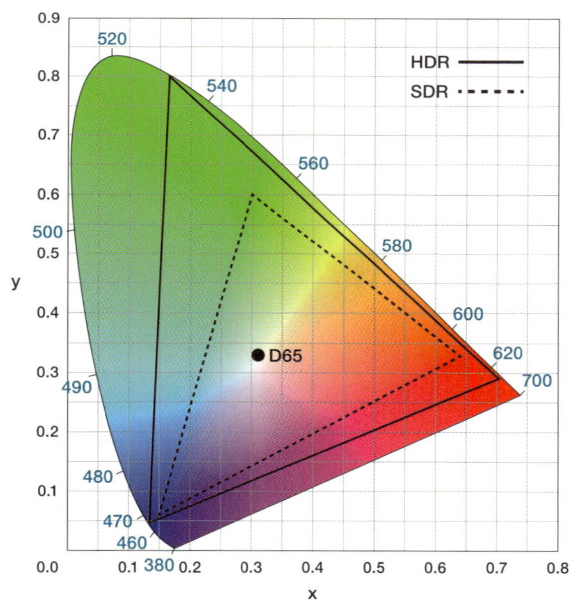

図7.46　SDRでは色空間としてBT.709(sRGB相当)が用いられ、HDRではBT.2020がサポートされている。BT.2020は現実世界の物体色の99%をカバーするが、現在市販されているHDR/BT.2020色空間対応のテレビ/ディスプレイはカバー率80%台がほとんどである

HDR時代を見据えた妥協案的Sカーブ

SDR時代のトーンマップカーブと言えば、Sカーブを用いるのが定番だ。Sカーブによるトーンマッピングとは、簡単に言えば、低輝度の階調を丁寧に割り当て、高輝度の階調は大ざっぱに割り当てて飽和させる感じのもので、見た目のメリハリがつきやすい特性がある。

単純に考えれば、SDR時代に用いていたSカーブを、表示したいHDR対応ディスプレイ/テレビの最大輝度スペックに合わせてスケールすればいいことになる。

例えば、1,000nitのHDRディスプレイ/テレビへの出力を行うのであれば、SDR（100nit）向けに使っていたトーンカーブを10倍して利用すれば、つじつまの合うHDR対応版トーンマップ処理ができそうに思える。

しかし、この単純拡大をやると、Sカーブ特有の暗部階調を緩やかに割り当てる特性までも拡大されてしまい、SDR対応ディスプレイ/テレビ向けに作り込んでいた画作りとの乖離が起きてしまう。

厄介なのは、現在市販されているHDR対応テレビ/ディスプレイ製品は表現できる最大輝度のばらつきがあることだ。民生向けの大型HDR対応テレビは1,000nit～2,000nit程度で、PC用のモニターでHDR対応製品だと400nit～1,000nitくらいだ（図7.47）。

ここで問題となるのは「画作りの手間」だ。

トーンマップ用のトーンカーブをHDR対応テレビ/ディスプレイの最大輝度ごとに切り換えるのは算術的に行えばいいことなので、それほどの手間ではない。しかし「発色の調整」「階調の調整」「コントラスト感の調整」といった「画作り」に関わる部分は、人間の感性に関わるものなので、HDR対応テレビ/ディスプレイの最大輝度ごと…すなわちトーンカーブごとに調整が必要になってくる可能性は高い（次ページ 図7.48、図7.49）。

図7.47　PC用のモニター製品に対しては、VESA（Video Electronics Standards Association）がそのHDR表示性能指標として「Display HDR 400/500/600/1000/1400」という規格を発表している。Display HDRの後ろに続く400/500/600/1000/1400といった数値はその製品の最大輝度（nit）値を表している。この図はDisplay HDR 1000規格を満たしたディスプレイ製品に付与されるロゴマークだ

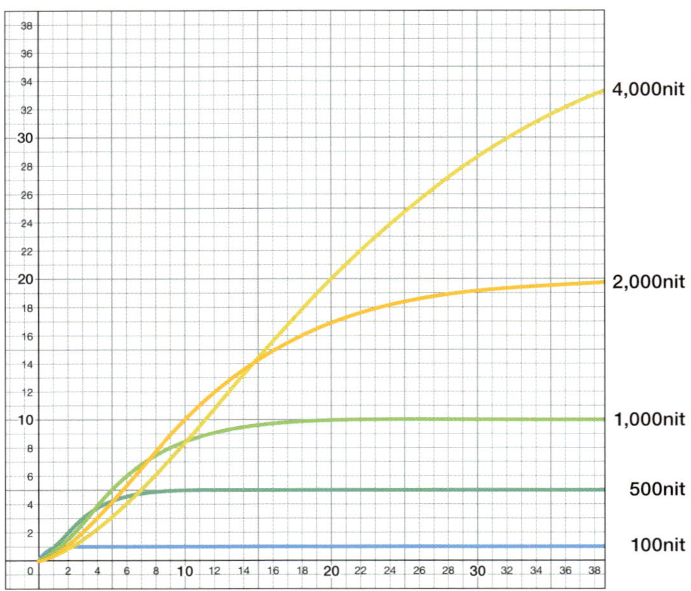

図7.48　SDR（≒最大100nit基準）時代に用いていたSカーブをそのままスケールバイアスをかけて拡大すると、このようになる。これは、それぞれ最大100nit、500nit、1,000nit、2,000nit、4,000nitを最大輝度としたときにSカーブを適用して1つのグラフにまとめたもの

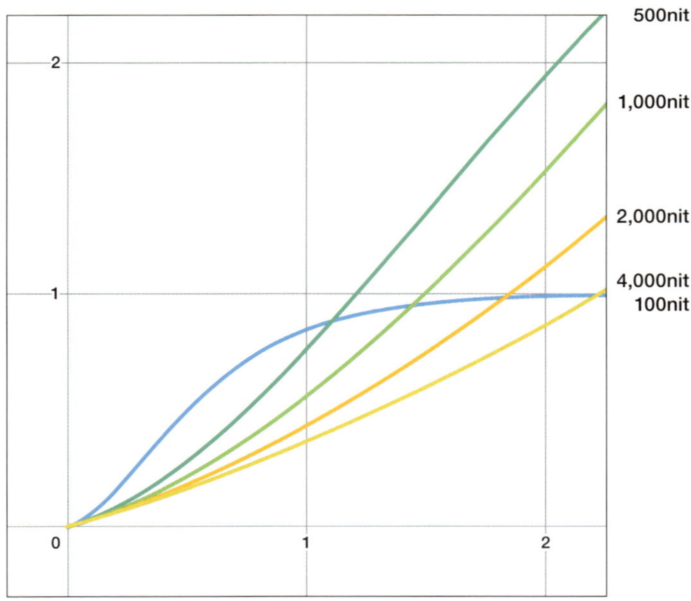

図7.49　図7.48のグラフを部分拡大したもの。拡大範囲は実際の映像でよく使われる輝度値500nit以下の領域。SDR領域（100nit以下の輝度領域）でのトーンマップ特性はSDRとHDR、そして同じHDRでも最大輝度が異なると随分と違ってきてしまうことが分かる

そして、昨今では確かにHDR対応テレビ/ディスプレイの普及が進みつつあるが、まだまだSDR対応テレビ/ディスプレイを無視することはできない。

HDR対応テレビ/ディスプレイの最大輝度仕様が1つと決まっていれば、従来のSDR専用Sカーブを用いてSDR対応ディスプレイ/テレビ向けの画作りを行うパターンと、HDR専用Sカーブを用いてHDR対応ディスプレイ/テレビの画作りを行うパターンの、2パターンに対しての画作りを行えばいいが、HDR対応テレビ/ディスプレイの最大輝度値にバリエーションがあるとなるとそうはいかない。その最大輝度値バリエーションごとに、画作りを個別に行う必要が出てきてしまう。

しかし、妥協案がないわけではない。それは、輝度値0.5(50nit)相当までをSDR映像と共通化した独自のHDRトーンマップ用のトーンカーブを採用するテクニックだ。

このトーンカーブでは輝度値0.5以上を緩やかに飽和させることで、HDR出力時の最大輝度値の大小にはあまり影響されず、SDR映像の輝度領域の大部分を全最大輝度バリエーションにて一致させる特性を持たせることができるのだ。裏を返せば、SDR映像を見ながら画作りしても、HDR出力時にも大きな破綻が起きにくいということである(図7.50、次ページ 図7.51)。

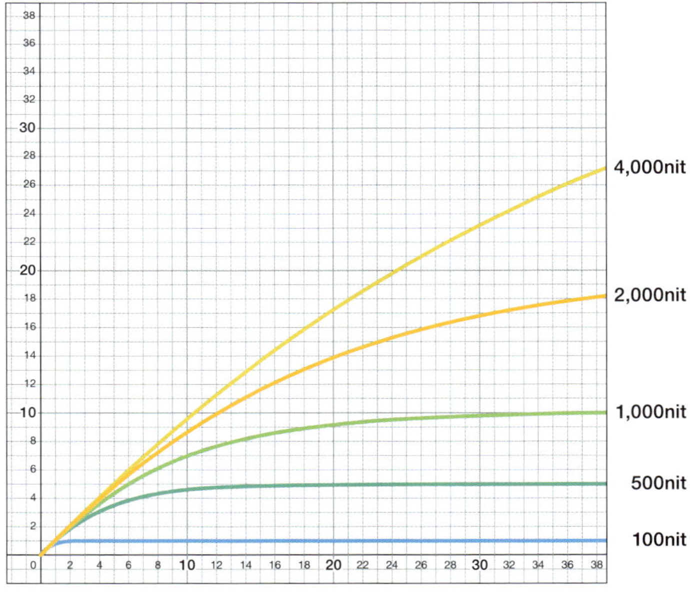

図7.50　輝度値0.5(50nit)あたりまでをSDRとHDRとで共通化させたトーンカーブ。シリコンスタジオ・ミドルウェア開発部 川瀬正樹氏が考案したものである

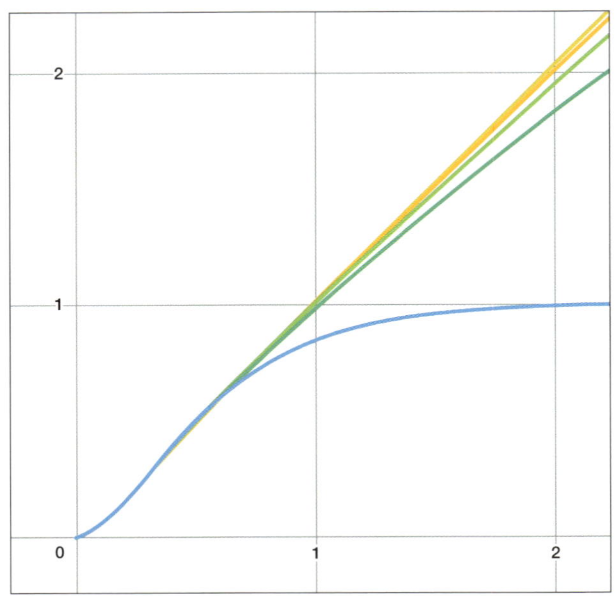

図7.51　実際の映像表示でよく使われる輝度値500nit以下の範囲を拡大したもの。SDR（最大輝度100nit）を除く、500nit、1,000nit、2,000nit、4,000nitの全てのHDR最大輝度バリエーションにおいて、およそ500nit付近までは近いトーンマップが行えそうなことが分かる。SDRを含めたあらゆるHDR最大輝度に対応でき、SDRだけで画作りを行っても不自然な見た目にはなりにくいことが予想できる

ゲーム開発において当面は「SDR出力を無視できない」「SDR出力が主流で、ハイエンド環境プレイヤーのためにHDR出力に対応する」というスタンスにならざるを得ないため、現状のコンテンツ制作パイプラインをHDR対応にがらりとは変えずにHDR対応を行っていく……という開発スタイルがしばらくの主流となるはずだ。

また、前述したように現在主流のHDR10規格のHDR映像においては広色域なBT.2020色空間のサポートがなされているため、ゲームグラフィックスは次第にHDR対応と共に広色域への対応も進んでいくはずである。これもHDR対応と同様に一気に対応を進めるのは難しいため、最初は「完全SDR/sRGB色空間で制作、およびレンダリング」→「ディスプレイ/テレビ出力時に広色域変換」→「これをOETF変換してHDR出力」という「HDR対応のみ」から始め、「テクスチャなどは従来通りsRGBで設計」→「レンダリング時のテクスチャマップ読み出し時に広色域に変換」→「光源色などは広色域前提で設定し、ライティング計算も広色域対応」→「これをOETF変換してHDR出力」といった「部分的に広色域に対応したパイプライン」にステップアップしていく…という流れが自然だろうか。「テクスチャまでを広色域で設計」とするパイプラインが主流になるには、開発チーム内のグラフィックス制作に携わるアーティストをはじめ多くのスタッフの作業用ディスプレイをHDR/広色域対応とする必要があるため、もう少し時間がかかるかもしれない。

▶ Column

PS3におけるHDRレンダリングのトレンド

PS3のHDRレンダリングは整数8ビットベースが主流

PCではHDRレンダリングと言えば今や16ビット浮動小数点（FP16）のFP16-64ビットバッファが標準的な位置付けとなりつつあるが、PS3/Xbox 360世代の家庭用ゲーム機は8ビット整数（int8）のint8-32ビットバッファを採用する事例が多かった。

PS3のGPU「RSX」は2005年発表のNVIDIA「GeForce 7800 GTX」ベースであるため、浮動小数点バッファへの機能性が低く、なかなか理想通りのHDRレンダリングを実装できない。具体的に理由を挙げれば、以下のようになる。

1つ目は、RSX（≒GeForce 7800 GTX）では、16ビット浮動小数点(FP16)バッファに対してマルチサンプル・アンチエイリアシング（MSAA）が利用できないという制約があるため。これでは画面にジャギーが残ってしまい、最終映像の美しさを重要視するゲームタイトルでは採択しづらい。

2つ目は、フィルレートが不足気味になるため。αRGBがFP16のバッファは64ビットサイズとなり、これで高解像度レンダリングを行うには、RSXの128ビットバスでは少々つらい。また、GeForce 6000/7000アーキテクチャはFP16バッファの半透明合成処理が遅いが、この特性はRSXにも受け継がれており、この部分もネックとなる。

「メタルギアソリッド4」の場合

コナミの「メタルギアソリッド4」（2008年）では、αRGBが全て8ビット整数で構成された、従来通りの「αRGB：8・8・8・8」となる、32ビット整数バッファ（int32）を利用したレンダリングが採択されている。int32バッファではHDRレンダリングができないので、HDRを格納するための工夫が必要になるが、メタルギアソリッド4では輝度の逆数をαに格納する方式を採用した。

具体的には、ピクセルのRGB値の3つの輝度値のうち、最大のものを選択し、この最大輝度値の逆数を256段階（8ビット）で表現することになる。そして、この最大輝度値の逆数をαに格納し、各RGBにはこの最大輝度で割った（除算した）値を格納する（次ページ **図7.A**）。もちろん演算は整数次元となるので誤差は発生する。考え方としては、HDR値を不可逆なエンコードで8ビット精度に圧縮するというものになる。

```
// 最大輝度算出
L = MAX( MAX( R, G ),
         MAX( B, 0.25 ))
// 最大輝度で正規化
R’ = R / L
G’ = G / L
B’ = B / L
rL = 0.25 / L
```

```
// 本来の輝度に復元
R = ( R’ / rL ) * 0.25
G = ( G’ / rL ) * 0.25
B = ( B’ / rL ) * 0.25
```

図7.A　メタルギアソリッド4におけるHDRエンコードの計算式

このレンダリングパイプラインで生成されたエンコード済みバッファから値を読み出すには、デコードの処理が必要になってくる。これは、各RGBから取り出した値とαから取り出した値(このRGBで共有される最大輝度の逆数)を掛け合わせることで求められる。この考え方では、αに格納される値(RGBの最大輝度値の逆数)が1.0に近ければ近いほど表現精度が高くなる(αに格納される値が1.0以下では通常のLDRレンダリングと等価になる)。

暗いシーンが多いメタルギアソリッド4では、最大輝度が1.0以下のシーンが多い。そのため、最大輝度逆数格納方式のデフォルト値のままでの実装では、輝度1.0未満の暗いシーンにおいてマッハバンド(明暗が必要以上に強調されて見えてしまう錯視)が強く表れてしまう。これを精度不足と判断し、輝度値0.25を基準とした実装にしているという。この仕組みだと、αに格納される値が0に近づくにつれて誤差が大きくなり、1.0に近づくにつれて精度が高くなる特性がある。そこでメタルギアソリッド4のシーン特性に合わせ、αに格納される値が1.0になる値を輝度値0.25にチューニングして実装したということだ(**図7.B**、**図7.C**)。

図7.B　可視化したHDRエンコードバッファ

図7.C　トーンマップ後のカラーバッファ

32ビットバッファを使ったこのHDRエンコードレンダリング手法の採用で、FP16ベースでは実現できなかったMSAAが実装でき、なおかつ帯域消費を従来の32ビットバッファレンダリングと同等に抑えることができたため、パフォーマンス的にも優位となった。しかし、代償もある。

このバッファへのアクセスは、エンコード（書き込み時）とデコード（読み込み時）が必要になる。いくら演算負荷が軽量と言っても、多量のアクセスを伴う処理になれば、それなりの負荷となる。そのため、本来はデコード・エンコードしなければならないのだが、バイリニアフィルタ付きでサンプリングし、直接処理してしまっても、それなりの品質低下で済むことが分かったため、高負荷な処理に限っては、このバッファへのアクセスに関するデコード・エンコード処理を省略している。具体的には**図7.D**、**図7.E**の被写界深度のシミュレーションなどがこのケースにあたる。ただし、誤差が大きくなった副作用で、ボケた部分のHDR情報が失われてしまっている。ここはゲーム側のパフォーマンスを優先した判断と言える。

「バイオハザード5」の場合

カプコンの「バイオハザード5」（2009年）におけるHDRレンダリングも、RGB各8ビット（RGB：8・8・8）の通常のLDR（Low Dynamic Range）バッファに対する疑似HDRレンダリングを採用している。

手法としては、それまでの表示フレームの平均輝度情報を利用してHDR情報を動的にトーンマッピングしながら、LDRバッファにレンダリングしていく「相対ダイナミックレンジ手法」を採用している。

例えば平均輝度が100.0だったとしたら、これは1/100にして1.0とするというような

図7.D　HDRを残しつつ被写界深度のシミュレーションを実行した場合。ゴーグルのイルミネーションが高輝度のまま絞りの形でボケている

図7.E　HDRを無視しつつ被写界深度のシミュレーションを実行した場合。ゴーグルのイルミネーションの高輝度情報が失われてボケている。製品版ではパフォーマンスを重視してこちらを採択している

イメージになる。この手法だと、完成したフレームにはHDR情報が欠落している。しかし、平均輝度をシステム側で抑えているので、LDR（0～255）に落ち込んでしまった結果のうち、あるしきい値以上（例えば240以上）を高輝度な部分として認識させ、HDRエフェクト処理（例えばブルームなど）を適用することになる（**図7.F**）。

こうした「トーンマップをしながらHDRレンダリングする」「高輝度部分に対するブルームやグレアのようなエフェクト処理を、LDRバッファに対して行う」という実装は、Valveの「Half-Life 2」（2004年）で採用された手法だった。

この手法もメタルギアソリッド4の場合と同じく、ブレンディング、MSAAなどがLDRバッファで行えるため、PS3のRSXに都合がいいのだ。

図7.F　バイオハザード5におけるHDRレンダリングは相対輝度レンジによる疑似HDRレンダリングとなっていた

※ 本コラムは、CEDEC 2008の講演の内容等を元に執筆しています。

Chapter 8

水面表現の仕組み

水面を使ったシーンは3Dゲームグラフィックス等で出現頻度が高い。リアルに描くには非常に難しいテーマだが、とは言ってもプログラマブルシェーダ時代に突入してから、著しく進化した部分でもある。
このChapterでは、この「水面」のトレンドを紹介していくことにしたい。

さざ波表現に見る水面表現の歴史

水面の表現は、今も昔も、3Dゲームグラフィックスでは欠かせない要素になっている。

プログラマブルシェーダ登場以前の水面表現では、さざ波の模様を描いた半透明のテクスチャを貼り付けたポリゴンでの表現が主流だった。この半透明さざ波テクスチャをスクロールさせることで、水が流れている感じを出す表現もよく用いられた（**図8.1**）。よりリアルにするために、マルチテクスチャリングを使って、複数の半透明のさざ波テクスチャを異なる方向にスクロールさせ、水面が複雑にうごめいている感じを出すものもあった。

プログラマブルシェーダが登場してからは、さざ波の微細凹凸を表現するために法線マップを活用したバンプマッピングが利用されるようになる。

法線マップ自体にはアニメーションはなく、動かないが、その水面のポリゴン自体にゆっくりと凹凸させるアニメーションをさせることで、見た目にはかなりリアルな水面が表現できるようになった（**図8.2**）。

半透明のさざ波テクスチャをスクロールさせて"流れ"を表現していたテクニックと全く同じ発想で、この法線マップをスクロールさせて、水面のうごめく感じを表現する応用例も見かけるようになる（**図8.3**）。

図8.1　「GIANTS: CITIZEN KABUTO」（PLANET MOON STUIOS,2000）より。半透明の"さざ波"テクスチャのスクロールによる水面の表現は、非プログラマブルシェーダ時代の3Dゲームグラフィックスでは定番だった

図8.2 「Tom Clancy's Splinter Cell」(Ubisoft,2002)より。法線マップを使った水面のさざ波表現が定番化した

図8.3 「3DMark2001SE」(Futuremark,2001)より。水面のさざ波は法線マップによるもの。1つ1つのさざ波は形状を変化させることはないが、スクロールはしていた。これでもそれなりにリアルに見える

GPUの性能も上がり、GPUに搭載されるビデオメモリの容量が増えてくると、このさざ波に動きを与えようとするアプローチが台頭してくる。

まず最初に実装されたのは、ループする法線マップのアニメーションをオフラインで生成しておき、これをレンダリング時に再生していくというものであった(次ページ 図8.4)。DirectX 9世代では、この手法を採用した3Dゲームタイトルが多かったように思う。

図8.4 「AGE OF EMPIRES III」(ENSEMBLE STUDIOS,2005)より。オフラインで生成した法線マップのアニメーションを用いて、うごめくさざ波を表現していた

図8.5 「Half-Life 2」(Valve,2004)より。遠方までが見渡せない場合ならば、オフライン生成の法線マップアニメーションでもそれほど不自然ではないが…

図8.6 「Half-Life 2」(Valve,2004)より。逆に遠くまで見渡せるシーンでは、そのアニメーションの規則性が露呈してしまうことがあった

この方法は、ユーザーが狭く近い範囲しか見えないような水面であれば、目立った粗もなかったが、パノラマ的に広範囲の水面が見渡せるようなケースでは、法線マップのアニメーションの反復パターンが見えてきてしまうこともあった(**図8.5**、**図8.6**)。

この方法は、水面の動きだけはそれなりにリアリティが出せるのだが、他のキャラクタが水面に対して与えたインタラクティビティを反映できないという弱点もあった。例えば、水面を船が横切っても、水面は与えられたさざ波アニメーションを繰り返すだけで、船が水を押しのけて作り出すさざ波の変化は表現できなかった。

こういったケースでは、水しぶきのパーティクルや、同心円状の波紋を水面に描いたりする簡易的な表現で対応する手法が多く見られた。ただし、この方法は法線マップによるさざ波表現との一体感がなく、いかにもウソっぽく見えてしまうのが難だった。

そこで、よりリアルなキャラクタと水面の相互干渉を再現するために、このさざ波表現用の法線マップをリアルタイムに生成するアプローチが考案される。

動的なさざ波
～ベルレ積分によるフルインタラクティブな動的なさざ波

法線マップを動かして表現していた「動くさざ波」を動的なものとするためには、法線マップ自体を動的に生成すればよいことになる。

法線マップを生成するには、凹凸を濃淡で表現したハイトマップから生成すればよいことはChapter 3で紹介した。となれば、さざ波の凹凸を表現するハイトマップを何らかの方法で生成し、このハイトマップから法線マップを生成すればよいという方針が見えてくる。

このさざ波のハイトマップ生成には、何らかの動的な波動シミュレーションを行う必要があるわけだが、現在もよく見られるのが、ベルレ積分法(Verlet Integration)だ。

ベルレ積分は、前の状態と現在の状態の差分情報から速度を算出し、次の状態を求める離散的な積分方法だ。GPUがテクスチャに対して実行させる演算モデルに非常に適していることから、よく用いられる。

「どんなさざ波を起こすか」というテーマについても様々な理論やアイディアがあるが、細かいさざ波(周波数の高いさざ波)については、複数の同心円状の波紋をたくさん発生させる手法がよく用いられるようだ。

毎フレーム(あるいは定期的なフレーム間隔)でベルレ積分を繰り返して行い、次の状態のハイトマップ(≒次の状態のさざ波)を求めていく。

この水面に対して、他のキャラクタが干渉したり、物体が投げ入れられたりするような干渉があった場合、新たな波の"種(タネ)"をハイトマップテクスチャに描き込めばいい。次の波の状態は、ベルレ積分を行うことで自動的に求められる。

この手法をリアルタイム動作するように実装し、広く公開したのは、NVIDIAのGeForce4 Tiシリーズ用のデモ「Tidepool」であった(次ページ 図8.7)。

図8.7 NVIDIAのGeForce4 Tiシリーズ用のデモ「Tidepool」(2002年)より。デモは、NVIDIAサイトからダウンロードできる(http://www.nvidia.com/object/demo_tidepool.html)

水面のライティング(1)～フレネル反射

法線マップを使ったバンプマッピングで表現するさざ波とは別問題で、水面の表現でキーポイントとなる要素が、そのライティングだ。

水面と言えば、やはり、周囲の情景が映り込む「映り込み表現」がポイントになってくる。そのため、ライティングは、ただ法線マップで鏡面反射や拡散反射のライティングを行うだけではなく、映り込むだろう周囲の情景を描き込んだ(あるいは動的に生成した)環境マップのテクスチャを適用する必要がある。

しかし、環境マップ+バンプマッピングでの表現では、液体が鏡のような、言わば水銀のような表現になってしまう。そこで、水面らしいライティングが必要になってくる。

水は適度に透き通っていることが望ましい。透き通っているということは透明ということだ。透明ということは、水面よりも下にある、底の様子を透過させなくてはならない。

処理のイメージとして、水面は「水底の様子」と「環境マップ」の混ぜ具合を調整することでリアリティを高められる、ということが想像できる。

そこで応用するのが「フレネル反射」(Fresnel Reflection)という概念だ(図8.8)。水面に対して視線が直角に近くなればなるほど水底が見えやすくなり、水面に対して視線が浅い角度になればなるほど周囲の情景が映り込んで見えやすくなるという現象だ。

湖などで、遠くの水面は周囲の情景がよく映り込んで見え、足元の水面は水底がよく見える、という実体験は誰にでもあると思うが、それを再現すればいいのだ(図8.9、図8.10)。このフレネル反射の概念は、光沢のある車のボディや、人間の肌表現などにも応用されることがある。

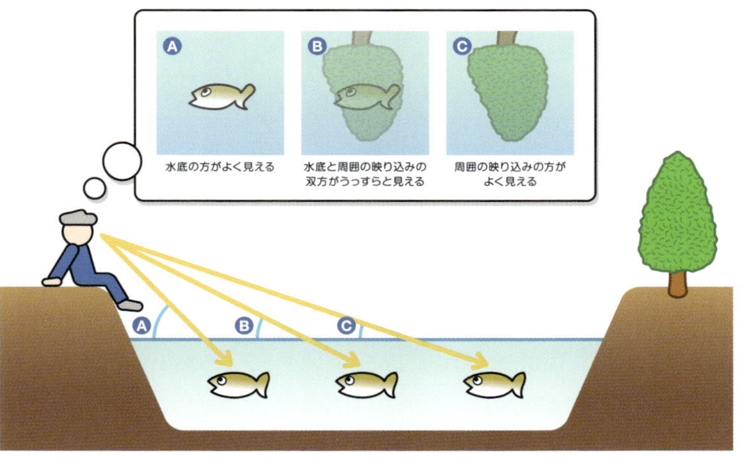

図8.8　フレネル反射の概念図

図8.9　「Half-Life 2」（Valve,2004）より。足元の水面は透過して見え、水底の廃タイヤがよく見える。しかし、遠方の水面は周囲の情景を反射させているのみで、水底は見えない。これがフレネル反射だ

図8.10　「F.E.A.R.」（MONOLITH,2005）より。シーンの奥の水面において、水底の様子が完全に消えて100%周囲の情景が映り込んでいると水深が深い感じが出るが、逆にシーンの奥においても水底の様子（この映像ではコンクリート）が見えていると浅い感じがする

水面のライティング（2）～反射と屈折

水面に映し込ませる情景を動的に生成したい場合は、水面に対して反転させた場所に設定した、仮想視点から見える情景をテクスチャに描けばよい（図8.11）。

そして水底の様子は、普通に始点から水面下の情景を描けばよい。

水面のレンダリング時は、さざ波の微細凹凸を表現した法線マップから取り出した法線ベクトルに配慮して、ピクセル単位の反射ベクトルを求め、これに従って環境マップを抽出する。

前述したフレネル反射の方程式の結果に応じて、環境マップから抽出したテクセルと、レンダリングした水底の混ぜ具合を調整する。

水底の様子が屈折して目に届くさまをシミュレーションすると、さらにリアリティが増す。

図8.12は反射ベクトルと屈折ベクトルを図式化したものだ。屈折変数rは0～1の範囲で適当に与えればいいい。

水面に反射する情景だけではなく、この屈折ベクトルも同様に、法線マップから取り出した法線ベクトルで計算することで、屈折した水底の様子に対して、さざ波による歪ませ効果を追加できる。

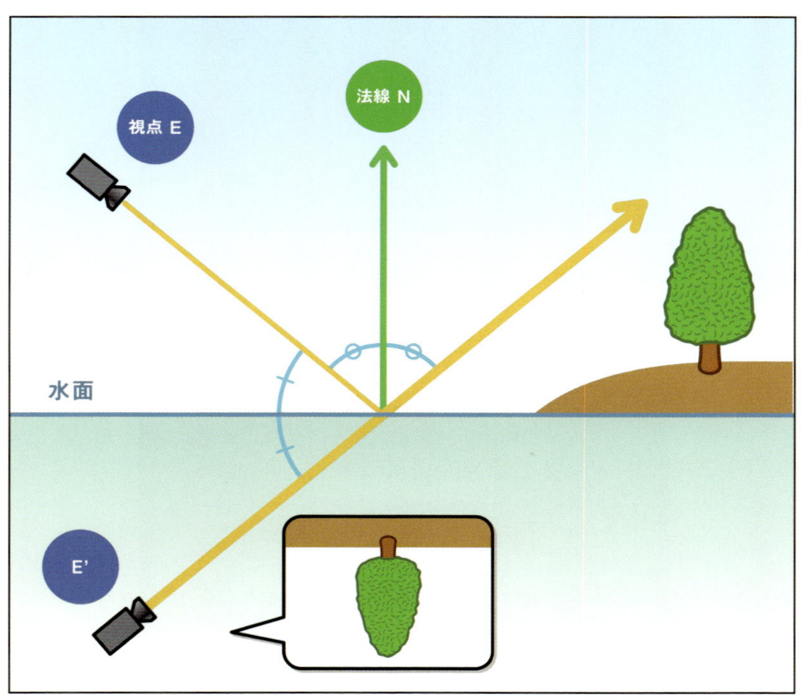

図8.11　水面に映り込む情景のレンダリングは、視線を水面に対して反転させた位置から上下逆転させた仮想視点から描く

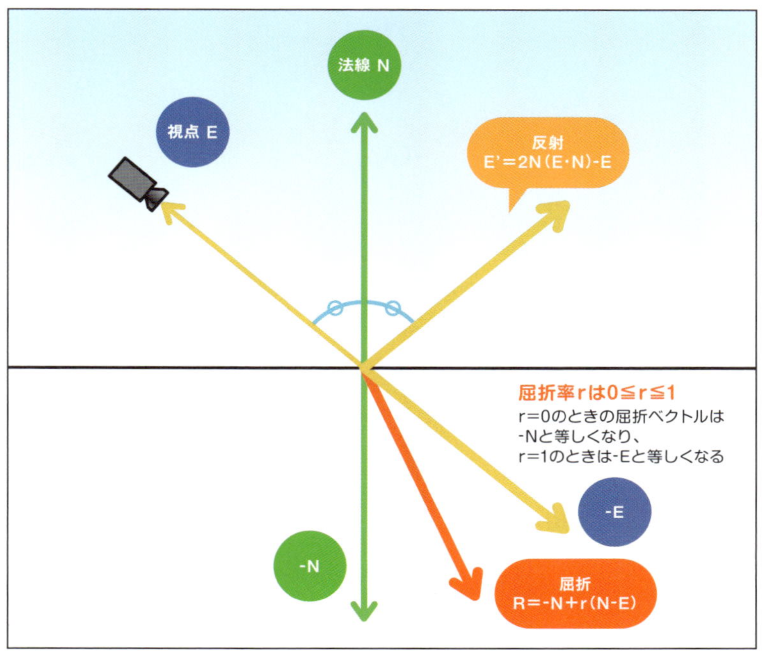

図8.12　反射ベクトルと屈折ベクトル

水に色を付ける

水面のライティングに必要なもう1つの要素として、「水の色」がある。そう、水そのものの色だ。

水が泥で薄汚れている場合や、ジュースのような特定の色を伴っている"水"もある。そうした要素への配慮だ。

具体的な処理として、反射や屈折で得られたテクセルに対して、一定の色変調を行うという簡易的な方法がある。もう少し踏み込んで、フレネル反射の要領で、視線が水面に対して垂直なほど透明度を高め、かすめるような角度になるほど水の色を支配的にする、という制御を行う方法もある。

また、水は水深が深いほど不透明度が増して水の色が濃く見えるので、水面付近が最も水の色が薄く透明度が高くなるようにして、水深が深い箇所であればあるほど水の色が濃くなるように制御する方法もしばしば用いられる。

水の不透明度の演出に際し、「3DMark06」(Futuremark,2006)では、水面下に下方向に行けば行くほど濃くなるフォグ(高さフォグ、Yフォグなどと呼ばれる)を発生させ、水深がとても深い感じを表現していた(次ページ **図8.13**)。

図8.13 「3DMark06」(Futuremark,2006) より。水面から水底方向にフォグを発生させることで水深が深い情景が霞んで見えるようになり、水深が深い感じが表現できる。湖や大海のような水面の表現には効果的かもしれない

大きな波〜ジオメトリレベルの波

実際の海や湖の沖の水面には、さざ波よりも規模の大きい波が見られる。海上を舞台にした3Dゲームなどではこうした水面を取り扱う場面が多くなる。

こうした大海の波については、昔からアカデミックな分野で様々な角度から研究が行われていたが、NVIDIAがGeForce 6800シリーズ用のデモ「Clear Sailing」(NVIDIA,2004) においてゲルストナー波(Gerstner Wave) モデルを実装して以来、この手法がしばしば用いられるようになった。

大きな波は、法線マップによるバンプマッピングで実現するには無理があるので、実際に頂点レベルで動く(ジオメトリレベルの) 波で実装する必要がある。

実装の方針は様々な方法があるが、あらかじめ適当な解像度で分割しておいたポリゴングリッドの頂点を、ゲルストナー波動関数で得た波の頂点情報で変位させるやり方がシンプルで実装しやすいとされる。NVIDIAの「Clear Sailing」デモでは、150×150に分割したポリゴングリッドに対して、45個のゲルストナー波を発生させた実装になっており、ゲルストナー波の発生にはCPUを活用していた。

なお、前述したように、こうしたジオメトリレベルの波を加えることで、法線マップを使ったバンプマッピングによるさざ波表現の単調さ(周期性の露呈) を分かりづらくする効果がある。水面の表現に重きを置かない方針とする場合、さざ波の表現は、固定された複数の法線マップを適当にスクロールさせたものだけにして、ジオメトリレベルの波を適用するという手法もしばしば見受けられる。

「3DMark06」(Futuremark,2006) の水面の表現は、まさにこのパターンであった。3DMark06のさざ波表現は、2枚の法線マップをスクロールさせながら重ね合わせただけのもので、これに4つのゲルストナー波をジオメトリレベルで発生させたものとなっていた(**図8.14**、**図8.15**)。

視点位置が水面に対して、ダイナミックに近くなったり遠くなったりするような3Dゲームのグラフィックスでは、「ピクセル単位のさざ波」と「頂点単位の大きな波」の表現を、視線からの位置関係に合わせて臨機応変に使い分ける実装が面白いかもしれない。

図8.14 「3DMark05」(Futuremark,2004) の水面表現は、2つの法線マップをスクロールさせただけのさざ波表現だった。起伏や変化に乏しかったと言える

図8.15 「3DMark06」(Futuremark,2006) のほぼ同一シーンより。こちらはゲルストナー波によるジオメトリレベルの波が加わったことで、見た目の複雑性が増した

例えば、まず、テクスチャ上で波動シミュレーションを行い、波の高低を濃淡情報で表すハイトマップを生成する。このハイトマップの高低情報の中で、視点位置から見たときに「微細なもの」と判断できるものについては、その情報を元にして法線マップを生成し、バンプマッピングのさざ波として表現する。

逆に、視点から近い位置では波の高低差が大きく見えるので、VTF（Vertex Texture Fetch）機能を活用する。頂点シェーダからハイトマップにアクセスして高低情報を読み込み、水面の頂点を変位させるジオメトリレベルの波を生成させるのだ。

こうすることで波表現の画質とリアリティ、処理の負荷のバランスが平均化できるだろう。

なお、この実装を行うには、GPUにVTF機能が必須となる。DirectX 9世代/SM 3.0対応GPUではGeForce 6000シリーズ以上、DirectX 10世代/SM 4.0対応GPUでは全てのGPUがVTFに対応している。

この手法を実装した3Dゲームタイトルに「バーチャファイター 5」（セガ,2006）がある。バーチャファイター 5では、FP32-128ビットの浮動小数点テクスチャに対して、波動シミュレーションを行ったハイトマップを生成する。このハイトマップからジオメトリレベルの波を生成し、さらに法線マップまでを生成してさざ波表現までを行っていた（**図8.16**～**図8.18**）。

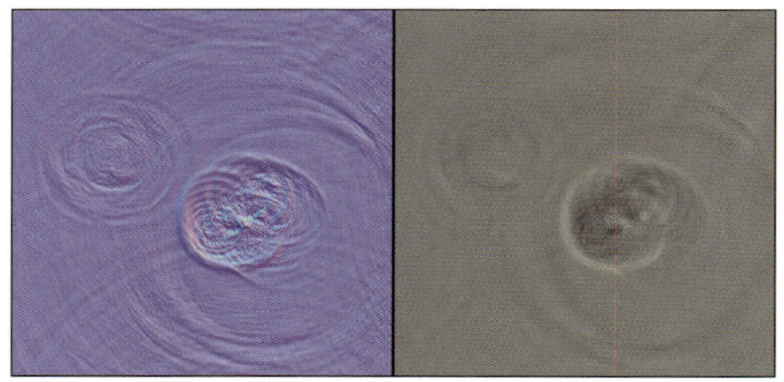

図8.16　「バーチャファイター 5」（セガ,2006）より。この作品ではVTFを活用した波生成を実装していた。右画面は波動シミュレーションを行った後のハイトマップ。左がこのハイトマップから生成した法線マップだ

図8.17　ハイトマップを元にジオメトリレベルの波を生成

図8.18　さらに法線マップによるピクセル単位のさざ波陰影処理までを行って最終画面を生成

DirectX 11世代GPUでは、テッセレーションステージが利用できるため、NVIDIAは、この特性を利用したデモ「Island:Realistic Water & Terrain」(NVIDIA SDK 11)を2010年に発表している。

このデモでは、水面ポリゴンを、モデリング時では最低限の数にとどめておき、ランタイム時にテッセレーションでリアルタイムに分割している。分割したそれらの水面ポリゴン群は、シミュレーション結果の波の凹凸量を使って、変移・摂動させている(**図8.19**、**図8.20**)。

また、同デモでは、視点からの距離に関係なく、均一な精細度でテッセレーションが行われている。しかし、これを実際のゲームグラフィックスで応用するのであれば、視点から近い水面ほどテッセレーションの精細度を上げてやる…というような工夫が必要になってくるはずだ。

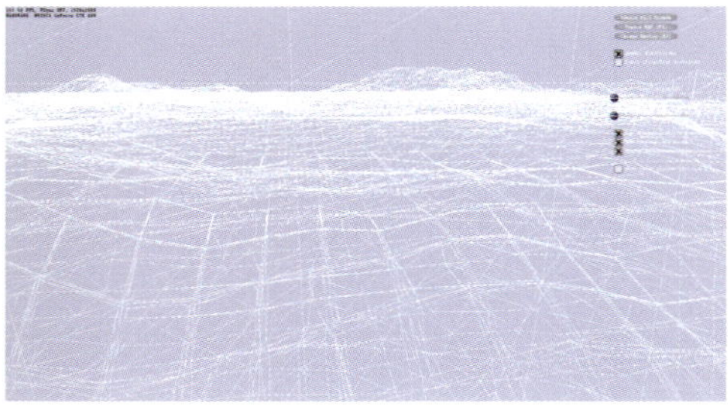

図8.19　テッセレーションなしの水面。これがオリジナルシーン

図8.20　テッセレーションありの水面。リアルタイムに水面ポリゴンを分割し、それに対して凹凸を与えることで水面を表現している。DirectX 11世代GPUならではの実装だと言える

水面表現の進化の方向性

このChapterでは、水面の表現において最も基本となる「さざ波」、「ジオメトリレベルでの波」、「反射・屈折」といった表現について紹介したが、よりリアルな水面表現を行うには、まだまだ足らない要素がある。

例えば、海の波、海辺に打ち寄せる巻き込むような高波（浜辺に打ち寄せる波）の表現を実装した3Dゲームグラフィックスは、まだほとんどない。これには、ジオメトリレベルの頂点アニメーションが必要になるだろうと想像できる。

「アンチャーテッド 砂漠に眠るアトランティス」（SIE,2011）は、そうした「高波」表現を搭載した数少ない作品である。

とは言っても、シミュレーションで生成しているのではなく、どちらかと言えばプロシージャル的な手法で実践していた。

まず、Bスプライン曲線で、それっぽい適当な曲線を設定し、これを押し出して立体曲面を生成する（図8.21、図8.22）。

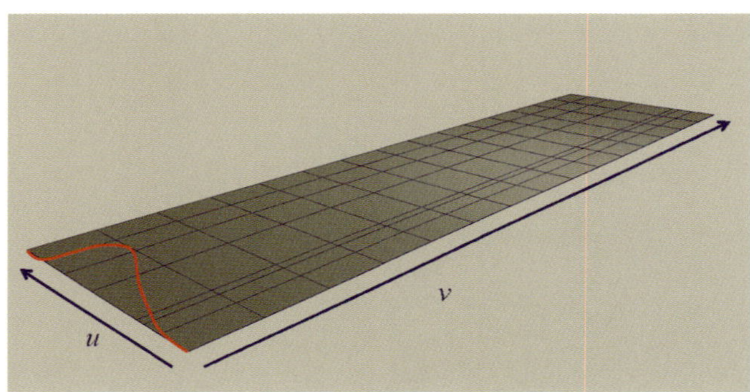

図8.21　巻き込むような高波の基本形状をBスプラインで作成

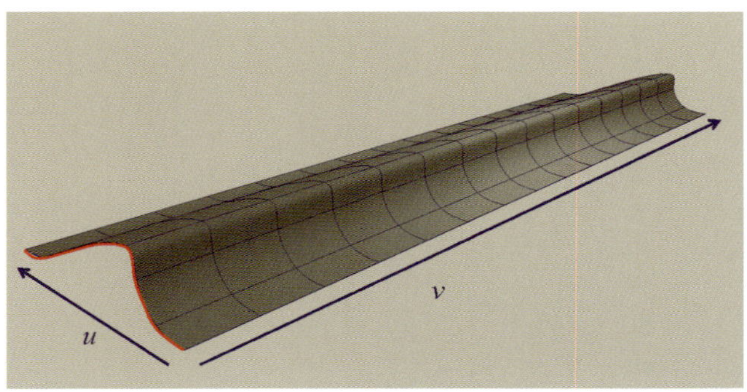

図8.22　Bスプラインの基本形状を押し出して立体曲面化

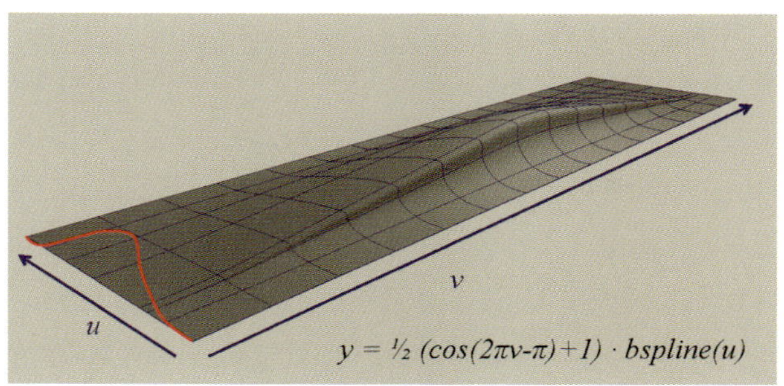

図8.23　Bパスラインの両端を絞った状態。下の数式を簡単に説明すると、高波の両端を基準面に沈め、中央に向かって最高値になるような成形関数

このままだと波としては不自然なので、両端を絞るような算術処理を加える(図8.23)。

これを波の進行方向に動かしてやることで、「押し寄せる高波」表現の完成となるのだが、このままではまだ人工的な風情が抜けきれない。そこで同作では、水面に与えている通常のさざ波の凹凸の動きに加え、高波が進んでいくにつれて波の高さが低くなり、それと同時に、Bパスラインで絞っている両端も、徐々に基準面に沈み込んでいくようなアニメーションを付加している(図8.24、図8.25)。

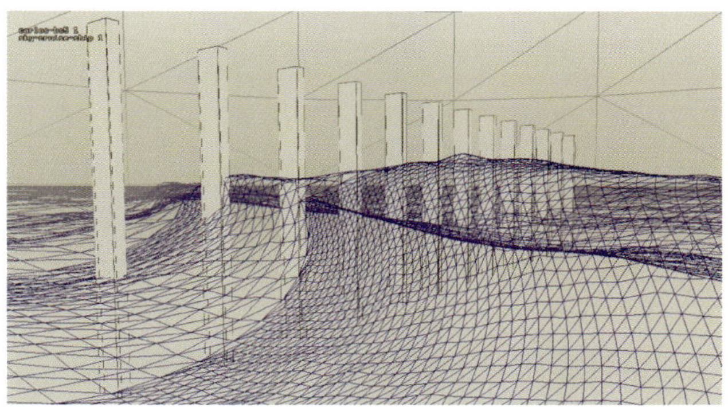

図8.24　この高波システムのプロトタイプのワイヤーフレームショット

図8.25　最終的なレンダリング結果。このショットからは細かなさざ波も付加されていることも分かる

次に「水しぶき」の表現について見てみよう。

水面と何かが衝突したときに生じる「水しぶき」は、パーティクルを用いて表現するのがセオリーだ。しかし、波動シミュレーションから生成した波に対して、そこから生じる「水しぶき」を表現している作品も、まだまだ少ない。現実世界の水面では、波の動きや高さが「水面」として維持できる限界を超えれば、"水"が水面から飛び出して「水しぶき」となる。この現象を再現するには、水の粘性に配慮したシミュレーションを行い、その結果として、水面から水しぶきを発生させる必要がある(**図8.26**)。

このようなシミュレーションを、広い水面に対して行うことは、処理の負荷が膨大になり非常に困難だ。しかし、現在のGPU能力を使い、範囲も狭く限定することで、それなりに見栄えもよくてリアリティの高い「水しぶき」の表現を実現できるようになってきている。

NVIDIAのWladimir J. van der Laan氏らが2009年に発表した論文「Screen Space Fluid Rendering with Curvature Flow」に紹介されている手法がその1つだ。

この手法では、水を流体として取り扱っており、基本的な剛体物理ベースでシミュレーションを行うのだが、キモとなるのは「水をパーティクルで表現する」ところにある。

「動く水」「流れる水」としての最小構成要素をパーティクルとし、シーン内へこぼれ落ちた"水"パーティクルは、多少の粘性に配慮しつつも、普通の剛体物理シミュレーションに従い、オブジェクトや他の"水"パーティクルとの衝突シミュレーション結果を取っていく。

シミュレーションを終え、それらの"水"パーティクルの位置が決定されると、次はこれらを"水面"として描画するステップに移行する。

この手法では、その水面の描画に、独特な画面座標系のテクニックを採用する。

まず、"水"パーティクルの1つ1つには、球体状の厚みを持たせておく。そして、この"水"パーティクルの球体状の厚みを、深度バッファ(深度テクスチャ)に描画していく。

図8.26 「鉄拳6」(バンダイナムコゲームス,2007)では、プロメテック・ソフトウェア社製の自然現象シミュレーションエンジン「オクターブ・エンジン」を採用し、水深、速度、水自体の粘性などに配慮した流体シミュレーションを行って水しぶきの発生に対応させていた

シーン内の全ての"水"パーティクルが描画し終わると、その深度テクスチャには、"水"パーティクル達が作り上げた界面…すなわち「水面」ができあがっていることになる。

続いて、この深度テクスチャにできあがった界面(＝水面)に対して、ライティングやフレネル反射・屈折に配慮したシェーディングを行えば、"水"パーティクルを使ったリアルな「水面」の完成だ。

この手法だと、水の動きをパーティクル単位でシミュレートしているので、当然、水面から水の固まりが飛び出すような表現も可能となる。あるいは、流れ出た水がキャラクタやオブジェクトを押し流したり、凹みに水が溜まったり、斜面を水が流れたりするような表現も可能だろう。

ちなみに、このような「パーティクルベースで流体物理シミュレーションを行い、深度テクスチャに出力したパーティクル厚み情報をボカして界面を得る」手法は「Smoothed Particle Hydrodynamics」(SPH)法と呼ばれている(図8.27)。

ただし、いくつか問題もある。

1つは、深度テクスチャに得られた水面は、そのままでは「イクラ」か「タピオカ」のようにブツブツ状に見えてしまうという点だ(次ページ 図8.28)。

もう1つは、"水"パーティクルの量や大きさを的確なものにしないと、実用に耐えないものになってしまうという点だ。"水"パーティクルの数が少なすぎれば、水の動きが大ざっぱに見えてしまうし、"水"パーティクルの大きさが大きすぎれば、水面から飛び散った水滴がやたらと大きくて不自然に見えてしまう。

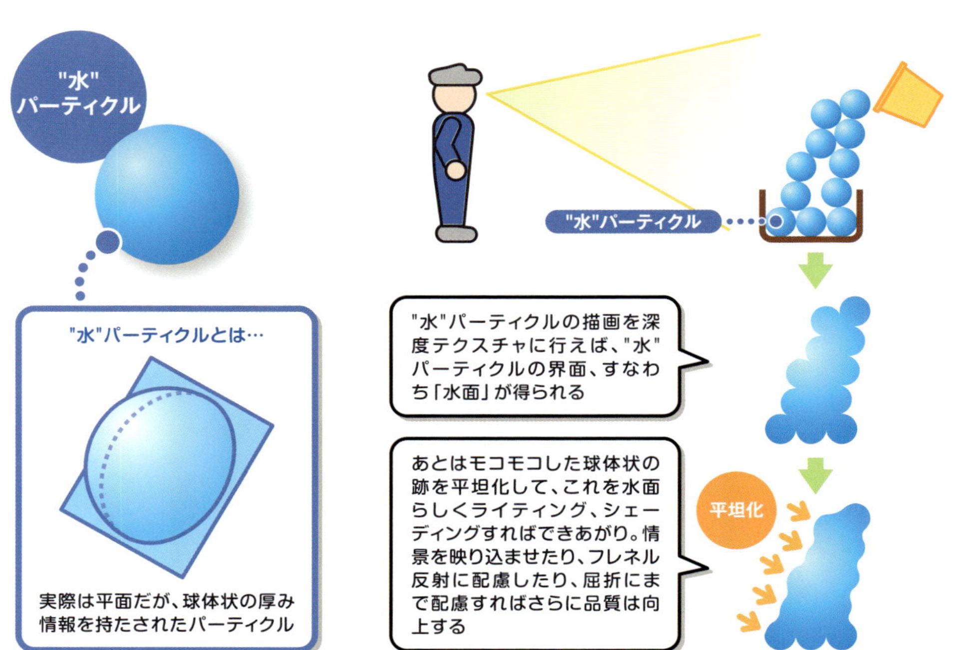

図8.27 Smoothed Particle Hydrodynamicsの概念図

前者のブツブツ感の問題については、深度テクスチャに得られた水面を、ポストエフェクト処理でなだらかに「ならす」ことでかなり低減できる。最もシンプルなのは、ボカしフィルタとして一般的なガウスフィルタを掛けることだが、このフィルタでは実際には思ったほど平坦化されない。

そこでNVIDIAのデモでは、深度テクスチャに出力された丸みを帯びた深度値分布に対して、その曲率を平均化させるフィルタ(Mean Curvature Flow Filter)を適用している。(**図8.29、図8.30**)

後者の精度の問題については、GPUの性能に応じて"水"パーティクルの数を増減させたり、"水"パーティクルを出力する深度テクスチャの解像度を上げ下げしたりするなど、そのシーンごとの調整で対応することになるだろう。

図8.28　NVIDIAの技術デモ「Screen Space Fluid Rendering with Curvature Flow」(NVIDIA,2010)より。深度テクスチャに対してガウスフィルタを適用した場合。ブツブツ感が強く残ってしまっている

図8.29　深度テクスチャに対して曲率平均化フィルタを適用した場合。ブツブツ感はだいぶ低減された

図8.30　さらに、ノイズ関数による高周波の凹凸を与えることでブツブツ感を低減させた例

なお、このSPH法は、スクウェア・エニックスの新世代ゲームエンジン「Luminous Studio」ベースの技術デモ「AGNI'S PHILOSOPHY」においても、効果的に活用されている。

このデモでは、ドラゴンの骨格に昆虫が押し集まってドラゴンの血肉に変異していく表現や、主人公AGNIの流血表現などにおいて、このSPH法による液体表現を見ることができる（**図8.31**、次ページ **図8.32**）。

図8.31　ドラゴンの骨格に無数の昆虫が集まっていき、ドラゴンの肉体を形成していく変身表現が、SPH法で実践されている

図8.32　主人公AGNIが銃撃をくらい、流血するシーンの、この「血」もSPH法によるものだ

現在のGPU性能ではリアルタイム動作は厳しいが、ドイツのフライブルク大学のMarkus Ihmsen氏らの研究グループはパーティクル総数、数百万個のSPH法で水面を表現し、この水面に船を航行させてできる航跡波を再現したり、更地に立つ灯台に水流をぶつけて発生する水しぶきや渦を再現する事例「Unified Spray, Foam and Bubbles for Particle-Based Fluids」をComputer Graphics International 2012で発表している(**図8.33**～**図8.35**)。

この研究報告では、SPH法で表現された水パーティル同士の衝突などによって泡沫までを再現しており、「凹凸としての波」だけでなく、「白い泡を含んだ波」までを動的に発生させていたことから、「水の面」としての表現より一段進んだ「水の塊」的な表現が実践できていた。

さすがに水面全域をこの手法で表現するのは難しいだろうが、視点から近い近景の水面についてのみ、こうした手法で水面を再現する…といったことは近い将来可能になるかもしれない。

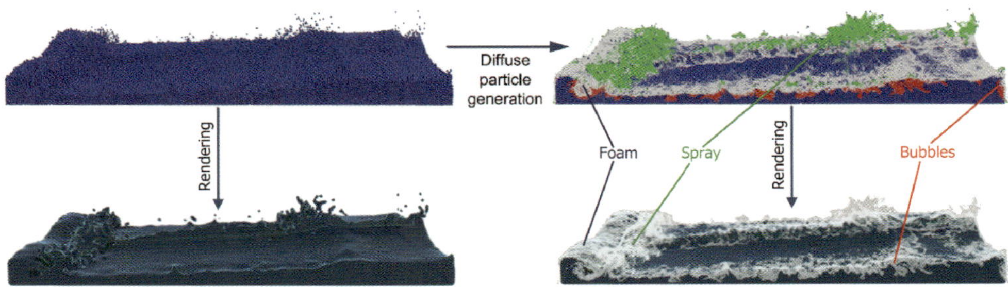

図8.33　ドイツのフライブルク大学のMarkus Ihmsen氏らの研究グループが発表した論文「Unified Spray, Foam and Bubbles for Particle - Based Fluids」の概要。水パーティクルで水の挙動をシミュレーション（左上）。水パーティクルをSPH法にて描画（左下）。シミュレーションの結果、水パーティクル同士が衝突した箇所に泡（Foam）、水パーティクルがちぎれた箇所に水しぶき（Spray）を発生させ（右上）、これを拡散反射が支配的な白っぽいパーティクルとして描画する（右下）
https://www.semanticscholar.org/paper/Unified-Spray-%2C-Foam-and-Bubbles-for-Particle-Based-Ihmsen-Akinci/72ec134f3c87c543be5f95330f73f4eb383c5511

図8.34　この手法の水面に対して船を走らせ、航跡波を発生させている様子

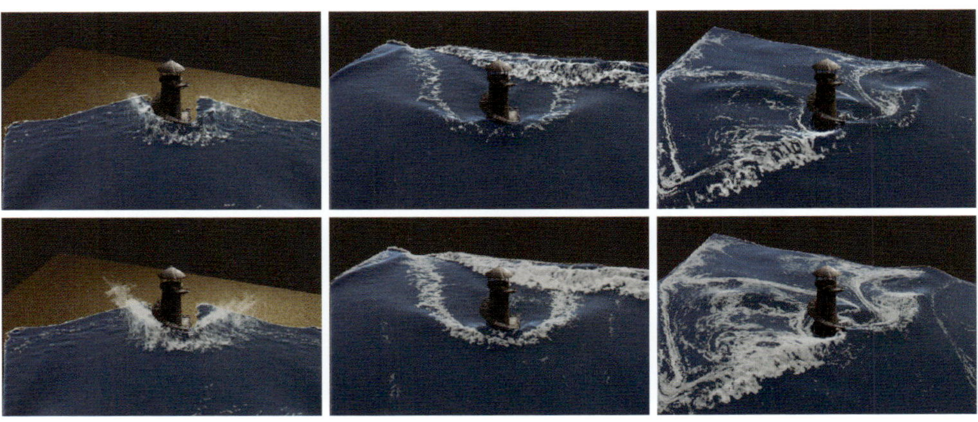

図8.35　更地に立つ灯台に対して、この手法の水流を衝突させているところ。動的に発生する泡や水しぶきが、渦や波の表現のリアリティを際立たせている
https://www.youtube.com/watch?v=jpb8cL7Yjzo

▶ Column

最先端の3Dゲームグラフィックスにおける水面表現は？

2000年代で、最も水面表現に力を入れていた3Dゲームグラフィックスと言えば独CRYTEKの「CRYSIS」（2007年）だろう（**図8.A**）。

近代ゲームグラフィックスにおける水面表現に求められるほぼ全ての要素が盛り込まれており、足りない要素を挙げるとすれば、254ページで取り上げた「押し寄せる高波」表現くらいだろうか。

CRYSISでは、Jerry Tessendorf氏（http://jtessen.people.clemson.edu/reports.html）のアルゴリズムを実装している。動的な波動シミュレーションとしては、水面表現において広く活用されている手法だ。波動シミュレーションの結果はCPUで計算され64×64グリッドに適用され、これが64×64テクセルのFP32-128ビット（R32G32B32A32F）テクスチャに転送される。このFPテクスチャに対してVTF（Vertex Texture Fetch）を使い、ジオメトリレベルの立体的な水面の凹凸に変換して利用している（**図8.B**）。

図8.A　非常に水面表現が美しく、そしてリアルだった「CRYSIS」

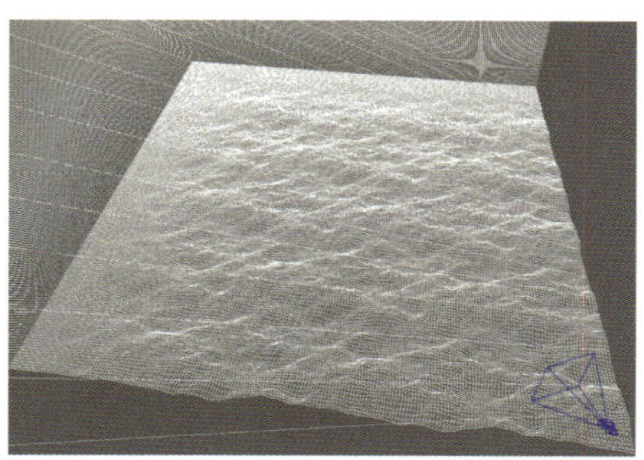

図8.B　64×64のグリッドは、水面全体に対して反復して使用されるが、ユーザーに対し、その反復性が露呈されてしまう可能性がある。これを低減するために、周波数の違う4つの動的な法線マップアニメーションをレイヤーで重ね、ジオメトリレベルの水面の凹凸に合成している

CRYSISでは、水面に映り込む情景（反射マップ）についても、リアルタイムにレンダリングしている。まともにこれをやると大変な負荷になってしまうが、反射マップのレンダリング頻度を「数フレームに1回」と制限することで、この負荷を低減している。瞬間瞬間には正しくない反射マップが水面に適用されることになるが、もともと反射マップの解像度は低く、水面の揺らぎに隠れ、見た目にも矛盾が分かりにくいので、問題にはならないという判断だ。

ユニークな試みとして、この反射マップには垂直方向のブラー（ブレ）を仕掛けている。そのブラー量には異方性を持たせており、視点から遠い場合は少なく、近い場合は多くなるようにしている（**図8.C**）。これは映り込みがキッチリしすぎるCG水面のわざとらしさを低減すると共に、低解像度反射マップのジャギー（エイリアシング）を低減する副次的効果もある。

水面下の情景は、屈折シェーダによって生成されている。その手法だが、まず水底の情景を通常通りにレンダリングしておく。次に水面ピクセルの向き（法線ベクトル）を、適当にスケールした値で求めておく。この水面の値を「タネ」にして、レンダリングしておいた水底情景をサンプルするだけだ。特別な水底シーンのレンダリングパスがあるわけではなく、シンプルなテクニックである。簡単にまとめると、水面を除いたシーンを通常通りにレンダリングし、水面ピクセルの法線に従って水底情景を掻き乱す、というようなイメージだ。

ただし、この方法だけで処理すると、水面より上にある情景までが屈折シェーダによって掻き乱されてしまう、というアーティファクト（正しくない描画）が発生してしまう。これを回避するために、水面より上の情景は屈折シェーダから影響を受けないようにするマスクの仕組み（αチャンネルを利用）を用意している。また、掻き乱す情景が、本当に水面より下なのかどうかを判定するために、視点から水面までの深度値と、描かれている情景の深度値を比較している（次ページ **図8.D**）。

図8.C　左が異方性垂直ブラーなし。右が異方性垂直ブラーあり

図8.D　上が製品版の完成画面。下は、水面よりも上にあるオブジェクトまでもが屈折シェーダによって掻き乱されてしまっている例。桟橋の脚部やプレイヤーキャラクタの右腕まで、グニョリと曲がっている

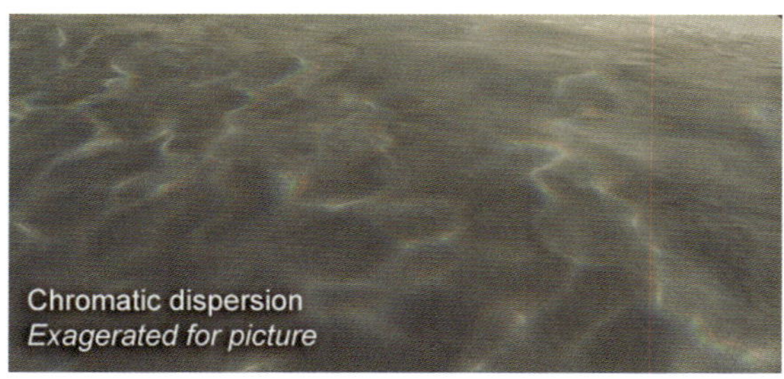

図8.E　疑似的な色収差現象のシミュレーション

なお、CRYSISでは、「水面下の掻き乱し幅」を「R・G・B（赤・緑・青）」の三原色でバラバラに行う。この処理により、カメラのレンズなどでも実際に発生する「色収差現象」（光が屈折した際に分光されてしまう現象）を疑似的にシミュレートしている（**図8.E**）。

さらに、CRYSISでは、天上の太陽光が水面のレンズ効果で集光されて輝く「火線」（CAUSTICS）効果も再現している。具体的には、光の網目模様が水面下に投射される光学現象のこと。これまでの多くの3Dゲームグラフィックスでは、それらしく描いたパターンテクスチャを投射して、火線効果を表現していた。しかし、CRYSISでは、火線シェーダを実装し、リアルタイムに生成している（**図8.F**）。

手法としては、まず、水底下の情景を構成する各ピクセルで、このピクセルの法線方向

にレイを飛ばす。そのレイが、水面上に向かうときの角度を計算し、その角度が太陽の方向に向いているほど明るくなるようにする…という処理を行うことで求めている。ちなみにこの火線効果も、RGBの三原色でそれぞれ生成して合成しており、前述の色収差現象の効果も追加されている。

水面と陸地の境界線が強く出てしまうのは、CGっぽさを露呈させる原因となる。そこで、CRYSISではこれを低減するために、水面と岸辺の境界が近くなればなるほど、水面の透明度を上げるようにブレンドしている。さらに、水面と陸地の境界線付近に浮かぶ泡…「泡沫（うたかた）」については、2レイヤーのアニメーションの泡テクスチャを、水面のさざ波法線マップで摂動させつつ、岸辺境界から水深の深い方向に向かって、柔らかく合成している（**図8.G**）。

図8.F　左が火線なし、右が火線あり。なお、この火線レイヤーは意図的にやや黒っぽくすることで、濡れた感じを強調している

図8.G　左が岸辺境界処理なし、泡沫なし。右が岸辺境界処理あり、泡沫あり

水中に降り注ぐ光筋の表現は、基本的には火線シェーダと同じアルゴリズムのものを採用している。生成した火線を、視点（カメラ）の前に戸板のように並べ、無数のレンダーターゲットとして投射していく。イメージ的には、火線を投射して作り出した無数のどでかい光筋スプライトを、カメラから奥に向かって重ね描きしていくような感じだ。

なお、水面下において、奥行き方向へ霞んで見える表現は、Ｚバッファの内容（深度値）をキーにして濁らせる、疑似的な光散乱フォグで表現している（**図8.H**）。

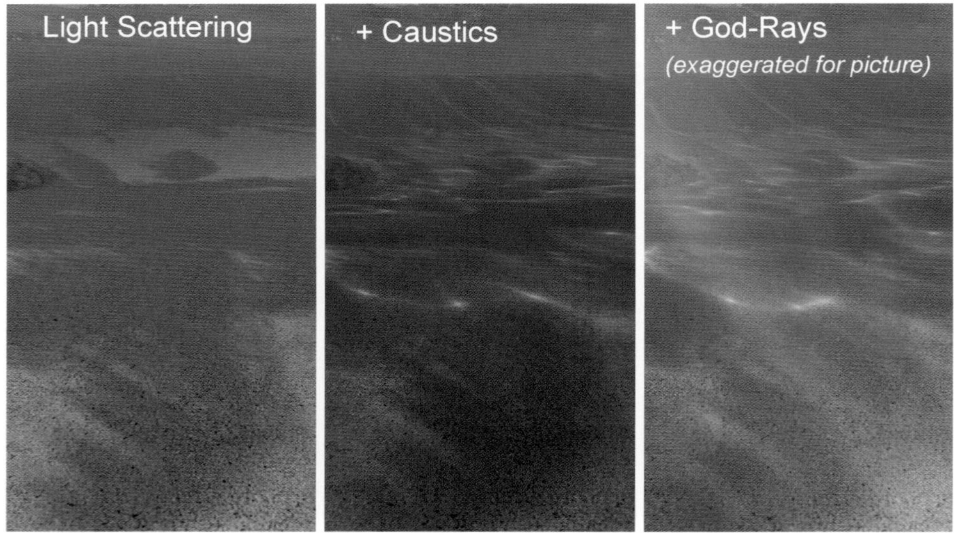

図8.H　左が光散乱による霞み表現のみの映像、中央がこれに火線表現を付加した映像、右がさらに光筋までを付加した映像。なお、この図では、意図的に光筋の色を濃くして、分かりやすくなるように表現しているが、ゲーム中では実際はもっと薄い

Chapter 9

人肌表現の仕組み

3Dゲームグラフィックスでは人間のキャラクタを取り扱うことが多く、その際に避けられないのが人肌の表現だ。
単純に、肌色に塗ったテクスチャを貼り付けて、そこに拡散反射のライティングを行っただけでは、素焼きの焼き物かプラスチックの人形のように見えてしまう。みずみずしく生きている人肌の感じを表現するために、様々な方法がこれまで試みられてきた。
このChapterでは、最も基本的な人肌の疑似手法と、物理法則に従った処理を行うことで、よりリアルな表現を可能とする手法について紹介していこう。

Half-Life 2で採用された疑似スキンシェーダ「ハーフ・ランバート・ライティング」

Valveが開発した「Half-Life 2」(2004年)では、人間などの動的キャラクタには、Valveによる独自開発の「ハーフ・ランバート・ライティング」(Half Lambart Lighting)と呼ばれる特別なライティングが実装されていた。

この技法は、物理法則に沿っていない、完全な模擬方法なのだが、複雑な相互反射によるライティング(ラジオシティ:Radiosity)のような柔らかい陰影が出る。そのため、柔らかい光に満ちた空間でのライティング表現が可能になる。Half-Life 2では、これがフォトリアルなビジュアルイメージの実現に大きな役割を果たしていた。

ハーフ・ランバート・ライティングの原形は、もちろんあの「ランバート・ライティング」だ。

ランバート・ライティングは、拡散反射の陰影処理ではよく知られた一般的な手法だ。視線の方向に依存しない光源の入射方向と、面の向き(法線ベクトル)だけで算出される。この技法では「その地点の明るさは、面の向きと光の入射方向が織りなす角度θのCOSθに比例する」という「ランバートの余弦則」が定義されている。しかし、実際にこれでライティングすると、明暗がかなり強烈に出てしまう特性がある(**図9.1**)。

Half-Life 2では、このドラスティックに変化するCOS(コサイン)カーブにバイアスをかけて、暗部階調を持ち上げる工夫をした。ランバートの余弦則が持つCOSカーブが半分になるように、これに"1/2"を掛けて、次にその"1/2"を足し、最後に2乗する。その結果、カーブは緩やかになり、

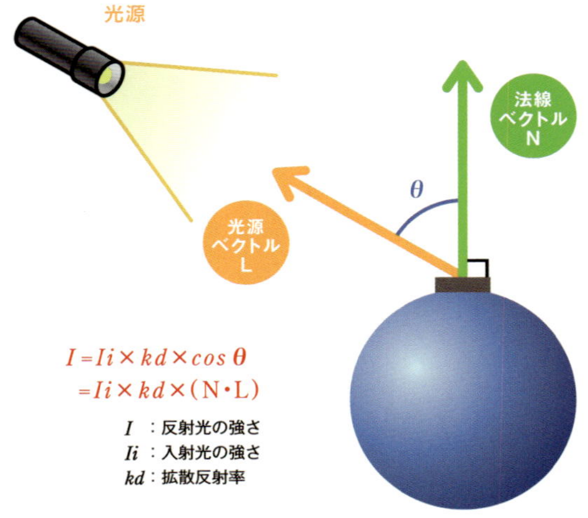

図9.1 ランバートの余弦則

陰影処理のキツさが軽減される。カーブのキツさを"半分にする"という意味で「"ハーフ"・ランバート・ライティング」というわけだ(図9.2)。

Half-Life 2の続編である「Half-Life 2: EPISODE ONE」(2006年)では、このハーフ・ランバート・ライティングに加え、そのシーンの光源に対してリアルタイムでフォン鏡面反射(Phong Specular Lighting)を付け加えている。

フォン鏡面反射とは、光沢が強く出る鏡面反射の一般形だ。法線ベクトル方向と光源ベクトル方向以外に、観測者の視線方向にも配慮される陰影処理になる。フォン鏡面反射では、視線方向Eと法線ベクトル方向Nから反射方向Rを算出し、その反射方向Rと光源方向Lが作る角度θの余弦(COSθ)を求めることで、視線から見える光の強度を決定する、と定義している。直観的には、次ページ 図9.3中のRとLの角度が小さくなればなるほど強い反射になる、というイメージだ。

しかし、人肌に対してフォン鏡面反射を一律に適用してしまうと、金属っぽく見えてしまう。そのため、ちょっとした工夫を入れることで、これを回避している。

その工夫とは、2つの分布図(テクスチャ)を用意することだ。1つめは、対象となる3Dキャラクタ上で"表現したい物質"が、どのくらいの強さの光沢(ハイライト)を出すのかを表したもの。2つめは、どの箇所にどのくらいの強度の鏡面反射を行うのかを表したものだ。レンダリング時に、この2つの分布図(テクスチャ)の情報を参考にして、フォン鏡面反射の陰影処理を行う。開発チームでは、この2つの追加テクスチャ情報を、前者を「鏡面反射指数」(Specular Exponent)、後者を「鏡面反射マスク」(Specular Mask)と呼んだ(次ページ 図9.4)。

これは、例えば唇、鼻、額などは強めのハイライトが出るが、頬や口の周りでは拡散反射が支配的になる、といった分布図になる。この分布図は、物理的な測定結果に基づいたものを用いたり、あるいはアーティストがそうした物理測定データを模してリアルに見えるように人工的に作り出したりして用意することになる。

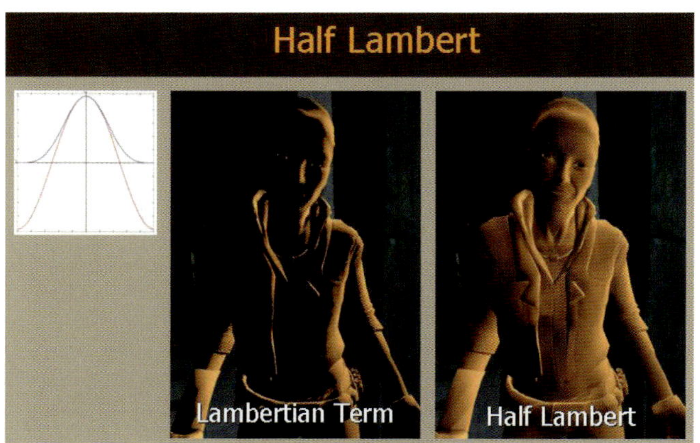

図9.2 赤色のカーブがランバートの余弦則の基本コサインカーブ。青色のカーブがハーフ・ランバート・ライティングのカーブ。左のキャラクタが通常のランバート・ライティングの結果、右のキャラクタがハーフ・ランバート・ライティングの結果

フォン鏡面反射

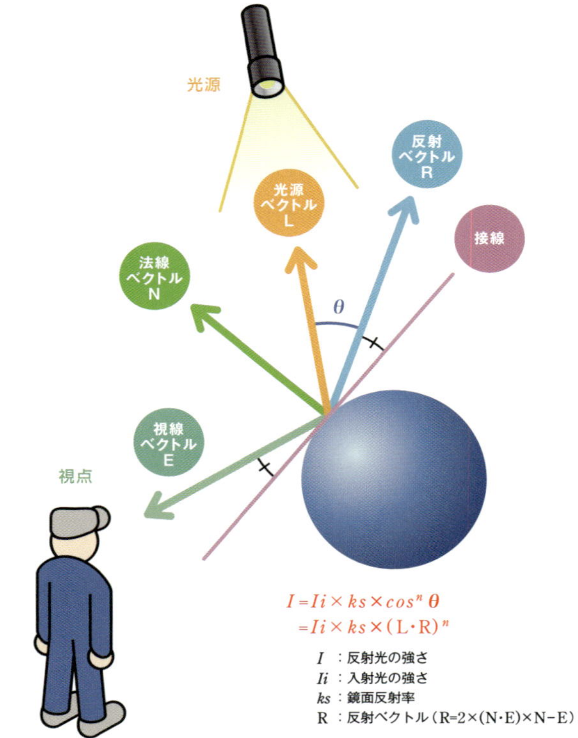

図9.3　フォン鏡面反射

図9.4　鏡面反射の仕方の分布をまとめたテクスチャを用意して、これに配慮しつつフォン鏡面反射の陰影処理を行っていく

図9.5は、Tim Weyrich氏らがSIGGRAPH 2006で発表した「Analysis of Human Faces using a Measurement-Based Skin Reflectance Model」の中に含まれるものだ。縦軸ρsは鏡面反射強度を表し、横軸mは面の粗さを表している。顔面を10個のエリアに分けて、このρsとmの分布をまとめている。実際の実装では、このような実測データを参考にして、分布図を作成していく。

さらに、視線と面の向きにも配慮してハイライトの出方を決定することで、フレネル反射の効果も行っている。フレネル反射については、Chapter 8の水面表現での解説を参照して欲しいが、簡単にまとめると、視線が面に対してかすめるような角度の場合はハイライトが出やすく、垂直に近くなるほど拡散反射の結果が支配的になる、というような処理を行うことになる。

こうしてできたHalf-Life 2: EPISODE ONEの人物キャラクタの映像は、テクスチャと鏡面反射と拡散反射の組み合わせだけで作ったにしては、かなりリアルに見える(図9.6)。

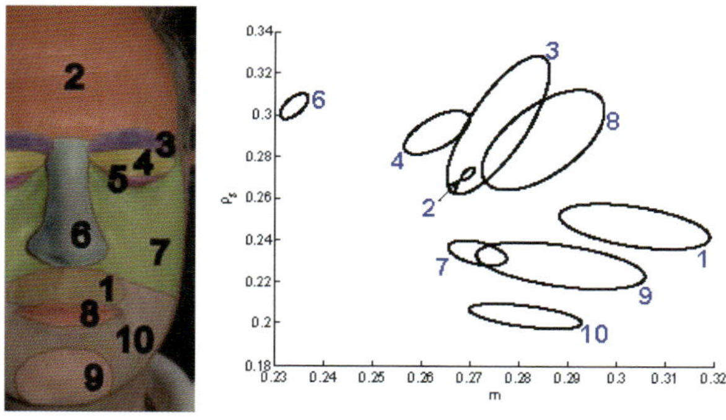

図9.5 顔面10カ所における鏡面反射強度ρs（縦軸）と、面の粗さm（横軸）の分布。「Analysis of Human Faces using a Measurement-Based Skin Reflectance Model」（Tim Weyrich,SIGGRAPH 2006）より

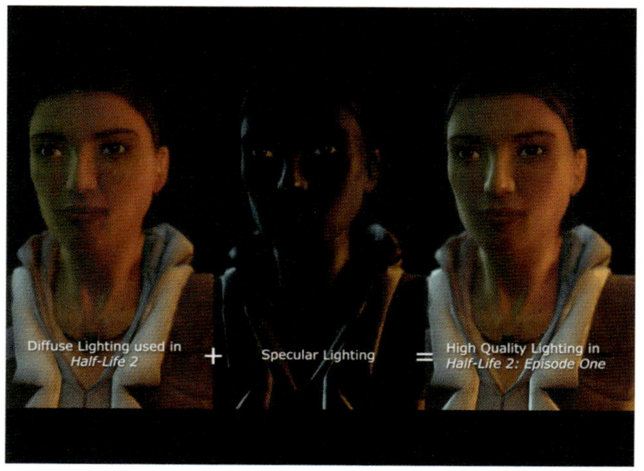

図9.6 ハーフ・ランバート・ライティングに鏡面反射分布を適用するだけで、人肌のライティングはここまでリアルに見せられる

コーエーテクモゲームスが採用した軽量型の疑似スキンシェーダ

早稲田大学とコーエーテクモゲームスは、「曲率に依存する反射関数を用いたリアルタイムスキンシェーダの提案」（以下、曲率依存型疑似スキンシェーダ）というユニークな疑似手法をCEDEC 2011にて発表している。

表皮の曲率の大小に応じて、本来は光が当たっていない領域にまで、拡散反射による陰影結果を広げていく…というのが、この手法の概要になる。ちなみに、曲率とは、着目している曲面を"球の一部"として捉えたとき、その球の半径rの逆数(1/r)で求められる。簡単に言えば「丸み具合」といった感じのパラメータだ。

具体的な処理としては、曲率が高い（1/rが大きい→球の半径が小さい）箇所ほど、盛大に陰影が漏れて、曲率が低い（1/rが小さい→球の半径が大きい）箇所ほど、漏れが少なくなるといったアルゴリズムで表される。また、その"漏れ"具合は、RGBで個別の強度を示すこととし、人肌に光を当てたときの特徴的なライティング効果である赤成分が広範囲に漏れ広がるような特別な調整も同時に行う。

人肌は半透明材質だ。しかし、透過率が低いので、入射した光の多くは、表皮で反射・吸収されてしまう。しかし、その一部は皮膚に浸透して内部で散乱してから出射する。これが人肌の蝋（ろう）のようなしっとりした質感をもたらしている。表皮の下で光が散乱するこの現象は「表面下散乱」（Subsurface Scattering）と呼ばれている。これについては次節で詳しく解説するが、コーエーテクモゲームスによるこの疑似スキンシェーダは「曲率が高い箇所ほど丸み具合が強いため、皮下に浸透した光が出射しやすくなるはずだ」という仮定に基づいた実装だと言える（図9.7～図9.10）。

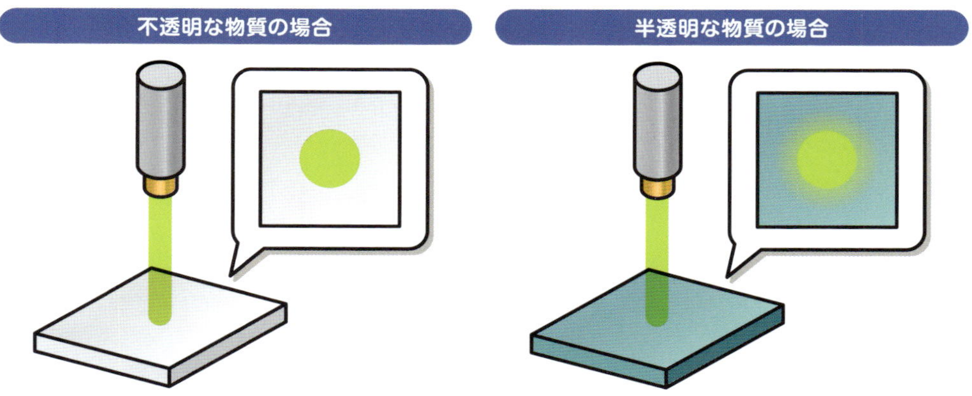

図9.7　単色レーザー光を当てたときの半透明材質と不透明材質における陰影の出方の違い（イメージ）

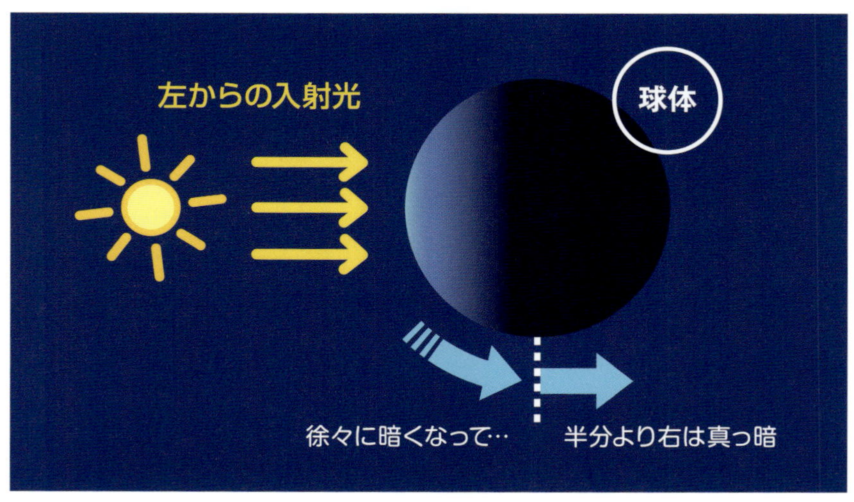

図9.8　通常の拡散反射の処理系ではこのような陰影結果になるところを…（次ページの図9.9に続く）

半透明な物体に光を当てたとき

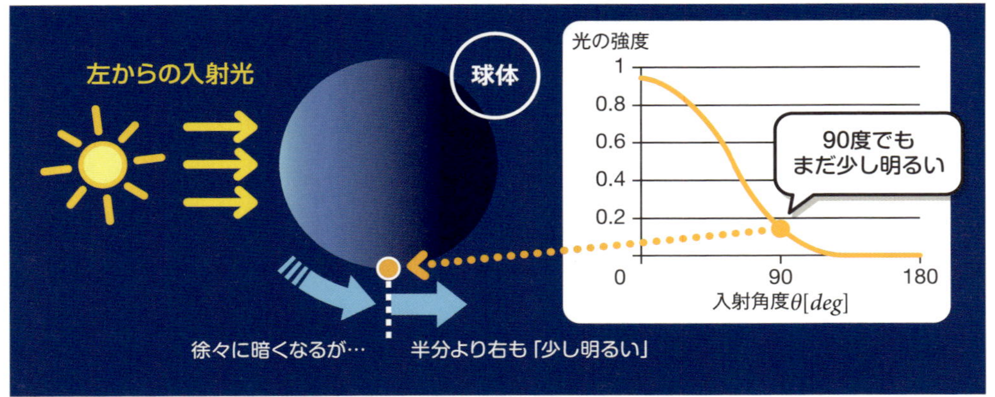

このようなグラフになる反射関数を新たに定義する

図9.9　本来は光が到達していない箇所にもやや広げていこう…というのがこの手法の基本着想

半径の異なる半透明な物体に光を当てたとき

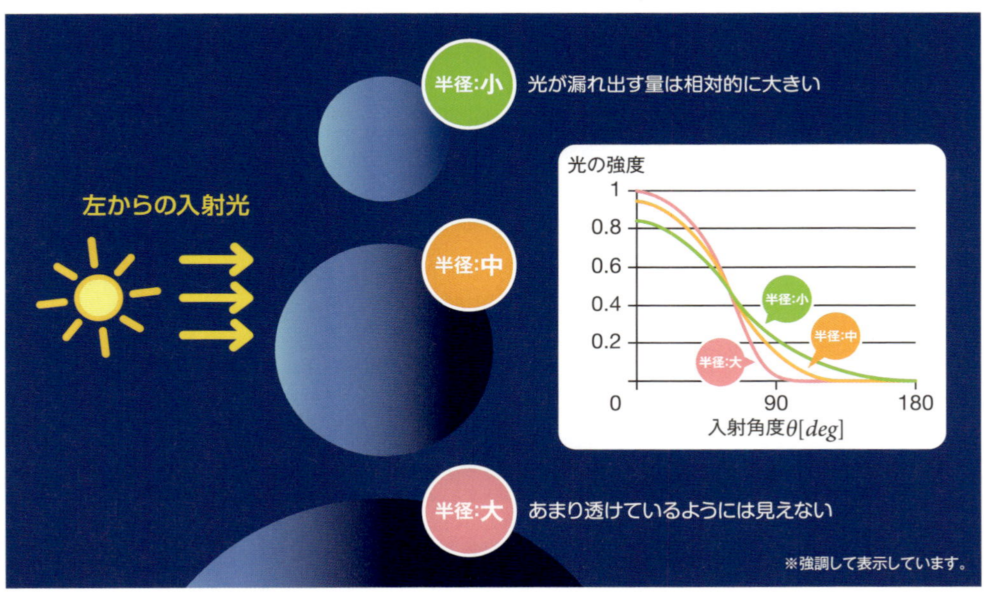

光の漏れ出しは、球の半径に依存する

図9.10　曲率の違いに依存して、拡散反射の陰影の広がりを制御するような処理系とする

なお、この曲率依存型疑似スキンシェーダのテクニックは、コーエーテクモゲームスが実際に2011年3月に発売した「戦国無双3 Z」「真・三國無双6」にて採用されている（図9.11）。

図9.11　実際のコーエーテクモゲームスのタイトルでこの手法が採用された。左が一般的な拡散反射による陰影結果。右が曲率依存型疑似スキンシェーダの結果。曲率依存型疑似スキンシェーダでは、肌の半透明感や人肌の温かみが感じられる陰影結果になっている

表面下散乱によるスキンシェーダ

表面下散乱とスキンシェーダ

Half-Life 2やコーエーテクモゲームスの方法は、あくまで簡易的で、それらしく見せるための工夫であった。

実際の人間の皮膚における陰影は、表皮に当たった光が単純に反射したり拡散したりするだけでは決まらない。入射した光は、表皮で反射・拡散するだけでなく、皮膚の下に浸透して皮膚下で乱反射し、再び表皮から飛び出してくるものもある。皮膚の陰影は、非常に複雑な光の経路の集大成によるものなのだ。

この光が皮膚下で散乱する現象を「皮下散乱」(Subskin Scattering)と言い、こうした半透明物体に光が浸透して、内部で散乱してから飛び出してくるような一般現象を「表面下散乱」(Subsurface Scattering)と言う。

また、人間の皮膚の陰影処理向けに特別設計したシェーダを「スキンシェーダ」と呼び、このスキンシェーダの実装には、表面下散乱(あるいはその疑似的手法)の実装が避けられないとしている。

なお、以前に紹介したハーフ・ランバート・ライティングと鏡面反射分布の調整による疑似的な皮膚表現は、皮下散乱こそ無視しているが、皮膚表現向けにチューニングしたということで、広義にはスキンシェーダと言っても間違いではないかもしれない。

表皮における反射、皮下における散乱

肌表現において、まじめに表面下散乱を実装しつつ、陰影処理も実装することは、非常に複雑そうに思える。

しかし、要素を1つ1つに分け、それぞれを近似モデルや簡易表現で再現することで、なんとか実現できるかもしれない。NVIDIAはこう考え、同社GeForce 8800シリーズ用のデモ「Adrianne」で実装されたスキンシェーダの開発に乗り出したのだという。

さて、皮膚は大まかに考えると、**図9.12**のように薄い脂質部分、表皮、真皮という三層に分かれる。測定によれば、入射した光の6%が脂質層までで反射してしまい、残りの94%が皮下の影響を受けるのだという(**図9.13**)。

大ざっぱに考えれば、皮膚の最表層における反射と、皮下散乱の2つの処理に分けて考えれば実装できるのではないか、と思えてくる。

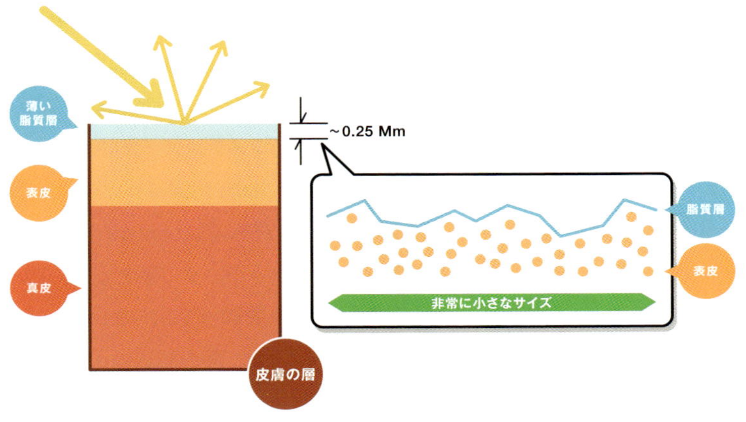

図9.12　人間の皮膚の断面図

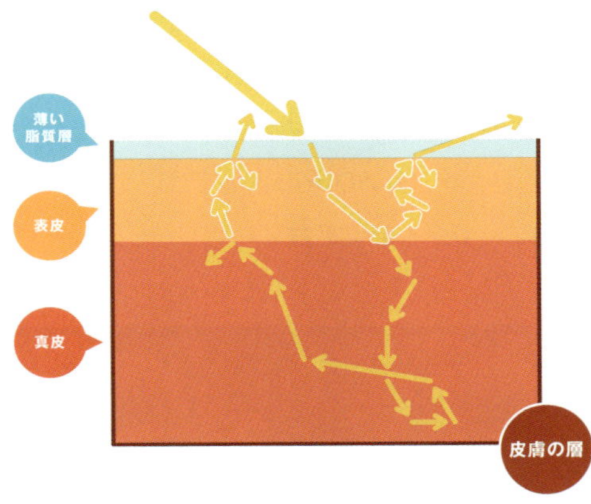

図9.13　皮下散乱の概念図

脂質層における反射

まずは脂質層までで発生する反射について考えてみる。

脂質層における反射の陰影処理は、フォン（Phong）シェーディングやブリン（Bling）シェーディングといった反射方程式を用いるのが一般的だ。

しかし、NVIDIAによれば、フォンシェーディングやブリンシェーディングでは、皮膚面をかすめるような角度で見た場合のハイライトの出方が人肌の実物とは違いすぎるため、「人肌の表現には適さない」としている。

そこで、NVIDIAが選択したのはCsaba Kelemen氏、Laszlo Szirmay-Kalos氏らが2001年に発表した「A Microfacet Based Coupled Specular-Matte BRDF Model with Importance Sampling」の論文をベースとしたKS BRDF法だ。KSはKelemenとSzirmay-Kalosの頭文字、

BRDFはBidirectional Reflectance Distribution Functionの略で、「双方向反射率分布関数」となる。BRDFを簡単に説明すると、光がどう反射するかを光学現象に沿った考え方で一般化したものだ。BRDFにはいくつかの実装法がある。「どう反射するか」を1つの方程式で表すことが困難な場合、実際に測定器で測定したデータを使ってテーブル（テクスチャデータ）を作成し、レンダリング時にこれを参照して陰影計算する方法がよく見られる。NVIDIAが実装した鏡面反射のBRDFは、超微細な凹凸を表面に持つ材質の表現に適したベックマン分布（Beckmann Distribution）で、計算負荷低減のためにベックマン分布を事前計算してテクスチャデータに落とし込んでいる（**図9.14**）。

結局、NVIDIAの実装では、皮膚の表面の陰影計算には法線ベクトル（N）、視線ベクトル（V）、光源ベクトル（L）という三大要素の他に、鏡面反射強度（ρs）、面の粗さ（m）、屈折率（η）に配慮することになる。

ρsとmは前節でも登場したが、鏡面反射強度（ρs）はハイライトの強さに相当し、面の粗さ（m）は超微細面の傾きを表す。感覚的には、面の粗さ（m）は値が小さくなるほどハイライトが狭く鋭くなる傾向がある。屈折率（η）は後述するフレネル反射の計算に用いる。

ρsとmは前節で紹介した「Analysis of Human Faces using a Measurement-Based Skin Reflectance Model」（Tim Weyrich,SIGGRAPH 2006）にあった顔の10個のエリアについての測定情報を参考にすればよいわけだが、NVIDIAの実装では、この測定結果からかなり大ざっぱに見繕った平均値ρs = 0.18、m = 0.3という定数を利用したとしている（**図9.15**、**図9.16**）。

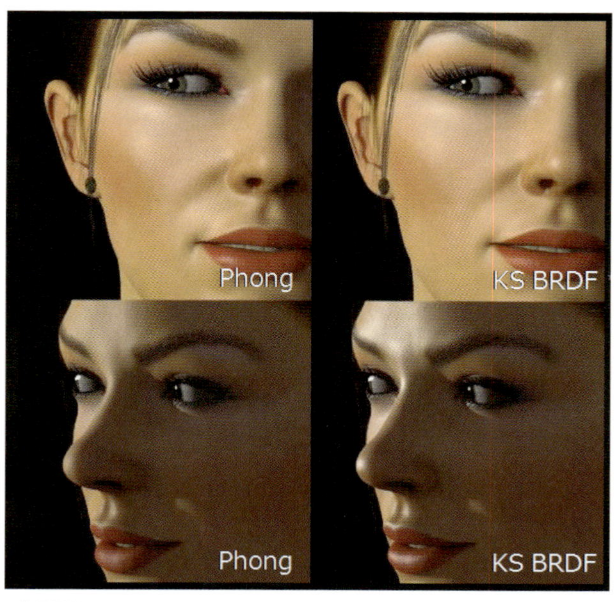

図9.14　光と3Dモデルの位置関係は同じにして、見る位置を変えた場合のフォンシェーディングとKS BRDF法との比較図。正面から見た場合（上段）はあまり違いが見られないが、ハイライトの出やすい「面をかすめる角度」で見た場合（下段）では、明らかにハイライトの出方が違う。KS BRDF法のほうがリアルだ

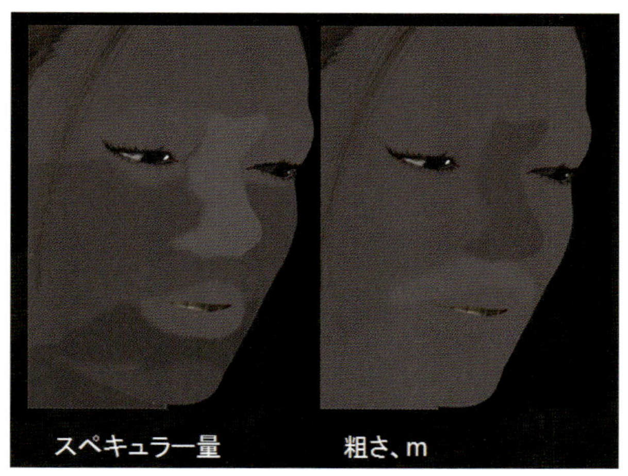

図9.15　左が鏡面反射強度ρsの分布テクスチャ、右が面の粗さmの分布テクスチャ

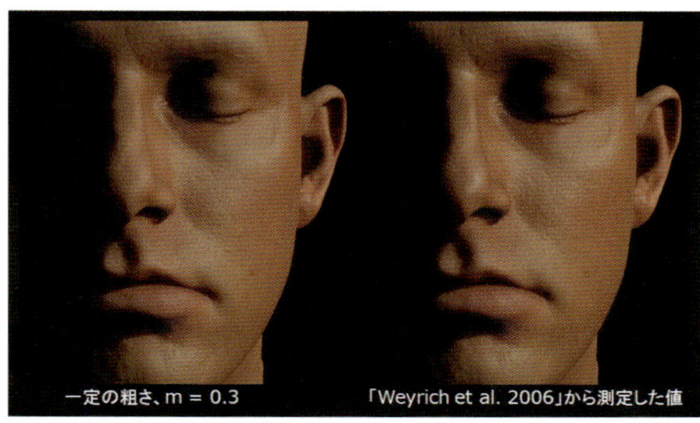

図9.16　左が適当に設定した平均値を用いた定数ρs,mによる結果。右は測定値ベースでρs,mの分布テクスチャを元にした結果。NVIDIAのBRDFベースの実装ではあまり大きな差はないと判断した

フレネル反射についてはChapter 8で解説しているが、もう一度簡単に概念をおさらいすると、水面の見え方で言えば、「水面上の映り込みと水底の見えぐあいを調整するもの」という処理に相当する。一般的には入射した光が視線に対してどういう角度のときにどれだけ反射するか/屈折するかを表すものになる。

人の顔でも、光と視線の角度関係によってハイライトの出方が異なるので、これに配慮しようというわけだ。この計算には屈折率ηが大きく関わってくるうえに、実際の人間の顔では、人によっても部位によっても異なるとされる。NVIDIAの実装では、全体の平均とされる$\eta = 1.4$（法線入射での反射率としては0.028）を使用したとしている。細かいことを言えば、フレネル反射の方程式は定義通りではなく、よく用いられるフレネル反射の高速近似形であるSchlickの近似式を用いている（次ページ **図9.17**）。

なお、算出したハイライトの色は、顔の画像テクスチャの色に配慮する必要はなく、光源色のままでよいとしている。つまり、光源が白色光ならばハイライトは明るい肌色ではなく、その白色でいいということになる。

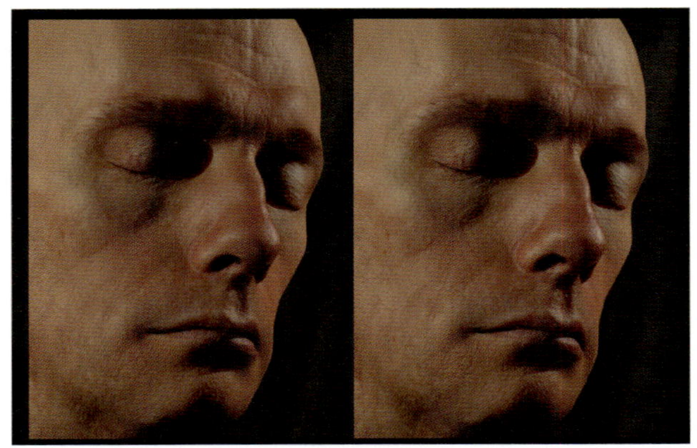

図9.17　左が定義通りのフレネル反射計算を行った結果。右がSchlickのフレネル近似計算による結果

皮下の光散乱をどう取り扱うべきか

それでは残りの94%、皮下の散乱についてはどうするのか。これについては、脂質層での反射とは全く異なるアプローチをとる必要がある。

光が皮下でどういうふうに伝搬したかに配慮しなければならず、それを一意的に求めるのは困難だ。今、描画しようとしている肌のピクセルは、他の位置から入射した光の散乱光を含んでいるかもしれないし、逆に、ここに入射している光が吸収されている影響も考えなければならない。まともに取り合っていては、リアルタイムに計算することはまず無理だ。

そこで、この難しい計算を簡略近似化するアプローチを考えるために、「光が散乱して再び出てくるまでの平均距離はどのくらいなのか」「光が吸収されてしまう平均頻度はどれくらいなのか」ということだけに着目することにする。

ところで、最初の脂質層を突破した入射光の約10%は、この時点で光の指向性は失われて拡散光となってしまう。なお、それ以外の光は、前述したようなKS BRDFとフレネル反射を考慮した反射光だったり、あるいは脂質を抜けて表皮に到達した時点までに吸収されてしまう。

つまり、この脂質を抜けてきた10%の拡散光について、皮下散乱を考えればよいことになる。

であれば、入射光に対して単純に拡散反射の陰影処理を行ってから皮膚テクスチャに乗算し、前述のKS BRDF +フレネル反射の結果と合成するだけで十分であろう。

実は、これに相当する実装を行ったのが、前節のHalf-Life 2の肌の表現になる。これでも悪くはないが、乾いた感じに見えてしまう（**図9.18**）。

この乾いた感じになってしまう原因は、よく考えると当たり前のことだ。

あるピクセルに着目すると、そこから出てくる拡散光は、入射した光が拡散したものだけではない。隣接する他のピクセルに入射した光が、皮膚内で散乱して出てきた（出射してきた）拡散光も含まれるからだ。

これが皮膚のしっとりとした透明感の表現と深い関係があるのだ。ではどうすればいいのか。

NVIDIAが引用したのはCraig Donner氏、Henrik Wann氏らがSIGGRAPH 2005で発表した「Light Diffusion in Multi-Layered Translucent Materials」という論文の方法だ。この論文では「三層の皮膚モデル」という概念を採用し、医療業界、光学系業界で測定された散乱パラメータを用い、3Dモデルのデジタイズサービス企業であるXYZRGB社の高精度頭部モデルを活用して、数分のレンダリング時間で、リアルな顔をレンダリングする技術を発表していた。

NVIDIAがこの論文で着目した点は、皮膚の光散乱は単層ではなく、複数層として処理したほうがリアルに見えるという部分だ（**図9.19**）。

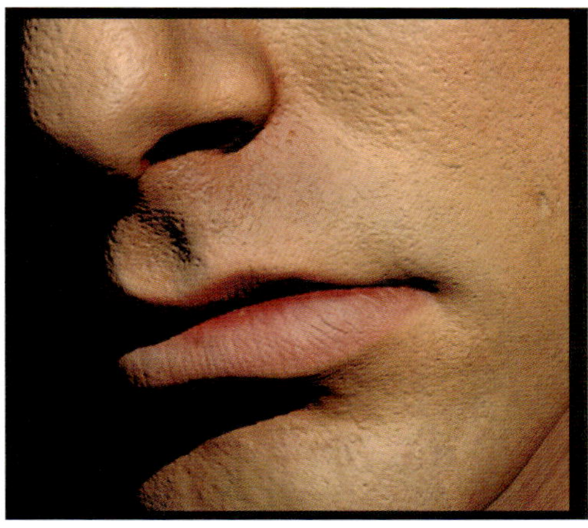

図9.18　KS BRDF＋フレネル反射の結果 ＋ 拡散反射×画像テクスチャだとこうなる。これは実はHalf-Life 2式スキンシェーダとほぼ同じ。乾いた感じに見えてしまう

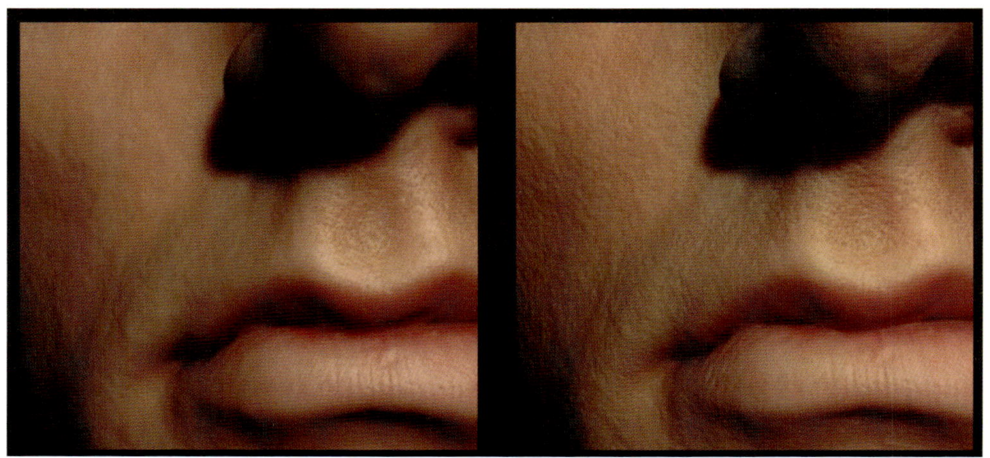

図9.19　左が単層の皮膚モデルでレンダリングした結果。右が三層の皮膚モデルでレンダリングした結果。左はやや蝋人形のように見えてしまっている

単層の光散乱は、大理石や蝋のようなものの表現ではそれなりに効果が高いのだが、異なる散乱パラメータを持った複数層からなる材質については結果があまり芳しくない。人間の皮膚は前出の図9.7の断面図を見ても分かるように、脂質層、表皮層、真皮層の三層からなる。これにより、深く浸透した光は、減退しながらも広範囲に散乱する傾向がある。これが皮膚のリアルな光散乱表現の重大なポイントとなっていると、NVIDIAは考えたわけだ。

結局、陰影処理を行うのは、顔モデル表面のポリゴン上にあるピクセルだけだ。そこで、顔のある点へ入射した光が、その周辺の皮膚に対してどのような拡散光となって返ってくるのかを調べてみる。

これは、1本の光のビームを皮膚に対して垂直に照射したときに、照射点から半径rではどんな色の光がどのくらいの明るさになっているかを求めて計測する(図9.20、図9.21)。この結果のことを、特に「反射率拡散プロファイル」(RDP: Reflectance Diffusion Profile)と呼ぶ。

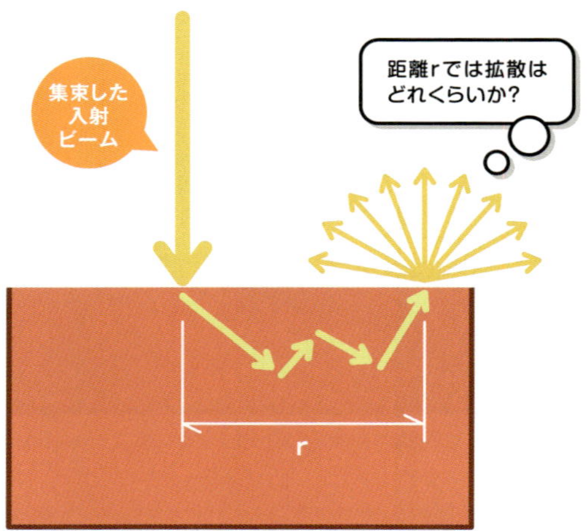

図9.20　皮膚に照射した1本の光ビームが皮膚下でどのように散乱して出てくるのか、その分布を測定する

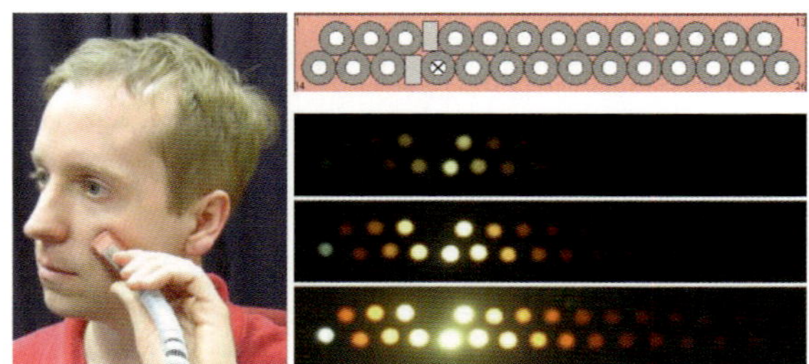

図9.21　実際の計測の様子。全方位に同じ結果が得られると仮定しているため、計測器は一次元(線分)状センサとなっている。「Analysis of Human Faces using a Measurement-Based Skin Reflectance Model」(Tim Weyrich,SIGGRAPH 2006)より

図9.22は「反射率拡散プロファイル」（RDP: Reflectance Diffusion Profile）をグラフ化したものだ。縦軸が反射率（出射光の輝度）、横軸が光を照射した位置からの距離を表す。つまり遠くに行けば行くほど赤が強く残ることを意味している（図9.23）。ここでは特に、赤R・青B・緑Gのそれぞれで、半径距離と反射率の関係が全く異なっているという点に注目しておきたい。

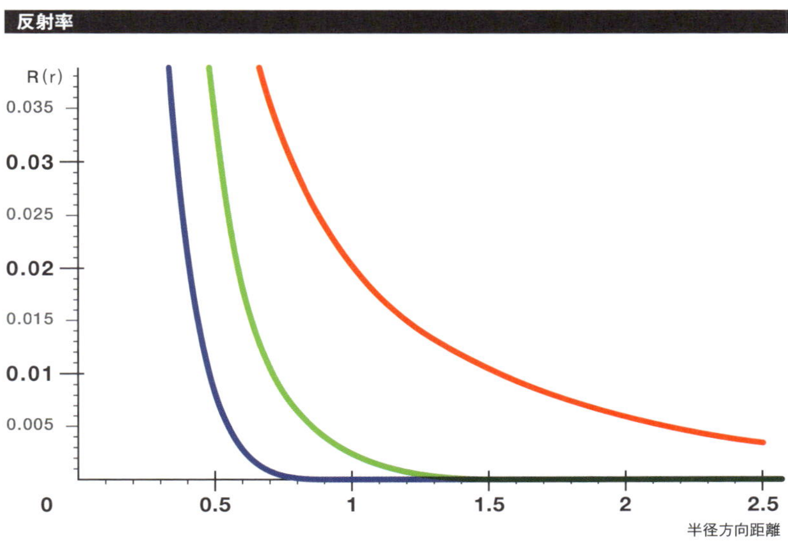

図9.22　「反射率拡散プロファイル」（RDP: Reflectance Diffusion Profile）をグラフ化したもの

図9.23　RDPを二次元平面上に可視化したもの

フィルタ径の異なる複数回のガウスブラーの結果で複数層による光散乱を近似実装

全ての表皮上のピクセルが、このRDPに従って皮下散乱して返ってくると仮定すれば、これで複雑な皮下散乱を簡易実装できそうだ。

しかし、この理屈がうまく行くのは、その表皮面ピクセルに対して垂直に光を照射したときだけだ。しかし、もしこの条件が使えるならば、皮下散乱は全表皮ピクセルに対して、このRDPに従ったボカしを実行すればいい。

表皮面に対して垂直に入っていく光というのは、厳密には求められないが、それでもほとんどは脂質層を抜けてきた拡散光のことと言うことができる。だから、これはつまり、拡散反射の陰影処理を行って、普通に画像テクスチャマッピングをした結果と仮定できる。

そしてRDPに従ったボカしは、顔面上の各ピクセルに対して均等に行う必要がある。

このボカしを実行するためには、ちょっと変わったプロセスをとる。

ピクセル陰影処理（実際のレンダリング）の計算は、きちんとした3D実空間で行うが、その出力（描き出し）は、3Dモデルの皮を切り開き、2Dの紙に貼り付けたような座標系に対して行うのだ（**図9.24**）。立体を紙に転写するようなイメージで、魚拓や地球の地図のような感じだ。

これを、今度は2D座標系（テクスチャ座標系）で、前出のRDPに従う形でボカしてやるのだ（**図9.25**）。まだ細かい問題は残るが、これで表皮は皮下散乱した陰影結果へと近づく。

図9.24　拡散反射計算と画像テクスチャリングは3D空間上で行うが、レンダリングはこのような3Dモデルを切り開いた2D空間上で行う

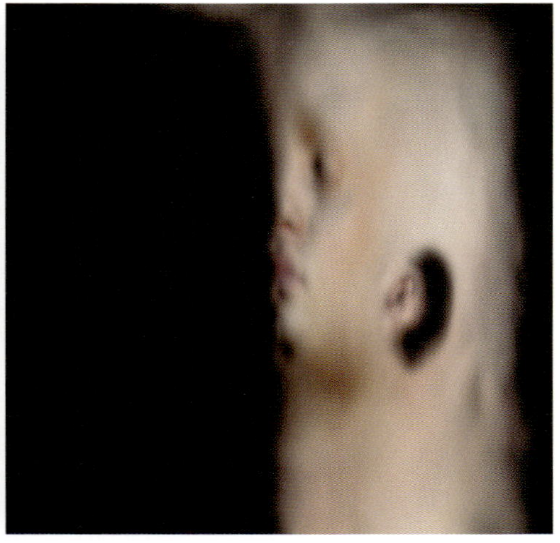

図9.25　テクスチャ座標系で平面としてRDPに従ってボカしていく

このままではただの魚拓画像なので、これを3Dモデルにきちんとテクスチャマッピングし直す。これで皮下散乱したライティングが適用された顔モデルの完成となる。

ただし、ただボカすだけは不十分で、そのブラーのさせ方には工夫がいる。なぜなら、散乱の仕方が光のRGBの各成分によって異なるためだ。そのため、各ボカし半径ごとに、RGBの各成分を異なる減退率でボカし、それらを全て合成する必要があるのだ。

NVIDIAの実装では、ボカし処理はガウスボカし（ガウスフィルタ）を採用している。ガウスフィルタの特性を活用して、左右と上下に２回に分けて実行する方法をとっている。さらに、ブラーの際にはRGBごとに重みを付けて、なおかつブラーの半径を変えて、合計６回行っている。これが前出の「複数層」の概念の再現に相当するわけだ（**図9.26**～**図9.29**）。

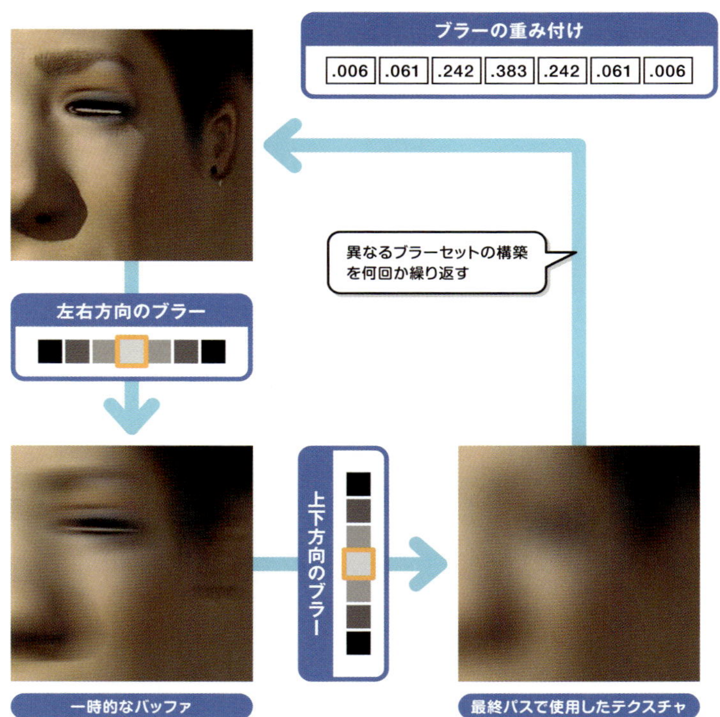

図9.26　テクスチャ座標系でのブラーの概念図。ガウスボカし（ガウスフィルタ）は左右と上下に２回に分けて実装できるのが特徴で、GPU向きの処理と言える（この図の結果は、あくまで概念説明のための例で、実際のブラーの結果とは違う）

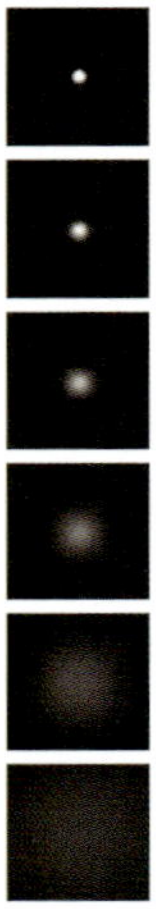

ブラー幅(mm)	ブラーの重み付け R(赤)	G(緑)	B(青)
0.042	0.233	0.455	0.649
0.220	0.100	0.336	0.344
0.433	0.118	0.198	0
0.753	0.113	0.007	0.007
1.412	0.358	0.004	0
2.722	0.078	0	0

最終の
リニアな合成

図9.27　異なるブラー半径ごとに異なるRGBごとの重みを付けてガウスブラーを6回行っている。この表は、前出のRDPに従うように生成されたガウスフィルタにおけるフィルタ径ごとのRGB重み係数。上段が中心部に相当し、下段に行くほど外周であることを表す。外周ほど赤成分が強く残るようになっているが、前出のRDPの特徴がこの表からも確認できる

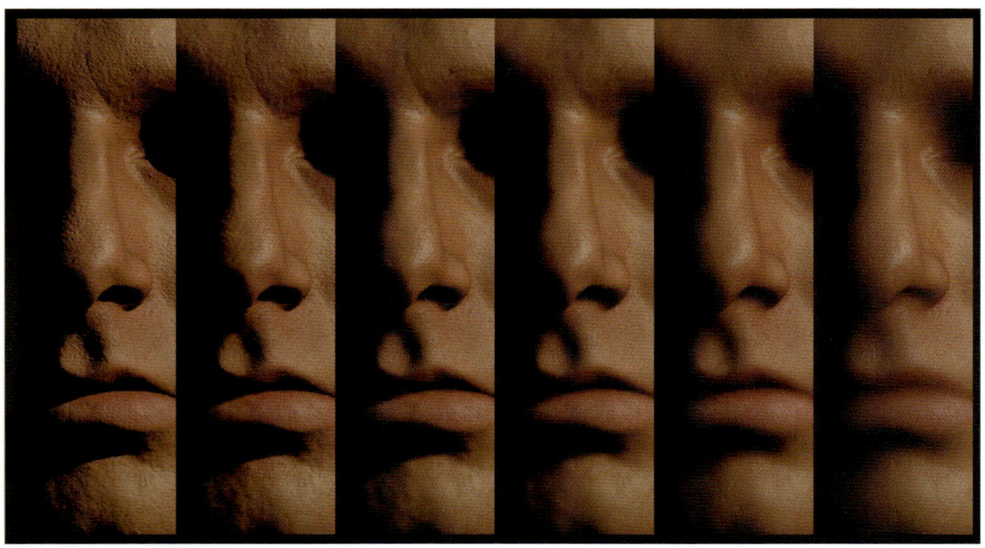

図9.28　6回分の異なるフィルタ径でボカした結果。左端が最も狭く、右端が最も広い。左端が前出の表で示した最上段の重み係数でブラーしたもの、右端が表で示した最下段の重み係数でブラーしたものになる

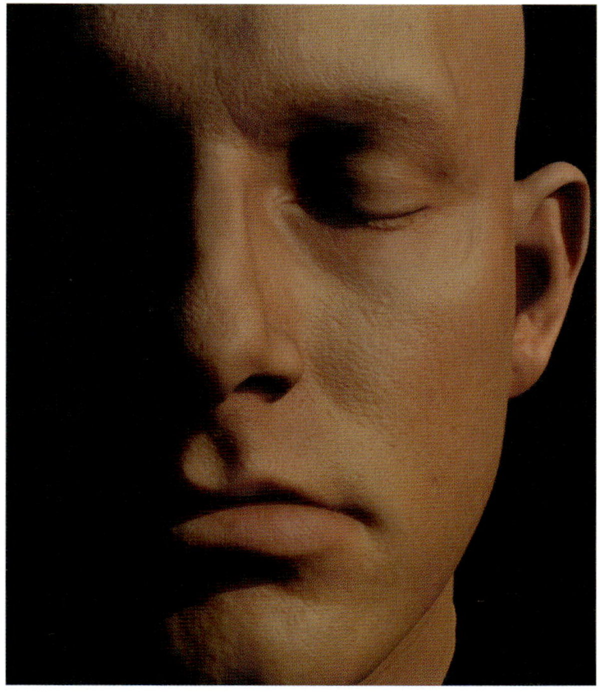

図9.29　ブラーなしのオリジナルと6枚分のブラー結果を全て合成したもの

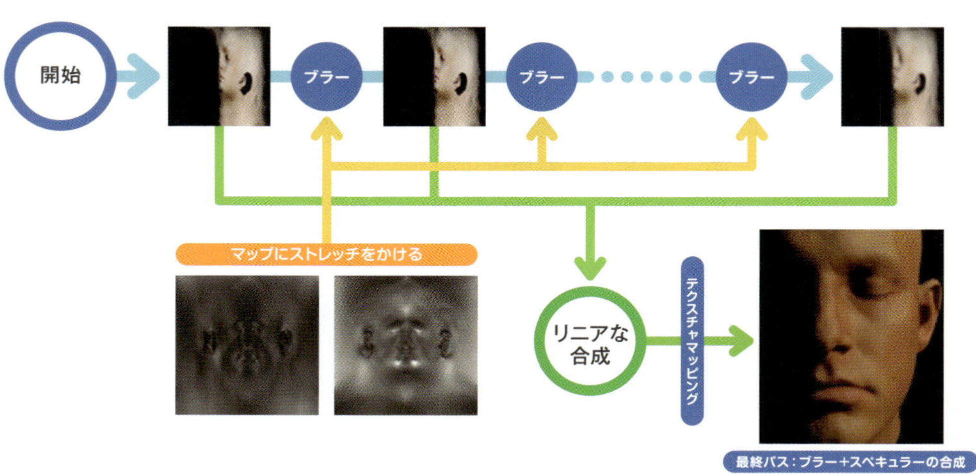

図9.30　ここまでのプロセスのフロー図。左下のストレッチ補正については後述する

皮下散乱ブラーによって生成された複数のブラー結果はリニア合成され、この結果が皮下散乱成分となる。これと一緒に、最初に求めておいた脂質層での反射結果(KS BRDF +フレネル反射)を、もう一度、テクスチャマッピングに適用すれば完成となる(**図9.30**)。

テクスチャ座標系でブラーさせたことによる弊害（1）～歪み

テクスチャ座標系、すなわち2D空間で一様にボカしてしまうと、3D空間上では奥のほうが広く強くボケてしまうことになる。**図9.31**中の白い"□"は、2D空間上では同じ大きさだが、3D実空間上では耳のほうが奥にあるために小さくなっており、これを手前の鼻と同じ径でボカしてしまうと、強くボケすぎる。すなわち、皮下散乱しすぎてしまうということになる。

これはテクスチャ座標のU,V系と3D空間上のズレから来る歪みだ。より正しい光散乱を得るためには、この歪みについて補正することを考えなければならない。

これについては、テクスチャ座標と3D空間とのズレの度合いを、事前に計算してテクスチャデータとして持っておき（歪み補正マップ）、テクスチャ座標系でのボカし処理を行う際に、このズレの度合いをボカし半径のスケール値（縮小率）として利用すればいい（**図9.32**、**図9.33**）。

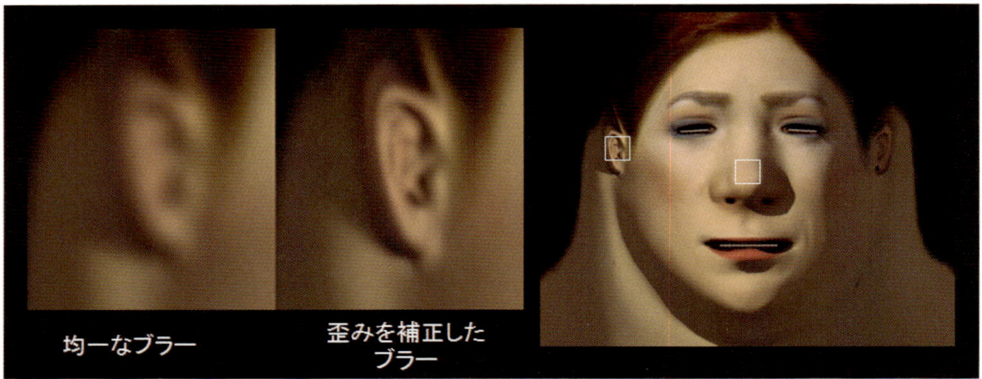

図9.31　鼻の頭の"□"と耳の部分の"□"はテクスチャ座標系では同じ大きさだが、3D実空間上では耳のほうが奥にあるため小さくなる。これを手前の鼻と同じフィルタ径でボカしてしまうと強くボケすぎる。すなわち、皮下散乱しすぎてしまうということになる

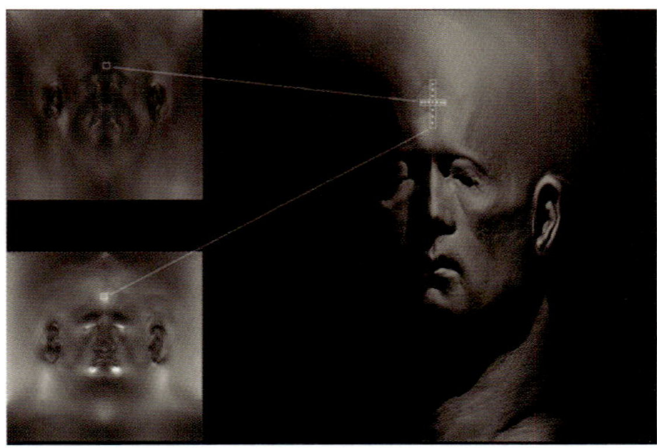

図9.32　事前計算で、奥行き情報を考慮して計算したストレッチ補正係数をテクスチャに格納して用意しておく。この図の左上が横（U）方向の歪み補正マップ、左下が縦（V）方向の歪み補正マップ。横方向のガウスブラーをかけるときには前者に配慮し、縦方向のときには後者を参照する

図9.33　どの程度歪み補正がかかっているかを格子模様で検証した結果（上段と下段ではブラー径が違う）。左側がストレッチ補正をしなかった場合の結果、右側がストレッチ補正をした場合の結果

テクスチャ座標系でブラーさせたことによる弊害（2）～継ぎ目

テクスチャ座標系のガウスブラーを行うと、テクスチャの境界部分にテクスチャメモリ上の初期化色（黒）がにじみ入ってきてしまい、最終レンダリング結果で「継ぎ目」として可視化されてしまう問題が発生する（**図9.34**、**図9.35**）。

図9.34　ブラー元のテクスチャはこのように出力されている

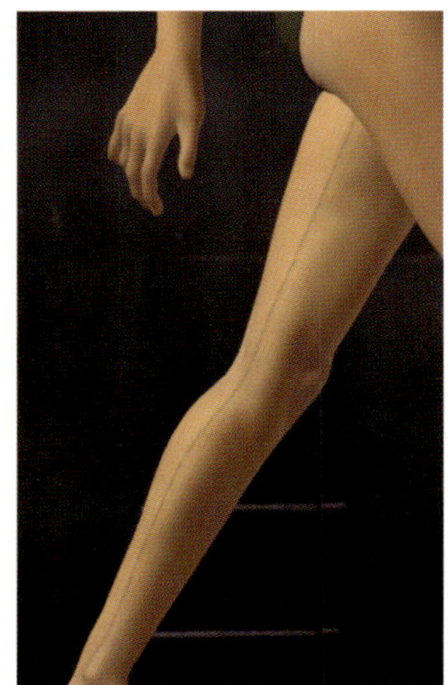

図9.35　このため、テクスチャ座標系でブラーしただけでは、テクスチャの初期化色がにじんできてしまい、3Dモデルへテクスチャマッピングしたときに「継ぎ目」が露呈してしまう

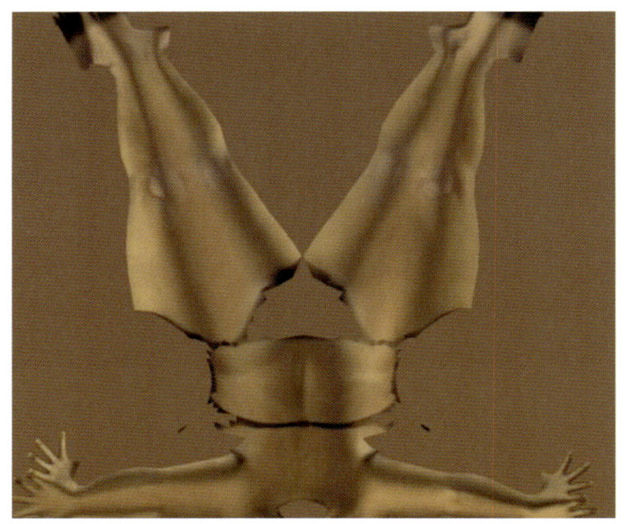

図9.36　最も簡易的な実装としては、そのテクスチャの初期化色を皮膚の平均色としてしまう案がある。NVIDIAによれば、これでも十分効果があるとしている

これについてはNVIDIAはいくつかの解決のアプローチがあるとしている（図9.36）。

例えば、前述の歪みマップを修正して輪郭付近では特別な値を入れ込んでおき、初期化色を参照しないようにする工夫を入れたり、あるいはブラーの元とするテクスチャ側のαチャンネルに対し、エッジ付近か否かのフラグ的に活用するというアイディアもある。これは、NVIDIAの「Adrianne」と「Froggy」のデモではうまく行ったと報告されている。ただし、ピクセルシェーダでの条件分岐処理が必要になり、パフォーマンスインパクトは大きい。

テクスチャ座標系でブラーさせたことによる弊害（3）～ディテールの消失

皮下散乱ブラー元のテクスチャは、3Dモデルに対して拡散反射の陰影処理を行い、画像テクスチャマップを適用し、これをテクスチャ平面に描き出したものであった。

問題は、肌の模様や微細凹凸を記録した法線マップの陰影処理（バンプマッピング）の結果（＝ディテール表現）をどう取り扱うかという点だ。

バンプマッピングまでを適用してテクスチャ平面にレンダリングし、これに対して皮下散乱ブラー処理を適用してしまうと、このバンプマッピングによる微細凹凸の陰影が薄くなってしまう。

それでは、逆に、「初期の拡散反射ライティングと皮下散乱ブラー」、「画像テクスチャ処理、法線マップ処理」を分離して実行する実装方法はどうか。つまり、3D顔モデルのライティングでは拡散反射の陰影処理だけを行ってテクスチャ平面に描き出す。これに対して皮下散乱ブラーを行ってしまい、その結果に、画像テクスチャや法線マップを掛け合わせるという実装だ。

しかし、この実装法では、微細凹凸やシワが強く残りすぎてしまい、皮下散乱ブラーによるしっとりしたライティングとの相性が悪くて不自然に見えてしまうことが多いという（図9.37）。

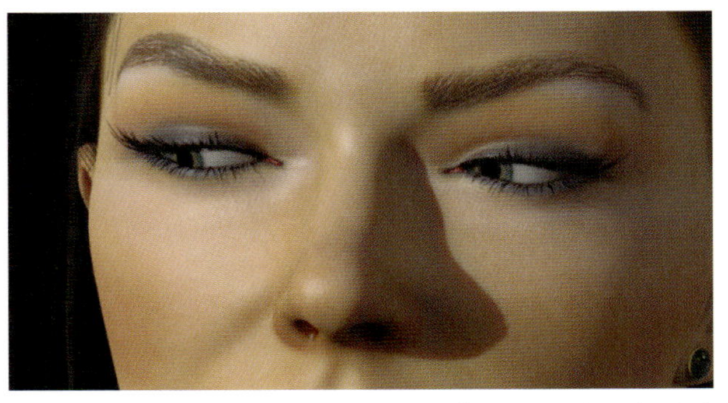

図9.37　静止画写真では分かりにくいが、最初に拡散反射成分だけを皮下散乱ブラーさせて、後でテクスチャ処理を行うとディテールが残りすぎる傾向がある

NVIDIAによればこの実装は、写真などから作成したテクスチャとは相性がよい、という。これは写真ベースの皮膚テクスチャだと、皮膚の肌理（きめ）やシワの微細凹凸が、撮影時点で皮下散乱をしているために適度にぼやけており、皮下散乱ブラー結果との相性がよいためらしい。

であれば、適度にディテールを残し、適度にディテールを失うような方法がよいのではないか。ということで、NVIDIAは中間的な方法を考案した。

最初の皮下散乱ブラーに用いるためのテクスチャ素材を作成する段階では、拡散反射のライティングを普通に行うが、これとディテール・テクスチャ色の掛け合わせについては、ディテール・テクスチャ色を減退させて行う。そして、この皮下散乱ブラーの結果に対してもう1回、減退させたディテール・テクスチャ色を掛け合わせる。皮下散乱ブラーの前後に減退させたディテール・テクスチャ処理を行うというようなイメージだ。

演算の観点から見ると、ディテール・テクスチャ色が2回掛け合わされることになるので、この減退のさせ方が重要になってくる。例えば、前段階（皮下散乱ブラー前）で半分、後段階（皮下散乱ブラー）で半分として、単純に1/2としたのでは1/2×1/2で1/4となってしまう。2乗で元に戻ればいいのだから、例えば"半分に減退させる"ということであれば、平方根（√）を用いればいい。

ただ「1/2で決め打ち」という定数処理では拡張性がなさすぎるので、これを一般化するために「べき乗演算」（pow関数）を用いる。例えばXの平方根はXの1/2乗だ。NVIDIAの実験では、前段階でディテール・テクスチャ色を0.82乗し、後段階で0.18乗した減退率パラメータを用いたとのこと。

この皮下散乱ブラーの前後でディテール・テクスチャ処理を行うという処理系は、一見、荒唐無稽に思えるが、NVIDIAによれば、実は物理的にも意味があるとしている。

光は、皮膚の肌理（きめ）やシワを含む微細凹凸を有するディテール層（光吸収層）にも入射するが、内部で散乱して再びここから出射もするので、実際問題として光は2回、このディテール層に関わってくる。この前後のディテール・テクスチャ色の掛け合わせは、この現象を近似的に行ったことに相当する、というのだ（次ページ 図9.38）。

図9.38　光の入射と出射で、ディテール層（吸収層）を２回通過することの疑似的な再現が、皮下散乱ブラーの前後にテクスチャ処理を行うことに相当する

大局的な皮下散乱はどう取り扱うか

局所的な皮下散乱はなんとか再現できた。それでは大局的な皮下散乱はどう取り扱えばよいのか。

局所的な皮下散乱とは、皮膚上のピクセルに入ってきた光に対する光散乱のことであった。一方、大局的な皮下散乱とは、視点と光源が相対する関係にあって、その間に3D顔モデルがあるような…すなわち逆光のような関係になったときに、皮膚の層の薄い部分から光がにじみ出てくるように見えるような現象を指す。言い換えれば、大局的な皮下散乱とは、光源からの光が直接的に3Dモデル全体に対して及ぼす表面下散乱のことだ。

例えば、耳のような厚みのない部位は、逆光のアングルで耳が光を遮蔽しているような場合でも、光が耳を浸透してこちらに突き抜けてくる。陰影上は"陰"となっている部分でも、ほんのりと明るくなる。これは、皮膚自体の透明度は低いが、半透明な材質であるからこそ起きる現象であり、これも皮下散乱現象の１つである。

2D空間ベースでボカした皮下散乱テクニックでは、人体そのもの（顔そのもの）で遮蔽している光の散乱には対処できない。これについては、人体（顔）の厚み情報をレンダリングし、その厚みに応じた「光のにじみ出し」を付加することで対処できるとしている。

NVIDIAは、このレンダリングの仕組みを、半透明シャドウマップ（TSM: Translucent Shadow Maps）と呼んでおり、NVIDIA GeForce 7800用のデモ「Luna」で活用されたテクニックと同じだ。

この方法では、まず初めに、キャラクタモデルの厚みを算出する。光源からの深度情報と、視点からの深度情報の差分を取ることで算出できる(図9.39)。

レンダリング時は、そのピクセルに対応する光源方向までの距離、光源方向への厚み情報を参照して、その"厚み値"に応じた光量が漏れてくるように、ピクセル色を決定する。具体的には、厚み値が小さければ薄いということなので、背後の光がこちらへ透過して出てくる、と判断して明るめにする。逆に、厚み値が大きければ大きいほど厚いということで、光の透過量は小さくなるし、ある厚さ以上は全く透過してこない、というようなことにする(図9.40、次ページ 図9.41)。

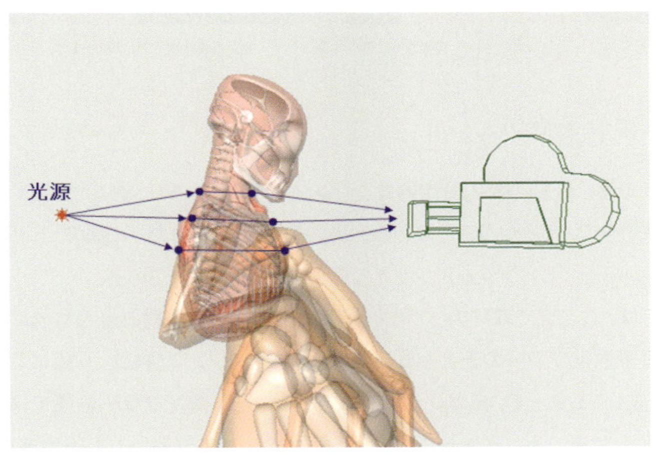

図9.39　視点から見て、光源からの光を遮っている物体の厚みを求めるには、光源から3Dオブジェクト背面までの深度と、視点から3Dオブジェクト前面までの深度の差で求められる

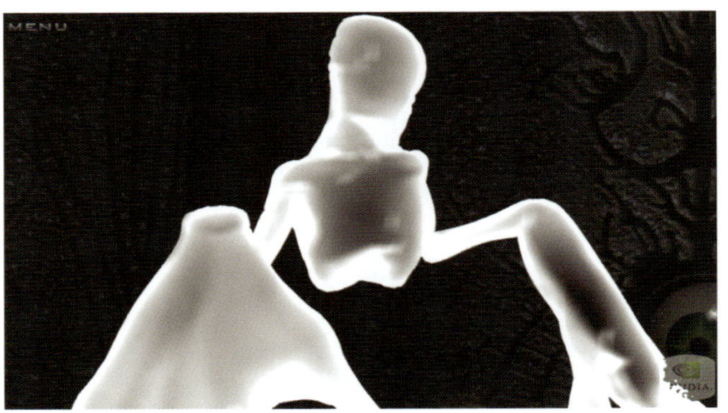

図9.40　その方法で求めた厚み情報を可視化したもの（映像はNVIDIAのデモ「Luna」のメイキング映像の中から）

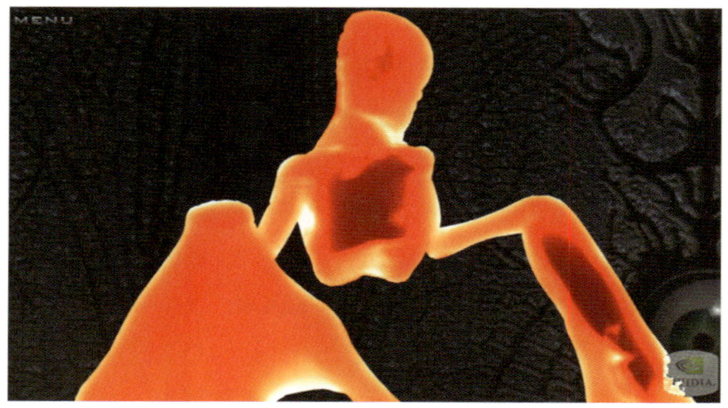

図9.41　この情報を元に、背後からこちらへ透過してくる光の量を疑似的に求める

影の処理はどうするか

NVIDIAの実装では、デモ自体が限定的なシーンということもあり、影の生成はごく普通のデプスシャドウ技法を採用しているという。そのため、鼻の影が頬に落ちたり、額の出っ張りの影が目のくぼみに落ちたりといった、セルフシャドウ付きの影表現が実践されている。

この影については、ここまで取り扱ってきた皮下散乱再現とどう組み合わせればいいのか。

実は、これは皮下散乱ブラーの元となるテクスチャレンダリング時に、一緒にこのリアルタイムセルフシャドウを生成してしまっているという。影のエッジは皮下散乱ブラー処理でぼやけるが、これはちょうど、影のエッジ付近にも、光が当たっている部分からの皮下散乱した出射光が出ていることの再現になっているため問題はないし、それどころか物理的にも意味があるのだという（**図9.42**）。

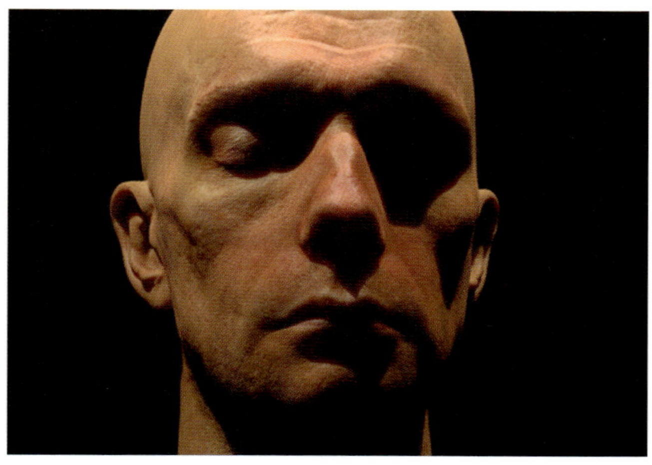

図9.42　セルフシャドウのエッジ部分がほのかに、独特のグラデーションでぼやけているのも、確かに自然かつリアルに見える

ゲーム実装向けの画面座標系の表面下散乱手法

NVIDIAの「Adrianne」デモや顔面デモはかなりゴージャスな実装となっており、このままゲームに持っていくのは描画負荷的に厳しいだろう。

現行のGPUをターゲットにして3Dゲームに実装するには、NVIDIA実装では6回やっている皮下散乱ブラーを半分にしたり、テクスチャ処理を皮下散乱ブラーの前後に行っているのをどちらか1回にしたり、または大局的な皮下散乱は無視するなど、様々な省略化をしていく必要があるだろう。

Activision BlizzardのJorge Jimenez氏は、ある程度の正確性を切り捨てつつも、NVIDIAの「Adrianne」デモで用いられた発想を簡易的に実装する手法を考案している。

Jimenez氏の手法でも、283ページで紹介したような「反射率拡散プロファイル」(RDP: Reflectance Diffusion Profile)を用いて、拡散反射のライティング結果をブラーでぼやかす概念自体は同じだ。しかし、Jimenez氏の手法ではブラーでぼやかす次元を、3Dのテクスチャ座標系ではなく、2Dの画面座標系(Screen Space)としている。

この特徴的なアプローチから、Jimenez氏はこの手法に対して「Screen-Space Subsurface Scattering」(SSSS)という名称を与えている(*1)。

(*1) 現在では「Screen-Space Subsurface Scattering」は改良されて「Separable Subsurface Scattering」と改称されたが、「Screen-Space Subsurface Scattering」の呼び名のほうが知名度が高いため、本書ではこちらを用いている。また、略称もSSSSとS4つで表記することにする。

SSSSでは、人間キャラクタがレンダリングされたフレームの人肌に対して、選択的にRDPに従ったガウスブラーをかけ、近似的な表面下散乱を実現するわけだ。この近似的な表面下散乱のためのブラー処理は、画面座標系のポストプロセス的に実施するということになる。

このポストプロセス的なアプローチだと、1フレーム内に人体が1人だけだろうが、100人いようが、ほぼ同一の処理時間で済む。ただし、視点から近い人体と遠い人体とでは、そのブラーでぼやかすブラー径の大きさが異なってくる。具体的に言えば、近いキャラクタはブラー径を大きくして強くぼやかさなければならず、遠いキャラクタはブラー径を小さくして弱くぼやかせる必要があるということだ。

これについては、深度バッファを参照して対象までの遠近を見極め、ブラー半径を決定する。カメラのピンボケ表現である「被写界深度の表現」でも、ピントが合っている箇所とボケている箇所のブラー半径(ボカし強度)は、各被写体の深度値を元に決定するが、これと同じ考え方だ(次ページ図9.43～図9.45)。

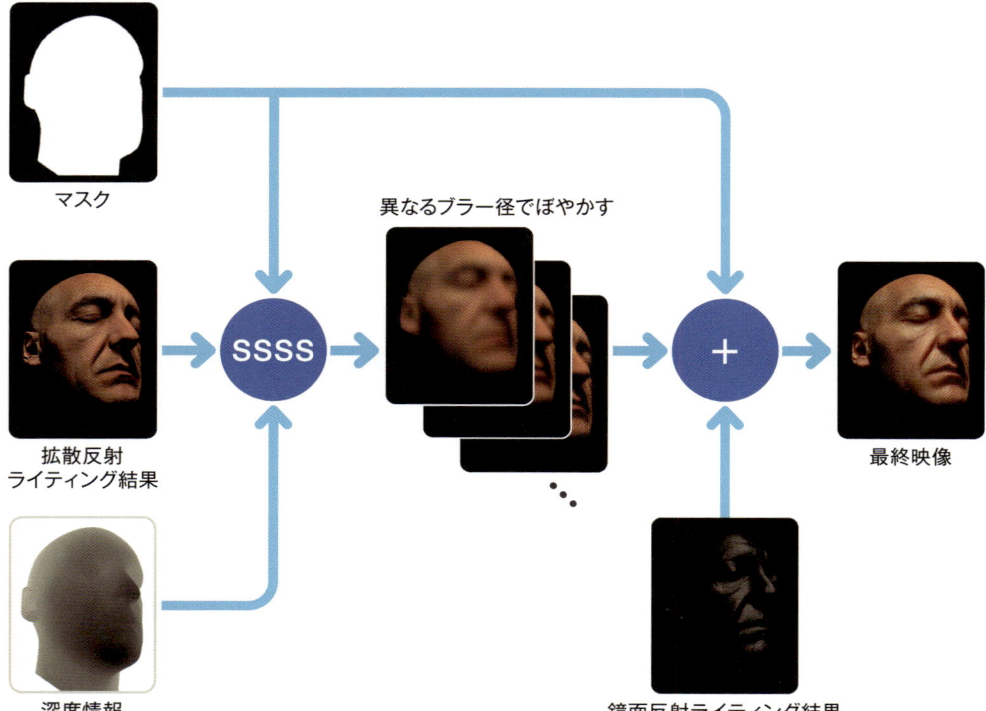

図9.43　SSSSのアルゴリズム概念図。画面座標系のポストプロセスとして実践できるので画面内に人が何人いようが、固定的な負荷で近似的な表面下散乱が実践できる

図9.44　SSSSによるレンダリング結果・その1

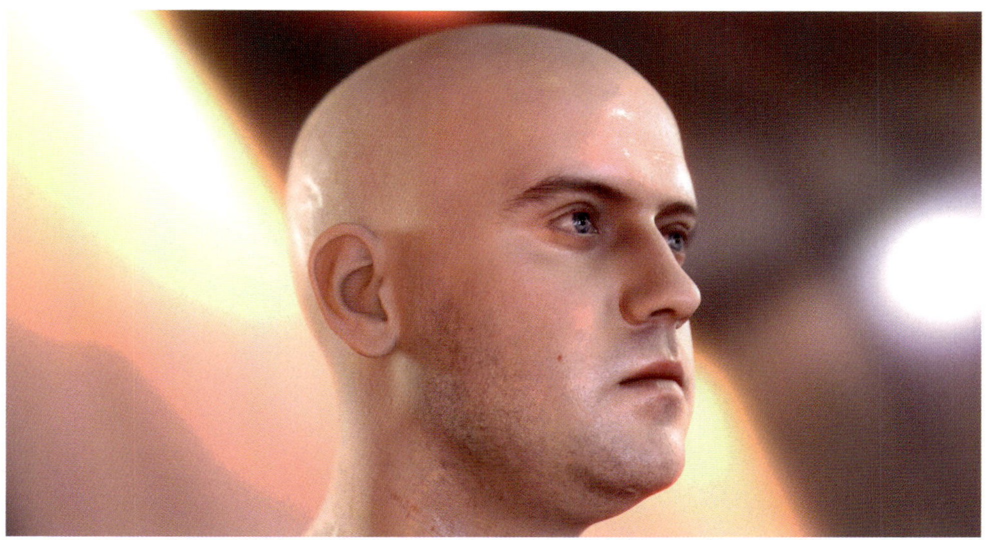

図9.45　SSSSによるレンダリング結果・その2

なお、このSSSSは、スクウェア・エニックスのゲームエンジン「Luminous Studio」のテクニカルデモ「AGNI'S PHILOSOPHY」においても採用されたことでも注目を集めた（次ページ **図9.46**）。Jimenez氏が論文で提唱するSSSSでは、NVIDIAの「Adrianne」デモと同じように異なるブラー径で複数回ブラーさせて合成する手法をとっていたが、「AGNI'S PHILOSOPHY」においては、このブラー処理を1回しか行わない実装としている。また、ブラー処理に関しても、ガウスブラーではなくポワソン・ディスク・サンプリング（POISSON DISK SAMPLING）法を採用し、ブラー対象の遠近に応じたブラー径の対象調整を行っている。

SSSS OFF

SSSS ON

図9.46　SSSSは、スクウェア・エニックスのゲームエンジン「Luminous Studio」のテクニカルデモ「AGNI'S PHILOSOPHY」における人肌表現でも採用された

SSSSと曲率依存型疑似スキンシェーダの軽量型ハイブリッド手法「PSS」

スクウェア・エニックスの「ファイナルファンタジー XV」(2016年)では、SSSSの概念と272ページで取り上げた曲率依存型疑似スキンシェーダの概念を組み合わせた軽量型のスキンシェーダを採用している。

この手法は「Pre-integrated Skin Shading」(PSS)と呼ばれるもので、SSSSよりも低負荷にもかかわらずSSSSに近い品質の皮下散乱陰影効果が得られるという特徴を持つ。PS4/Xbox One世代のゲームに採用事例が多く、「ファイナルファンタジー XV」以外には「バトルフィールド 3」(EA, 2011)、「The Order: 1886」(SIE, 2015)といった採用事例がある。

PSS法の基本的な考え方は前述したように曲率依存型疑似スキンシェーダと同じだが、その際に発生させる光漏れの特性をRDPに準拠して実践するところがポイントとなる。

人間キャラクタを構成している曲面の曲率の大小は様々だ。例えば顔面であれば、鼻は小さいので曲率は高いが、頬や額は緩やかな曲面なので、逆に曲率が低い。鼻のように曲率が高いほうが、肉厚が薄いため半透明性が高く、頬や額は厚いので半透明性が低いと仮定できる。半透明性が高ければ、入射した光はより多く漏れてくるはずだ。そしてその"漏れ特性"は、皮膚である以上、RDPに従うはずである。

つまり曲率、光源の向き、面の向き、RDPの4要素で、人体モデルの表皮の陰影を計算しようというのが、PSS法の基本着想になる(次ページ 図9.47)。なお、人体モデルの各部位ごとの曲率はあらかじめテクスチャマップ等に事前生成しておくことになる。

PSS適用前

PSS適用後

図9.47 「Pre-integrated Skin Shading」(PSS) の効果

重要性を増してきた顔面アニメーションへの取り組み

また、顔面の場合は、肌の質感の表現だけでなく、表情表現のリアリティ向上も重大なテーマとなってきている。

この分野については、人間の表情を実際に取り込んで3Dモデルに適用する顔モーションをキャプチャして利用するものと、解剖学や精神医学の理論をベースに表情を人工的に合成して3Dモデルに適用する2つのアプローチがある。リアリティ面では前者が優位で、後者はアニメーション開発コストの節約に優位、というのが現在の認識だが、後者の進化は著しく、リアリティの面でモーションキャプチャ式に肉迫するところまで来ている。

AVID社から登場した人工表情合成の開発ソフトウェア「FACE ROBOT」は、その最先端の実例で、実際のゲームや映像製作現場で積極的に利用され始めている。

2000年代のゲームで、後者の人工合成表情方式にこだわって採用していたのは、このChapterの前半にも登場したValveのHalf-Life 2シリーズだ。同作ではキャラクタの表情制御に、カリフォルニア医大の精神医学教授であり、心理学の分野でも著名なPaul Ekman博士の理論を実装しており、パラメータの組み合わせとそのパラメータの推移だけで、リアルな表情変化や感情表現を実現できている(**図9.48**)。

カプコンの「ストリートファイターIV」(2008年)は、格闘ゲームながら、意欲的に顔面アニメーションを取り入れた作品だ。

図9.48 「Half-Life 2: EPISODE TWO」(2007年)より

図9.49 「ストリートファイターIV」の顔面アニメーション

現実の人間よりもオーバーアクション気味な顔面アニメーションを取り入れることで、マネキン人形が闘っているだけにしか見えなかった3Dグラフィックスベースの格闘ゲームに、闘うキャラクタの躍動感とライブ感を演出するのに成功した（図9.49）。なお、この作品の場合は、全ての顔面アニメーションを手付けで行っており、フェイシャルキャプチャ技術などは用いられていない。

人間は、人間自体の顔表現にとても敏感なので、このChapterで述べてきたような陰影処理結果としての人肌表現と、顔面の動きとしての表情表現のどちらもが納得のいくレベルで同時に再現されていないと、見る者に不自然さを感じさせてしまうことだろう。

眼球の表現の重要性

人間は人間を見るとき、眼を見ることが多い。だからこそ、「眼のリアル度」が、「人間表現のリアル度」に直結していると考えられている。

顔面の表現において、人肌がリアルになり、顔面の表情が感情豊かになったとしても、最終的なCGキャラクタの演技力の決め手は「眼力」（メヂカラ）にあるような気がしてならない。CGキャラクタの演技に最終的な「気迫」や「精気」を与えるのは眼球表現なのではないか。

しかし、これまでのゲームグラフィックスでは、画面の面積比的に小さくなってしまうキャラクタの眼球表現への取り組みは、どうしても優先順位が低かった。

ところがGPU性能に一定の余裕が出始めてきた昨今では、このテーマにも力が注がれ始めてきている。

スクウェア・エニックスのゲームエンジン「Luminous Studio」のテクニカルデモ「AGNI'S PHILOSOPHY」は、この眼球表現にかなりのこだわりを見せたパイオニア的な作品だ。「AGNI'S PHILOSOPHY」では、解剖学に基づく眼のレンダリングに取り組んでいる。

人間の眼球形状は完全な球体ではなく、角膜部分が盛り上がった形をしており、その表面は涙で濡れている。また、「黒目」を取り囲んでいるように見える虹彩は、その内側にある。さらにその「黒目」と呼ばれる部分は瞳孔内の暗闇部分であり、その「黒目の実体」としての"黒"い部分は、眼球の内部に存在する(図9.50)。

このような複雑な構造をした眼の再現を実現するために、「AGNI'S PHILOSOPHY」では特別な反射を再現する「眼球シェーダ」の設計に取り組んだ。この眼球シェーダの設計にあたって、留意したポイントがいくつかある。

1つは盛り上がった角膜部分の表現。これは、いわゆる一般的な法線マップを用いたバンプマッピングを用いて実践している。

2つ目は、角膜の奥に見えるくぼんだ虹彩の表現。このくぼんだ虹彩の陰影は、法線マップを用いたバンプマッピングを逆転させて適用することで実現している。バンプマッピングが疑似凸陰影表現ならば、これは疑似凹陰影表現といったところか。

3つ目はハイライト。眼球に入射した光は、眼球の表面で鏡面反射してハイライトを生じさせる(一次ハイライト)。一方、鏡面反射しなかった光は、角膜上で屈折しながら入射し、前房を通過して水晶体で反射する。その反射光は逆経路をたどって眼球面から出射し、もう1つのハイライトを生じさせる(二次ハイライト)。この表現は、前述してきたような凸状の法線マッピングと凹状の法線マッピングの両方による鏡面反射のライティング計算を行うことで実践している。

ここまでをまとめると、次ページ 図9.51～図9.54のようになる。

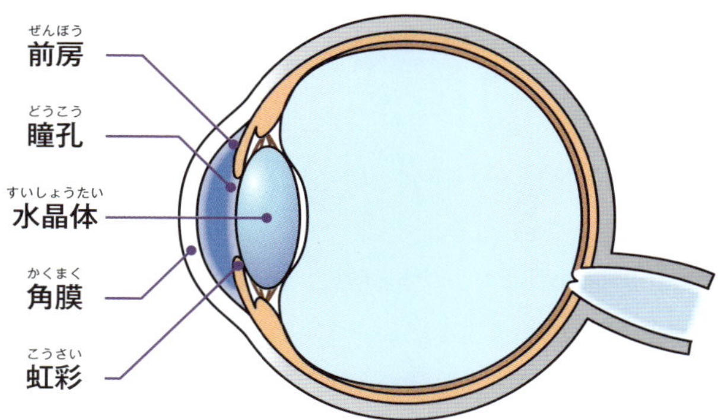

図9.50　眼球の構造

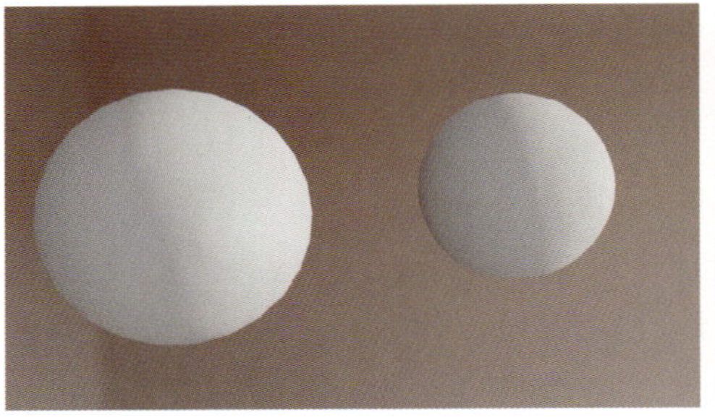

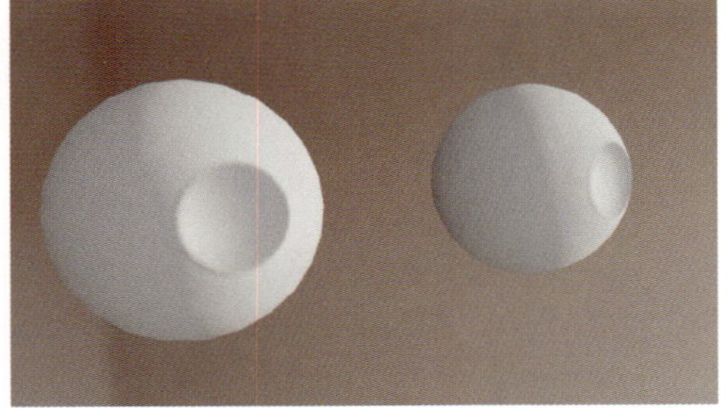

図9.51　くぼんで奥に見える虹彩の陰影は、一般的な法線マップを逆転させて適用する凹マッピングとも言うべき処理で実践している

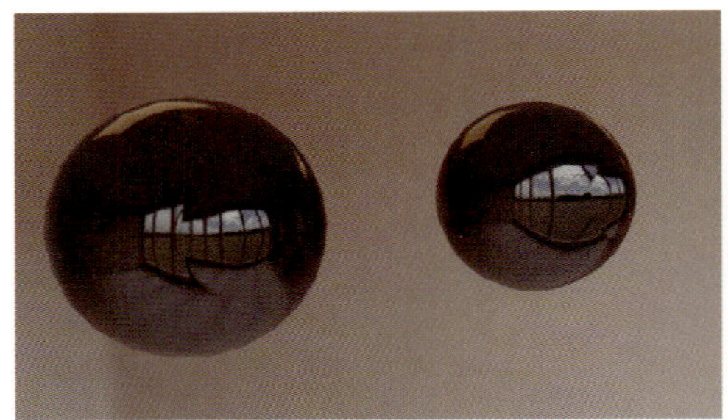

図9.52　映り込み表現は、キューブ環境マップ等を法線マップに配慮したバンプマッピングで適用。映り込みが角膜の部分だけ凸状で見える

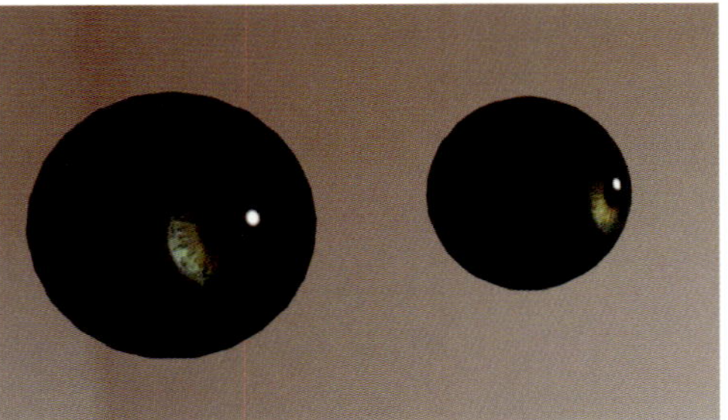

図9.53　角膜上のハイライトと虹彩上のハイライトは、凸状の法線マッピングと凹状の法線マッピングにおいて鏡面反射ライティングを行うことで実践している

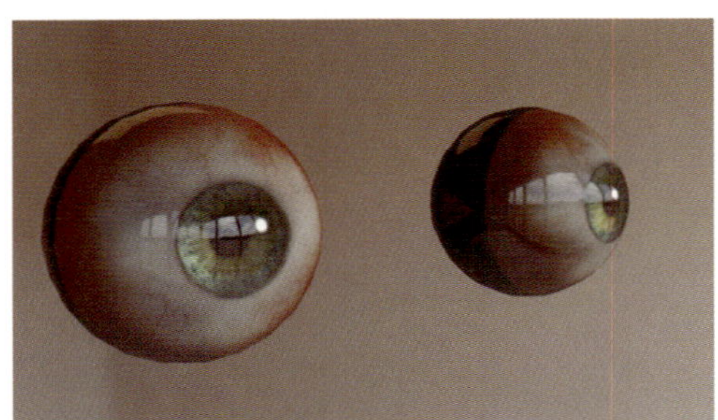

図9.54　最終映像

４つ目は屈折だ。視点からの視線ベクトルは、盛り上がった角膜によって屈折するので、折り曲げられて歪んだ虹彩や瞳孔を見ることになる。

これは、眼球上のピクセルをレンダリングする際に、虹彩や瞳孔（黒目）のテクスチャをオフセットさせてサンプルすることで実現される（**図9.55**）。この結果、虹彩や瞳孔（黒目）は引っ込んでずれて見えるのだ（**図9.56**～**図9.60**）。なお、処理系としては、本書Chapter 3の98ページの視差マッピングとほぼ同じテクニックだと言える。

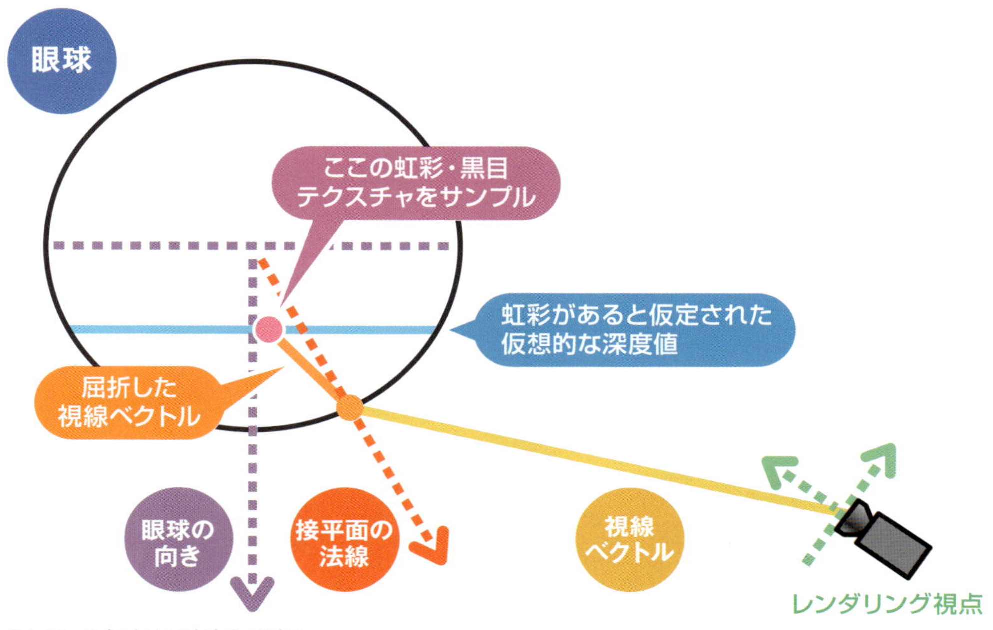

図9.55　眼球における屈折表現の概念図

図9.56　実際の「AGNI'S PHILOSOPHY」の作中における眼球表現のクローズアップ

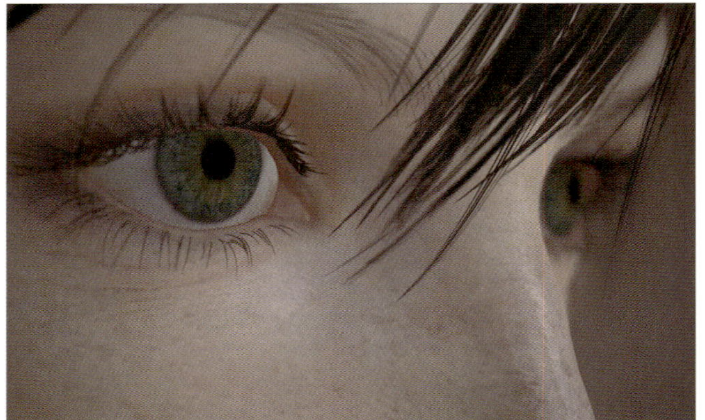

図9.57　屈折表現オフ

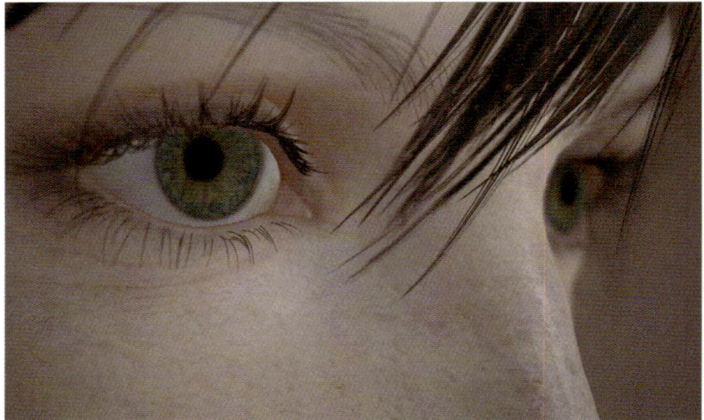

図9.58　屈折表現オン

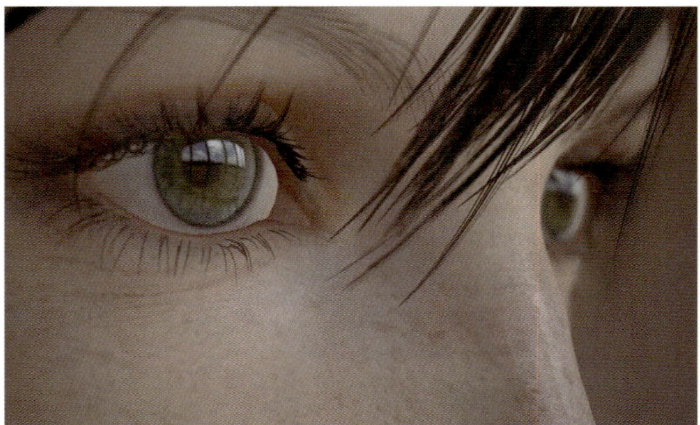

図9.59　屈折表現オン+その他の要素を全てオン（最終映像）

図9.60　顔面全体

5つ目は、眼球の白目部分に対する疑似的な表面下散乱の適用だ。眼球の白目部分も皮膚と同じで、透明度は低いが半透明材質で成り立っている。そのため「AGNI'S PHILOSOPHY」では、眼球に対しても、前節で触れた画面座標系の表面下散乱処理を適用している（図9.61）。

なお、前節で取り上げたJorge Jimenez氏も、眼球に対して「AGNI'S PHILOSOPHY」とほぼ同等の眼球シェーダに取り組んでいる。Jimenez氏の眼球シェーダでは虹彩を平面テクスチャとして扱わず、それ自体に微細な凹凸があるものとして法線マッピングを適用したり、睫毛（まつげ）や目蓋の出っ張りが眼球へもたらす、環境光からの遮蔽陰影（Ambient Occlusion）までにも配慮したシェーディングを行っていた（次ページ 図9.62）。

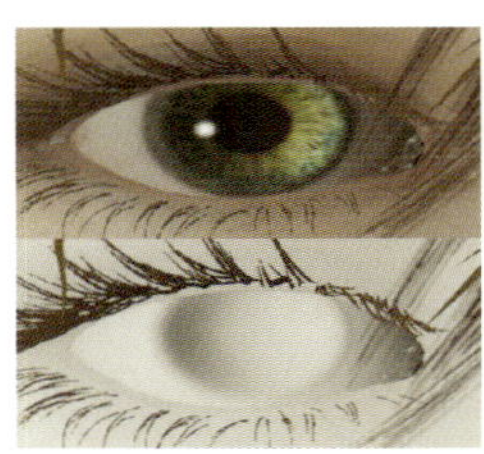

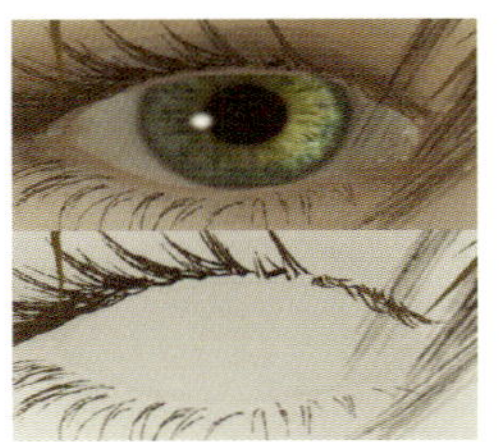

表面下散乱＝影響小　表面下散乱＝影響中　表面下散乱＝影響大

図9.61　眼球に対しての表面下散乱処理の適用

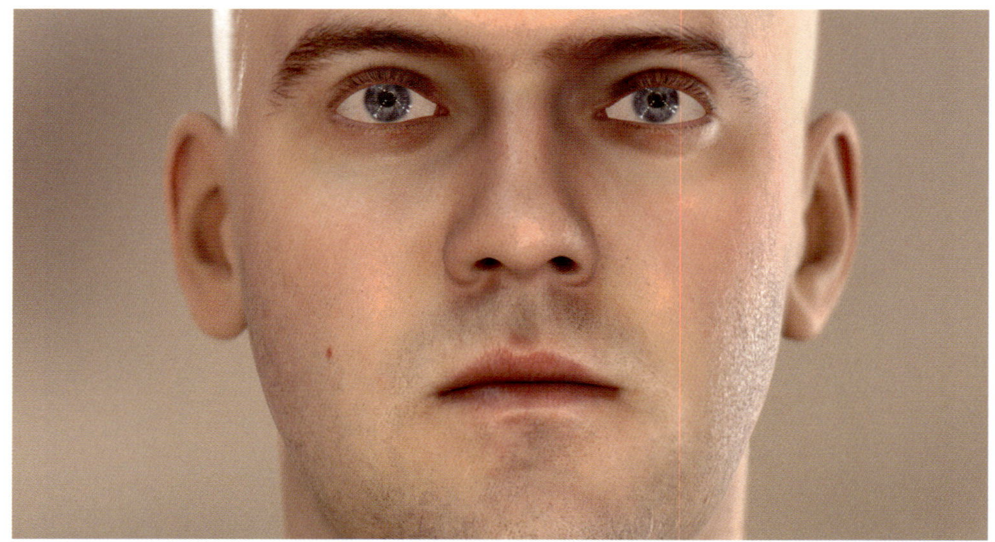

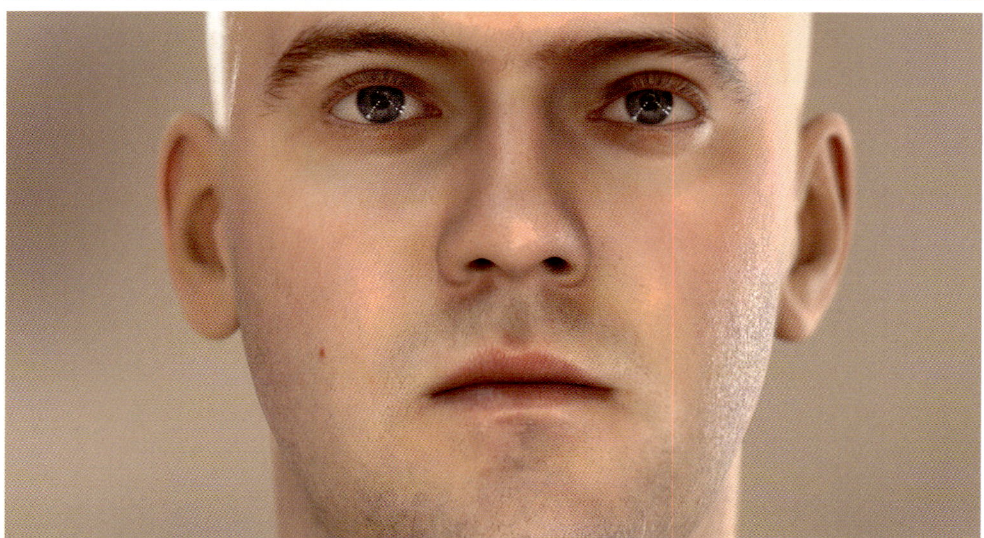

図9.62　Jimenez氏のデモにおける眼球シェーダオフ（上）とオン（下）の対比。目蓋と眼球上部の境界線あたりに陰影が出ている点に注目

顔面の総面積に対する眼球の面積はごくわずかだが、実際に完成映像の人間キャラクタ達がアップになったときの、この眼球シェーダによる精気あふれる"メヂカラ"を目の当たりにすると、その効果の大きさを実感せずにはいられない。

通常の材質表現以上に、「人間をリアルに見せる」ということは難しいテーマであり、この分野もリアルタイム3Dゲームグラフィックスの研究題材として、まだまだ進化の余地がある部分だと言える。

▶ Column

最先端の3Dゲームグラフィックスにおける顔面表現は？

このChapterでは最先端の顔面の皮膚表現について取り扱ったが、「リアルな顔面表現」を目指す際に、もう1つ重要なポイントがある。それは表情表現のリアリティだ。

PS3/Xbox 360世代の作品では、「バイオハザード5」(カプコン,2009)が、リアルタイム3Dグラフィックスで描かれる表情アニメーションのリアリティにおいて突出していた。

これまでのリアルタイム3Dゲームグラフィックスの顔面アニメーション表現において、人形っぽく見えてしまうことが多かったことは否めない。この原因としては、表情の変化を「目の開き具合」、「眉の角度」、「口の開閉や口角の傾き」といった基本的な顔パーツの動きだけで表現していたことが挙げられる。これではちょっと出来のいいマリオネットやマペットでも実現できる表情表現止まりである。

自分の顔を鏡で見たり、友人や家族の表情を注意深く観察すると分かるが、現実の人間の場合、顔面の筋肉の動きはかなりダイナミックであり、笑うだけで鼻は上下するし、何気ない表情でも頬の筋肉も動くし、眼球の周りや額のシワの動きだけでも、かなり多彩な表情を表現する。映画のDVDなどを見ていて一時停止をしたとき、演技中の俳優が、たまたま、とても不細工な表情で止まっていて思わず笑ってしまったというような経験があるはずだ。どんな美男美女でも表情変化の最中の一瞬一瞬では不細工な状況があるのだ。一方、3Dゲームグラフィックスなどの美形キャラクタでは、あまりこうした表情の瞬間がない。

これが原因の全てとは言わないが、3Dゲームにおける人間キャラクタの顔演技のリアリティを一段上げる要因となっているのは、「表皮のシワを正確に表現すること」、「一瞬垣間見られる不細工な表情の追加」にあるのではないか。こうした、サブリミナル的に挿入されている一瞬のシワの動きや不細工な表情にこそ、込められた感情や想いというものが載ってくるのではないか。筆者はそんなことを考えていたことがある。

バイオハザード5のキャラクタ達の顔の動きを注意深く観察すると、瞬間瞬間に結構きわどい表情をしていることがある。

バイオハザード5の女主人公シェバなどは、感情を込めてしゃべっているときに、あからさまに鼻の頭が大胆に上下していることがある。

実は、これまでの3Dゲームグラフィックスの顔表現では、顔面の表皮をどれだけダイナミックに動かしたとしても頂点だけが変位するだけで、各頂点の法線ベクトルが変わらなかった。まるで顔の上をゴムが滑っているような感じとなり、どこでつっぱっていて、どこで止まっているのかが見た目として見えてこなかったのだ。どんなに大胆に動かしても、あまり醜くならずに美形が維持できるという、よい意味での副作用もあるにはあるが、「リアルな表現の方向」としては、これは弊害となっていた。顔面の筋肉が動いたことによる陰影が出なかったことが問題だとすれば、正しい陰影が出るように改善すればいいということになる。顔面の陰影…それは単純に言えばシワだ。シワ表現手法の定番として、法線マップによる表現があるが、これはディテール表現としての「小じわ」表現には向いているが、顔面のジオメトリそのものが変化して生じる大きいシワを表現するには無理がある。

そこで、バイオハザード5では、演技によって顔面上の頂点が動く場合、その動いた頂点の更新された法線ベクトルを周囲の頂点達の法線情報から再計算する仕組みを取り入れている。この計算は、着目している頂点の周囲の頂点情報を参照しなければならないため、GPUだけで行うのが難しい。そのため、バイオハザード5ではCPUで行う実装になっている。負荷もそれなりに高かったことから、CPU負荷が低めなムービーシーンでの使用に限定し、さらにこの処理を適用できるのは顔面3つまでとする制限も与えている。

バイオハザード5の表情アニメーションは、リアルタイム3Dグラフィックス処理的な見地だけから見れば、実は、フェイシャルキャプチャ技術をベースにして作られたアニメーションデータで、顔面上に仕込まれたボーンを動かして表皮をスキニングしているだけだ。革新的なのは、そのスキニング後の各頂点の法線ベクトルを再計算している部分になる。たったこれだけのことなのだが、かなりリアルに見せられるのだ(**図9.A**)。

法線情報の再計算なし

法線情報の再計算あり

図9.A　頬や口元に出現するジオメトリレベルの大きなシワの差に着目。バイオハザード5の顔面表現には、最新のフェイシャルキャプチャ技術が用いられている。実際の人間（俳優）の顔面に、46個のドットマーカーを貼り付けて顔面の演技をさせ、そのドットマーカーのアニメーションデータを取得。このデータをCGキャラクタに適用する…というのが大ざっぱな流れになる。マーカーだけでは取得できない、目線・唇の巻き込み・舌の動きについては、アニメーション効果を手動で後付けしている

Chapter 10

大局照明技術

近代3Dゲームグラフィックス技術として急速に実用化が進みつつあるものに大局照明技術（GI: Global Illumination）がある。特に2010年代になってからはGPUの性能強化に連動する形で近代GPUの活用テーマとして注目度の高い技術となり、多様な新手法が考案されてきた。
このChapterでは、この大局照明技術についての基本事項と、最先端の大局照明技術の最新動向までを紹介する。

大局照明の基礎

大局照明とは何か？

現在のリアルタイム3Dグラフィックスでは、光源を設定したら基本的にはその光源の光を直接受ける陰影の計算しか行わない手抜きが大前提となっている。

現実世界では、光源からの光が第三者に遮蔽されたり、あるいは光がある物体に当たって反射したその光も、また光源となりうる（二次光源）。しかし、現在のリアルタイム3Dグラフィックスではこうした処理は省略されるか疑似手法（フェイク）で代用されることが多い。フェイクであっても、つじつまが合っているように見えれば、それはそれでよい。しかし、何か違和感が残ってしまうことが多い。

こうした遮蔽や相互反射などを取り扱い、複雑な照明を再現しようとするのが「大局照明技術」（Global Illumination: グローバルイルミネーション）という概念・技術だ（**図10.1**、**図10.2**）。

大局照明は複雑であり計算量も多いため、まじめに実装していたのでは、とてもリアルタイムで動かすのは難しい。しかし、GPUの性能が劇的に向上した昨今では、ある程度このテーマにまじめに取り組みつつ、疑似手法を適所に活用して説得力の高い大局照明効果を実現できるようになりつつある。

以下では、これまでに登場してきた大局照明技術のうち代表的なものを示していくことにしたい。

図10.1　現実の世界におけるグローバルイルミネーションの例。実際の光源は、オフィスの天井にある蛍光灯だけ。赤いファイルが蛍光灯の光を反射して二次光源となり、白いハリネズミの紙人形を赤く照らしている。グローバルイルミネーションとは、端的に言えば、「間接照明」や「相互反射」といった照明事象のことである

図10.2　CGで再現されたグローバルイルミネーションの例。実体としての光源は天井照明だけのシーンだが、その光は左右の赤と青の壁に反射し、これらが二次光源となって部屋の中のオブジェクトを淡い赤と青の光で照らしているのが分かる

PRTという発想

リアルタイム3Dグラフィックス向けの大局照明技術で最初に登場したのは、事前に光の伝搬を計算しておき、レンダリング時にその計算結果を利用する、というアイディアだ。複雑な光の伝搬を、事前に時間をかけてオフライン（非リアルタイム）で計算しておくのだ。

その1つが「PRT」（Precomputed Radiance Transfer: 事前計算・放射輝度・伝搬）という手法である（次ページ 図10.3）。

このPRTが脚光を浴び始めたのは、2002年にSIGGRAPH 2002にて「Precomputed Radiance Transfer for Real-Time Rendering in Dynamic, Low-Frequency Lighting Environments.」（Peter-Pike Sloan）という論文が発表されてからだ（次ページ 図10.4）。

この開祖的アイディアには厳しい制約がある。PRTを行う際、そのシーン内において光源は動かせるものの、「そのシーンに登場しているキャラクタやオブジェクトは一切動かせない」というもので、リアルタイム3Dグラフィックスにとっては致命的である。そこで、「動かない背景のみにPRTを使う」という限定条件付きで応用する例も提唱されたが、メモリ使用量や得られる効果のバランスを考えると、実用性は低いと言わざるを得なかった。

しかし、この論文が起爆剤となり、各方面で研究開発が行われるようになる。シーンをリアルタイムに動かしても適用可能なPRT技法「動的なPRT」が発表されてきたのだ。

ただ、この「動的なPRT」は、実際のゲームグラフィックスに応用されることはほとんどなく、ゲームグラフィックスでは別のアプローチの採用例が続くことになるのだが、「静的なPRT」の基礎的な概念は、そうした新しいアプローチの出発点となったことは間違いない。

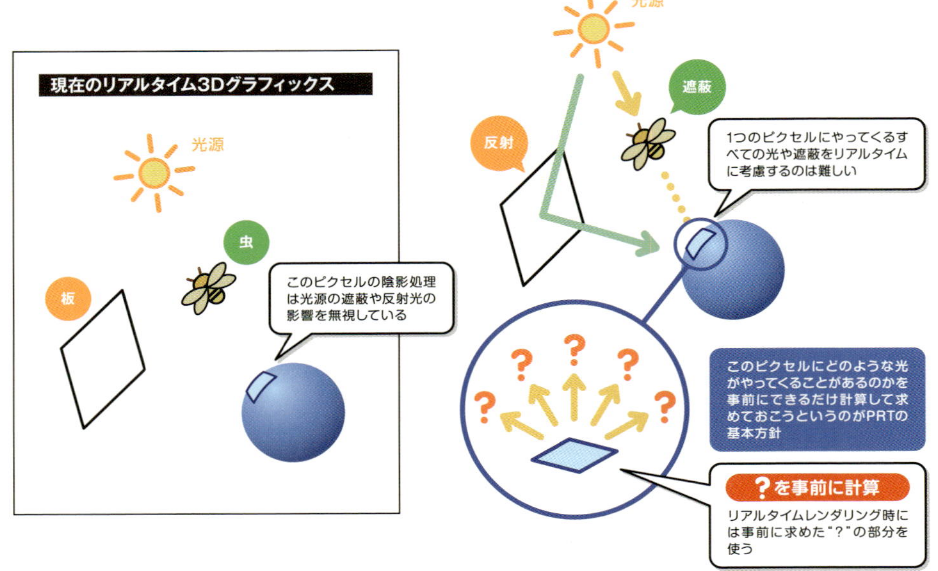

図10.3　PRTの基本概念

図10.4　シーン内のモノが動かないという前提でのPRTが「静的PRT」だ。2002年に発表されたPRTの開祖的論文はこの静的PRTだった。原案発表者のSloan氏は元マイクロソフト社員で、Direct3D開発に深く携わっていた人物であった

静的PRTは、現在のゲームグラフィックスに応用されている大局照明技術において、基礎概念的な存在となっている。まず、この静的PRTについて紹介することにしよう。

動的PRTについてはZhong Ren氏らがSIGGRAPH 2006で発表した「Real-time Soft Shadows in Dynamic Scenes using Spherical Harmonic Exponentiation」(https://www.microsoft.com/en-us/research/publication/real-time-soft-shadows-in-dynamic-scenes-using-spherical-harmonic-exponentiation-2/)の論文を参照していただきたい。

静的PRT

静的PRTとは？

PRTは、何を事前計算するかによって複雑度の度合いが変わってくる。

このChapterで取り扱うPRTは、2006年に開催されたゲーム開発者会議CEDEC 2006にてピラミッド社が発表した内容を元にしており、「環境マップを丸ごと光源と考えて、複雑な遮蔽に配慮してリアルタイムレンダリングする」というテーマに限定している。

シーンを取り巻く情景をレンダリングして、6面体の環境マップ（キューブ環境マップ）にし、これを光源に見立ててライティングを行う。この手法は「Image Based Lighting」（IBL）と呼ばれる（図10.5、図10.6）。このChapterで解説するPRTのライティングはこのIBLを前提とする。

ピクセル単位のライティングを行う際に、そのピクセルの向き（法線ベクトル）に基づいてキューブ環境マップを参照し、そのテクセルを光源に見立てて陰影演算を行う簡易技法もIBLと呼ばれる。しかし、ここで言っているIBLは、遮蔽やその他の複雑な光の伝搬（陰影だけでなく、場合によっては光の浸透や屈折、反射など）に配慮したものを指す。

図10.5　IBL: Image Based Lightingの基本概念

図10.6　IBLではこのように6面体構造の全方位環境マップを光源として利用することが多い

そうした高度なIBLは、次のように実装される。まず、シーンの各頂点から全方位を見回したときの、遮蔽情報と法線ベクトル情報（実際には余弦項、後述）を、テクスチャに記録しておく。これが「事前計算」部分だ。レンダリングする際に、事前計算で作成しておいたそのテクスチャから、各ピクセル・各頂点における光伝達関数を復元する。そして、視線の向き（視線ベクトル）に配慮しつつ、キューブ環境マップ光源を参照してライティングを行う。これがIBLベースのPRTの基本的な流れだ（**図10.7～図10.10**）。

その事前計算部分において、「全方位の遮蔽構造の調査」を行うわけだが、全方位とは言っても、実際にはテクスチャリソースは有限なので、8方向・16方向といった適当な方向に向けた調査となる。また、その遮蔽構造の調査はレイトレーシング的な手法で行われる（GPUアクセラレーションを使った方法もある）。

「余弦項」とは、その適当な全方位方向それぞれと法線ベクトルとの内積のこと。例えば32方向について遮蔽構造を調べてそれをキューブマップに記録したら、その32方向についての余弦項も計算してキューブマップに記録する。

この遮蔽と余弦項がそれぞれ記録された2つのキューブマップを掛け合わせたものを「IBL積分項」と呼び、実際にはこれを事前計算して保持しておくことになる。4万個の頂点のシーンならば、このIBL積分項も4万個作らなければならないわけで、これをリアルタイムに計算するのはまず無理だということが想像できるはずだ。しかも、4万個のキューブマップを管理するというのも、ビデオメモリ容量の観点から見れば非現実的だと言わざるを得ない。

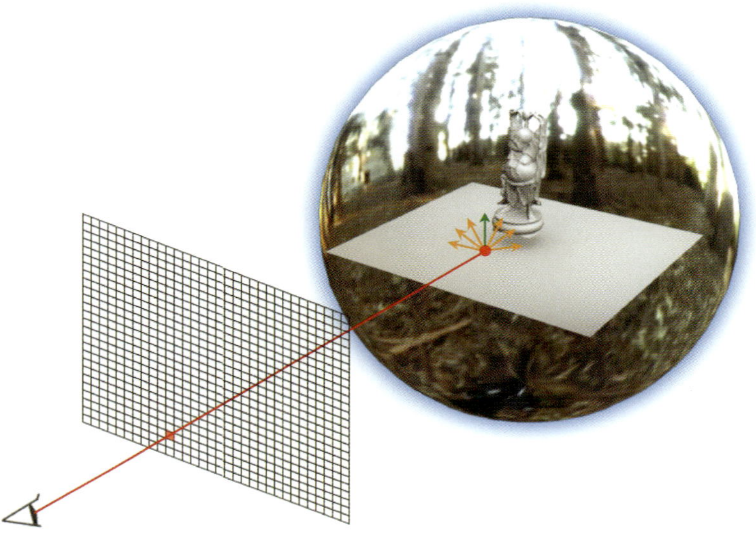

図 10.7　IBLベースのPRTの概念。シーンを球状の情景が取り巻いているというイメージ。緑の矢印はその頂点の法線、オレンジは全方位を模式的に表したもの

図 10.8　その球状の情景をキューブ環境マップ（6面体の環境マップ）として近似する

図 10.9　そのシーンに含まれる全ての頂点における「全方位の遮蔽構造」（左）と「法線ベクトル情報」（余弦項、右）をテクスチャに記録する。これも同じようにキューブ環境マップとして記録する

図 10.10　実際、遮蔽構造と法線ベクトル情報（余弦項）は、IBL 積分項として 1 つにまとめ、管理する。理屈上では、例えば 4 万頂点のシーンでは、この IBL 積分項のテクスチャが 4 万個必要になる。これでは非現実的だ

静的PRTをリアルタイム実装するための妥協と工夫

これをリアルタイムに実装するためには、いくつかの妥協と簡略化が必要になってくる。

1つ目の妥協点は、「シーンの状態の固定化」だ。つまり、シーンに登場するオブジェクトが全く動かないということ(図10.11)。これは「静的」PRTの「静的」たる所以でもある。

2つ目の妥協点は、照明計算（陰影処理）を頂点単位とする簡略化だ。陰影処理をピクセル単位で行ったほうが高品位な映像が得られるのは当然なのだが、これを頂点単位に削減することで、処理速度を稼ぐことができる（次ページ 図10.12）。実際の処理系では、3頂点の計算結果から、そのポリゴンを構成するピクセルカラーを線形補間して求めるというグローシェーディング的アプローチを取る。

ただし、頂点単位のライティングで注意しなければならないのは、レンダリング対象3Dモデルの頂点数(ポリゴン数）だ。

たとえ何もない平面の地面であっても、ここに第三者の影やその他の複雑な陰影が投射されてくることが想定されるので、1枚ポリゴンでなく多ポリゴンで分割して表現しておく必要があるのだ（次ページ 図10.13、図10.14）。これを行わずに、大ざっぱなポリゴン数で実施してしまうと、陰影の結果が反映されず不自然になってしまう。

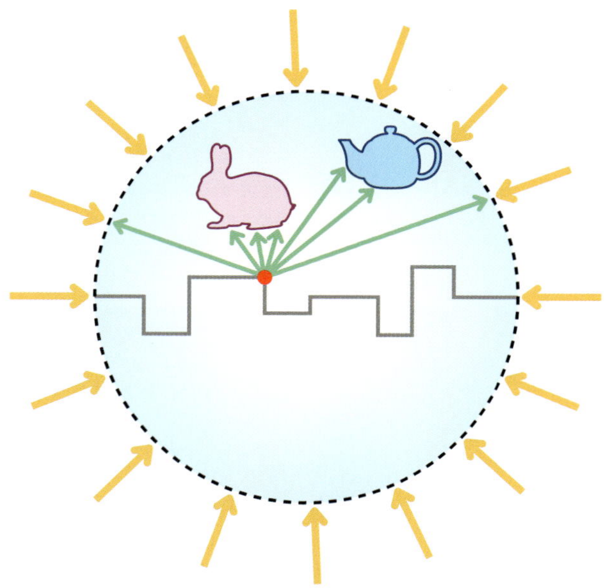

図10.11　PRTでは、全ての頂点から全方位の遮蔽情報を事前に計算し、取得・保持して活用するという基本方針を取る。そのため、シーンに登場するオブジェクトが動いたら、もう一度、遮蔽構造を計算しなければならない。リアルタイム化を実現するためには、シーンを固定するしかない

図 10.12　パフォーマンスを稼ぐために陰影演算を頂点単位で行う

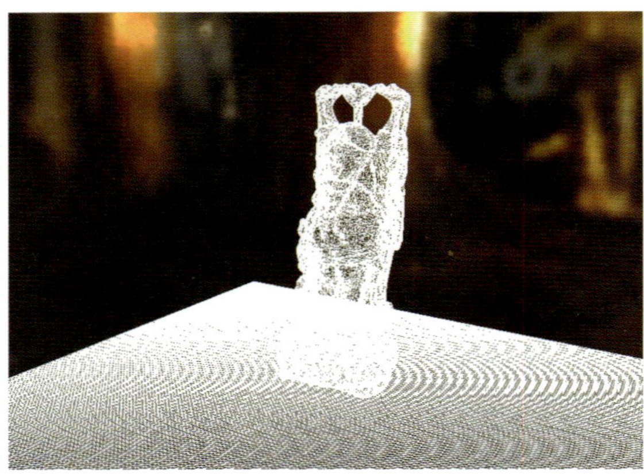

図 10.13　たとえ何もない平坦な床であっても、何かに遮蔽されて影が落ちる可能性がある場合、その周辺の頂点群が影色になることが考えられる。これを想定して、ある程度のポリゴン数で分割しておく必要がある

図 10.14　多ポリゴンで分割すればするほど、頂点単位の陰影処理の結果が高品位になるが、その分、ジオメトリ負荷は増える

３つ目は、全頂点に対して事前計算した膨大な容量のデータを圧縮しようという方策だ。

例えば、４万頂点のシーンの場合を考えてみよう。キューブマップ化したIBL積分項が、32×32テクセルの小さなキューブマップだったとする。1頂点あたり、32×32×6面×4バイト（αRGB各8ビットカラー）＝24kBとなり、これが４万頂点分あれば、合計で938MBとなる。遮蔽情報の格納だけで938MBものビデオメモリが使われてしまうのだ。

このような膨大なデータを圧縮するために、「球面調和関数」（SH: Spherical Harmonics）を利用するというアイディアが、業界内で増えてきた。「球面調和関数」とは「量子力学」の教科書に載っているような関数である。このような特殊数学を3Dグラフィックスの世界に応用したというのが、PRTのユニークかつ画期的な点だと言える。

ところで、事前に全頂点の遮蔽構造を計算できていたとしても、IBL積分項で、各頂点・全方位分の陰影演算を行うのは処理が重い。しかし、この球面調和関数を利用すると、都合よくその問題も解決できてしまう。

球面調和関数とは何か？

「球面調和関数」とは、かなり極端に簡略化して説明すると、球っぽいモノから任意の長さの針が突き出た「いびつなウニ」みたいな物体の形状を、数学的な関数で表すためのもの…と言える（ウニの針が逆に凹んでいる場合もある）。

これがどうしてキューブマップの圧縮に使えるのか、想像しにくいかもしれない。次ページ **図10.15** を使って順番に説明していこう。

全方位の情景を表したキューブ環境マップを球に見立て、そのキューブ環境マップのテクセル（画素）の値を"高さ"に見立てる。すると「いびつなウニ」みたいな立体ができあがる。そして、このいびつなウニを正確に記録するのはあきらめて、「大体の形状」を記録する方針に変更する。その手段として球面調和関数を用いるのだ。

先ほどの例で出した32×32テクセルの６面体キューブ環境マップでは、1頂点あたりのデータ量は24kBであった。これを球面調和関数で圧縮する場合を考えてみる。係数の個数でデータ量が変わってくるが、実用レベルでは16個程度でも十分であると言われている。仮に16個の32ビット浮動小数点だとすれば、わずか64バイトとなる計算だ。24kBの1/400にまで、データ量を小さくできるのだ。先ほどの４万頂点の例に当てはめると、たったの2.4MBで済むことになり、938MBと比べれば、かなり現実的なデータ量に圧縮できることが分かる。

球面調和関数は、複数の関数群によって構成されることで、対象の形状を表現している。その関数の数が多いほど、形状表現が正確になる。詳しい数学的な定義はここでは省略するが、次ページ **図10.16** に、あるパラメータを与えられた球面調和関数を示す。この図において、上から1段目までの球面調和関数を用いれば1個、２段目までを使うならば合計４個、３段目までを使うならば合計

9個、4段目までを使うならば合計16個…という具合に関数は増加する。

球面調和関数の要点

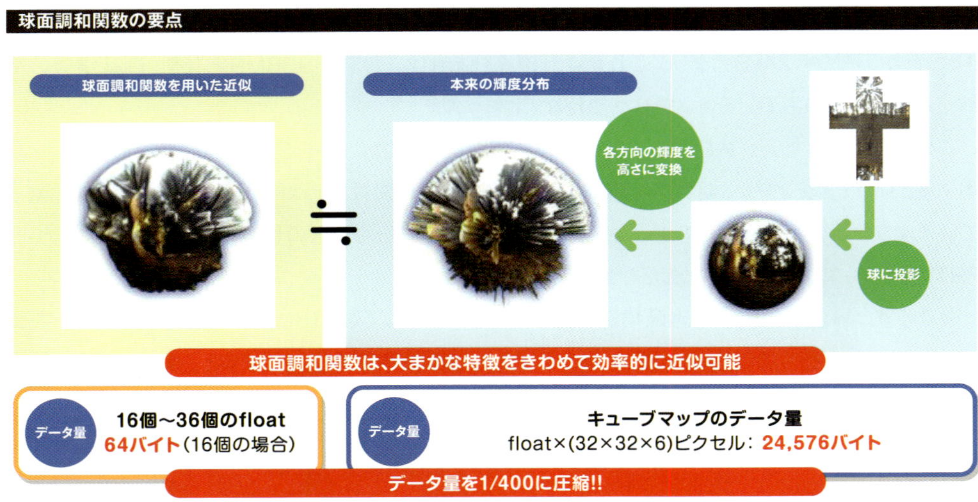

図10.15　球面調和関数は「いびつなウニ」の近似化表現手法として使う

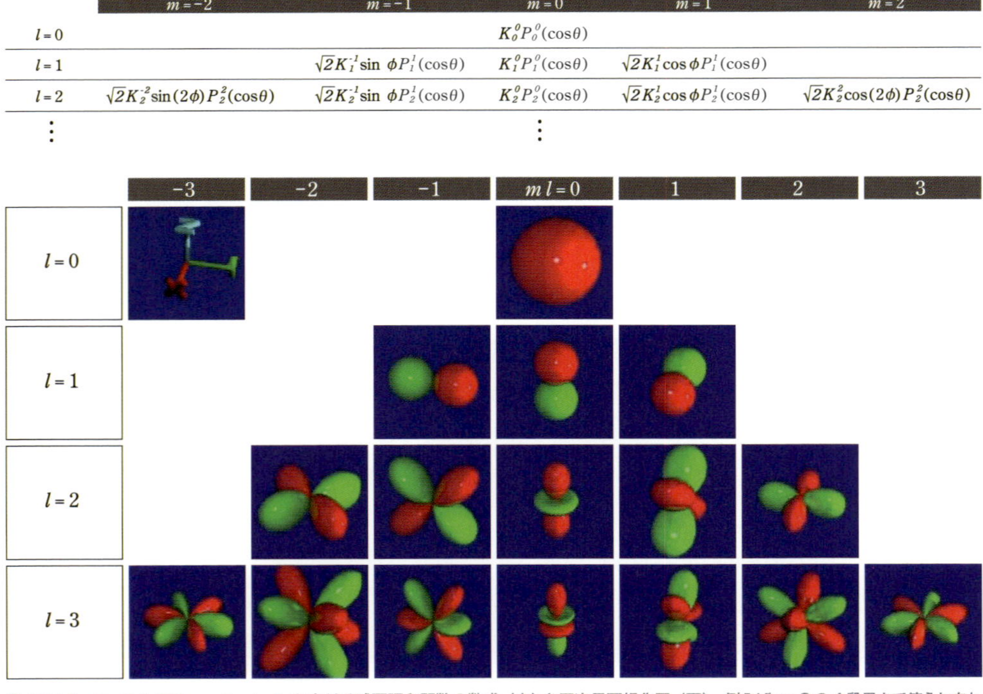

	$m=-2$	$m=-1$	$m=0$	$m=1$	$m=2$
$l=0$			$K_0^0 P_0^0(\cos\theta)$		
$l=1$		$\sqrt{2}K_1^{-1}\sin\phi P_1^1(\cos\theta)$	$K_1^0 P_1^0(\cos\theta)$	$\sqrt{2}K_1^1\cos\phi P_1^1(\cos\theta)$	
$l=2$	$\sqrt{2}K_2^{-2}\sin(2\phi)P_2^2(\cos\theta)$	$\sqrt{2}K_2^{-1}\sin\phi P_2^1(\cos\theta)$	$K_2^0 P_2^0(\cos\theta)$	$\sqrt{2}K_2^1\cos\phi P_2^1(\cos\theta)$	$\sqrt{2}K_2^2\cos(2\phi)P_2^2(\cos\theta)$
⋮			⋮		

図10.16　$l=0,1,2,3\cdots$ $m=-l\sim+l$における球面調和関数の数式（上）と三次元可視化図（下）。例えば$l=3$の4段目まで使うとすれば、総計16個の球面調和関数を使うことになる

図10.16をもう一度見て欲しい。

lの値が小さいときほど形状が単純で、逆にlの値が大きくなると(下に行けば行くほど)トゲトゲして形状が複雑になっていることが分かる。先ほどの「いびつなウニ」の形状を近似するにあたり、多くの球面調和関数を用いれば、高品位に近似できると述べた。これはつまり、この図の下のほうの複雑な形状までを用いれば用いるほど、その「いびつなウニ」を正確に表現できるということなのだ。

表現したい「いびつなウニ」は、キューブ環境マップであり、その値はキューブ環境マップごとに固有だ。ということは、それぞれそのトゲの長さやその球っぽい形の大きさが違う。あるトゲが長ければそのトゲが長くなるように、球面調和関数の大きさを変える必要がある。「いびつなウニ」形状の近似には、複数の球面調和関数に対して最適なスケーリング係数(大きさを決定づける掛け値)を与える必要があるのだ(図10.17、図10.18)。この係数を求める計算はここでは省略するが、簡単に言えば、ある決められた方程式を解くことで求められる。

例えば、$l=3$までの16個の球面調和関数を用いて近似する際には、16個のスケーリング係数を求める必要がある。

球面調和関数そのものは既存のものであり、算術的に算出できる。であれば、ある「いびつなウニ」形状を記録・再現しようとした際(近似されてはしまうものの)、その求めた係数だけを記録しておけば復元可能だ。

例えば前出の1頂点あたり24kBものデータ量が必要だったあの形状データを、16個の球面調和関数で表現するとすれば、わずか16個の係数を保存しておけば復元ができる。球面調和関数で1/400に圧縮できるからくりはここにある。

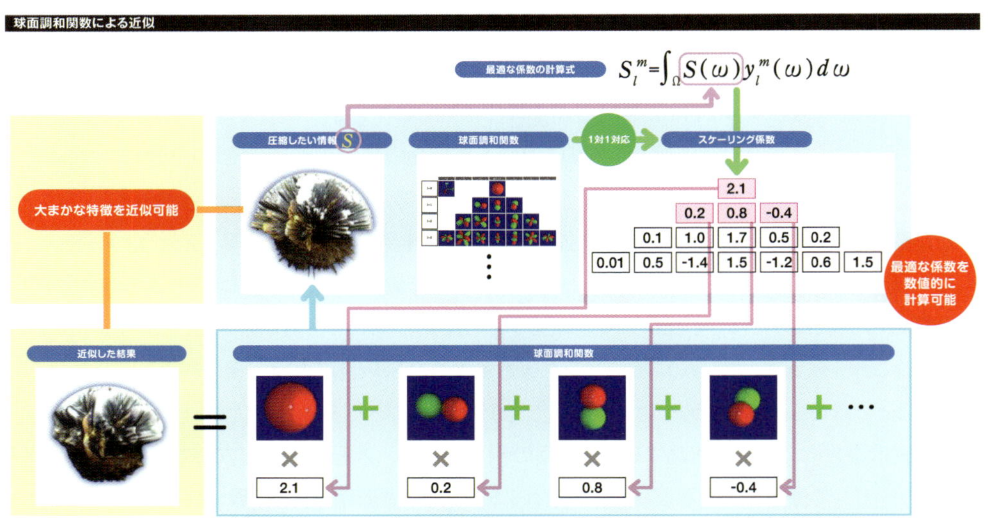

図10.17 「いびつなウニ」形状の近似には、使用した球面調和関数1つずつに最適なスケーリング係数を導出して組み合わせる必要がある

球面調和関数のまとめ

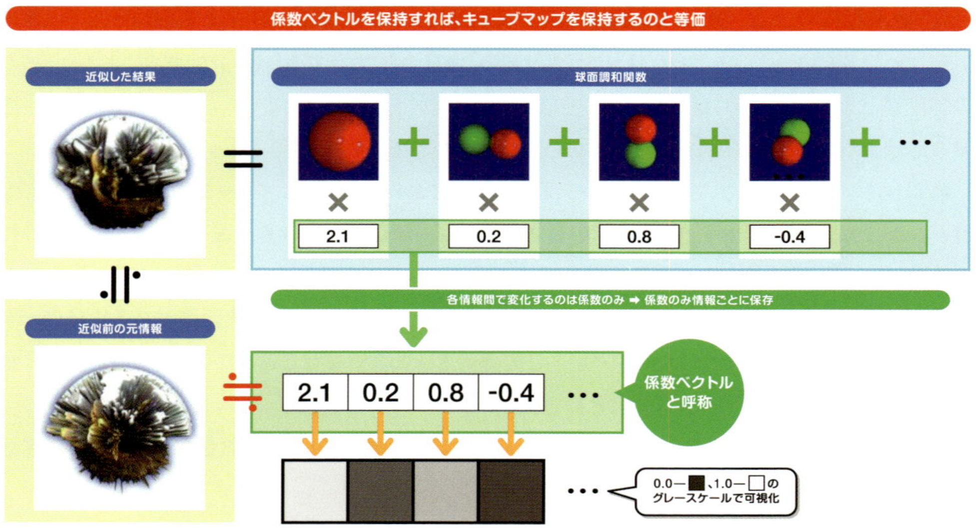

係数ベクトルを保持すれば、キューブマップを保持するのと等価

近似した結果

球面調和関数

2.1 0.2 0.8 -0.4

各情報間で変化するのは係数のみ ➡ 係数のみ情報ごとに保存

近似前の元情報

2.1 0.2 0.8 -0.4 …

係数ベクトルと呼称

0.0—■、1.0—□の グレースケールで可視化

図10.18 スケーリング係数を導き出してしまえば、これだけで近似した「いびつなウニ」形状の復元が行える。なお、経験則的に、リアルタイム3Dグラフィックスにおける PRT 用途の場合、大体16個（$l=3$）〜36個（$l=5$）の球面調和関数で十分ということが分かってきている

より感覚的なたとえをすれば、球面調和関数とは、MPEGやJPEGの圧縮に用いられる離散コサイン変換の「球体バージョン」と言うことができるかもしれない。

レンダリング時の陰影処理は？

ここまでを踏まえて静的PRTの流れと概念をまとめたものが**図10.19**だ。

なお、遮蔽構造の球面調和関数は白黒なので1チャネル分を取り扱えばよいが、全周情景のキューブ環境マップはRGB（赤緑青）なので3チャネル分の球面調和関数を取り扱わなければならない。

ところで、この静的PRTでは各頂点単位で陰影演算（輝度計算、照明演算）を行うと前述した。

しかし、各頂点における遮蔽構造キューブマップも、光源用のキューブ環境マップも、共に球面調和関数の係数だけになってしまっているため、その陰影計算のやり方がピンとこない。実は、この計算は、これら球面調和関数のスケーリング係数列をベクトルとして捉え、そのベクトルの内積を計算することで求められてしまう。

数学的な証明はここでは省略するが、今回の例で行けば、遮蔽構造圧縮で求まった球面調和関数のスケーリング係数列からなる「遮蔽係数ベクトル」と、光源用キューブ環境マップ圧縮で求められた球面調和関数のスケーリング係数からなる「光源係数ベクトル」の「内積」を求めれば、陰影計算を行ったことに相当してしまうのである（**図10.20**）。

球面調和関数を用いたことで、情報を圧縮できただけでなく、副次的に陰影計算の簡略化も実現できるのだ。

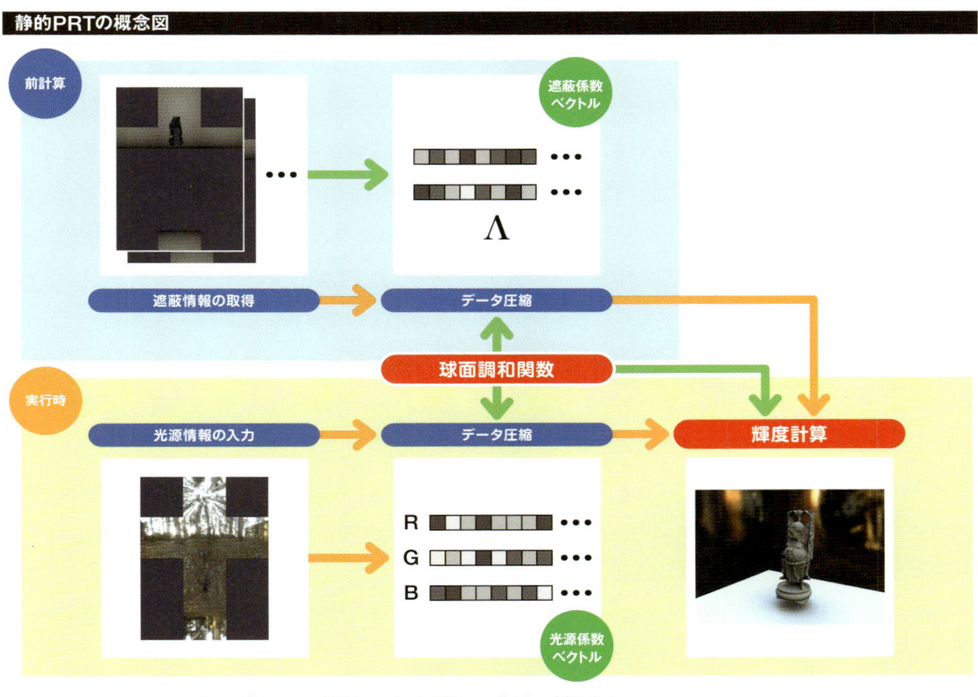

図10.19　静的PRTの概念図。「球面調和関数」はデータ圧縮メソッドとして活用する

図10.20　遮蔽構造圧縮で求められた球面調和関数のスケーリング係数列からなる「遮蔽係数ベクトル」と、光源用キューブ環境マップ圧縮で求められた球面調和関数のスケーリング係数からなる「光源係数ベクトル」の「内積」を求めれば、陰影演算（輝度計算）を行ったことになる

実際のゲームで採用された大局照明技術

事前計算を伴う大局照明（1）～ライトマップの発展形「GIテクスチャ」

背景などの静的なオブジェクトに対する大局照明（GI: Global Illumination）効果は事前にオフラインで計算して、その計算結果をテクスチャへ書き出す（焼き込む）手法は、今でもゲームグラフィックスでは主流となっている。

本書ではこれを便宜上「GIテクスチャ」と呼ぶが、このGIテクスチャの概念をかなり綿密な精度で実践していたのが「ソニック ワールドアドベンチャー」（セガ,2008）だ。

「ソニック ワールドアドベンチャー」（以下「ソニックWA」）でのGIテクスチャ生成は次のように行っている。まず、そのシーンの中の背景オブジェクト・小道具/大道具オブジェクトをすべて配置しておく。そして、そのシーン内の全ての光源（太陽光のような天球光源、電球のような局所照明）を設定した状態で、大局的に行うのだ。

ソニックWAのグラフィックスを注意深く見てみると、建物や地面などの表面にテクセルの単位（粒子）のようなものが見える。これがGIテクスチャにおける計算の一単位だ（説明の都合上、これをGIテクセルと呼ぶ）（**図10.21**、**図10.22**）。

事前計算では、このGIテクセルの位置から適当な方向にレイを飛ばし、ここにどんな色の光が届いているのかを求めることになる。

図10.21　GIテクスチャのみを表示した特殊なショット。よく見るとポツポツという斑点のようなものが見える。これがGIテクスチャの計算単位

図10.22　完成画面

この事前計算の概念について簡単に解説しよう。

まず、1つ1つのGIテクセル位置から有限個のレイを飛ばし、衝突先のGIテクセルを見つける。このときの入射角度が衝突先の法線に近ければ近いほど（直角に近い形で衝突しているほど）、レイ密度が高い（強く光が伝わる）とする計算を、全てのGIテクセルから行う。

これが完了すると、シーン内におけるGIテクセル単位間での光の伝達ネットワークが形成される（図10.23）。

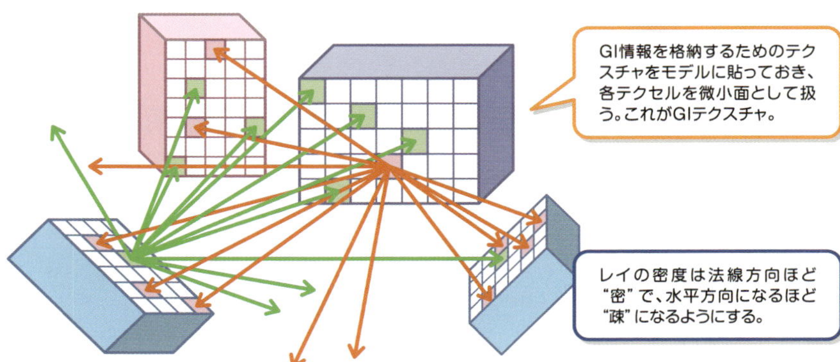

図10.23　光のネットワークの形成フェーズ

この時点では、まだ、ライティングはしていないが、ポリゴンに貼り付ける画像テクスチャの内容には考慮する（**図10.24**）。例えば、画像テクスチャで黄色になっている部分に貼り付けられたGIテクセル位置からは、黄色のレイが飛ぶようにするのだ。こうすることで「黄色い物が光に照らされると、それが黄色い二次光源になる」という、GI効果の特徴を実現していることになる。

この後、実際のライティング計算を行うわけだが、その際には、ゲーム中に登場する全ての光源を配置してから行うことになる。なお、ソニックWAでは、光源として平行光源、点光源、天球光の３タイプを用いて、この計算を行っていた（**図10.25**）。

全ての光源を配置した後、まずはそれらの光源達からの光が、どのようにGIテクセル達に到達するか（直接光としてライティングするのか）を計算する（**図10.26**）。これが後のGI計算の光量の初期値に相当するイメージとなる。

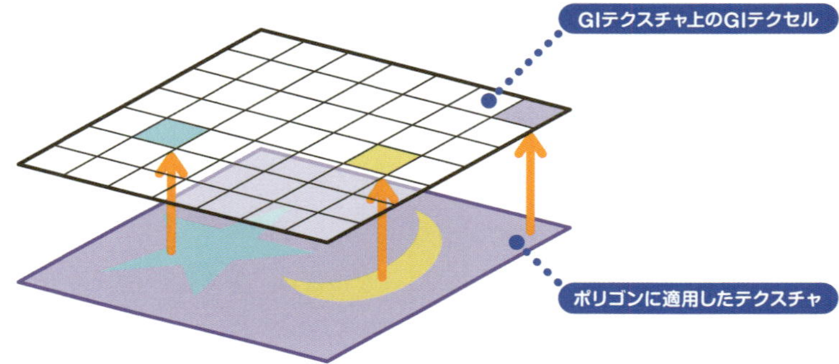

画像テクスチャとGIテクスチャのテクセルのサイズは異なるため、GIテクスチャにどの色を当てはめるかという問題が発生する。本来であれば、テクセルに含まれる色の平均値を求めて当てはめるが、ソニックWAでは、GIテクセルの中心と重なる色を指定することで簡略化している。

図10.24　光のネットワーク形成フェーズ時にポリゴンに貼り付ける画像テクスチャの内容も考慮する

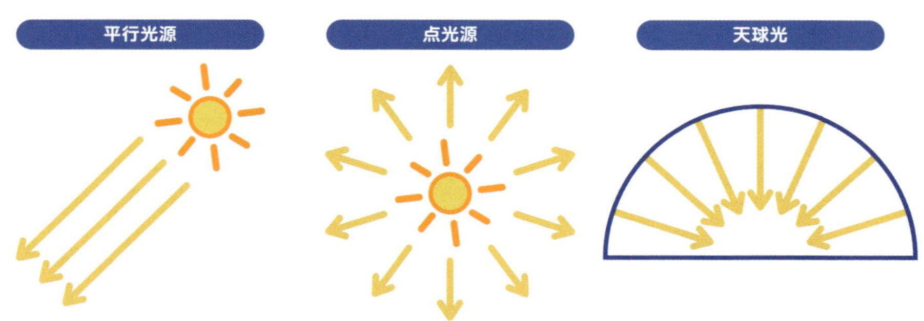

図10.25　３タイプの光源。光源として用いるのは、平行光源、点光源、天球光の３タイプ

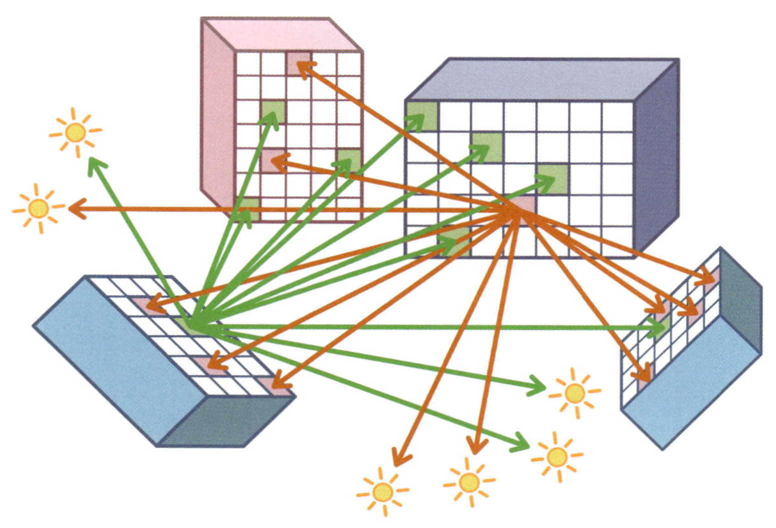

図 10.26　実際に全ての光源をシーンへ配置して、前述の「光の伝達ネットワーク」に従って光を流す、というイメージ

続く計算の流れとしては、以下のようになる（次ページ **図 10.27**）。

(1) 各 GI テクセルに対して、光の伝達ネットワークを通じて到達する全ての「直接光」の照明計算を行う。計算結果はバッファ A に入れる
(2) 各 GI テクセルに対して、光の伝達ネットワークを通じて到達する全ての「間接光」の照明計算を行う。計算結果はバッファ B に入れる
(3) 各 GI テクセルに到達する光の量の合計を計算（バッファ A と B の内容を合算）
(4) 次の反復計算のために、各テクセルから発せられる光の量を計算

直接光と間接光の計算をそれぞれ個別のバッファで計算するのは、計算順序に結果が左右されないようにするためだ。

(1) ～ (4) の処理を 1 回行っただけでは、直接光による照明の結果を求めたに過ぎない。そのため、この処理を繰り返し行うことで、光が相互でバウンス（飛ばしたレイが反射すること）し合っているという、GI の結果になっていく。この処理は最低でも 2 回は必要で、ソニック WA では 4 ～ 6 回、繰り返して行ったとされている。

ライティング計算

それぞれの微小面での、総入射光エネルギー値を設ける。一番最初はゼロにクリアしておく。

1	直接入射光エネルギー	＝	光のネットワーク形成フェーズで計算した、その微小面に直接当たる光源からの入射光のエネルギーの総和
2	間接入射光エネルギー	＝	光のネットワーク形成フェーズで計算した、その微小面から見えている全微小面における放出光エネルギーの総和
3	総入射光エネルギー	＝	直接入射光エネルギー ＋ 間接入射光エネルギー
4	放出光エネルギー	＝	総入射光エネルギー × 反射率 × 調整係数 ÷ 微小面から出ているレイの数
5	全微小面で1～4の計算を行う。計算の順番の影響を受けないように、各微小面の総入射光エネルギーはダブルバッファで交互に計算を行うようにする。		

図10.27　ライティング計算。「反射率」とは「素材ごとの反射率」のことを意味する

処理の際に留意すべきなのは、透過性のあるマテリアルの扱いだ。飛ばしたレイの衝突先が透過性のある材質だった場合は、きちんとその材質の色が乗った形で透過する処理を行う必要がある。

ソニックWAでは、各GIテクセルから飛ばすレイの数は可変にできる設計とし、多くの場合、250本程度のレイを飛ばしたとのことだ。

さて、図10.28～図10.30の画面ショットは、それぞれ、シーンに対してGIテクスチャのみを適用したもの、GIテクスチャなしで通常のライティングだけを行ったもの、通常のライティングを行った上でGIテクスチャまでを適用した完成画面である。

GIテクスチャなしの図10.29は、いかにもゲームっぽく見えてしまう映像だ。各オブジェクトがただ置かれているだけで、シーンとしての一体感がない。さらに、映像としての立体感や遠近感も乏しく見えてしまう。

しかし、GIテクスチャが入った図10.30では、各オブジェクトの立体的な位置関係が視覚的に把握しやすくなり、空気感や手触り感のようなものまでが知覚として伝わってくる。

図 10.28　GIテクスチャのみ

図 10.29　GIなしの通常のライティングのみ（2000年代の一般的なゲーム画面はこんなイメージ）

図 10.30　GIを付加した完成画面

こうしたGIテクスチャにおいて、各テクセルに格納する値は拡散反射のライティング結果となるため、方向情報を持たないスカラ値となる。しかし最近ではこの概念を拡張し、GIテクスチャに光の方向情報を持たせるアプローチの実用化も進んでいる。全方位から来る光の入射光情報を球面調和関数（SH: Spherical Harmonics）で表現し、その係数を各テクセルに格納するのだ。

この概念を採用したのが、スクウェア・エニックスの新世代ゲームエンジンLuminous Studioベースのリアルタイム技術デモ「AGNI'S PHILOSOPHY」だ（**図10.31**、**図10.32**）。

実際の処理では、GIテクスチャのテクセルから係数を読み出して球面調和関数を復元し、このテクセル位置に飛んでくる光を復元することで、ライティングの計算を行う（球面調和関数による直接的なライティングについては後述）。

この仕組みだと、入射光の方向情報があるため、拡散反射だけでなく鏡面反射までのライティング計算が可能となる。つまり、視線の移動に呼応して変化するGI効果から得られた、淡いハイライト表現までもが得られるのだ。

ちなみに、「メタルギアソリッド4」（コナミ,2008）では、このような事前計算して得た方向情報付きのGI情報を、頂点単位で持たせていた。この手法では、テクスチャで持たせるGIテクスチャよりも精度は粗くなるが、消費メモリ量は少なくて済むというメリットがある。

図10.31　「AGNI'S PHILOSOPHY」より。GIテクスチャのみを適用したレンダリング結果。上を向いた面は空からの影響で青味を帯び、下に向いた面は地面からの影響で黄味を帯びているのが見て取れる

図10.32　最終映像

事前計算を伴う大局照明（2）～空間に満ちた環境光の表現「放射輝度ボリューム」/「ライトフィールド」

GIテクスチャの効果は大きいが、静的な3Dモデルに適用して利用するため、動くキャラクタに適用することができない。動くキャラクタにGI効果を与えるためには、キャラクタが活動する空間にGI情報を持たせることを考えなければならない。

こうした概念の最も単純かつ古典的なものは、定数的な環境光を設定するものだ。これは初代PSの時代からある手法で、そのエリアに充満する光の色を、ある特定の一色に割り切って設定してしまう手法だ。しかし「環境光」というのは名ばかりで、当初は、直接照明の陰影だけでは暗すぎる場合などの"陰影のかさ上げ"が目的で用いられることも多かった。

これを進化させたのが「半球ライティング」のテクニックだ。これはそのシーンのGI情報を元に、適当な２方向からの環境光で動的キャラクタを追加ライティングする手法である（**図10.33～図10.35**）。この２方向環境光セットを、動的キャラクタのシーン内での位置に応じて切り換えていくことで、そのシーンの各場所における局所的な間接光や相互反射を、それらしく表現できるようになる。

この半球ライティングのテクニックは、PS3の「メタルギアソリッド４」（MGS4）にも採用されている。ただし、レベルデザイナが手作業で半球ライトを置くという職人芸的な実装になっていた。いずれにせよ、半球ライティングは古典的な手法ながらも、コストパフォーマンスの高い疑似GI手法として利用されることがある。

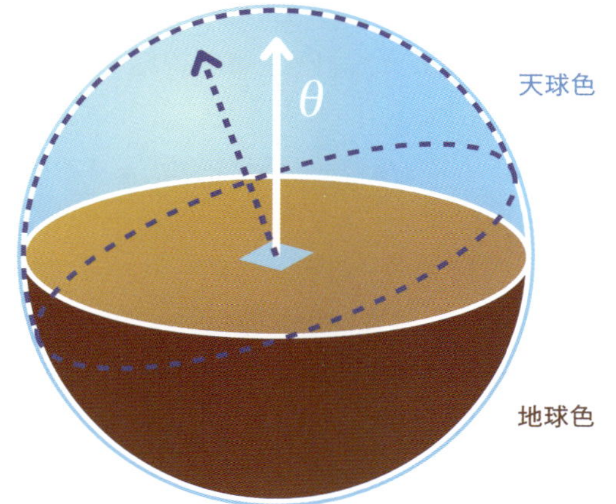

図10.33　半球ライティングの概念図

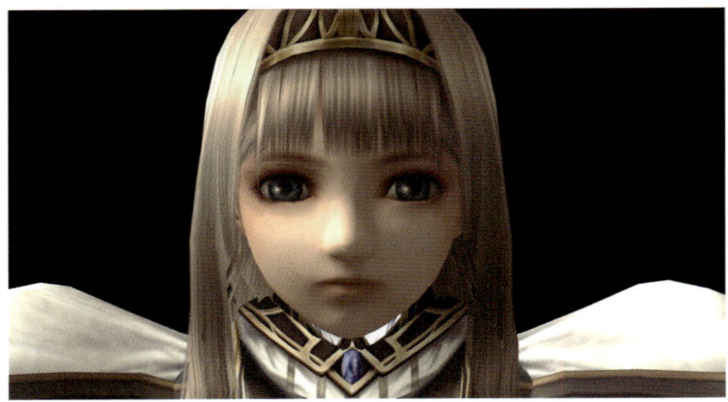

図10.34　半球ライティングなし。これはこれで普通に見られるが…

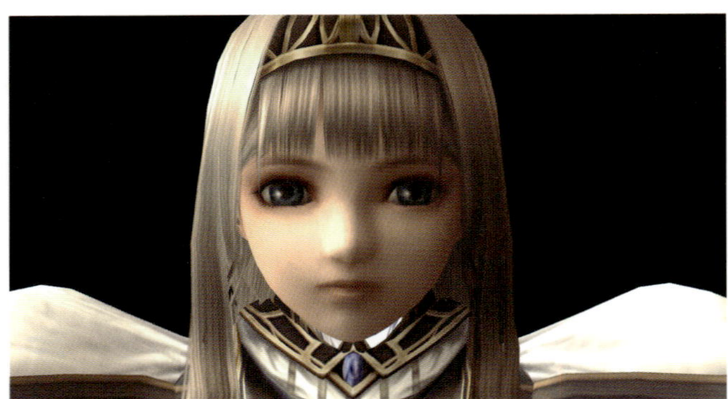

図10.35　半球ライティングあり。こちらのほうが、陰影の情報量が豊かな印象になる

近年でもよく使われるのは、前述の2方向環境光ではなく、多方向からの環境光を自動的に（あるいは半自動的に）、空間内へ配置する手法だ。このアイディアは「Half-Life 2」（Valve,2004）が「アンビエントキューブ」（Ambient Cube）または「放射輝度ボリューム」（Irradiance Volume）として実装したことを皮切りに、広く広まっている。

本書では、ここでもソニックWAの実装形態を紹介するが、基本的な概念は「Half-Life 2」のものと共通している。

ソニックWAの開発チームでは、この手法を「ライトフィールド」と呼んだ。この手法を簡単に説明すると、方向性を持った環境光を、適当な距離間隔でシーンの空間内に配置しておく手法となる。なお、ソニックWAにおける各環境光は、放射状に8方向の光を発する仕様としていた。感覚的に言うと、そのステージ空間に対し、適当な間隔で8方向に発光する光源を配置したイメージだ（図10.36、図10.37）。

つまり、動的キャラクタは、自身を取り囲む8個の環境光でライティングされることになる。

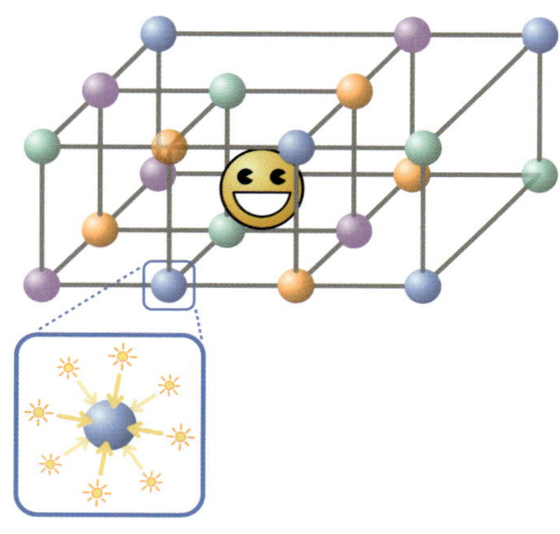

図 10.36　ライトフィールドの模式図。この図では環境光はただの球体になっているが、これらの球体が８方向に光を放つイメージだ

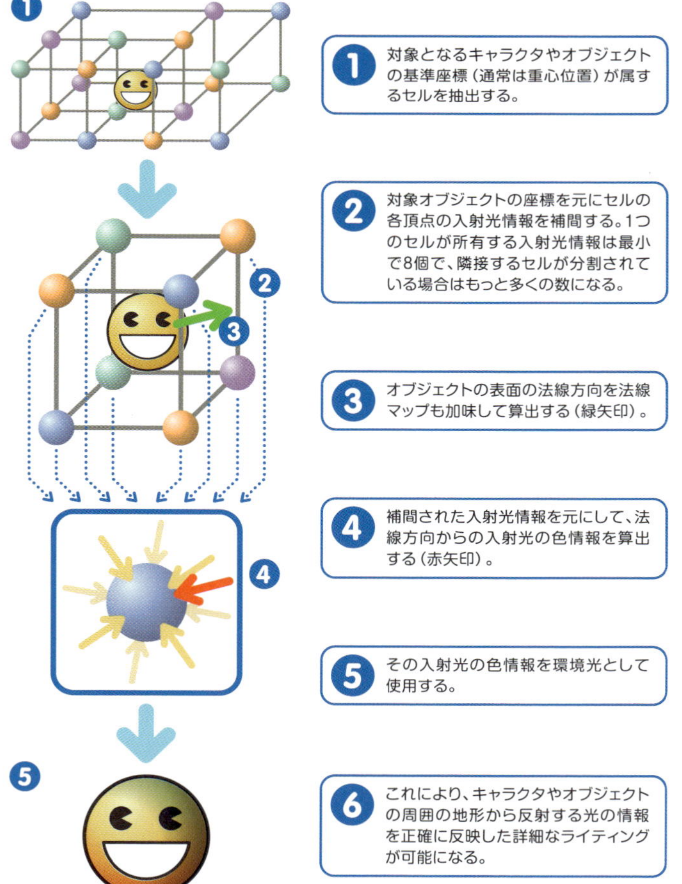

図 10.37　ライトフィールドを用いた環境光ライティング

実際、ソニックを操作してシーン内を歩かせると、地面からの照り返しにより、ソニックの身体の下のほうが、地面の色の影響を淡く受けた色になっていることに気が付く。また、色の付いた壁に近づくと、その壁から間接照明を受けたかのように、ソニックの身体の側面が壁の色に淡く変化する。頭上に生い茂る花は陽光を受けて、その直下に来た者達を花の色で淡く染め上げてもくれる。映像全体として見れば、GIテクスチャによる背景や小道具/大道具オブジェクトの陰影とつじつまの合ったライティングが、動的なキャラクタにも行われているようにも見える(**図10.38**〜**図10.40**)。

図10.38　ライトフィールドなし（2000年代の一般的なゲーム画面はこんなイメージ）

図10.39　ライトフィールドだけを表示した画面

図 10.40　ライトフィールド適用後の完成ショット

「Half-Life 2」の「放射輝度ボリューム」（Irradiance Volume）では、登場するキャラクタの平均体積でもあるW120cm×D120cm×H240cmの間隔ごとに空間を区切り、その領域（ボリューム：Volume）1つ1つに対して、どんな光が入ってくるのか（出ていくのか）をオフラインで事前計算し、データテーブル化（3Dテクスチャ化）していた。リアルタイムレンダリング時には、そのキャラクタがいる場所に対応するボリュームを参照し、そのボリュームに入ってくる6方向の光を取得して、これらを方向を持った環境光として処理していた。

ソニックWAでは、ライトフィールドの各点にはデータとしては8方向の環境光を持たせているが、ピクセルシェーダの定数仕様の関係でx,y,zの直交6方向に換算してから、ライティングしている。8個のライトフィールド環境光をまたぐようなケースには、ちゃんと直近の複数のライトフィールドをサンプルして加重平均を求めて後段のライティングを行っている。

このライトフィールドは、球面調和関数（SH: Spherical Harmonics）を用いて実装してもよかったように思えるが、使用するメモリ容量、得られる効果のバランスを考えたときにあまり意味がないとソニックWA開発チームは判断し、採用を見送ったということだ。

球面調和関数の第二項までを使った場合でも9個の係数が必要になるため、実装したいテーマとデータ量と計算負荷のバランスがよくないときには採用を見送ったほうがいい場合もある。ソニックWAの実装のような8方向程度の環境光を持つ実装では、SHを用いなくても十分なクオリティが得られたということなのだろう。

さて、このライトフィールドの設定はステージ全体にも及ぶわけだが、これをデザイナが手作業で設定していたのでは手間がかかりすぎるし、正確性の面でも不安が残る。

ソニックWAでは、前出のGIテクスチャの事前計算と同様の仕組みで、このライトフィールドを事前計算している。

具体的に言うと、背景や小道具/大道具オブジェクト用のGIテクスチャを生成した後、そのGIテクスチャを適用したシーンを基にしてライトフィールドの値も算出している。ライトフィールドの間隔はシーンにも依存するが、大体2m～3mを基本としており、オブジェクトが多く配置された建物の近隣では、もう少し狭い範囲で設定しているところもある(**図10.41**)。ただし、隣接するライトフィールド同士の変化が乏しすぎる場合は、それらを1つにまとめてしまう圧縮的な処理をも導入しており、実際には各ライトフィールド間の距離は可変長としていた。

ソニックWAでは、ライトフィールドのサンプル(読み出し)は動的キャラクタの各ポリゴン面で行っているのではなく、各キャラクタに設定された代表点から行う方式になっている。この代表点とは、主に重心位置を採択しているが、代表点の高さをあまり上げてしまうと、下方向からの環境光の影響がキャラクタの上半身にまで影響してしまう可能性がある。そのため、キャラクタごとに適切な調整が施されている。

また、ソニックWAにおけるライトフィールドは、材質によって、法線方向だけでなく視線ベクトルに対する反射ベクトルの方向も参照し、適用する仕組みも取り入れている。この仕組みを導入することで、向こう側の環境光が材質面に浸透し、こちらにもあふれ出てきているような、微妙な味わいの陰影効果が出せるようになるのだ。

図10.41　ライトフィールドの区間を可視化した画面。ライトフィールドが異なる間隔で設定されていることが分かるだろうか

このような「逆光がこちらに浸透してくるような表現」は、一般に「リムライト」(Rim Lighting) 表現と呼ばれる。通常、このリムライト表現は、光源が視線に相対するような分かりやすい逆光時に、追加のハイライトの効果として用いることが多い。ソニックWAでは、逆光位置にあるライトフィールドを用いても、リムライト表現を行うというわけだ。こうすることで、あたかもそのシーンの間接光までもが表面下散乱したかのような淡い色の陰影と透明感が出せる。さらに、動的なキャラクタがそのシーンでより自然にGI的に溶け込んだ感じを表現できるというわけだ。ソニックWAの開発チームは、この効果を「GIリムライト」と呼んでいた(**図10.42～図10.45**)。

ソニックWAでは、このライトフィールドによるライティングを、拡散反射までに留めていた。しかし、鏡面反射まで行うことで、視線に依存したGI効果による、淡いハイライトまでを表現できたことになる。

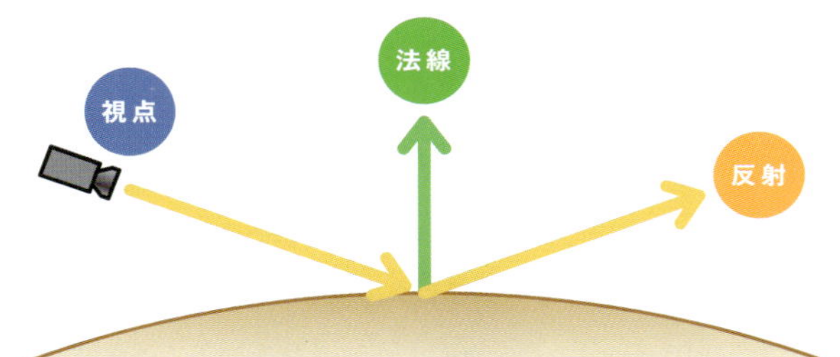

図10.42　GIリムライト (Light Field Rim Light) の概念図

図10.43　リムライトなし

図10.44　GIリムライトのみ

図10.45　完成画面

事前計算を伴う大局照明（3）～簡素化した「放射輝度ボリューム」/「ライトフィールド」的アプローチ

ソニックWAやHalf-Life 2では、シーン内のGI情報をグリッド化して持たせる実装を採用していた。これは、とても強力なアプローチだが、ゲームシーンがとても広い空間の場合は、メモリの容量的な問題と格闘しなければならなくなる。

ゲームを構成するシーン空間がそれほど広くない場合や、プレイヤーをはじめとする登場キャラクタの移動可能エリアが限定的な場合は、ソニックWAやHalf-Life 2のアプローチを、より簡素化して実装したほうが現実的なソリューションとなる。

「KILLZONE 2」(Guerrilla Games/SIE,2009)では、ソニックWAのように空間分割はせず、ゲーム内のシーンでプレイヤーが通ることが予測される適当な地点に、GI情報を取得させるポイントを配置する手法をとっている。開発チームでは、このポイントのことを「Light Probe」と呼んだ。

事前計算フェーズでは、全ての動かない静的光源を設置し、ソニックWAの事例で紹介したような相互反射にまで配慮した反復的なライティング計算を行って、各Light Probeにおける全方位の大局照明情報を得ることになる(**図10.46**)。

ランタイムにおけるリアルタイムレンダリング時は、このLight Probeの全方位からの光量情報を元にして、そのシーン内を動き回る動的なキャラクタ達をライティングしていく。

各キャラクタが異なったLight Probeをまたぐような場合もある。そのような場合、キャラクタに近接した4つのLight Probeが持つ球面調和関数の係数を、それぞれの遠近に配慮して読み出す。これらの情報を元にしてLight Probeの全方位光量をデコードし、8×8テクセルの球面状テクスチャ（球面座標系の全方位テクスチャ）を作成している(**図10.47**～**図10.49**)。

実際のピクセルシェーダでのピクセル単位のライティングでは、各ピクセルからの法線ベクトルを元に、その球面状テクスチャをサンプルし、その値を環境光扱いにしてライティングする。

図10.46　Light Probeを可視化した画面

図 10.47　近隣４つのLight Probeを読み出し、球面調和関数をデコード

図 10.48　このキャラクタに降り注ぐ全方位からの環境光を算出

図 10.49　これを8×8 テクセルの球面状テクスチャとして生成

グリッド化して空間全域にわたってGI情報を取得していたソニックWAに対して、KILLZONE 2では、シーン内の適当な箇所に適当な間隔でGI情報を把握するようにしたというわけだ。KILLZONE 2では、1ステージあたりおよそ2,500個のLight Probeを事前算出している。各Light Probeは、球面調和関数の$l=2$までに含まれる9個の係数×RGB 3要素分を、KD木（KD-TREE）データとして持たせていた。ソニックWAでは、このLight Probeに相当する情報を、8方向からの離散値として持たせていたのとは対称的な実装だ。

KILLZONE 2とほぼ同じアプローチでGI効果を実践していたのが「バイオハザード5」（カプコン, 2009）だ。バイオハザード5では、プレイヤーが確実に立ち寄り、なおかつ印象的なビジュアルを見せやすい場所に対して、手動で環境光の設定を行っていた。演劇の舞台や映画セットのようなイメージで、要所要所に環境光が仕込まれているイメージだ。実際には、ステージ中の要所要所に影響範囲を設定し、その影響範囲を支配する環境光を設定していた。

図10.50　Light Probeによる環境光と太陽光（平行光源）だけのライティング結果

図10.51　完成フレーム

その環境光自体は、開発時にキューブマップ（6面体構造の全方位テクスチャ）構造で設定され、影響範囲に入った3Dオブジェクトに対して、全方位6方向からの環境光を与える形になっている（図10.52、図10.53）。そして、そのキューブマップは、そのシーンに与えられた光源を配置した上で事前計算して求めている。

バイオハザード5のステージ構成がいくら箱庭的とは言っても、キューブマップによる環境光は膨大な数になってしまう。そのため、キューブマップテクスチャのままでオンメモリ実装するのは容量的に無理がある。これを解決するために、これらの環境光を9個の（係数を与えた）球面調和関数を使って近似表現するという手法を採用した。

シーン内の適当な点でGI情報を取得するところや、（GI情報の事前計算の手法が異なるものの）最終的に球面調和関数でGI情報を表現するところは、KILLZONE 2におけるLight Probeの考え方とほぼ同じだ。

図10.52　キューブマップの影響範囲を可視化したショット。囲みのある部分では特別に設定された全方位環境光があることを表している

図10.53　シーン内に設定されたキューブマップの一例

KILLZONE 2における実際のライティング処理では、球面調和関数から求めた全方位からの入射光を復元し、その情報から8×8テクセルの球面状テクスチャを生成して利用する、というImage Based Lighting（IBL）的な手法をとっていた。しかしバイオハザード5では、このテクスチャを生成せずに、直接ライティングを行うアプローチを採用している。これは、スタンフォード大学のRavi Ramamoorthi氏らの「An Efficient Representation for Irradiance Environment Maps」（http://graphics.stanford.edu/papers/envmap/）の手法を採用したものだ。3次の（9個の係数の）球面調和関数からピクセルシェーダで全方位の環境光を復元し、陰影処理対象ピクセルの法線に対応した環境光を取得して、直接ライティングする手法になる（**図10.54～図10.57**）。

KILLZONE 2やバイオハザード5のようなアプローチは、メモリ効率がよい上に、それなりに説得力の高いGI効果が得られるため、PS3やXbox 360世代のハイエンドゲームではよく用いられる手法となった。

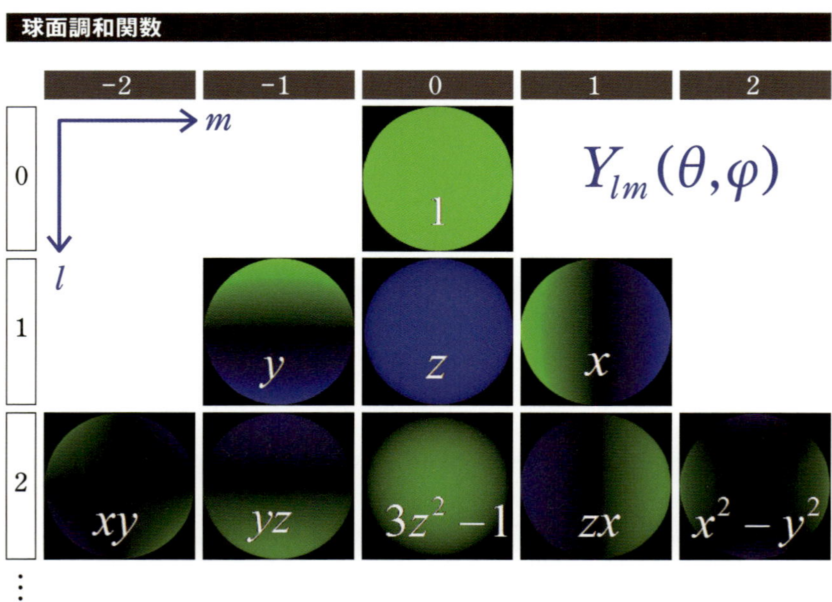

図10.54　ある地点の全方位の環境光分布を、3次の（9個の係数の）球面調和関数で大まかに表しておく

球面調和関数によるライティング

遮蔽による影生成は無視。
単純に表面の法線方向に球面調和関数を参照する。

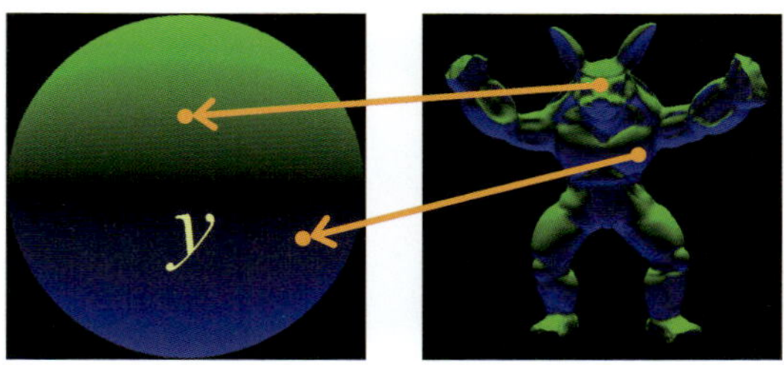

ライティングのデザイン

全方位の環境光は、複数個の球面調和関数（このケースでは9個）とその強度を表すスケーリング値を掛けた形で表される。ライティングは各球面調和関数にスケーリング値を掛けた値で行われ、最終値はその総和で表される。

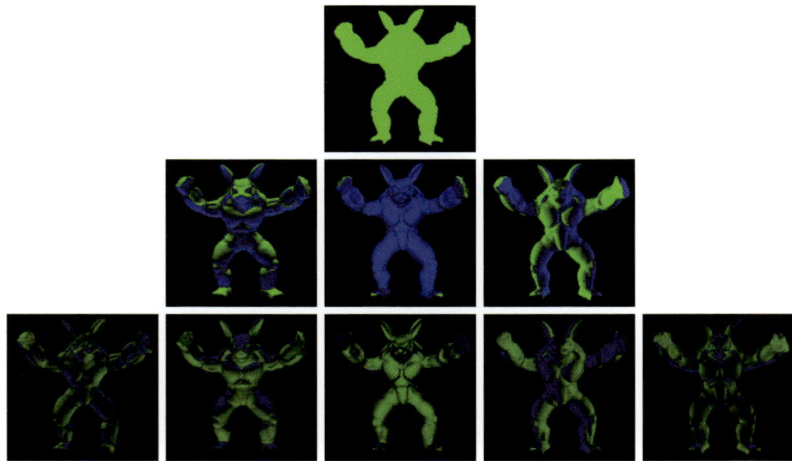

図10.55　実際の処理では、その9個の係数でスケールされた球面調和関数から全方位の環境光をデコードし、陰影処理対象の各ピクセルの法線方向に対応する環境光を取得して、これでライティングを行う。この手法を「SHライティング」と呼ぶことがある（SH＝Spherical Harmonics＝球面調和関数）

図 10.56　球面調和関数による環境光なし

図 10.57　球面調和関数による環境光あり（最終の完成画面）

画面座標系の大局照明技術

画面座標系のポストエフェクトという考え方

GIテクスチャ、放射輝度ボリューム、ライトフィールドといった事前計算を伴う大局照明技術はそれなりに効果は高い。しかし、文字通り、事前計算をしなければならず、その取り組みには綿密な計画や下準備が必要となる。

また、ゲーム開発段階でシーン仕様を大きく変更した際には、その都度、事前計算をやり直さなくてはならないのも、このアプローチの難しい部分だ。さらに言えば、ゲーム中に、シーンの破壊や光源の消失といった動的な演出表現が起こる場合、そうしたシーン変化の全てに対応できるように、事前計算データを取り揃えておくのはかなり困難だ。

このような事情から、「事前計算なし」「下準備なし」で大局照明効果を実現する方策が各方面で研究されることとなった。

そうした背景で台頭してきたのが「画面座標系のポストエフェクト」のアプローチで大局照明を実現しようとするテクニックだ。「画面座標系のポストエフェクト」とは、一言で言えば「レンダリング結果をレタッチする」ということだ。ピンぼけしてしまったデジタルカメラの写真にシャープネスを適用して補正したり、赤目になってしまった人物を黒目に修正したりというような、フォトレタッチのイメージに近い処理系だ。

ただ、リアルタイム3Dグラフィックスの場合は、当然、ペイントソフトを使うのではなく、アルゴリズムを実装したシェーダプログラムを使い、レンダリング結果に対して加工を施すことになる。幸いにも、リアルタイム3Dグラフィックスの場合、レンダリングが完了した時点で、その得られた映像フレームに対応する深度バッファも得られる。深度バッファには、映像フレーム上の各ピクセルに対応した「視点から見た奥行き値」が格納されている。そのため、この情報を利用すれば、立体的な空間情報を考慮した加工を施すことができる。

Screen Space Ambient Occlusion

画面座標系のポストエフェクトによる大局照明技術として、最初に登場したのは「Screen Space Ambient Occlusion」(SSAO)だ。"Screen Space"は「画面座標系」を意味し、"Ambient Occlusion"は「環境光遮蔽」という意味合いになるため、和訳すると「画面座標系環境光遮蔽」という感じだろうか。

本来「環境光」とは、直接光だけでなく、相互反射などの作用にも配慮した大局照明の結果を表した言葉だ。しかし、「Ambient Occlusion」という場合には、そのシーンに充満する"仮"の環境光が作り出した「影」を言い表している。SSAOは、大局照明技術の一種とは言っても、かなり疑似的なものであり、得られるのは照明効果というよりは「影(陰)」になる。

SSAOの実現様式を簡素化して解説すると、以下のようになる。

まず、着目している画素がある場所が、どのくらい遮蔽されているかを探査する。探査には、その画素および画素周辺に対応する深度値を用いる。その探査の結果、着目している画素が、深度バッファ上の奥まった場所・閉ざされた場所にあればあるほど「遮蔽度が高い」と判断して、「陰」の色を濃くする。イメージ的には、深度バッファ上の奥まった部分に対して、陰影を濃くするレタッチを、レンダリング結果に対して施す、ということだ(次ページ **図10.58**)。

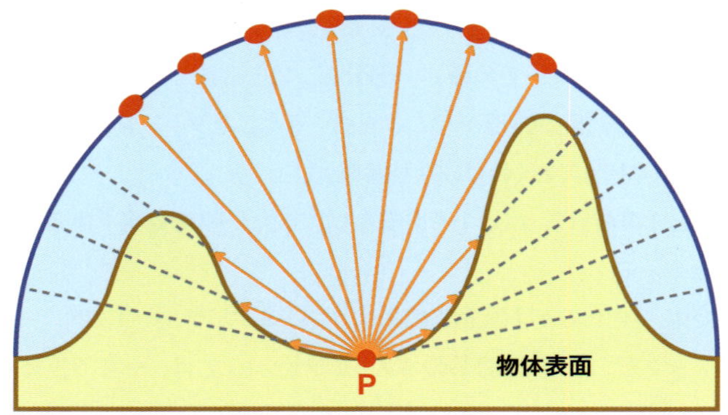

図10.58　環境光遮蔽とは、着目しているピクセル位置Pがどのくらい周囲に遮蔽されているかを表したもの。この図で言えば、14方向のうち7方向が開けていて、7方向が遮蔽されているので、遮蔽率は$\frac{7}{14}$となる。これがAmbient Occlusionの考え方だ

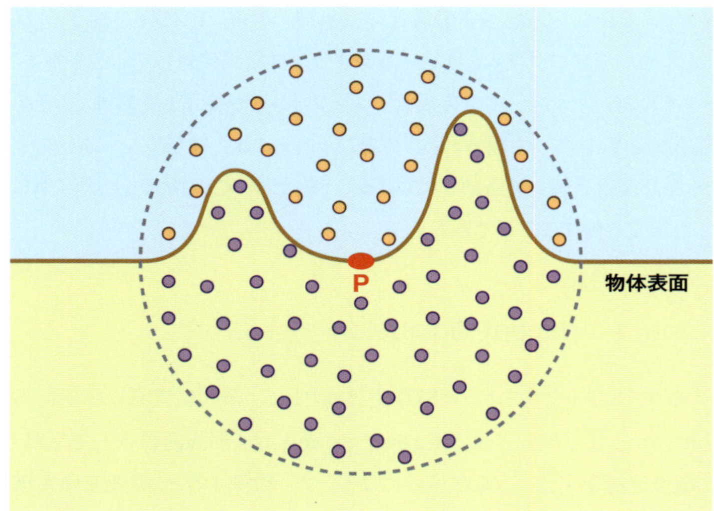

図10.59　最も直接的な遮蔽率の求め方は、着目しているピクセル位置Pから球状に深度値をサンプルして、中空領域と遮蔽領域の割合から算出する方法だ。この図で言えば「$\frac{\text{オレンジの点}}{\text{全サンプル点}}$」に相当する

その「探査方法」には、様々なアルゴリズムが考案されている。最も基礎的かつ直接的なのは、着目しているピクセル位置に対応する深度バッファに対し、適当な半径を持つ球状のサンプル点群でサンプルして、遮蔽物の割合を求めるというものだ（**図10.59**）。

ただ、この方法はサンプル点が多くなり、負荷が高い。そこで、相対的には負荷の軽い手法が各方面から考案されることとなった。NVIDIAのLouis Bavoil氏がSIGGRAPH 2008で発表した「Image-space Horizon-based Ambient Occlusion」はその手法の1つだ。

この手法では、着目しているピクセル位置Pを中心として、そこから少しずつ離れた深度値を探査していき、探査を打ち切るまでの間で最も高い遮蔽物を見つけ、P点からの角度を求める。この探

査を円状に行い、全探査線上における遮蔽物までの角度の総和を遮蔽率とするのだ。角度が高ければ高いほど「高い遮蔽物」に囲まれていることになり、P点を暗い「陰」とするわけだ（**図10.60**、**図10.61**）。

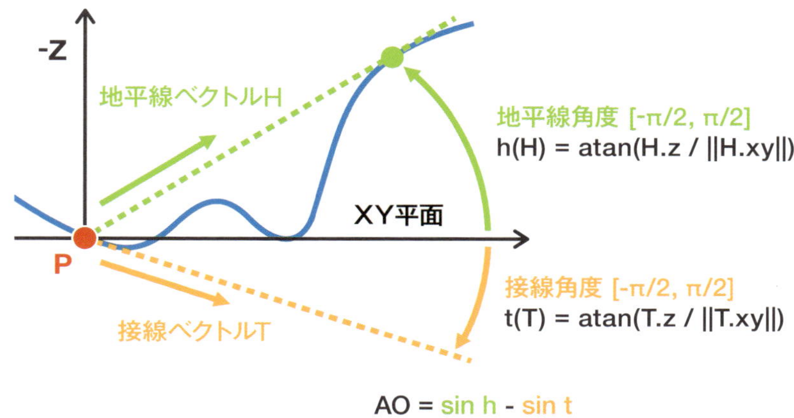

図10.60　地平線ベースのAmbient Occlusion

図10.61　「Gears of War 2」（マイクロソフト,2008）におけるSSAOなし（上）とあり（下）の比較

SSAOによる陰は、ボヤっとしたもので必要十分だ。そのため、実際のゲームでの実装では、遮蔽率を求める際に探査する深度バッファを低解像度のものとし、陰色の描画先も低解像度にする。それを後で、フル解像度のレンダリング結果と合成する、というアプローチがよくとられる。また、SSAOによる陰はボツボツとしたノイジーな結果となりやすいため、ボカしフィルタでボケさせる処理工程を追加することも常套手段となっている（**図10.62**、**図10.63**）。

図10.62　映像解像度＝1,600×1,200ドット、SSAO解像度＝800×600ドット、ボカし＝なし

図10.63　映像解像度＝1,600×1,200ドット、SSAO解像度＝800×600ドット、ボカし＝カーネルサイズ15×15でのブラーあり（ブラー処理は映像解像度の1,600×1,200ドットで実施している）

Screen Space Global IlluminationとRealtime Local Reflection

SSAOは、仮想的な環境光に対する陰を付けるという疑似大局照明技術だったが、GPU性能が向上したことで、より多くの演算を行うことが可能となったため、このSSAOの発想を発展させた新しいテクニックも生まれている。

その1つが「Screen Space Global Illumination」(SSGI)だ。

SSAOでは、着目したピクセルの周辺を調査して、その遮蔽率を算出して陰影を付けていった。しかしSSGIでは、着目しているピクセルの周辺の色味までを、陰影処理に反映していくものになる。これにより、簡易的な相互反射的な表現が可能になる(**図10.64**、**図10.65**)。

図10.64　SSAO適用状態。「ロストプラネット2」(カプコン,2010)より

図10.65　SSGI適用状態。奥のハシゴが、壁からの照り返しで淡く照らされているのが分かるだろうか。これが相互反射や二次光源ライティングを疑似的に再現するSSGIの効果だ

SSAOのもう1つの発展形は「Realtime Local Reflections」(RLR) だ。

RLRは、「事前準備なし」「追加レンダリングなし」である「画面座標系のポストエフェクト」だけで、局所的な映り込みを実現してしまうテクニックである。

SSAOで行うレンダリング結果への探索処理の対象は、深度バッファに限定していた。しかも、視線方向とは無関係な、全方位に行うものだった。しかしRLRでは、探索処理の対象をカラーバッファ(=レンダリング結果が収められているフレームバッファ) にも適用し、しかも、探索する際に視線に対する反射ベクトルへの配慮を行う(図10.66)。

着目しているピクセル位置P点から、視線に相対する反射ベクトルの方向にレイを放ち、レイを進めるごとに深度バッファをサンプルしていく。遮蔽物に衝突していると判断できたら、その衝突先に対応するカラーバッファ上のピクセル色を持ってくるのだ。

原理的には、局所的なレイトレーシングを画面座標系で行うポストプロセスという感じになる。

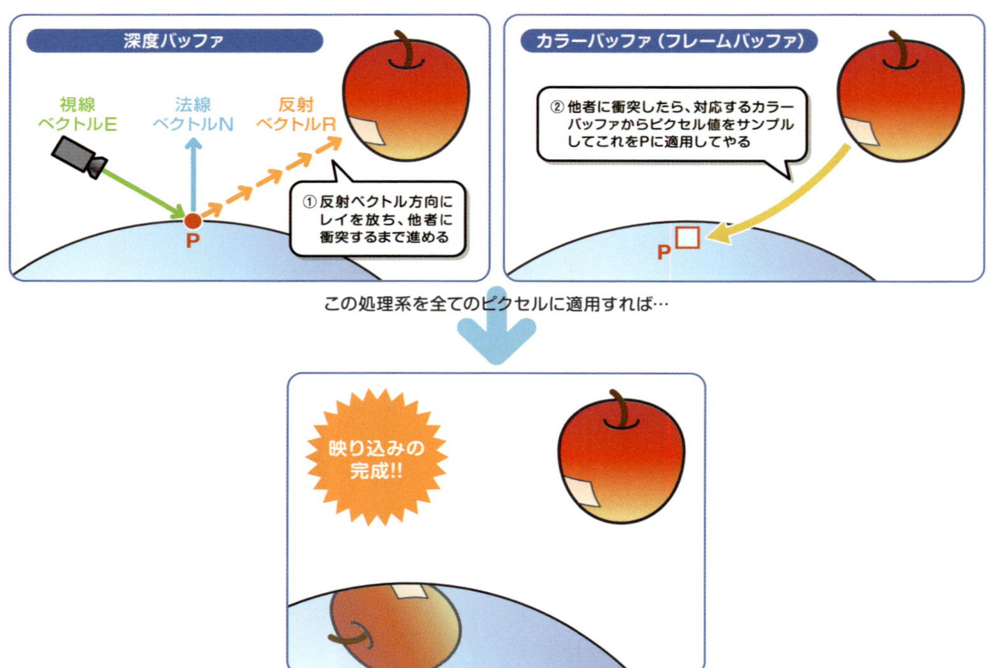

図10.66 Realtime Local Reflectionsの概念。Screen Space Global Illuminationのほうも概念としては同じだが、SSGIのほうは探査範囲が狭く、視線に相対する反射ベクトルに配慮しない部分が違う

映り込みの表現で広く知られているのが、テクスチャに鏡像をレンダリングし、環境マップとして用いる手法だ。ただ、この手法は、車のボディに外界情景を映り込ませるような「ある程度の距離で離れている情景の映り込み表現」を行うにはいいのだが、屋内シーンにおける家具同士や、家具への人物の映り込みなどを行うのには向いていない。

RLRは、その逆に、無限遠の情景を映り込ませるのには向かないが、局所的なものを映り込ませるための強力な手法となる。

RLRが強健なのは、視線に対する反射ベクトルの算出を、鏡像適用先の面（ピクセル）の法線に配慮して行える点だ。このため、平面だけでなく、複雑な形状の曲面にも鏡像の映り込みを再現できる（**図10.67**）。

図10.67　「CRYSIS 2」（CRYTEK/EA,2010）におけるRLRあり/なしの比較

事前計算なしのリアルタイム大局照明技術

最近では、高性能化してきたGPUのパワーを活かし、事前計算なしで、かなり説得力の高い大局照明を実現するテクニックが出現してきた。ここでは、それらのうち代表的なものをいくつかピックアップして紹介することにする。

Reflective Shadow Maps

事前計算なしの間接照明としては、とても分かりやすく基礎的なアプローチで、他の手法の基礎概念にもなりつつあるのが、エアランゲン・ニュルンベルク大学のCarsten Dachsbacher氏らが2005年に発表した「Reflective Shadow Maps」(http://cg.ibds.kit.edu/publikationen.php) だ。

名称の中に「Shadow Maps」とあるので、影生成に関係した手法を連想してしまいそうだが、実はあまり関係がない。その根幹技術が「デプスシャドウ」技法(Chapter 4の122ページ)による影生成と共通する部分が多いため、この名前が付けられたと言われている。

シャドウマップ(Shadow Maps)とは、光源の場所を「仮想的な視点」とし、そのシーンの深度値を求めるレンダリングを行ったものが「光源から遮蔽物までの距離の分布」を表したことになる、というものだった。これに対して、Reflective Shadow Mapsでは、深度値だけでなく、ワールド座標系の座標値、法線ベクトル、拡散反射のライティング結果(Albedo)をレンダリングする。これが方式名にもなっているReflective Shadow Maps(RSM)だ。

このRSMは一体何を表しているのかというと、「その光源がシーン内を直接照らした照明結果を、方向や位置情報付きで格納したもの」と言うことができる。

光源から直接ライティングされたもの同士が、さらに相互にライティングしあったものが間接光照明だ。ならば、「これからレンダリングする対象のピクセル」を直接光でライティングし、同時にRSMに記録した直接光のライティング結果でももう一度ライティングしてやれば、間接光照明を行ったことになるのではないか、というのがこのRSMの着想だ。

なお、RSM生成は、同時に4つのバッファにレンダリングすることになるため、DirectX 9世代以降のGPUに搭載されているマルチレンダーターゲット(MRT: Multiple Render Target)機能を利用することになる。

プレイヤー視点(カメラ視点)からのシーンをレンダリングする際、デプスシャドウ技法では、レンダリング対象のピクセル位置から光源までの距離dを求め、続いてレンダリング対象ピクセルに対応する場所のシャドウマップを参照して、光源から遮蔽物までの距離sを取得する。その際、「d>s」(光がレンダリング対象ピクセルまで届いていない)時は影になると判断していた(Chapter 4の122ページ)。

前述のように、RSMに記録されているのは直接光による照明結果情報なので、これからレンダリングする対象のピクセルに対し、このRSMに収録されている直接光の照明結果の情報を加味すれば、実質的に間接光のライティングを行ったことに相当する。具体的には、レンダリング対象ピクセルに対応する場所のRSMの周辺を複数個サンプリングし、それらを間接光と見なしてライティングする。

なお、RSMからサンプリングした直接光による照明結果情報のうち、レンダリング対象ピクセルのほうに向いていないものは、ライティングに影響しないと判断する。また、レンダリング対象ピクセル位置とサンプル位置の距離が遠い場合、間接光としてはかなり減衰して弱まっているはずなので、そうした強度を変える工夫も盛り込む(**図10.68**、**図10.69**)。

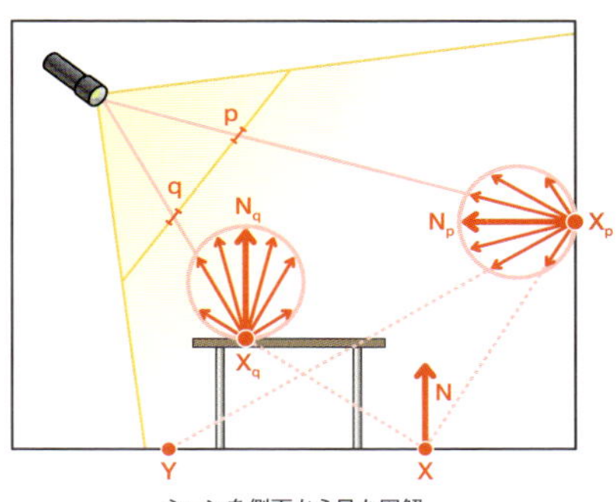

シーンを側面から見た図解

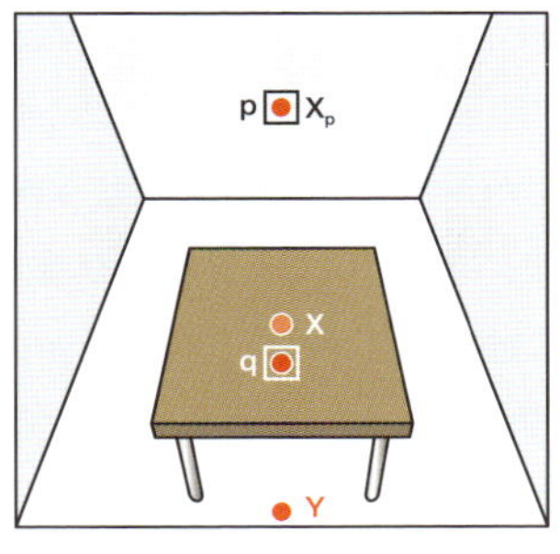

光源位置からレンダリングしたRSM

レンダリング対象となる地点Xに着目する場合、この地点Xにやってくる間接光の候補として、RSM上のテクセルX_pとX_qについて考えてみよう。
このX_pとX_qは、光源を視点としてそれぞれレンダリングした、RSM上の適当な点pと点qに対応する「直接光ライティングの結果情報」とする。付随する情報として、X_pとX_qに対応した法線ベクトルN_pとN_qも記載している。基本的に、RSM技法で取り扱う間接光は「拡散光」なので、それを表現するために放射状に描かれていると理解して欲しい。

・「X_p」は、Xのほうに向いているので、間接光として採用する
・「X_q」は、Xのほうに向いていないので、間接光として採用しない

次に地点Yに着目してみる。

・「X_q」は、Yのほうにも向いていないので、間接光として採用しない
・「X_p」は、テーブルという障害物に遮蔽されているが、遮蔽されているかどうか判断できないので、「X_pはYのほうに向いている」と判断され、間接光として採用される

ここが、RSM技法の制限事項の1つと言える。

図 10.68　RSM 技法による間接光照明の解説（1）

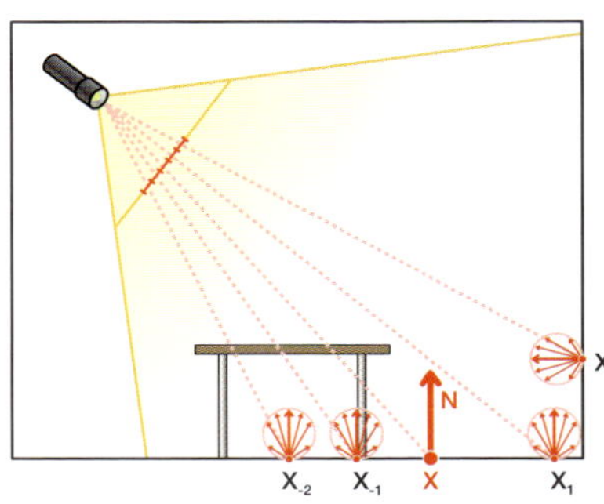

シーンを側面から見た図解

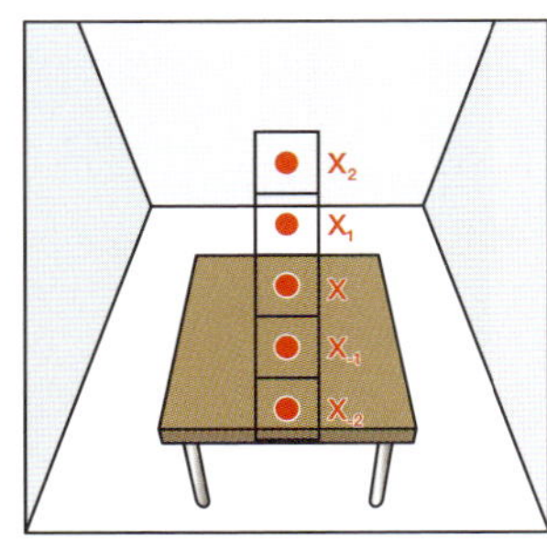

光源位置からレンダリングしたRSM

RSMは、光源を視点としてレンダリングされた結果なので、ワールド座標系や深度値などのジオメトリ情報を持っていたとしても、平面的な構成になっている。
そのため、RSMを参照する際には、右図のようにRSMをサンプルすることになる。
この図では、Xのほうに向いているX_2だけが、間接光として採用される。
実際に間接光として利用する際には、「Xに対するX_2の向き（法線ベクトル）」だけでなく、「X_2と光源までの距離」および「XとX_2の距離」についても考慮しなければならない。なぜならば、「X_2と光源までの距離」は「間接光の強さ」を決定づけ、「XとX_2の距離」の遠近は「間接光の影響度」を決定づけるからだ。

図 10.69　RSM 技法による間接光照明の解説（2）

この手法では、２つの制限・課題がある。１つ目は、二次間接光以上は無視され、一次間接光による大局照明しか再現されないという点。２つ目は、RSMを用いた間接光ライティングが、遮蔽物の有無にかかわらず行われてしまう点である。ただ、シーンの複雑性にはあまり依存しないパフォーマンスで、それなりの大局照明が実現できることと、動的な光源移動・動的なオブジェクト移動にも柔軟に対応できるという利点は大きい。RSMの生成の仕方を工夫したり、あるいはRSMのライティングの用い方を工夫することで、さらなる発展も見出せそうなテクニックだ（**図10.70**、**図10.71**）。

図10.70　左から深度値、ワールド座標系の座標値、法線ベクトル、拡散反射による光束

図10.71　RSMによる間接光と光源からの直接光の両方によるライティングに配慮した最終レンダリング結果

Virtual Point Lightsとインスタントラジオシティ

例えば、赤い壁の部屋があったとする。この天井には白い光を放つ電灯が吊り下げられていて、電灯をオンにすると白い光が放たれる。放たれた白色光は赤い壁を照らす。この白色光は赤い壁で反射する際に、壁の色「赤」をもらって部屋の中を赤く照らす。これは日常でも見たことがある光景だろう。

この部屋にオブジェクトが置いてあった場合、このオブジェクトは天井からの白色光を受けると同時に、赤い壁からの反射光にも照らされることになる(図10.72)。

大局照明とは、直接光による照明と間接光による照明の総和的な概念だが、現在のGPUを用いた通常のレンダリングメソッドでは、この間接光というものの表現手段がない。つまり、基本的に各ピクセルは直接光でライティングするパイプラインしか用意されていないのだ。

そのため、オブジェクト上のピクセルをレンダリングする際、現行のGPUでは、天井の電灯の白色光からのライティングしか行えないことになる。赤い壁からの反射光の影響は、赤い壁に実体としての光源がないのだから、配慮のしようがないというわけだ。

しかし、この赤い壁からの反射光を「赤い実体光源」として置き換えられるのであれば、オブジェクト上のピクセルは、天井の電灯と赤い壁からの反射光（疑似的に置き換えられた直接光）による照明を計算できる。これが、実体としては存在しない反射光(間接光）を、仮想的な光源に置き換えるという発想だ。

こうした発想の間接照明を「インスタントラジオシティ」(Instant Radiosity）と呼び、本来は間接光だったものを仮想的な直接光（点光源）に置き換える概念を「Virtual Point Lights」(VPL）と呼ぶ(次ページ 図10.73～図10.78)。

図10.72　レイトレーシングで再現されたグローバルイルミネーションの例。実体としての光源は天井照明だけのシーンだが、その光は左右の赤と青の壁に反射し、これらが二次光源となって部屋の中のオブジェクトを淡い赤と青の光で照らしているのが分かる

なお、VPLは、点光源（Point Lights）とは言っても、面に当たって生み出された間接光の置き換えであるため、通常の点光源のように光を球方向（360° 全周）に放射することはない。拡散光ということであれば、VPLが置かれたその面の法線方向に向かって半球方向（180° ）に照射することになる。

実際のレンダリング時には、このVPLを直接光ライティングに用いる光源と見なしてライティング計算をすればいいことになる。GPU側としては、大局照明とか間接光とか直接光とかの面倒な区別をせずとも、ただ与えられた光源でライティングするだけでいいのだ。

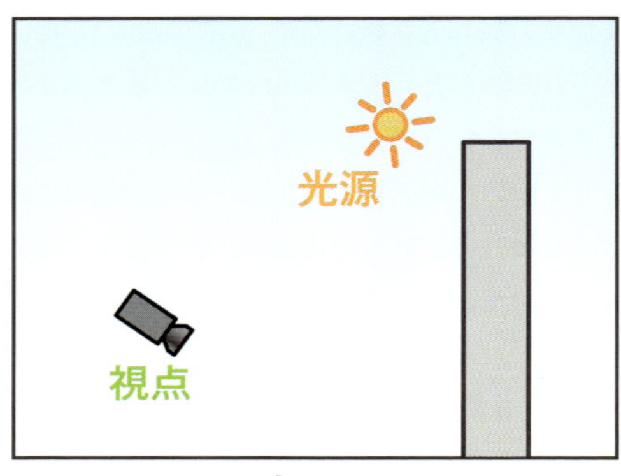

図10.73　VPLによるインスタントラジオシティの概念図

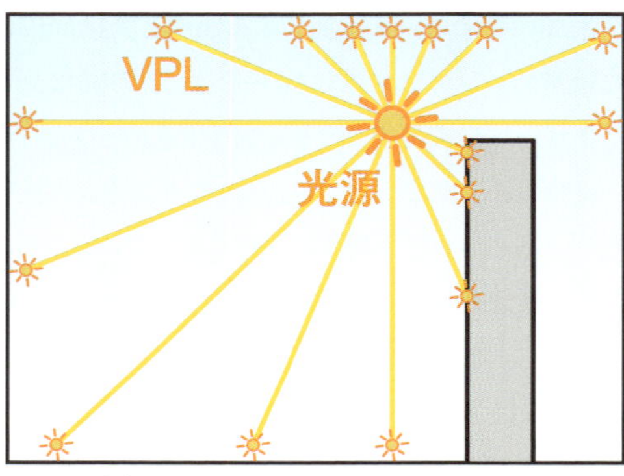

図10.74　光源でシーンを普通にライティングする。その光源から光が照射された各地点を新たな光源点と見なす。これが「Virtual Point Lights」（VPL）だ

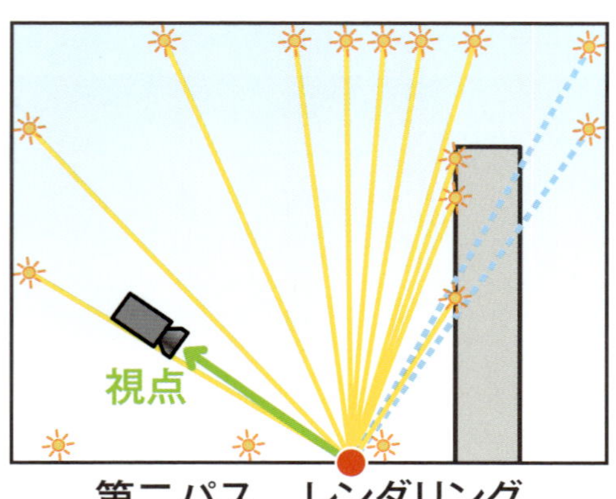

図10.75　最終的なシーンレンダリングでは、これらVPLを普通に光源と見なして、再度ライティングを行う。各VPLはもちろん照射方向や照射範囲といった属性を持つことになる。そうした各VPLが持つ属性に配慮し、レンダリング対象のピクセルに無関係なVPLを排除しつつライティングを行う。これは前出のRSM法と同じだ。図では遮蔽物に配慮し、レンダリング対象ピクセルに到達できないVPLの排除も行っているが（図中右側の水色の点線部）、これはChapter 4で取り扱った動的影生成の概念を持ち込むことで実現できる。VPLごとに個別の影生成をしていたのでは負荷が高くなるので、RSM法のように間接光に対して遮蔽を無視してしまうのも1つの妥協手段ではある

図10.76　VPL法におけるVPLによるライティング結果のショット

図10.77　VPL法におけるVPLを可視化したショット

図10.78　最終映像

※図10.76～図10.78は、VPL法による大局照明を実践したAMDのRADEON HD 7000シリーズ用リアルタイムレンダリングデモ「LEO in Sneeze The Day」（http://developer.amd.com/resources/documentation-articles/samples-demos/gpu-demos/amd-radeon-hd-7900-series-graphics-real-time-demos/）より。

概念としてはシンプルだが、その実現にはいくつか配慮しなければならないポイントがある。まず、重要なのは、この手法のキモとも言える「どうやってVPLを配置するか」だ。これには前出の「Reflective Shadow Maps」(RSM) を用いるのが一般的とされる。最も直観的で単純なのは、生成したRSM上のテクセル1つ1つをVPLに置き換えてしまう方法だ。しかし、RSMの解像度が高い場合、RSM上のテクセル全てをVPLに置き換えてしまうと、VPLの数は膨大になってしまう。例えば、RSMを512×512テクセルで生成した場合、1テクセルを1VPLとして生成すると、総数は262,144個になってしまう。そこで実際には、RSMを適当な16×16～64×64テクセル (VPL個数にして256～4,096個) といった低解像度で生成したり、高解像度で生成したRSMをMIP-MAP的なアプローチで現実的な低解像度に変換してから利用するといった方策が利用される。

ただ、RSM上の1テクセルを単純に1VPLで置き換える手法は、そのVPLの強度が弱い場合には間接光としての影響力が低く、1VPLとして割り当てる価値がないものも出てくる。そこで、RSM上のテクセルを探査し、一定強度以上のVPLになりえるものだけを選択的にVPL化したり、似通った影響を及ぼすと思われるものは1つのVPLとして集約するといったテクニックも有用かもしれない。なお、そうした「選択的VPL生成」手法は、ロジックとしては複雑になるため、ComputeShader (演算シェーダ) を利用して実現したほうが現実的かもしれない。

VPL法には限界もあり、いくつかの代表的なアーティファクト (歪みやエラー) が確認されている。それを低減するための取り組みが新しい研究テーマにもなりつつある。

1つは、領域を持った面光源的な存在のはずの間接光を、離散的なVPLに置き換えたことによる弊害だ。分かりやすい具体例としては、強い鏡面反射を伴うマテリアルのライティングにおいては、ハイライトがポツポツと不連続な形で出てしまうことなどが挙げられる (図10.79)。これはハイライトの照射元となっているVPLの位置が不連続だからこそ起こるアーティファクトだ。鏡面反射でなく拡散反射だけでも、レンダリング対象ピクセルがVPLときわめて近いときには離散的なハイライトが強く出てしまう。そこで、これを回避するために、間接照明の結果強度に上限を設けつつ、階調をなだらかにする補正を導入するクランピング (Clamping) アプローチがしばしば用いられる。ただ、これを適用すると、物理量としての明暗表現の正確性が低下し、映像全体に対して間接照明効果の影響が淡くなってしまうという別の弊害も出てきてしまう (図10.80)。こうした部分は最終的な映像に不自然さが露呈しないように、適宜調整しなければならない部分だと言える。

もう1つの弊害は、大元の実体光源が移動する光源の場合や、シーン内をオブジェクトが移動する場合に起こりうる、間接照明の結果が時間方向に明滅してしまうアーティファクトだ (図10.81)。これも主因はVPLが離散的に生成されるためで、その出現と消失が、時間方向にやや唐突になりやすいことで起きている。これを回避するには、RSMからVPLを選択的に生成する際に、遮蔽物近辺と判断される箇所では、強度が弱くてもVPL生成を行うようにするといった対処が必要になる。

図10.79　VPLの存在自体が離散的なものであるため、馬の像のハイライトが不連続になってしまっている。本来ならば鏡像に近い映り込みになるのが正解だ。また、左の緑のカーテン、中央の壁のアーチ上部付近、右の青のカーテンの床下あたりにも離散的なハイライトが散見される

図10.80　こうした離散的なハイライトの影響を目立たなくするには、そのVPLによるライティング結果からの影響を弱めてしまうという方策が考えられるが、せっかくの照明結果が暗く平坦になってしまう善し悪しがある

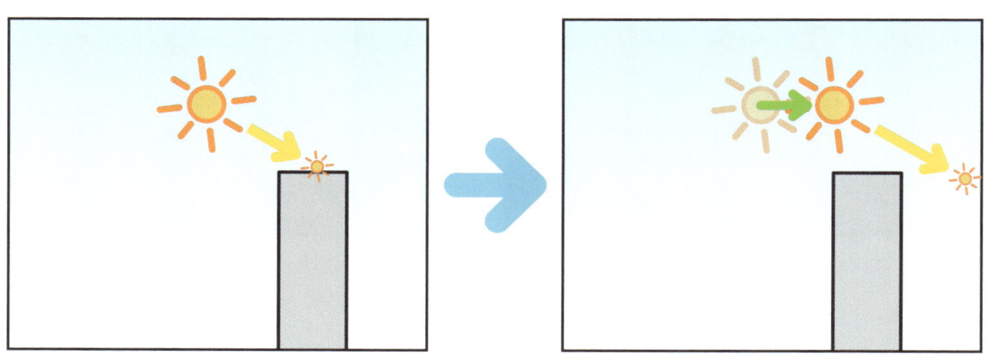

図10.81　実体光源が動いたりオブジェクトが動いたりして実体光源の照射範囲内の遮蔽条件が変化すると、VPLが唐突に出現したり消失したりするアーティファクトが発生してしまう。これもVPLが離散的に生成されることが主因だ

VPL法に必要なレンダリングメソッド

VPL法では、VPLの数が数百〜数千となる。

VPL法が間接光照明をいくら直接光のライティングに落とし込めるとはいえ、1つのシェーダプログラムあたりが利用できるレジスタ数は有限であり、全てのVPLをライティング計算に持ち込むのは、通常のレンダリング手法ではなかなか難しい。

また、仮に多くの光源からのライティング計算を実施したとしても、実際にフレームバッファへそのピクセルを書き込む際、深度テストでそのピクセルが破棄されてしまうと、それまでのGPU負荷はただの無駄に終わる。

VPL法は、無数の光源からのライティングを効率よく行えるが、さらに効率よく描画できる手法との併用が求められるのだ。

そこで有効となるのが「Deferred」系のレンダリングメソッドだ。

Deferred系レンダリングメソッドでは、ジオメトリだけを先行レンダリングし、その際に後段のシェーディングやライティングに必要な中間情報を、MRT（Multiple Render Target）にて複数バッファ（G-Bufferと呼ばれる）に出力してしまう（**図10.82**〜**図10.89**）。

図10.82　深度値（Z値、デプス値）

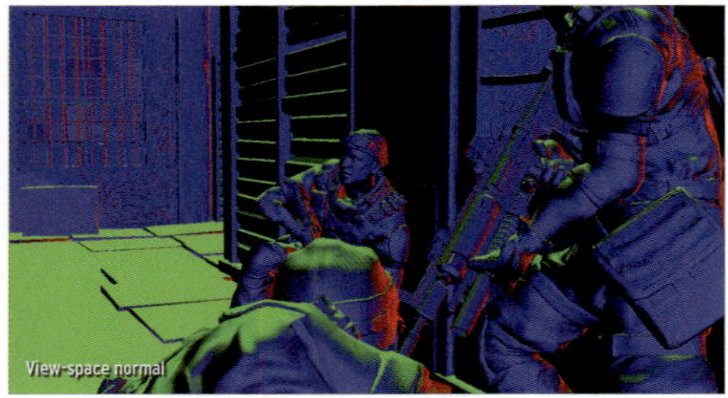

図10.83　カメラ座標系の法線ベクトル情報

図10.84　スペキュラ強度

図10.85　ハイライト強度

図10.86　動きベクトル

図10.87　テクスチャカラー

図10.88　Deferred Shading完了後

図10.89　ポストプロセス適用後の完成画面

※図10.82～図10.89は「KILLZONE 2」(2009年)より。

後段では、その複数バッファに出力された中間情報を元に、シェーディングやライティングを行う。この際、画面座標系で光源を描き込むようなイメージで処理を行うため、深度テストに合格したピクセルにしかシェーディングやライティングを行わないで済む(次ページ 図10.90、図10.91)。ちなみに、後段で遅らせて(Defer:先延ばしにする)ライティング、シェーディングを行うことから「Deferred系」と呼ばれる。

Deferred系は、固定負荷がそれなりに高いレンダリングメソッドだが、リッチなライティング空間を演出するには効果的な手法としてもてはやされ、PS3・Xbox 360世代のゲームグラフィックスにおいても採用例が増えている。しかし、Deferred系には弱点もあり、「MSAAとの相性が悪い」「半透明との相性が悪い」「マテリアル表現のバリエーションに制限が出る」といった点がよく指摘される。

一方、GPUが想定したレンダリングパイプラインの"手順通り"に行う従来型のレンダリングメソッドは「Forward」系と言われ、Deferred系で指摘されるような弱点はない。

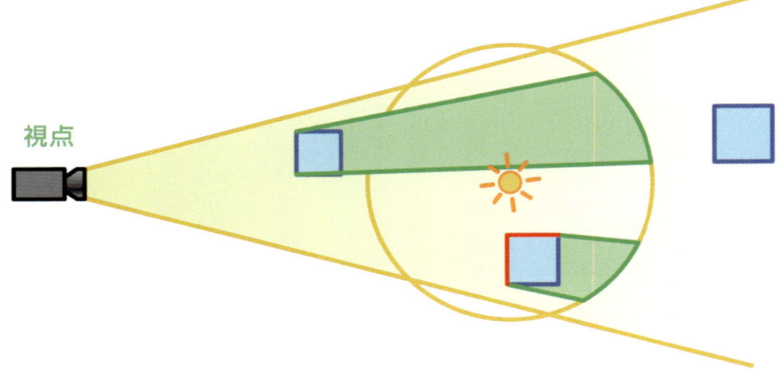

図 10.90　視点から見て、点光源の照射範囲の後面よりも前にあるピクセルをマーク

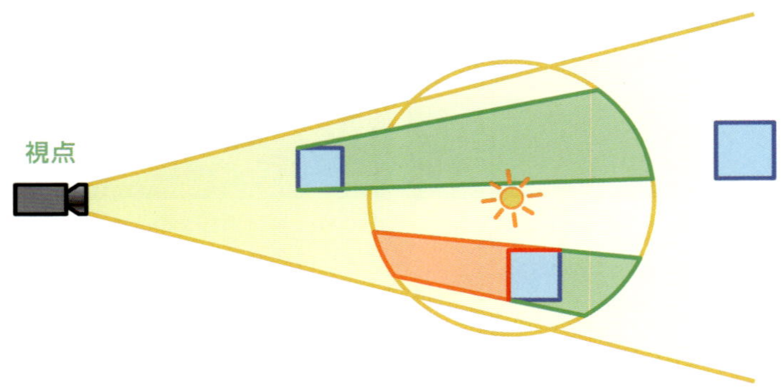

図 10.91　視点から見て、点光源の照射範囲の前面よりも後ろ側にあるピクセルがライティング対象になる、と判定

そこで、近年では「Forward系のよいところとDeferred系のよいところの両取りの手法」として「Forward+」という新しいレンダリングメソッドが考案され、実用化が進められている。この手法は、基本方針がForward系のレンダリングメソッドでありながら、無駄なく無数の動的光源によるライティング・シェーディングが行える特長を持つのだ。ジオメトリを先行レンダリングする点はDeferred系と同じだが、MRTによるG-Buffer出力は行わない。続いて、ライティングやシェーディングを行う前処理として、無数に置いた動的光源達が画面座標系のどの領域に影響を及ぼすのかを調査する。この調査過程で、ライティング・シェーディングに影響しない光源は破棄してしまうのだ。このフェーズで、そのフレームのライティングに関わる動的光源達のリスト化を行う。後段のレンダリングでは、その有効動的光源リストを参照しつつ、Forward系レンダリングを行う（**図 10.92**）。ポイントは、その動的光源の有効/無効チェックと、その有効リストの作成にComputeShaderを利用する点だ。前出の「LEO in Sneeze The Day」は、Forward+レンダリングを用いたVPL法の実例となっている。

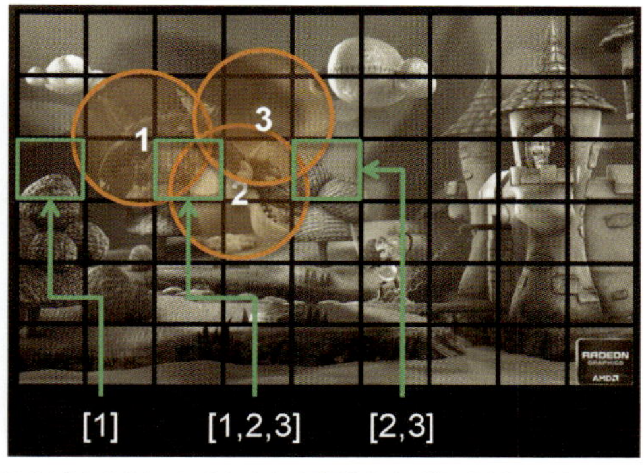

図10.92 オレンジの丸で表しているVPL1,2,3が、画面座標系で図のように存在していたとする。画面をタイル状に分割し、どのVPLがどのタイルのライティング・シェーディングに影響を及ぼすのかを、ComputeShaderを使い、並列処理で調査する。調査の過程で、各タイルがどのVPLの影響下にあるのかを示したリストを作成する。このあと続くレンダリングの際には、レンダリング対象ピクセルがどのタイルにあるかは自明なので、そのタイルに対応するリストを参照して、ライティング・シェーディングを行う

Deferred系レンダリングは、PS3やXbox 360といったゲーム機でも実装できた手法だが、Forward+はDirectX 11世代以降のGPUで実用レベルとなったGPGPU併用型の実践手法のため、実践できるハードウェアは新しい世代のものに限られる。その意味でも、Forward+は新しい世代のレンダリング手法と言うことができるかもしれない。

Light Propagation Volumes（1）～LPV法の基本概念

このChapterでも紹介したソニックWAやHalf-Life 2が採用した「ライトフィールド」や「放射輝度ボリューム」では、シーン内に存在する静的な光源からの大局照明を事前に計算し、直方体で分割・3Dグリッド化しておいたシーンに配置しておくという実装形態だった。動的キャラクタに対して大局照明効果を施したい場合は、そのキャラクタが現在入っている3Dグリッド（直方体）が持つ大局照明情報を取り出して実行する。

しかし、この手法は、事前計算ベースであるため、光源が動くようなシーンでは活用できなかったわけだ。

CryENGINEの開発元として知られる独CRYTEKは、自社開発タイトル「CRYSIS 2」（CRYTEK/EA,2010）に向けて、新たな大局照明技術「Light Propagation Volumes」を開発した（http://www.crytek.com/cryengine/cryengine3/presentations/cascaded-light-propagation-volumes-forreal-time-indirect-illumination）。これは、「ライトフィールド」や「放射輝度ボリューム」で採用されている3Dグリッドベースの概念を利用しながらも、事前計算なしで、動く光源やオブジェクトが混在するシーンに対して、リアルタイムに大局照明の処理を実践できるようにしたものだ。

「Light Propagation Volumes」（LPV）法は、先に概念的な話をすると、「ライトフィールド」や「放射輝度ボリューム」に「Virtual Point Lights」（VPL）法を組み合わせたような実現様式になっている。

シーンを事前に3Dグリッド分割（適当な大きさの直方体粒度で分割）しておくことは、「ライトフィールド」や「放射輝度ボリューム」と共通だ（**図10.94**）。

「ライトフィールド」や「放射輝度ボリューム」では、各グリッドに対して事前計算の大局照明情報（間接光情報）は格納済みだった。しかしLPV法では、基本的にフレームをレンダリングするたびに、各グリッド内の大局照明情報を初期化する。

まず最初に行うのはReflective Shadow Maps（RSM）をレンダリングすることだ（**図10.93**、**図10.96**～**図10.98**）。

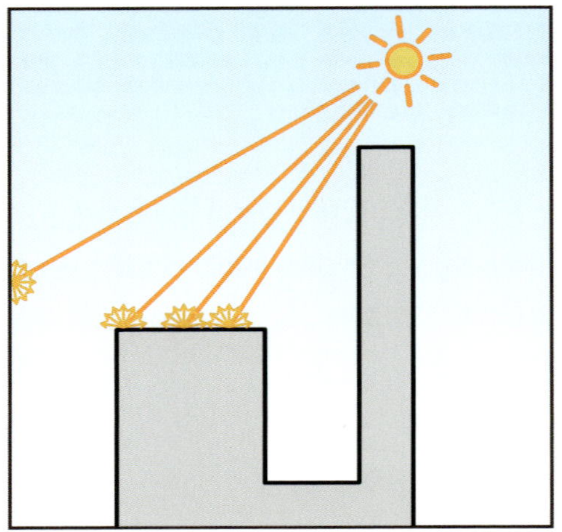

図10.93　Light Propagation Volumes法の概要。動的光源の位置からReflective Shadow Maps（RSM）をレンダリングする

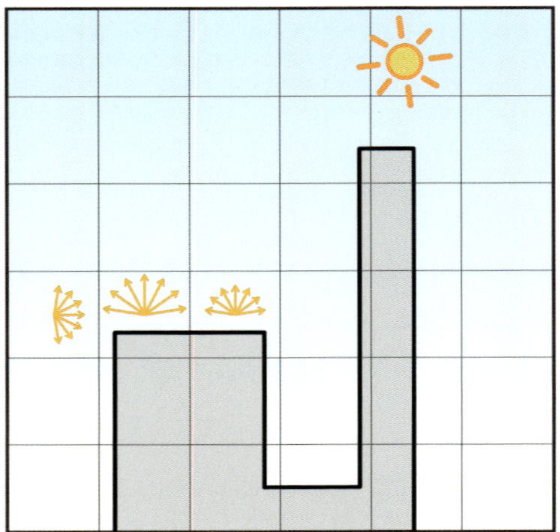

図10.94　空間を直方体で分割する3Dグリッドは、事前に生成しておく。RSMからVPLを生成し、そのVPLの位置に対応する3Dグリッドに、間接光としての初期情報を注入する。グリッドに記録するのは、球面調和関数として表現した全方位の放射輝度だ

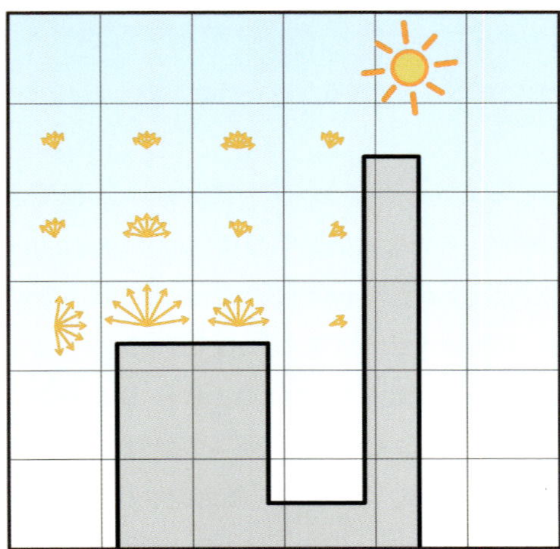

図10.95　各グリッドにおいて、隣接するグリッドからどう光が伝搬してくるのかを計算する。全てのグリッドに対して、この処理を何ループか実践する。最終レンダリング時のやり方自体は「ライトフィールド」や「放射輝度ボリューム」と変わらず、グリッドから球面調和関数の形の間接光情報を取り出してライティングをするだけだ

図10.96　RSMの内訳の1つ。拡散反射のライティング結果（Albedo）。拡散反射光の光束に相当

図10.97　RSMの内訳の1つ。法線情報

図10.98　RSMの内訳の1つ。深度値

図10.99　このシーンの最終レンダリング結果

そして、ここからがLPV特有のプロセスになる。

まず、VPL法の要領でRSMからVPLを生成する。ただし、生成したVPLは、ライティングには直接用いない。生成したVPLの位置に対応するグリッドに対して、初期照明情報として注入するのだ。これを終えると、LPV法における事実上の初期値設定が完了状態となる。なお、各グリッドに注入する初期照明情報は、球面調和関数の形で収納する。

次のフェーズは、LPV法の「Propagation」（伝搬）の名前の由来になっている伝搬処理部分だ。各グリッドに注入された球面調和関数による初期照明情報を、隣接するグリッドに伝搬していく処理を行う（図10.95、次ページ 図10.100）。

例えば、今着目しているグリッドに向かって、隣接するグリッドが赤い光を放っているとする。そのような場合、赤い光はその強度を減衰させたうえで、その方向からやってきている、ということを記録させるイメージだ。もちろんこの記録は、再び球面調和関数の形で記録する。

Reflective shadow maps

3Dグリッドの初期化

反復的な間接光の伝搬

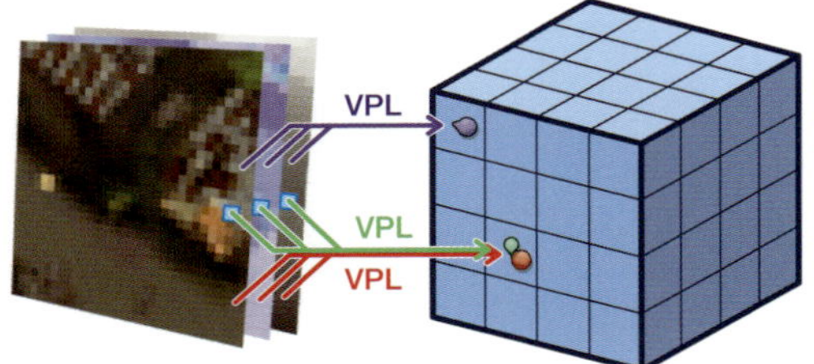

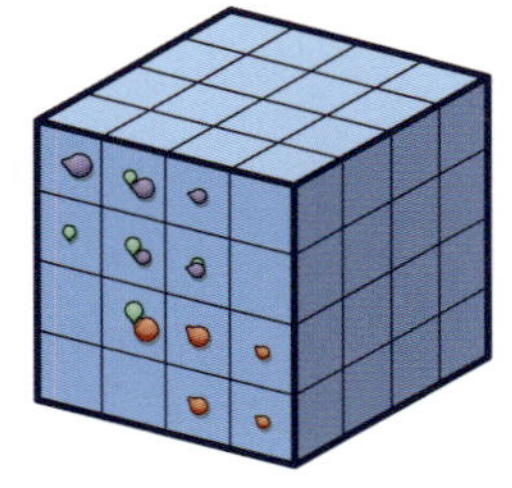

光源位置からシーンに対してRSMを生成。

RSMからいくつかのVPLを生成し、それらVPLを集約して球面調和関数として表現。これをグリッドに初期値として注入。図中の青、赤、緑のマークは、グリッドの中心からどの方向にその色の光を強く放っているか…ということを表している。

隣接しているグリッドからの光の伝搬を、反復的に計算する。例えば、左上の青の光は、初期の状態から右に向いていたので、右方向に向かって伝搬していくのだ。

図10.100　LPV法の処理の流れ

なお、グリッドは直方体(6面体)なので、直観的には6方向の隣接グリッドからの伝搬を配慮すればよい。さらに精度を上げたい場合には、斜め方向のグリッドからの影響を配慮してもよいかもしれない。斜め方向までの隣接グリッドを全て考慮するとなると、全部で26方向(3×3×3 − 1)ということになる。

実際、シーンに存在する全てのグリッドに対して伝搬処理を完了させたとしても、ほとんどの場合、その伝搬の結果である間接光は、シーン内の全てのグリッドには行き届いていないはずだ。つまり、この伝搬処理は何回もループで回す必要がある(**図10.101～図10.104**)。伝搬処理のループ回数は、グリッドの粒度やシーンの大きさ、光源の光の強さに依存するので、一概に「X回でよい」とは言えない。

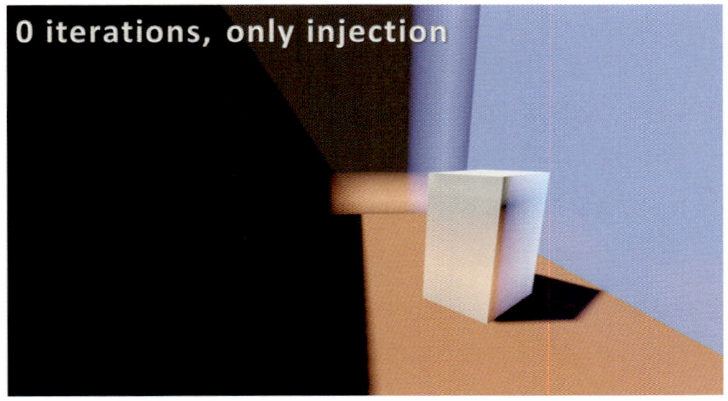

図10.101　LPV法における伝搬処理の繰り返し数の違いによる品質の差。伝搬処理ループなし。直接光のみのライティング結果と等価

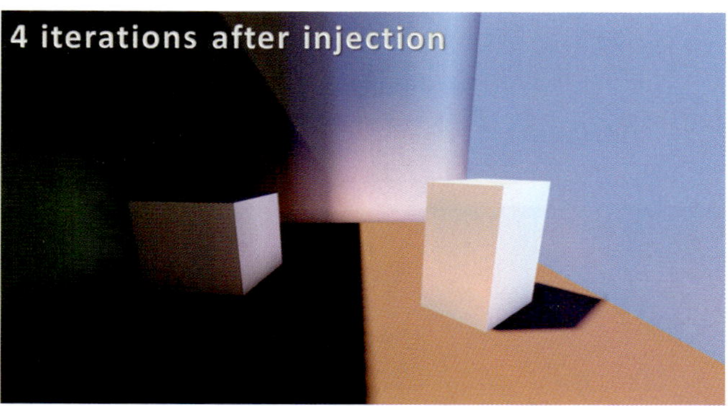

図10.102　伝搬処理４ループ

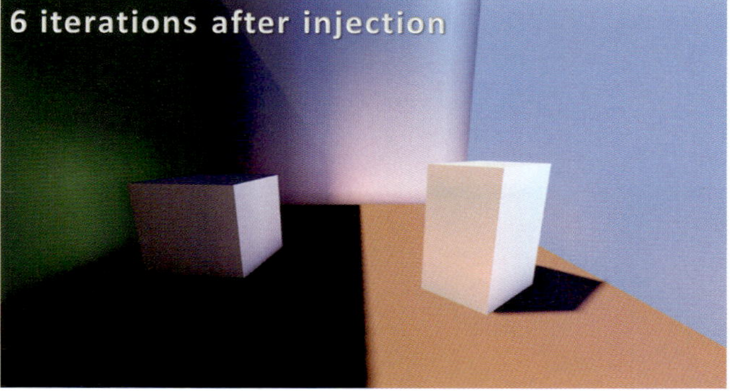

図10.103　伝搬処理６ループ

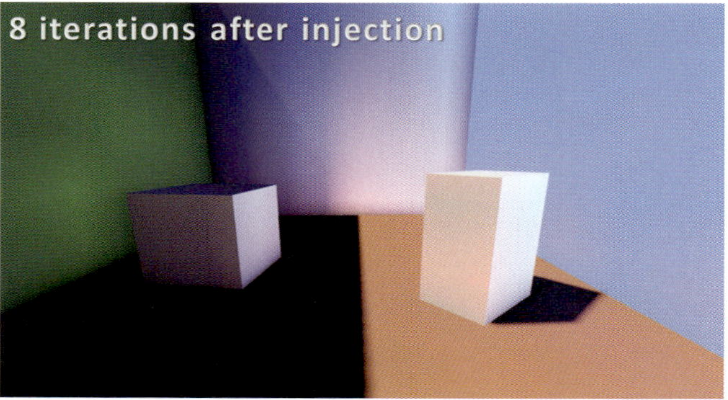

図10.104　伝搬処理８ループ

実際にシーンをレンダリングする際、間接光のライティング処理は、グリッド内に入っている球面調和関数で表現された伝搬結果を取り出して行うことになる。この部分は、「ライトフィールド」や「放射輝度ボリューム」の処理系と大きくは変わらない。

図 10.105　直接光による照明のみ

図 10.106　LPV 法による間接照明あり。横切る壁の陰、木や車の側面、下向きの枝葉が地面からの照り返しによってだいぶ明るく見えている。こちらのほうが現実世界の屋外のイメージに近いのは言うまでもないだろう

Light Propagation Volumes（2）～LPV法の課題と改善方針

LPV法では、光源が動き回ろうが、キャラクタが動き回ろうが、それなりに理にかなった間接光表現ができるため、非常に強力なテクニックだと言える。また、事前計算が不要なのも、導入がしやすい利点として訴求される。唯一、事前準備が必要な要素は「シーンをどのくらいの分解能で直方体分割するか」といった部分だ。しかしこれも、たとえ導入後であったとしても、ある程度は柔軟に変更することは可能だろう。

伝搬処理は負荷が高そうであるが、3Dグリッドのセットを２種類（AとB）用意しておくことで、

処理を分散できる。初期状態はグリッドセットAに格納、伝搬処理結果はグリッドセットBに書き出す…というような処理系にすれば（以降A,B入れ替え）、各グリッドの処理は独立した処理系に落とし込める。つまり、伝搬処理の並列化は可能ということであり、マルチコアCPUやGPGPUを用いての高効率な処理が可能となる。

このように、LPV法はとてもパワフルだが、やはり課題もいくつか残されている。

1つは、シーンを直方体区分で分割している3Dグリッドの粒度が粗いので、このグリッド境界が間接照明の効果としてやんわりと見えてしまう点だ（図10.107、図10.108）。

2つ目は、非常に広いシーンを取り扱う際、シーンを3Dグリッド化するのに非常に大きなメモリ容量が必要になってしまうという問題。

3つ目は、間接光がシーン内の遮蔽物を無視して照らしてしまうアーティファクトについてで、RSM法やVPL法にも共通する課題である。

4つ目は、LPV法で提供される間接光のライティングは、基本的に拡散反射に限定され、鏡面反射の効果は反映されないという点だ。

これら4つの課題は、LPV法を開発したCRYTEK自身によって改善対策手法が示されている。

1つ目の3Dグリッド化が粗いことで生じるアーティファクトと、2つ目の3Dグリッドを大きなシーンに適合させるのが難しいという問題については、3Dグリッド化を疎密に行うというアイディアで対策できるとしている。Chapter 4で取り扱った影生成技法において、非常に広い範囲の影生成を1つのシャドウマップで行うのは無理があるとして、視点からの距離に応じて複数のシャドウマップを生成するカスケードLSPSM技法（132ページ）を紹介したが、ちょうどその概念をLPV法に導入するのだ。つまり、複数の分解能の3Dグリッドを定義しておき、それを視点（プレイヤー位置）から近い位置から割り当てていくわけだ。視点から近い位置は細かい直方体による3Dグリッドを割り当て、遠くなるにつれて粗い直方体による3Dグリッドを割り当てるような構造とするのだ。

CRYTEKは、この改良型のLPV法を「カスケードLPV法」（Cascaded Light Propagation Volumes）と命名している（次ページ 図10.109）。

間接光効果による影響は、遠方ではだいぶ粗くなってしまうが、遠いので元々細部は見えてこない、と妥協する。このようにすることで、処理負荷とメモリ使用量は大きく節約しつつも、非常に広い範囲に対してLPV法を適用することができるようになる。

図10.107　階上の間接照明が階下にまで及んでしまっている

図10.108　不可解な陰影が出てしまっている。この不可解な陰影のあたりに3Dグリッドの境界があると推察される

もちろんRSMは、複数の3Dグリッドに対して個別に生成し、それらのRSMから各々VPLを生成してから、各グリッドに注入する必要はある。例えば、分解能を3段階に設定した3Dグリッドを想定した場合、3種類の解像度で生成したRSMを用意する。そして、それぞれのRSMから生成したVPLを、3つのグリッドに注入するのだ。

なお、間接光の伝搬処理ループは、最も遠い場所にある、粗い分解能の3Dグリッドから始める。

できあがった遠景側の3Dグリッドは、一段階近い場所にある3Dグリッドを内包することになるので、この結果を一段階近い場所の3Dグリッドに伝達させる（**図10.110**）。近景側の間接光の伝搬処理ループは、「RSMから生成したVPLを元にした初期情報」と「一段階遠い3Dグリッドからの間接光情報」の両方の初期値を与えてから行うわけだ。

最終的な間接光ライティングは、レンダリング対象ピクセル位置に対応する最も分解能の高い近景側の3Dグリッドに格納されている間接光情報を用いるだけでよい。

ポイントは、分解能が一段階粗い3Dグリッドに入っている間接光情報は、より遠い場所からの間接光伝搬の結果である、ということだ。カスケードLPV法は、遠景までの間接光を効率よく管理利用する、という直接的なメリットのほかに、遠景からの間接光の影響を効率よく得られる、という副次的なメリットもあるのだ（**図10.111**～**図10.115**）。

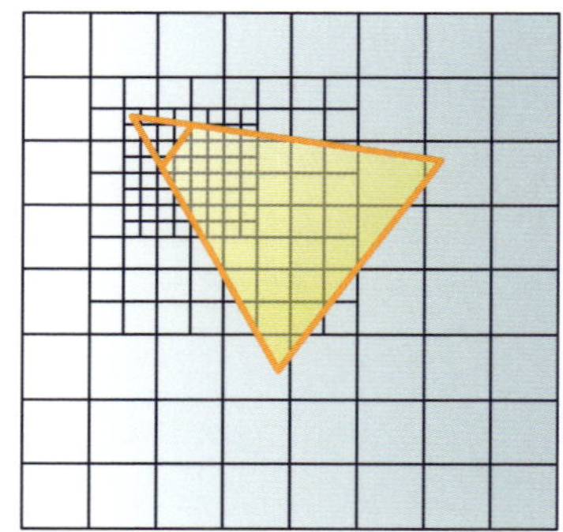

図10.109　カスケードLPV法のイメージ。近景には分解能の高い、細かい直方体で3Dグリッド化し、遠景に行くにつれて分解能を下げ、粗い3Dグリッドとする

図10.110　遠景側の間接光の伝搬処理ループを終えたら、一段階近景の3Dグリッドに、その結果を初期値として注入する。これを行うことで、遠景からの間接光を近景側に伝搬させることができる

図10.111　単一グリッドによるLPV法の結果。中央の柱への間接光は、その根本にある絨毯の赤領域からの照り返しが支配的だ

図10.112　3段階グリッドを用いたカスケードLPV法による結果。中央の柱への間接光は、その根本の絨毯の赤領域以外に、やや遠方にある黄領域からの影響も受けるようになったことが分かる

図 10.113　実際の「CRYSIS 2」のシーンでの比較。LPV 法による間接光照明なし

図 10.114　単一グリッドによるLPV 法。左の建物の周辺だけは明るくなった

図 10.115　３段階のグリッドを用いたカスケードLPV 法による結果。左の建物からの照り返しが右側の建物の陰付近までを照らすようになった

３つ目の「間接光がシーン内の遮蔽物を無視して照らしてしまう問題」については、同じ解像度の3Dグリッドをもう１つ用意し、そこに遮蔽物情報を格納しておくことで、ある程度対応できるとしている。

この新しい3Dグリッドは「遮蔽グリッド」（Occlusion Grid）と命名されている。遮蔽グリッド内の各グリッドには、その位置に存在する遮蔽物がどの方向に光を遮蔽するかを、球面調和関数で表現した情報で格納する（**図10.116**、**図10.117**）。

遮蔽物の遮蔽方向の情報は、RSMに格納されている遮蔽物までの深度値や、遮蔽物上の法線情報から求めることができる。デプスシャドウ技法と同じアプローチで、各グリッドごとに粗い立体的な影情報を作り上げるイメージだ。この遮蔽グリッドに対しても、LPV法の間接光処理のように、格納された遮蔽情報を伝搬させる。

最終的な間接光ライティングは、「間接光情報が格納された3Dグリッド」と「遮蔽情報が格納された3Dグリッド」の両方に配慮して行う。イメージ的には、遮蔽情報の影響が大きければ大きいほど、間接光の影響が小さくなる…というような処理系だ。

遮蔽グリッドを導入すると、非常に複雑な状態になってしまい、計算量も増えてしまう。しかし、この処理は、近景に対して行うだけで十分なはずである。

４つ目の「間接光のライティングは拡散反射に限定され、鏡面反射の効果は反映されない」という課題については、正確な鏡像を出すことは困難としつつも、間接光のライティングの際、もう一手間を加えることで、それらしいハイライトを出すことは可能である、としている。

定義通りのLPV法では、レンダリング対象となるピクセル位置に対応したグリッドが持つ間接光情報を取り出し、拡散反射のライティングを計算するだけだ。しかしここで、視線ベクトルと、そのピクセルが持つ法線ベクトルの情報を元にして、反射ベクトルを算出する。その反射ベクトルに沿って、3Dグリッドをサンプルしていき、ライティング計算の際、この情報も考慮してあげることで、鏡面反射の効果も出せるというわけだ（**図10.118**、**図10.119**）。

図10.116　遮蔽グリッドなし。煉瓦からの照り返しの間接光が、ソファを突き抜けてしまっている

図10.117　遮蔽グリッドあり。煉瓦からの照り返しの間接光。きちんとソファに遮蔽されている

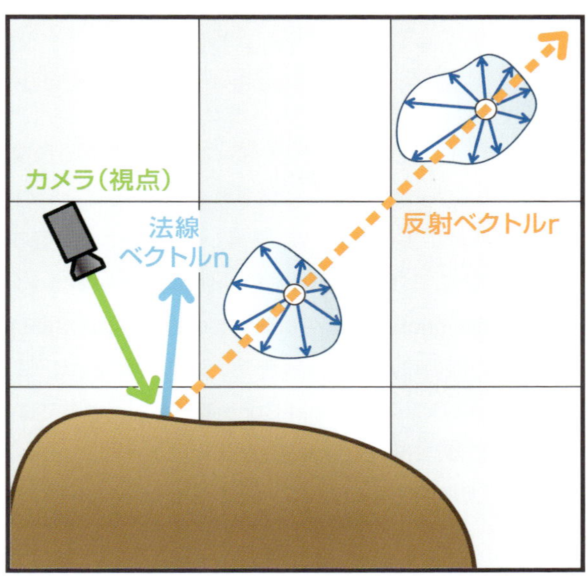

図10.118　ライティング時、視線ベクトルに対する反射ベクトルに沿った位置にあるグリッドを参照してライティングすれば、間接光による鏡面反射効果も導入できる

図10.119　鏡面反射にも配慮したLPV法の結果

Sparse Voxel Octree + Voxel Cone Tracing

CRYTEKが開発したLPV法は、非常に強力で拡張性が高いテクニックだ。しかし、3Dグリッドをカスケード化することで使用メモリ領域の効率化を図っても、間接光の伝搬処理ループという処理系がどうしても不安材料になる。伝搬処理ループをどれくらい回せばいいのかは、シーンの複雑性や光源の向きや強度との相関性に依存するため、見通しの悪さがついて回るためだ。

こうした課題を解消する手法として「Interactive Indirect Illumination Using Voxel Cone Tracing: An Insight」(http://maverick.inria.fr/Publications/2011/CNSGE11a/) という論文が、SIGGRAPH 2011にて、NVIDIAのCyril Crassin氏らによって発表された(**図10.120**)。

手法名としては「Sparse Voxel Octree + Voxel Cone Tracing」(本書ではSVO法と記する) として認知されており、2012年には、EPIC GAMESが新世代ゲームエンジンとしてアナウンスした「Unreal Engine 4」(UE4) の大局照明技術として、SVO法が標準採用されている(**図10.121**)。

図10.120 SVO法の論文のイメージショットとして公開された画面。NVIDIAのGeForce GTX 480によるリアルタイム実行結果である。石のアーチの天井部は、カーテンからの間接光によって赤く染まっている。また床には、淡い鏡像の効果までが現れているのが見て取れる

図10.121 EPIC GAMESのUnreal Engine 4によるリアルタイム技術デモ「ELEMENTAL DEMO」(2012年) より

SVO法は、大きく分けて２つのステップの処理系に分けられる。

最初のプロセスは、これからレンダリングするシーンのジオメトリを、ボクセルで丸ごと覆わせる処理である。概念としては、LPV法で取り扱った3Dグリッドにおける「グリッド」と同じだ(「ピクセル」が「X・Y（縦・横）を構成する平面画素」を表しているのに対し、「ボクセル」は「X・Y・Z（縦・横・奥行）を構成する立体画素」を表している)。

さて、LPV法やカスケードLPV法では、シーンを直方体で分割し、3Dグリッド化する概念がベースとなっている。そのため、広いシーンで何もオブジェクトが存在しない空間が多い場合、ほとんどのボクセル（グリッド）が「実体物ナシ」のNULLノードとなってしまう。つまり、その分、データの冗長性が大きくなってしまっていた。

SVO法では、レンダリングの対象となるシーンを、そのシーン内の複雑性に対応させて、再帰的に直方体で８分割していく(八分木構造の生成)。もう少し簡単に説明すると、オブジェクト（ジオメトリ）の密度が高い場所には、細かいボクセルを割り当てる。何もない空間には、大きなボクセルを割り当てる、ということだ。なお、これらのボクセルは、リスト構造の形でデータ管理される(**図10.122 ～図10.124**)。

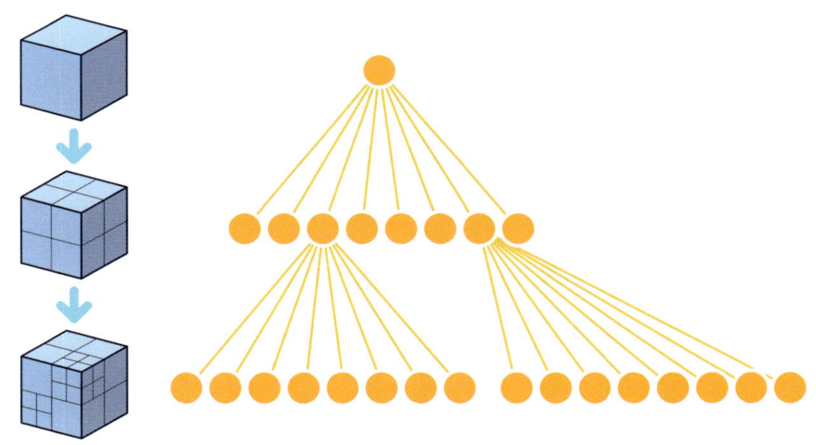

図10.122　八分木構造。3D空間を再帰的に８つの空間に分割した構造。リスト構造としては、自分から分岐する枝は８つまでの構造体

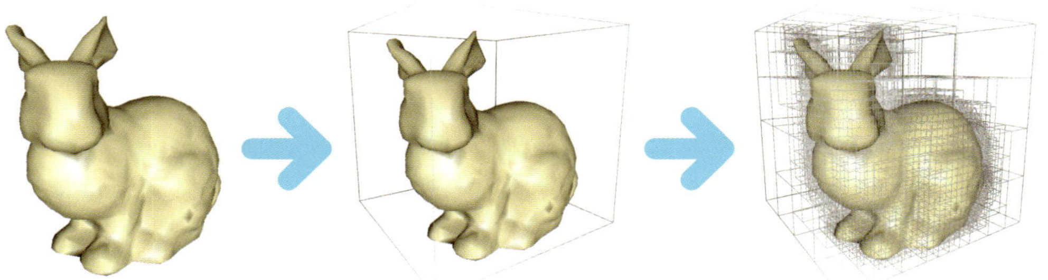

図10.123　SVO法では、ボクセル化フェーズを終えてボクセルが書き出された3Dテクスチャに対し、この八分木構造を生成する。細かい表現にはたくさんのボクセルを残し、粗い表現の箇所には少ないボクセルを割り当てるようなイメージになる

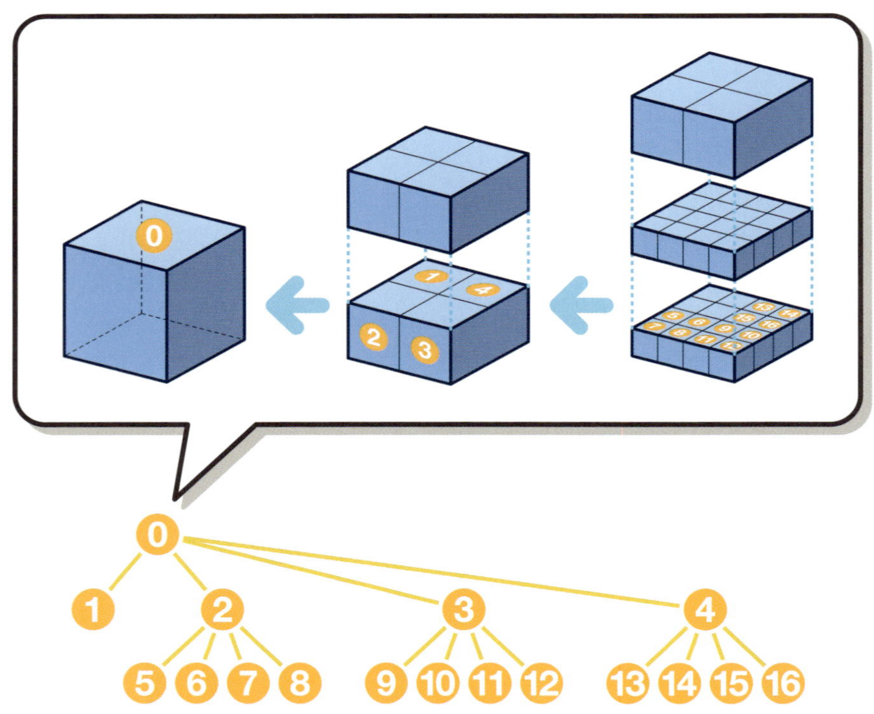

図 10.124　SVO法ではNULLノードなしの八分木構造を用いる

ポリゴンで構成されたジオメトリ空間をボクセル化する処理は、GPUのラスタライザを利用して行われる。具体的には、ジオメトリシェーダを利用する。X・Y・Zの３方向からの投影面に対し、X→Y・X→Z・Y→Zの中で、どこから投影すると面積が最も大きくなるかを判断する。その最も面積が大きくなる投射面から、そのポリゴンをGPUのラスタライザに流し、ピクセル化するのだ。面積が最も大きくなる投影面を探す理由は、最も高い精度でポリゴンを直方体の集合体にする（＝ボクセル化する）ためである。対象となるポリゴンの法線方向から投影したほうが、面積は最も大きくなるが、ポリゴンごとで法線の方向は違うし、全ポリゴンで共通した直行座標系でボクセル化しなければ、後続のフェーズ処理が厄介になってしまうので、このような仕組みを採用している。

ピクセルシェーダでは、そのピクセルがX・Y・Zで表される3Dグリッドのどこに存在すべきなのかを計算し、ボクセルデータとして3Dテクスチャに書き出していく（図10.125）。

ライティングの第1フェーズでは、シーン内に配置された動的光源からの直接光ライティングを行い、その結果を直接光の当たった箇所に対応するボクセルに注入する（380ページ 図10.126、図10.127）。

続いて、ボクセルに注入された「直接光のライティング結果」を初期値として、八分木の親階層に、再帰的に子ボクセル内の値を平均化して格納していく（380ページ 図10.128）。

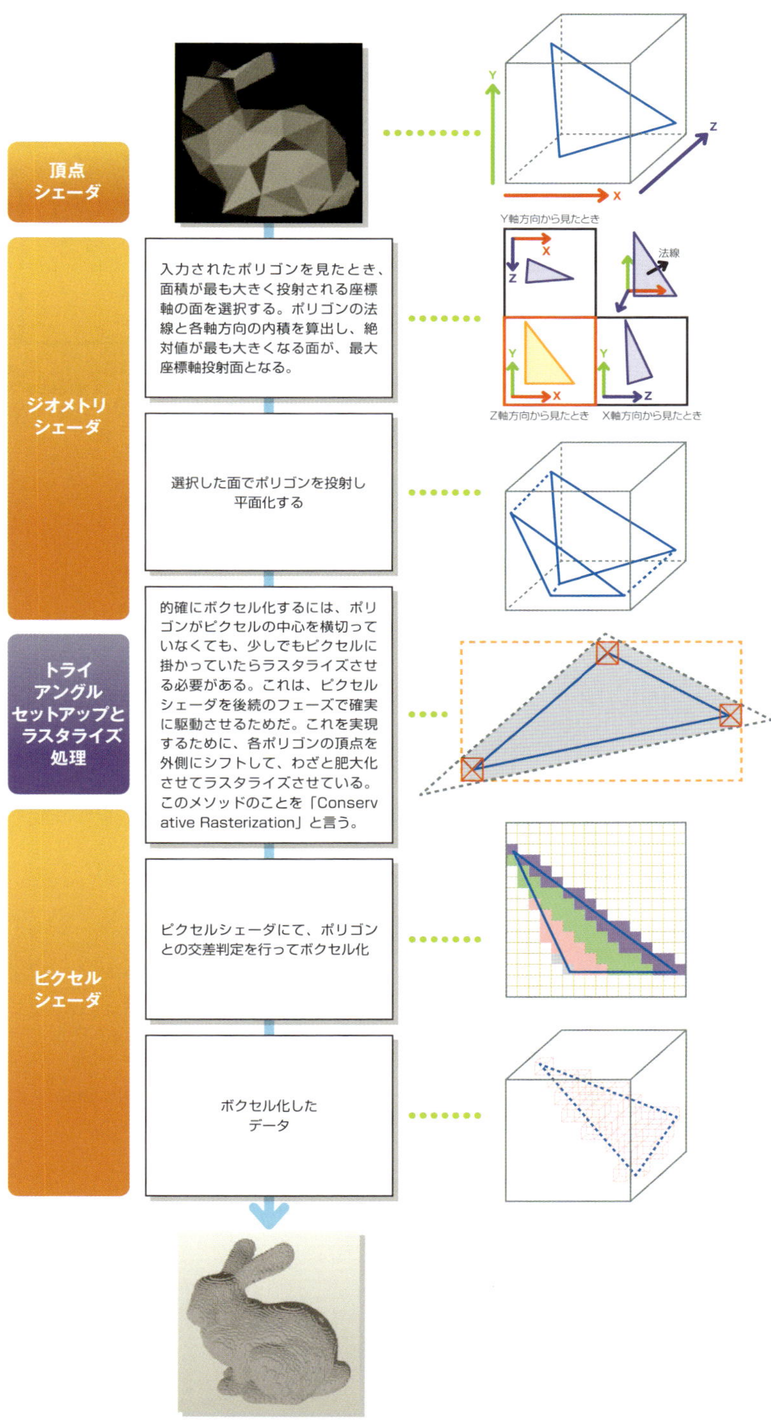

図10.125　ポリゴンでモデリングされているジオメトリ空間をボクセル化するプロセス

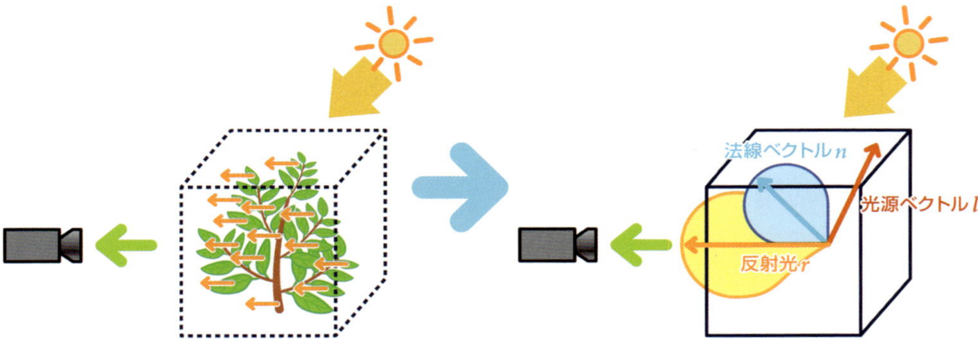

図10.126　ボクセルに注入する直接光のライティング結果は、LPV法では球面調和関数で表現したものだった。SVO法ではもっとシンプルかつ直接的に、そのボクセル領域を代表する法線ベクトル・光源の方向とその強さ・拡散反射のライティング結果（Albedo）などの情報をガウシアンローブ（Gaussian Lobe）の形で記録している。ガウシアンローブとは、ガウス曲線の突起の幅（分散）と方向を、ベクトルの向きと大きさで表現したもの

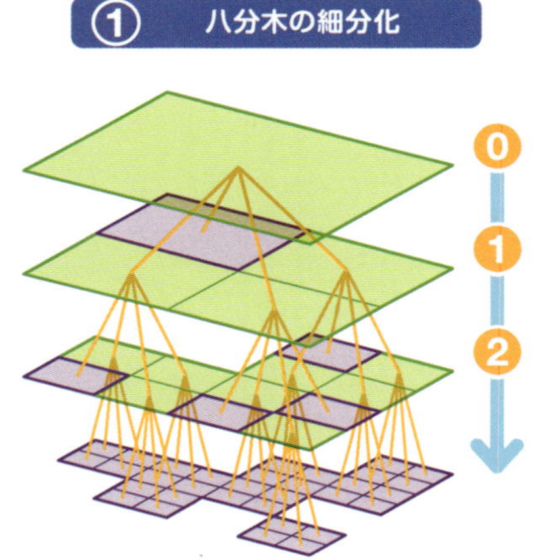

図10.127　ボクセル化したシーンを八分木構造として構成する。八分木上の最末端のボクセルに、直接光ライティングの結果を注入

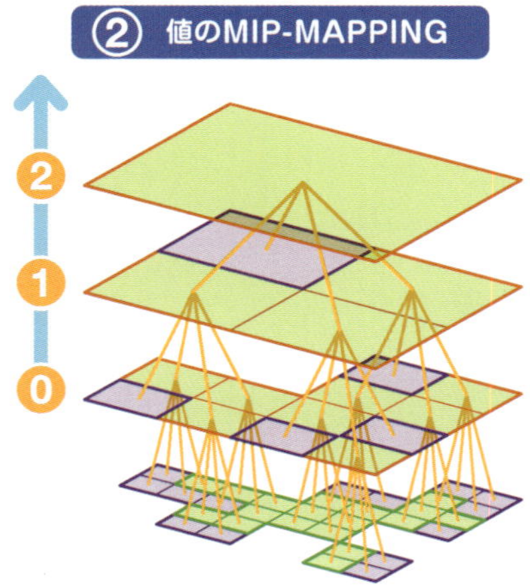

図10.128　注入された直接光のライティング結果を、同階層でまとめ上げて平均値を計算して、これを1段上の親階層にあるボクセルに注入。これを最親階層のボクセルにまで再帰的に繰り返す。このフェーズはLPV法で言うところの伝搬処理に近いイメージだ

図10.129～図10.134はシーンをボクセル化し、そのボクセル構造を可視化したものになる。

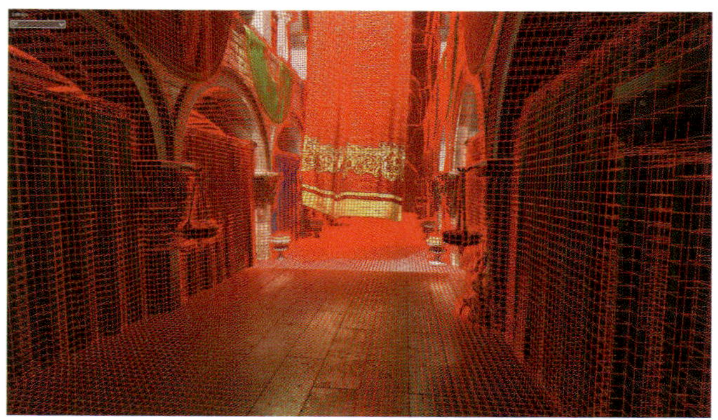

図10.129　実際のテストシーンを512×512×512ボクセルでボクセル化した結果

図10.130　これを2×2×2ボクセルで1ボクセルとして、256×256×256ボクセルにまとめて可視化した様子

図10.131　同様に128×128×128ボクセルにまとめて可視化した様子

図 10.132　同様に 64×64×64 ボクセルにまとめて可視化した様子

図 10.133　同様に 32×32×32 ボクセルにまとめて可視化した様子

図 10.134　同様に 16×16×16 ボクセルにまとめて可視化した様子。１つ下階層のボクセルが８個（2×2×2）集まって、１つ上階層のボクセルを形成しているような構造になっている

LPV法と異なり、隣接ボクセルへのライティング結果の伝播処理はないが、上階層に向かって直接光ライティングの結果の平均値をまとめ上げていく工程と似ている。しかし、SVO法では、ある程度、空間密度に最適化された形でボクセル化されており、八分木は親階層に行くほどボクセル数が少なくなるため、LPV法における伝播処理よりは効率がよく、プロセッサへの負荷も低い。

最終的なシーンのレンダリング時には、描画対象ピクセルにやってくる間接光の情報を集めるために、レイトレーシング的なアプローチを実践する。

とは言っても、既に空間内の間接光情報を疎密なボクセルデータの集合体として把握しているため、実際にはレイを飛ばさずに、このボクセル構造を探索（トラバース）することになる。さらに言えば、このボクセル構造への探索とは、処理レベルで言えば、実際には八分木への探索処理となる。

描画対象ピクセルに対して拡散反射の計算をする際には、全方位のボクセルに対してこのボクセルの探査を行うことになる。そして鏡面反射の場合は、視線ベクトルとその描画対象ピクセルの法線ベクトルから反射ベクトルを算出して、それに沿った方向にボクセルの探査を行うことになる（図10.135～図10.141）。

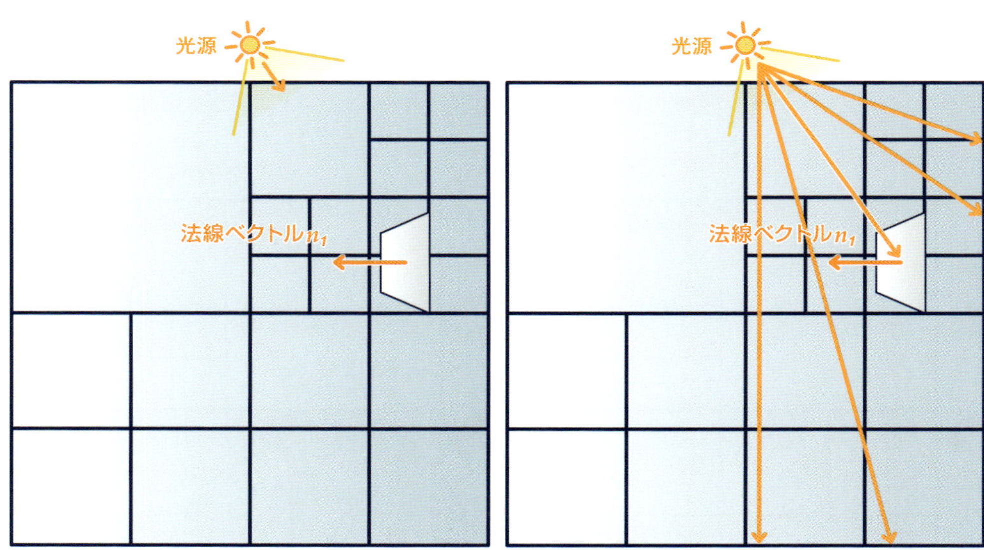

図10.135　八分木ボクセル構造化済みのこのようなシーンがあったとする

図10.136　光源からの直接光でシーンをライティング

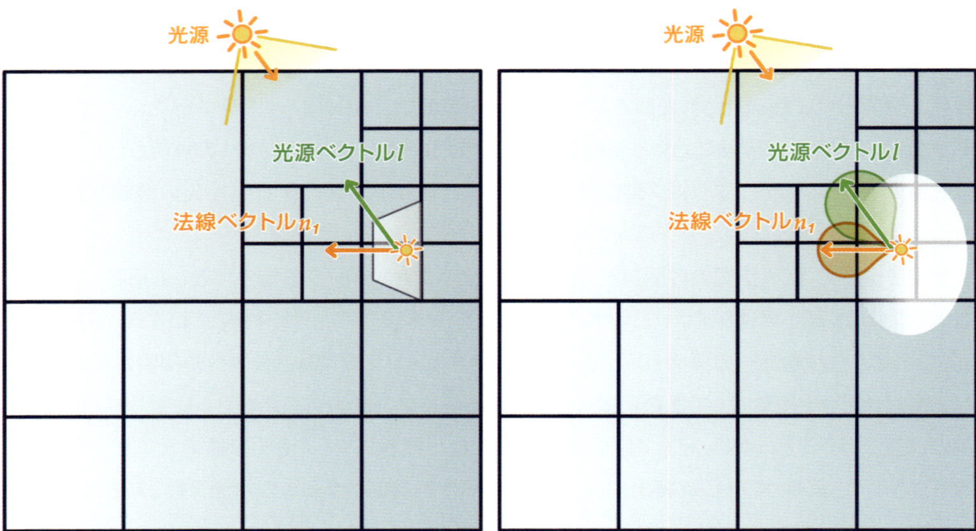

図 10.137　図中の法線ベクトルn_1を持つ面におけるライティング結果は、ここに対応するボクセルに注入する

図 10.138　実際には光源ベクトルなどのライティングに必要な関連情報を注入する。図 10.126 で表したようなガウシアンローブ化した情報などを注入する。注入された直接照明情報は図 10.128 の要領で八分木ボクセル構造の上階層ボクセルに「値の MIP-MAPPING」が実践される

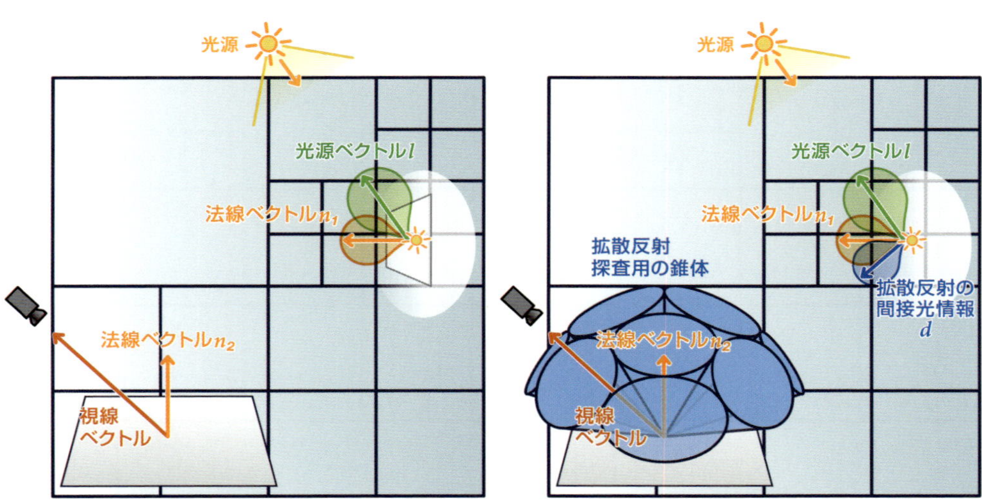

図 10.139　今、法線ベクトルn_2を持つピクセルに対しての間接光に配慮したレンダリングを行うとする

図 10.140　拡散反射については、レンダリング対象ピクセル位置から放射状にレイを放ち、その軌跡で通過するボクセル内に格納された間接光情報を集めてきて計算する

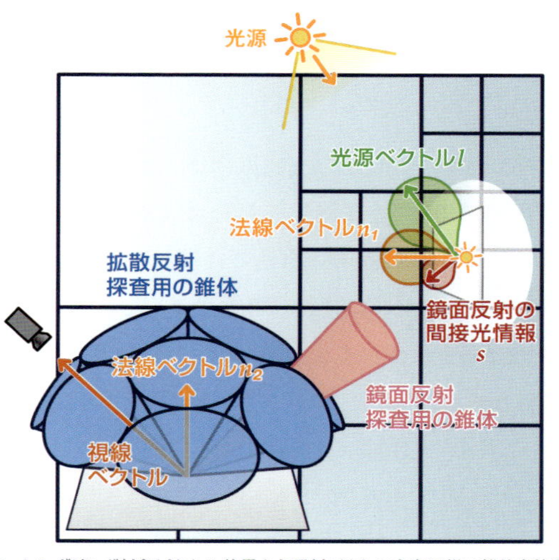

図10.141　鏡面反射については、レンダリング対象ピクセル位置から反射ベクトル方向に鋭い錐体を放ち、その軌跡で通過するボクセル内に格納された間接光情報を集めてきて計算する

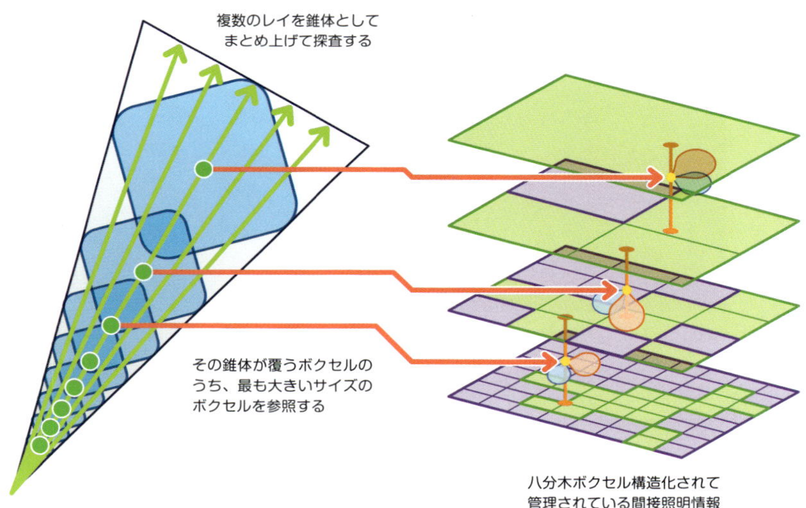

図10.142　「レイを放つ」とは言っても、複数のレイを錐体でまとめ上げたものを放つ。これが「コーントレーシング」だ。この錐体で覆われる範囲のボクセル群を参照して、間接光情報を集めてくる。錐体は進むごとにその覆う範囲を大きくしていくわけだが、その覆う範囲が八分木ボクセル構造におけるより大きな上層ボクセルだった場合には、そちらを参照するようにする

このときのボクセル探査に際しては、レイトレーシングのようにたくさんのレイを複数方向に飛ばすのではなく、最低限のレイを錐体（コーン）状に、距離を進めるごとに探索半径を大きくするようにして行う。放射状に放つ複数のレイを、1つの錐体にまとめ上げてトラバースさせるイメージだ。本来ならば独立した複数のレイを1つにまとめて近似化することになるので、取得される間接光情報は大ざっぱになる。「間接光はもともと大ざっぱなもののはず」という前提で、ここは妥協しているわけだ。なお、こうしたレイの取り扱いとトラバース手法は「コーントレーシング」（Cone Tracing）と呼ばれる（**図10.142**）。

拡散反射の間接光情報を取得するためのトラバースは大ざっぱな陰影なので、直径の大きい錐体で行うことになる。一方、鏡面反射のほうは鋭いハイライトや鏡像っぽい結果が欲しいので、直径の小さい錐体で行う。

トラバースしたその錐体範囲内の間接光の情報取得は、実際にはその錐体範囲内にあるボクセルに対して行われる。トラバースするごとに錐体の半径は大きくしていくことになるので、錐体範囲内にあるボクセル数は増えていく。しかし、SVO法では事前に最大8個のボクセルに格納されていた間接照明情報を1つの大きなボクセルに集約済みなので、大きくなった錐体範囲が親階層サイズのボクセルになったときにはそちらを参照するようにする。こうすることで広範囲の間接照明情報を少ない参照数で得られるわけだ。ここはテクスチャアクセスにおけるMIP-MAP的な概念に近い。

SVO法が強力なのは、これまでの疑似GI手法よりも、説得力の高い間接光による鏡面反射の表現までも実現できるところだ（図10.145、図10.146）。

図10.143　SVO法を用いて拡散反射の大局照明のみを適用した結果

図10.144　SVO法による拡散反射や鏡面反射などの大局照明の実践が負荷的にきつい実行環境下では、描画対象ピクセルのごく近隣へのボクセル探査だけを行ってその地点の遮蔽率を得てAmbient Occlusionの効果にとどめるといった軽量代替案を選択することもできる

図10.145 「ELEMENTAL DEMO」（EPIC GAMES,2012）より。金製と銀製の淡い鏡像が水に濡れた床に映り込んで見える。これがSVO法による鏡面反射の効果だ

図10.146 「ELEMENTAL DEMO」（EPIC GAMES,2012）より。中央の金製の地球儀に映り込んでいる赤い床の情景もSVO法による鏡面反射の効果だ。この画面ショットからは、SVO法による拡散反射の効果によって赤い床の拡散光が部屋の至る所に充満している表現も見て取れる

レイトレーシング的なコーントレーシング手法を用いるにもかかわらず、シーンのボクセル化をNULLノードなしの八分木構造で行っているため、何もない空間に対してのレイのトラバース（コーンのマーチング）もNULLノードを延々となぞる必要がない。このアルゴリズム特性が、広範囲にわたる間接光の取得を高効率に行うSVO法ならではの特長をもたらしているのだ。

SVO法が抱える課題と期待

アルゴリズムの都合上、2バウンスまでのGIにはなるが、ここまでの表現ができれば必要十分だと言えよう。

特に鏡面反射に関しては、ボクセル解像度を十分に精細なものにしておき、なおかつコーントレーシングの際の錐体を鋭くすれば、かなり正確な鏡像を得ることすらできる(**図10.147**)。もちろん、その品質とパフォーマンスのバランスはGPUの性能に依存するわけだが、性能に応じてボクセル解像度と錐体の鋭さを調整すれば、スケーラブルな結果は得られる。

ただし、SVO法がいくら管理方式が高効率で間接光の収拾効率がよいとはいえ、SVO法もシーンを有限個の要素でボクセル化(グリッド化)して間接光を管理するという手法である以上、広大なシーンを取り扱う際には、LPV法のときと同様に、メモリ容量とメモリ帯域にまつわる課題はつきまとうことになる。

図10.147　ボクセル解像度を上げ、鏡面反射の計算の際に用いる錐体を鋭いものにすれば、このようなかなりはっきりした鏡像を大局照明の結果として得ることもできる

ざっと試算してみると、八分木10階層の1,024×1,024×1,024ボクセル化で必要なメモリは1GB。同様に、9階層の512×512×512ボクセル化で128MB、8階層の256×256×256ボクセル化で16MB、7階層の128×128×128ボクセル化で2MBのメモリが必要になる。それなりのクオリティを保ちつつ、現実的なメモリサイズ・メモリ帯域に配慮するならば、128×128×128～512×512×512あたりのボクセル化が、適切な選択といったところだろうか。

より広大なシーンに対しては、LPV法のような基準解像度をより粗くした八分木ボクセル構造を、遠景用にカスケードさせる概念を導入する必要があるかもしれない。

また、SVO法は光源が移動したり、変形するオブジェクトがシーン内を動き回るような完全な動的なシーンに対しても問題なく適応できるが、フレームごとに八分木ボクセル化を実施するのは、負荷的につらくなりそうだ。

そこで、動かない・破壊されない背景オブジェクトなどについては、事前に八分木ボクセル化しておき、背景オブジェクトが動かされたり、あるいはシーン内で動的オブジェクトが動いたときには、その位置に対応する八分木ボクセル構造を部分更新させる仕組みの導入が必要かもしれない。実際、この技術を発表したNVIDIAは、この部分更新の発想に対して取り組みを行っている(**図10.148**)。

なお、このデータ構造は、グラフィックスレンダリングのためだけでなく、AIキャラクタを動かすための経路探索や、敵に姿を見せないようにするための自律行動AIのための遮蔽物探索にも流用・応用できるのではないか、という意見も出てきている。固定負荷としては決して軽くはない八分木ボクセル化の処理だが、他の用途にも使えるとなれば、一定負荷をかけても構築する価値はある。

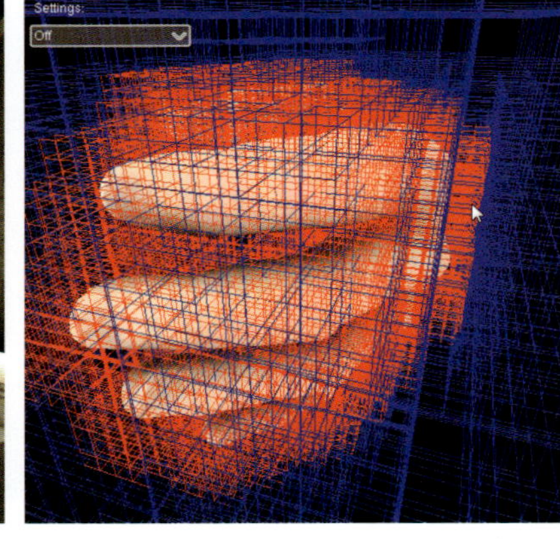

図10.148　指を動かしながら移動する手。指に赤い敷物の間接光が当たっているのが見て取れる。こうしたシーンでは、背景に対して八分木ボクセル構造生成を事前に行っておき、手の周囲だけの八分木ボクセル構造を更新させる仕組みが有効となる

SVO法は、様々なゲーム開発スタジオが実際にゲーム向けへの実装に取り組んだが、どこも「PS4、Xbox One世代のゲーム機では実用化するにはGPUパフォーマンスが足りない」という結論に至っている。

しかし、SVO法を、PS4向けに簡略化して実装した事例がないわけではない。その事例とは「The Tomorrow Children」(SIE,2016)だ。

「The Tomorrow Children」では、SVO法が採用していた3Dシーンを八分木からなる階層型ボクセル構造にする仕組みの採用を見送り、代わりに「3Dテクスチャ」を用いる代用手法を採用した。

SVO法が採用していた八分木ボクセルのデータ構造は、構造体としてだけ見るなら無駄が少なくていいのだが、目的のデータを参照するときに、x,y,z座標のような、一意的な指定を行いづらい。それこそ「データを読みほどいていって、目的のデータに到達する」というようなアクセス形態になるため、「The Tomorrow Children」の開発チームはリアルタイム3Dグラフィックス用途との相性がよくないと判断したのだ。

「2Dテクスチャ」は言わば画像そのもののようなものだが、「3Dテクスチャ」はその画像をミルフィーユのように積み重ねたものだとイメージすると分かりやすい。プログラムをかじったことがある人ならば、三次元配列を想像してもいいだろう。

3Dテクスチャであれば、x,y,zのインデックス(≒座標指定)で一意的にデータ格納場所(=アドレス)を参照できる。

「The Tomorrow Children」では、3Dシーンのボクセル化にあたって3Dテクスチャを用いることにしたわけだが、さすがに、広大なゲームシーンすべてを1セットの3Dテクスチャでカバーすると、メモリ容量がいくらあっても足りなくなってしまうので、現実的ではない。

そこで、視点(=プレイヤーキャラクタがいる場所)から近い、見た目の品質が重要な領域(=近景)では、一辺が40cmくらいの比較的細かいボクセルとして管理し、視点から離れれば離れるほど大きく粗いボクセルとして管理する「ボクセルカスケード」(Voxel Cascades)構造を採用した(図10.149)。最遠方では一辺が何mもあるような巨大なボクセルで管理してしまうわけである。

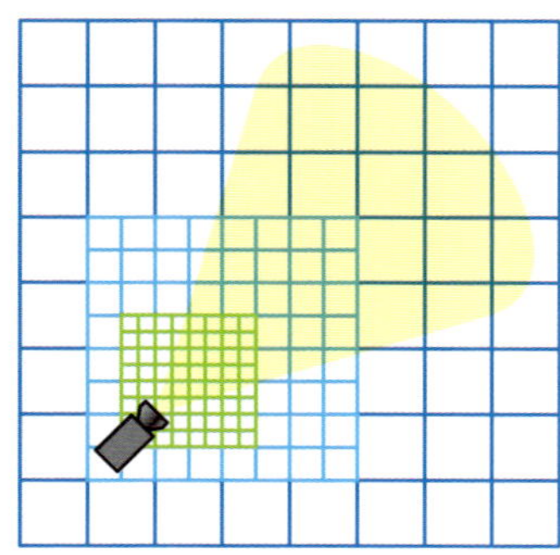

図10.149 ボクセルカスケード構造のイメージ。視点からの近場は「密なボクセル」で管理し、遠景は粗いボクセルで3Dシーンの情報を管理する

こうした構造ならば、遠方のボクセルがかなり粗い情報になることさえ許容できれば、かなり広い範囲をボクセル化することができる。

「The Tomorrow Children」ではカスケード数（階層数）を6とし、各階層は32×32×32のボクセルで管理する仕様としている。なお、1つのボクセルは立方体、すなわち6面体なので「6階層×32×6面×32×32」分の3Dテクスチャを使用することになる。

6階層×32×6面×32×32のボクセル構造とは、あくまでその管理方式を示したに過ぎない。実際には、3Dシーンの情報をこのデータ構造に収納するわけだが、その収納パラメータは**図10.150**に示した通りのラインナップになる。

「The Tomorrow Children」で採用した手法は、3Dシーンのデータ構造をカスケード構造の3Dテクスチャで実装したところがSVO法との最大の相違点であり、後のライティングやシェーディングの部分はSVO法と大きくは変わらない。SVO法同様のコーントレーシングで実践することになる(**図10.151～図10.154**)。

用途	テクスチャフォーマット	ボクセル1面あたりのバイト数	α
Albedo	RGBA8Unorm	4	重み係数
Normal	RGBA8Snorm	4	未使用
Occupancy	R8Unorm	1	―
Emission	R11G11B10Float	4	―

図10.150　ボクセル構造で管理するパラメータ。Deferred系レンダリングにおけるG-Bufferのボクセル版というイメージである。表中のAlbedoとあるのは拡散反射項に相当するもの。イメージ的には「そのボクセルの代表色」だ。なお、ボクセルは6面体構造なので、代表色というのは1色ではなく、6面分の代表色を6階層×32×6面×32×32のボクセル構造へと入れ込むことになる。同様に、6方向の法線（Normal、その単位ボクセル内の3Dモデルのポリゴンの6方向の向きの代表値。実質的には平均化された向き）、6方向の占有率（Occupancy、当該単位ボクセル内に3Dモデルのポリゴンが占める割合。すなわち事実上の遮蔽度（Occlusion）である）、6方向の発光強度（Emission、自発光マテリアルの属性値）も、ボクセル構造、すなわち3Dテクスチャに入れて管理することになる

図10.151　このシーンに対して、どのようなカスケード構造のボクセルを割り当てたかを示すのが次の画面だ

図10.152　視点から最も近い領域（カスケードレベル1）のボクセルのみを可視化した画面ショット

図10.153　遠方までのボクセルを可視化した画面ショット

図10.154　カスケード構造のボクセルを表示させたまま、上空から俯瞰した状態。基準となる視点から遠方になればなるほど粗いボクセルになっていることが分かる

SVO法が提案されて以来、SVO法そのものがゲームグラフィックスに採用された事例はほとんど聞かれないが、この「The Tomorrow Children」の事例のように、SVO法の登場がボクセルという概念をゲームグラフィックスに導入する「大きなきっかけ」になったことは間違いないと思う。

Chapter 11

トゥーン・シェーディング

GPU性能強化と共にゲームグラフィックスの表現力は上がっていき、今やきわめて実写映像に近いリアリティを身に付けるに至っている。一方で、そうした高性能を芸術的、アーティスティックな方向性に応用していこうとするリアリティ追求とは対極的なムーブメントも活発化している。こうした方向性は昨今では「スタイライズド・レンダリング」(Stylized Rendering) あるいは「ノンフォトリアリスティック」(Non Photo Realistic) というジャンルにカテゴライズされるようになってきたが、この中で特に日本で人気が高いのは「アニメ調」の表現だ。

このChapterでは、ゲームグラフィックスに応用されるスタイライズド・レンダリングの中で最も人気の高い「トゥーン・シェーディング」にまつわる技術を取り上げることにしたい。

NPRレンダリングの基本形〜アニメ調表現：トゥーン・シェーディングとは？

写実的なリアリティ追求型のグラフィックスとは違い、「スタイライズド・レンダリング」（Stylized Rendering）では、表現者、すなわちアーティストの意思によって、表現の強調、デフォルメ、あるいは演出意図を含んだ解釈を盛り込むことで、独創的な見映えを目指すことになる。リアリスティックな写実的表現とは対極的な表現を目指すことから、スタイライズド・レンダリングは「ノンフォトリアリスティック」（Non Photo Realistic）、略して「NPRレンダリング」と呼ばれることも多い。

スタイライズド・レンダリングの中でも、ポピュラーなのがテレビアニメや漫画などの表現をリアルタイムグラフィックスで再現しようとする方向性だ。これはテレビアニメや漫画を表す英単語のカートゥーン（Cartoon）から「トゥーン・シェーディング」（トゥーン・レンダリング）と呼ばれたり、あるいはかつてテレビアニメを製作する際に用いられた作画用の"セル"ロイドシートから「セル・シェーディング」（セル・レンダリング）と呼ばれたりする。

このChapterでは「トゥーン・シェーディング」という用語を主に用いることとするが、この手法では、テレビアニメや漫画特有の「簡略化された塗り分けによる陰影表現」と「手描きイラストのような輪郭線」を目指すことがメインテーマとなる。

テレビアニメ調の表現を採用したゲームグラフィックスが比較的ポピュラーになった2000年代後期以降では、「アニメ調の陰影表現」と「輪郭線生成」を実現することに加え、さらなる「もうひと味/ふた味」を加え、独特なアーティスティックなテイストを目指す方向性も台頭した。具体的には手描きイラスト調、水墨画調、ハッチング調などが挙げられる。リアリティ追求型グラフィックスよりも、その作品固有の表現を出しやすく、見る者を強く惹き付ける魅力があるため、現在もテレビアニメ調表現にとどまらない新しいスタイライズド・レンダリング的アプローチの研究が各所で続けられている。

なお、見映えだけをテレビアニメ調にするだけでなく、動き（モーション/アニメーション）までをテレビアニメ調にしようとするゲーム作品もあり、そうした作品では、本来は毎秒30フレームなり60フレームのスムーズに動かせる3Dキャラクタの動きに対し、わざとフレームを間引いたアニメーション（モーション）にする「リミテッドアニメーション」を採用している。このあたりの話題は章末コラムを参照いただきたい。

図11.1 「GUILTY GEAR Xrd -SIGN-」（アークシステムワークス,2014）より、通常のシェーディングとトゥーン・シェーディングの事例。通常のライティング/シェーディングを行うと、その陰影はなだらかなものとなる（左）。対してトゥーン・シェーディング（右）では、陰影をあえて大ざっぱに行うことで陰影にメリハリを与え、さらに輪郭線を加えることでイラスト的な見映えとする

図11.2 「ストリートファイター IV」(カプコン,2008)より、独特な味わいを加えたスタイライズド・レンダリングの事例。左は通常のライティング/シェーディングによる描画結果、右は「絵筆による塗り」表現と「墨絵的な輪郭強調」表現を加えた描画結果

プログラマブルシェーダを使わない最初期のトゥーン・シェーディング

「アニメ調のゲームグラフィックス」というくくりにすると、その表現は3Dグラフィックスになる以前のドット画/スプライト時代から存在する。実存するテレビアニメや漫画を原作としたゲーム作品が、このたぐいに含まれる。このChapterでは、3Dモデルを3Dグラフィックスパイプラインでライティング/シェーディングすることでアニメ調を再現するテクニックをトゥーン・シェーディングと呼ぶことにするが、このアプローチのビジュアルを採用した最初期のゲーム作品として著名なのは、セガが2000年にドリームキャスト用にリリースした「ジェットセットラジオ」だ(次ページ 図11.3)。

図11.3 「ジェットセットラジオ」(セガ,2000)

ドリームキャストのGPUは、現Imagination Technologiesの「PowerVR2」であり、プログラマブルシェーダアーキテクチャ採用前のDirectX 6世代相当のGPUである。つまり、最初期のトゥーン・シェーディングは、プログラマブルシェーダを活用せずに実現されたものだったのだ。

まずはその2000年代初頭に実用化された「プログラマブルシェーダを活用せずに実現したトゥーン・シェーディングの実現様式」を紹介することにしたい。

典型的なアニメ調の表現では、グラデーション的な陰影がなく、明るいか暗いかだけの「二値的なドラスティックな陰影」が特徴的だ。これを突き詰めて考えれば、光が「当たっていないか」「当たっているか」の「0か1か」の判断だけで陰影が塗り分けられていると考えることができる。

ポリゴン単位での「光が当たっているか/いないか」の判断は、そのポリゴンの向きが光源方向に「向いていない」あるいは「向いている」を判断できればいい。ポリゴンの法線ベクトルが光源方向に向いていなければ「光が当たっていない」、向いていれば「光が当たっている」ということになる(図11.4)。これは、高校レベルの幾何学に出てくる「ベクトルの内積」の値で判断することができる。

具体的には、ポリゴンの法線ベクトルと、光源方向へのベクトルの内積を計算して、この値が正か負かで判断できる。ちなみに負であればその面は光源方向に向いていない、正であれば向いている、ということになる(ただし、光源ベクトルを利用する場合は正負判定は逆転して考える)。

この判断により、「光が当たっているポリゴン」「光が当たっていないポリゴン」というようにポリゴンレベルで陰影を二分できる。最終描画時に、光の当たっているポリゴンは明るく、光の当たらないポリゴンは暗く…とそれぞれを描画すればいい(図11.5)。

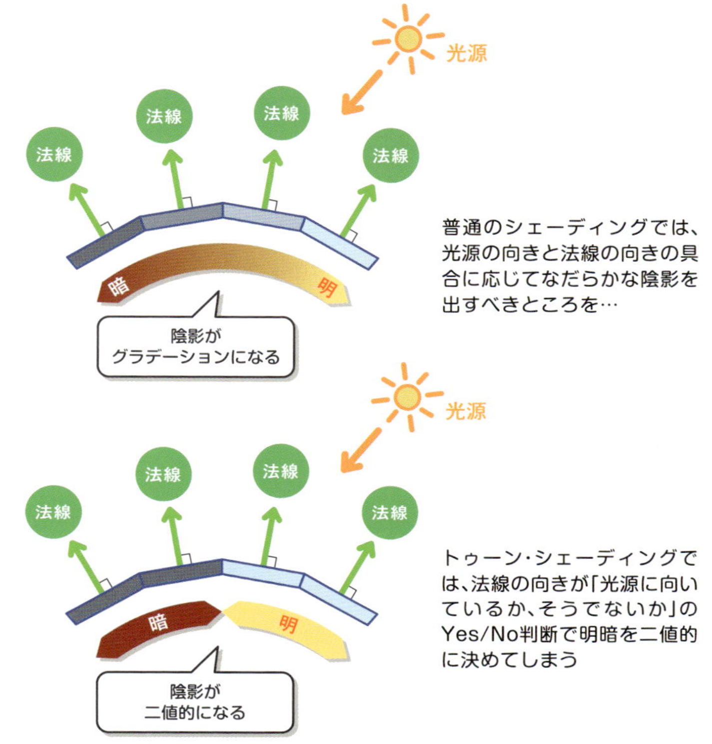

図11.4　トゥーン・シェーディングにおける陰影の付け方の基本概念

図11.5　「XIII サーティーン～大統領を殺した男」（Ubisoft,2003）は、プログラマブルシェーダを利用しないトゥーン・シェーディングを採用したことで注目を集めた作品。PC版ではDirectX 7世代のGeForce2でも動作でき、家庭用ゲーム機向けにはPS2、Xbox、ゲームキューブへ移植された。「陰影の出方がポリゴン単位となる」という特性を理解したうえでこの画面ショットを見ると、これまた味わい深いものがある

プログラマブルシェーダを活用したトゥーン・シェーディング

前節の手法は、プログラマブルシェーダを活用せずに、ポリゴン単位（≒頂点単位）で明暗描画が行えるため、互換性の面では優位性はあるものの、明暗陰影がポリゴン単位でしか出せないという負い目がある。描画対象とする3Dモデルのポリゴン数にもよるが、見た目の陰影が大ざっぱになりすぎるケースが多くなるのだ。

そこで近代的なトゥーン・シェーディングでは、プログラマブルシェーダのピクセルシェーダを活用し、もう少し細かく処理するアプローチが主流となっている。

前述した原理の手法では、ポリゴン単位での二値的な明暗シェーディングで陰影を付けていたが、プログラマブルシェーダを活用したトゥーン・シェーディングでは、ピクセル単位で「光源の向き」と「面（その描画対象のピクセル）の向き」をごく普通の、それこそリアル志向のグラフィックスと同様に、ライティング計算をピクセルシェーダで行うことから始める。

計算結果は最暗部（実数の0.0、あるいは整数の0）から最明部（実数の1.0、あるいは8ビット整数の255）の階調値として得られるわけだが、この値に適当な閾値（しきいち）を設け、それよりも下ならば完全な暗（0.0ないしは0）、上ならば明（1.0ないしは255）として最終的な陰影を決定するのだ。明暗判定のキモとなる閾値はセンスで決めればよいが、基本的には半分の0.5ないしは127とすることになるだろうか。

この手法で、完全な暗/明の二値的な陰影で描画すると、前出のポリゴン単位での明暗描き分けと同じになるように思える。しかし実際には、それ以上に緻密な精度で塗り分けが行われる。というのも、ポリゴンを構成しているピクセル単位で陰影処理を計算する際、描画対象となるピクセルの法線ベクトルとして、ポリゴンを構成する3つの頂点の法線ベクトルから補間して計算した結果を利用できるからだ。簡単に言えば、ポリゴン内の全てのピクセルに対して、なだらかな法線ベクトルを使ったライティングの計算ができるのだ（図11.6）。

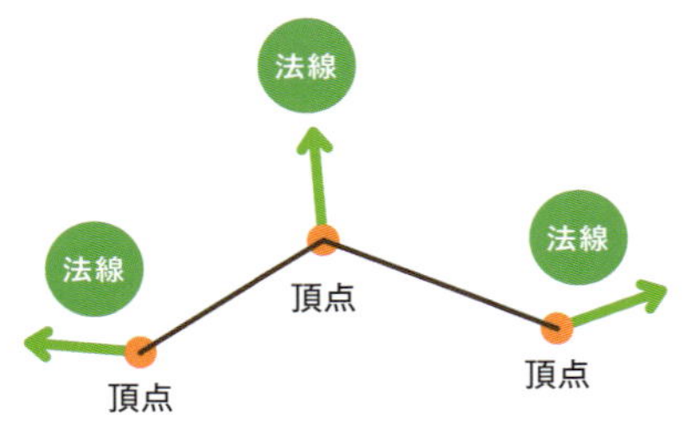

2つのポリゴンを真横から見たときに、各頂点の法線ベクトルがこんな状態のとき、

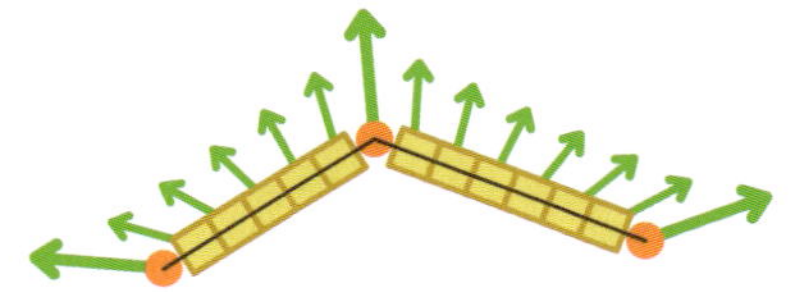

そのポリゴンをピクセルで描画する際、各ピクセル個別に補間生成したなだらかな法線ベクトルを利用できる

図11.6　ピクセルシェーダにおいて、各ピクセルの陰影計算の際には、頂点単位に与えた法線ベクトルを元に算出されたなだらかな法線ベクトルを利用できる

そのため、たとえ明暗の描き分けを完全な暗/明の二値的な陰影値としたとしても、その陰影境界線がポリゴンの辺上ではなく、ポリゴン内部を横切るように与えることができる(図11.7)。つまり、ポリゴン形状よりも分解能の高い陰影境界線にて二値陰影を得ることができるのである。

ピクセルシェーダを用いたトゥーン・シェーディングであれば、ここから発展させ、暗か明の間にもう1段階中間の中明暗部を設定することもできる。つまり、実数で0.0〜0.33(8ビット整数で0〜85)までを暗とし、同様に0.34〜0.66(86〜170)までをその中明暗部、そして0.67〜1.0(171〜255)までを明とする3段階陰影とするわけである。この場合は、同じトゥーン・シェーディングであっても、少しだけ細かい陰影となるため、描画結果に「ややリアル寄り」なディテール表現を付与する(図11.8)。簡単に言うと、「劇画調に近づく」という感じだろうか。

この三値陰影によるトゥーン・シェーディングを採用した実例としては、「GRAVITY DAZE/重力的眩暈:上層への帰還において彼女の内宇宙に生じた摂動」(SIE,2012)がある(次ページ 図11.9〜図11.11)。

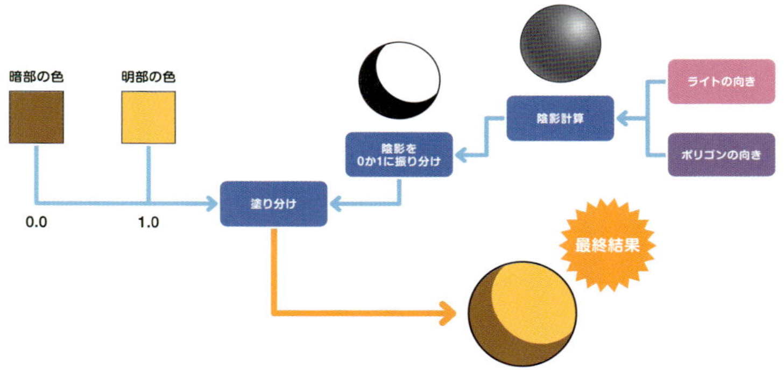

図11.7 陰影計算の結果をたとえ二値的なものとしても、ピクセルシェーダを用いた場合には、その陰影の出方をポリゴン単位ではなく、ピクセル単位の精度で出現させることができる

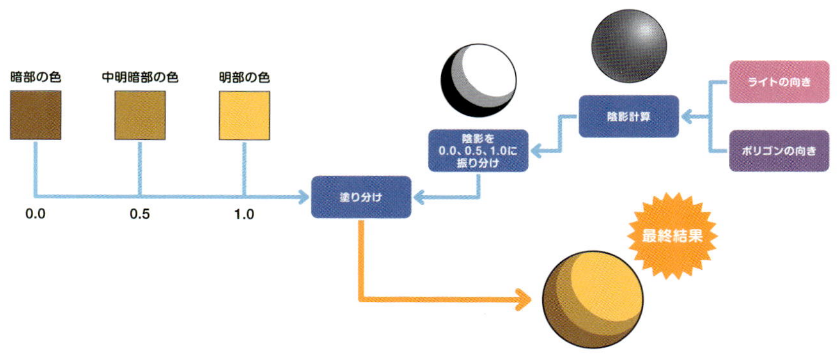

図11.8 陰影計算の結果を二値的なものから拡張して、例えば三値的なものにすれば、陰影の出方にディテール表現を与えることができる

図 11.9 「GRAVITY DAZE」において採用された三値陰影方式のトゥーン・シェーディング

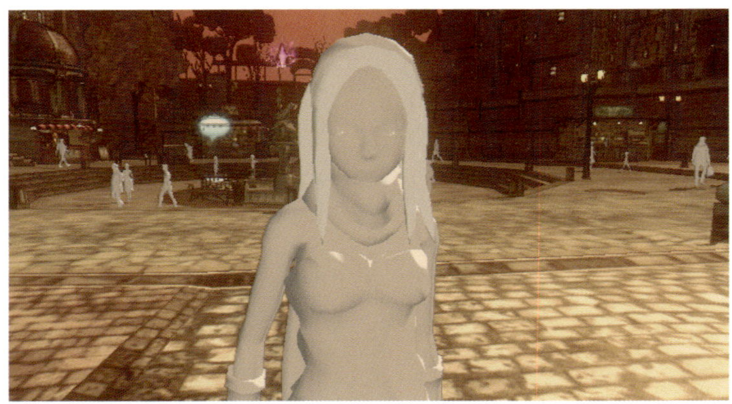

図 11.10 三値陰影方式のトゥーン・シェーディングを適用しただけの画像

図 11.11 最終画像

トゥーン・シェーディングの陰影を拡張した事例 〜陰影の出方をテクスチャに置き換えた手法「ハッチング」

ピクセルシェーダで計算した陰影値と、実際に描画する階調の対応を工夫することで、独特なトゥーン・シェーディング表現を行うことができる。その対応を分かりやすく、極端な事例で表した図版を図11.12に示す。

ピクセルシェーダで計算した陰影値と、実際に描画する色や階調の対応で、テクスチャマップへの参照を挟み込むと、その陰影表現の幅はさらに広がる。例えば、描画するピクセル単位、あるいはポリゴンの各頂点単位ごとに、前述した「法線ベクトルが光源方向に向いているか/向いていないか」を判断するための演算結果をテクスチャ座標として出力する。その結果を使ってテクスチャマッピングを実践すれば、陰影の表現を、色や階調ではなく、模様や柄で表すことができるようになる。まさにテクスチャ表現だ。

次ページ 図11.13は、米Princeton UniversityのEmil Praun氏らがSIGGRAPH 2001で発表した論文「Real-Time Hatching」(https://dl.acm.org/citation.cfm?id=383328) をATI(現AMD)のRADEON 9700で実装したデモの画面ショットだ。

Hatching(ハッチング)とは、鉛筆やペンなどによる線画で、線の粗密具合によって陰影を表現する絵画技法で、分かりやすく言うと「鉛筆画風」シェーディングといったところである。この鉛筆画風シェーディングは、ピクセルシェーダで計算した陰影値の大小に対応する形で、あらかじめ用意した粗密な線描テクスチャを参照してテクスチャマッピングを行う。論文ではこの粗密線描テクスチャを「Tonal Art Map」(TAM: 階調アートマップ)と呼称しており、このTAMの与え方で、点描や木炭調などの表現も行えるとしている(次ページ 図11.14、図11.15)。

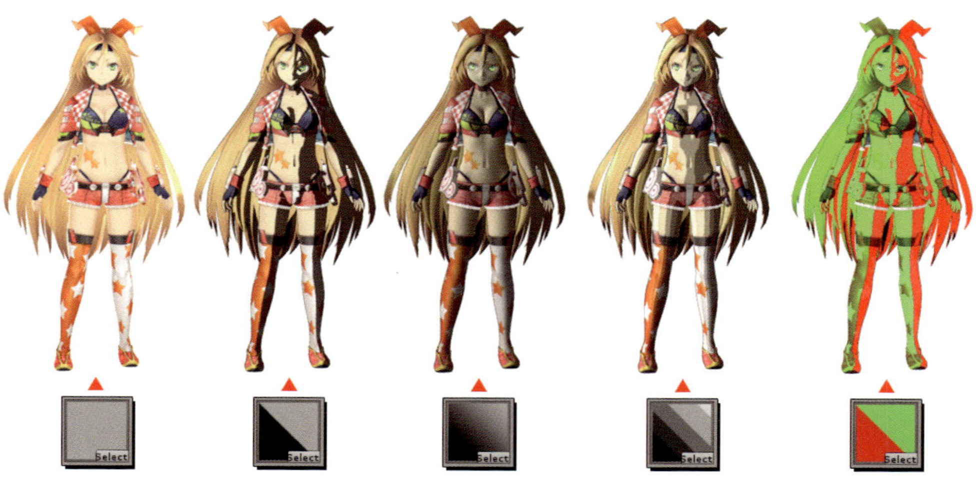

図11.12 トゥーン・シェーディングにおける陰影の出し方の事例。左から右へ「陰影なし」「二値陰影」「多段階陰影」「5段階陰影」「二値陰影を赤緑に割り当てた事例」

図11.13 米Princeton UniversityのEmil Praun氏らがSIGGRAPH 2001で発表した論文「Real-Time Hatching」をATI（現AMD）のRADEON 9700で実装したデモより

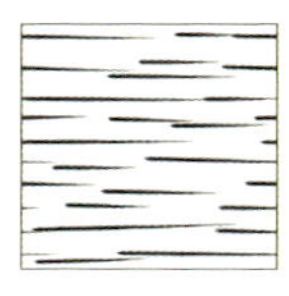     

図11.14 濃淡を線描で表した「Tonal Art Map」（階調アートマップ）。前出の「テーブル上の静物画」調のデモはまさしく、この線描濃淡テクスチャによってシェーディングされたものである

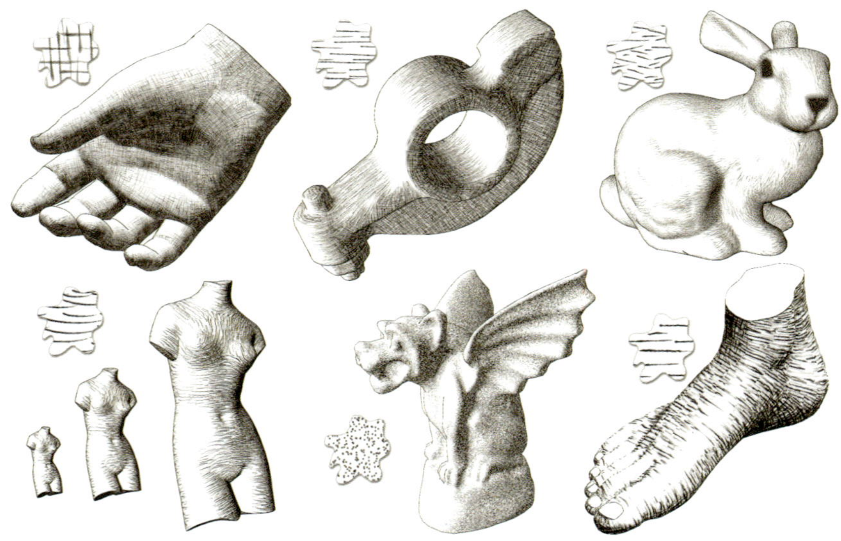

図11.15 論文では階調アートマップの与え方で様々な表現バリエーションが可能だとして、その応用事例をいくつか示している

視線と光源、面の位置関係、あるいは動的キャラクタであれば、その動き軌道の方向に応じて、階調アートマップの与え方を変えれば、よりアーティスティックなトゥーン・シェーディングを実現できるかもしれない。もっともここまで行くと、アニメ調の「トゥーン・シェーディング」というよりは、芸術的志向が強いため、別カテゴリに分類すべきかもしれない(**図11.16**)。

図11.16　アニメ調表現を拡張したハッチングシェーダを使ったこの表現は「戦場のヴァルキュリア」(セガ,2008)にも採用された

コンピュータグラフィックスらしさを低減させ「手描き」らしさを演出するテクニック

プログラマブルシェーダを活用し、アーティスティックな表現を突き詰めても、描画対象が3Dモデルである以上、どうしても「CG臭さ」が露呈してしまうことがある。

もともとトゥーン・シェーディングでは、わざと二値的な陰影としているため、シェーディングの結果の値が、あらかじめ設定しておいた明暗判定の閾値に近いと、キャラクタやカメラのちょっとした移動で明陰が反転してしまいやすくなったり、明陰の領域が細かく分断されて斑（ぶち・まだら）状に出てしまい、見映えが悪くなったりすることもある。

手描きのアニメ絵では、見映えが醜くならないように、あえて陰影を出さなかったり、逆に陰影を強調することで描画結果を魅力的に演出する。このような「工夫」もしくは「調整」は、アニメ調のトゥーン・シェーディングベースのゲームグラフィックスにおいても必要だという気運が高まり、2010年代には様々なテクニックが提唱されるようになった。中でも、その集大成とも言うべき作品が「GUILTY GEAR Xrd -SIGN-」（アークシステムワークス,2014）である。

「GUILTY GEAR Xrd -SIGN-」では、セルアニメのような明陰の塗り分けになるよう、3Dモデル側にいくつかの工夫を盛り込むことで、見映えの調整を図っている。

1つは、3Dモデルを構成する各ポリゴンの頂点カラーのRチャネルに、「陰となりやすい重みパラメータ」を仕込むというものだ。これは、くぼんだところや、周囲の部位から遮蔽されているような箇所で強めに設定されている（**図11.17～図11.19**）。

図11.17 「陰となりやすい重みパラメータ」を3Dモデル上で可視化した画面ショット

図11.18 「陰となりやすい重みパラメータ」を無視したレンダリング結果

図11.19 「陰となりやすい重みパラメータ」を有効化したレンダリング結果。脇まわり、股まわりは"陰"が強く出ている他、筋肉の隆起周辺については、その曲面の陰影が出やすいような調整となっていることが分かる

図11.19 を見ると分かるが、顎(あご)下や首まわりには頭部のセルフシャドウ的な影が出ている。これは、この「陰となりやすい重みパラメータ」が大きく貢献しているのだ。つまり、常に"陰"になりやすくなるよう、顎下や首まわりなどには「陰となりやすい重みパラメータ」を強く設定しているわけである。

さらに、「GUILTY GEAR Xrd -SIGN-」では、この「陰となりやすい重みパラメータ」を、頂点レベルだけではなく、テクスチャレベルでも設定している(図11.20〜図11.22)。

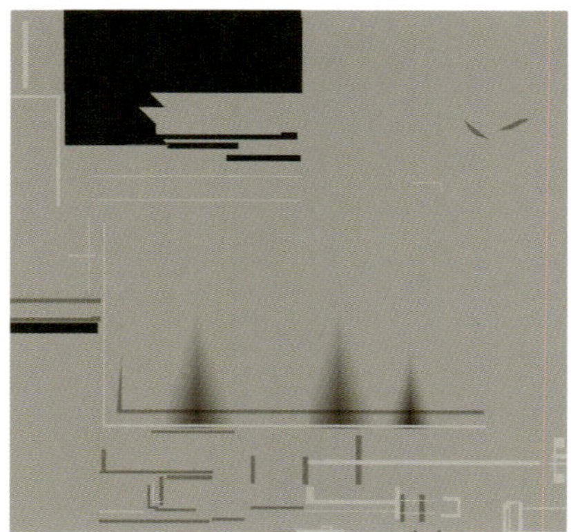

図11.20　スカート付近の「陰となりやすい重みパラメータ」テクスチャ。中央の黒い大小の▲が図11.22のスカートの三角形状の黒い陰影に対応している

図11.21　「陰となりやすい重みパラメータ」を無視したレンダリング結果。スカートまわりはつるんとした平坦な陰影となっている

図11.22　「陰となりやすい重みパラメータ」を有効化したレンダリング結果。スカート表面に"たわみ"のようなシワの陰影が付加されていることが分かる。この陰影こそが、まさにテクスチャに描かれている陰影そのものの形状だ

顔面は文字通り「3D キャラクタの顔」であり、最もこだわりを持って表現したい部位であるが、そうした重要な部位についてはアーティストのセンス主導で頂点法線の調整が行われている。頂点法線とは、分かりやすい言葉で言い換えると、「頂点の向き」のことだ。

3D グラフィックスにおけるライティング計算には「光源の向き」(光源ベクトル) と「視線の向き」(視線ベクトル)、「面の向き」(法線ベクトル) の３パラメータが必要になる。陰影の出方は、その「面の向き」を変化させることで調整が可能となる。

「GUILTY GEAR Xrd -SIGN-」の場合、キャラクタモデルは約４万ポリゴンでモデリングされており、トゥーン・シェーディングではない通常のリアル系シェーディングでは４万ポリゴンに見合った、非常に細かい複雑な陰影が出てしまう。しかし、この作品で出したい陰影はアニメ調の大ざっぱな陰影である。そこで、「4 万ポリゴン分の 3D モデル形状（≒ 3D モデル解像度）を維持したまま、各ポリゴンに持たされている『面の向き』情報だけを粗くすることで、ライティングした結果の陰影だけを大ざっぱにする」という調整を施したのだ。

つまり、「GUILTY GEAR Xrd -SIGN-」では、精巧に作られた 3D モデルの各面の向き、すなわち頂点単位に与えられた法線ベクトルを、わざわざ大ざっぱな陰影が出るように調整しているのだ。

例えば、頬のあたりの法線を、こめかみあたりの法線に近づけるようにしてやれば、こめかみあたりが暗いときには頬あたりも同様に暗くなるような陰影にできる。本来、3D モデルの形状としては曲面状にモデリングされているのだが、あえて法線を揃えてしまうことにより、低ポリゴンモデルのような大ざっぱな陰影を多ポリゴンモデルに与えるわけだ（図 11.23、次ページ 図 11.24）。

図 11.23　法線調整前（左）と調整後（右）のレンダリング結果画面。法線調整前は不自然な斑（ぶち・まだら）が出てしまい見映えを悪くしているが、調整後はこの斑状の陰影を消し去ることに成功している

図 11.24　法線調整前（左）と調整後（右）の法線を可視化させた画面。調整前の法線は、顔面自体の 3D モデルが曲面でデザインされていることもあり、その傾きがなだらかに推移していることが分かる。本来はなだらかな陰影が出るべきところを、トゥーン・シェーディングで無理矢理二値陰影化するためにこうした不自然な斑が出てしまう。そのなだらかに推移していた法線の向きをわざと離散的に調整し、揃えることが不自然な斑を消すことにつながる。言うなれば、この法線の調整は、曲面デザインがなされている 3D モデル自体の法線を、わざと積み木チックな 3D モデルの法線に置き換えるような行為に相当する

「GUILTY GEAR Xrd -SIGN-」では顔面だけでなく、衣服のシワもアニメ調の大ざっぱな陰影となるように、法線の「大ざっぱ化」の調整を施している。例えばズボン（＝脚部）は、3D モデル形状としては凹凸の与えられた複雑な形状をしているが、ほぼ同サイズの円筒形（＝円柱）モデルを用意し、その法線をここに転写することで、法線の調整を行っているのだ。

つまり、3D モデルとしては凹凸を含んだハイディテールな形状にもかかわらず、わざとシンプルな円筒形モデルの法線を転写することで、凹凸としての陰影を消しているのである。とはいえ、形状としての凹凸は変わっていないため、描画結果の輪郭には現れる。そのため、視点を巡らせれば、ハイディテールな形状とシンプルな陰影が組み合わされたアニメ調の独特なテイストが再現されるというわけである（**図 11.25 ～図 11.27**）。

図11.25　3Dモデルの凹凸形状にちなんだディテールの陰影が出ている。光源が動くと陰影の出方がダイナミックに変化し、見た目的に騒がしいと判断された

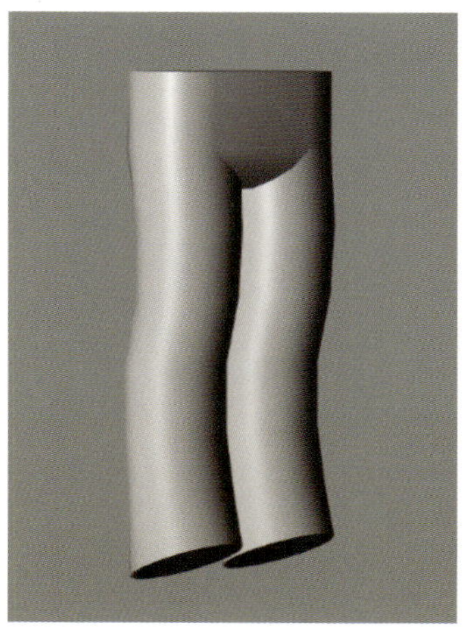

図11.26　シンプルな円筒状の3Dモデルを別途用意し、この凹凸のない"ツルっ"とした3Dモデルのシンプルな法線を、ハイディテールなズボンの3Dモデルに転写する。この工程は、3DCGソフトの「Softimage 2013」の3Dモデルの属性転送機能「Gator (Generalized Attribute Transfer Operator)」を使用して実践された

図11.27　円筒形の法線が転写されたズボンモデルの描画結果。細々とした陰影が簡略化されて、よりアニメらしい見た目となった。それでいて、視点から見たズボンの輪郭はハイディテールな形状となっている

ゲームグラフィックスで使われる多くのアニメ調のトゥーン・シェーディングでは、拡散反射のシェーディングしか行わないものが多かった。しかし「GUILTY GEAR Xrd -SIGN-」では「イラストレータが手描きイラストでハイライトを付加するときの法則」を再現することに取り組んでいる。ここで言うハイライトとは、鏡面反射によって出現する「スペキュラハイライト」(Specular Highlight、視線依存なハイライト) のことである。この再現にあたっては、前出の「陰となりやすい重みパラメー

タ」のコンセプトとよく似た「ハイライトの入りやすさパラメータ」と「スペキュラハイライトの強度パラメータ」をテクスチャで与えることで対応していた。

「ハイライトの入りやすさパラメータ」は鏡面反射の計算結果に対して強弱を調整するもので、最大値設定がなされていれば焼き込み相当のハイライトになり、逆に値が小さい領域ほどハイライトが減退しやすくなる。対して「スペキュラハイライトの強度パラメータ」は、金属やツルツルとした材質の部分には大きめの値が設定され、値が大きいほど輝度の高い鋭いハイライトが出るようになる。

これらのパラメータを使うことによって、例えば肌と衣装のように、互いが近い位置にあっても、材質が異なるときにはハイライトがくっつかないようにしたり、あるいは物理的には全く正しくないのを承知のうえで凹凸境界や材質境界に沿ってハイライトを出したり…といった効果が得られるようになるのだ(**図11.28**)。こうしたハイライトの出方は確かにアニメ的・漫画的である。

図11.28 「GUILTY GEAR Xrd -SIGN-」における手描き風ハイライトの再現。視点に依存したスペキュラハイライトの出方の違いに注目してほしい。肩まわりの筋肉あたり、ベルト金具、鎧の縁取り、髪の毛のテカリの出方は、ライティング結果によるハイライトのようには見えず、本当にイラストレータが入れた差し色のように見える。CG臭さはほとんど感じない

陰影だけでなく「塗り」の再現を目指したスタイライズド・レンダリング表現

ここまで解説してきたものは、「陰影の階調」表現に着目した手法が多かったが、よりイラスト的、絵画的な方向性を実現すべく、アーティスティックな「彩色」表現を盛り込もうとした事例も出てきている。こうした表現に力を入れてきたゲームタイトルに「ストリートファイター」シリーズがある。

「ストリートファイター IV」(カプコン,2008)では、陰影計算自体は通常のリアル志向と同等の処理系で行うが、その陰影計算の結果のハイライト"以外"の箇所において、絵筆のストローク跡のような色の濃淡を出現させる独特なシェーディングを実装していた。これは、同作開発チームでは「筆タッチシェーダ」と呼ばれていた(**図11.29**)。

「ストリートファイター IV」でも、他の多くのリアル志向ゲームグラフィックスと同様に、浮き出る血管や筋肉の隆起、シワなどの微細凹凸の表現手段として法線マップを利用していたのだが、その法線マップ上の一定条件を満たす箇所に対して、製作段階にて「筆のタッチ」に相当する「凹み状の平行線」を付加していた。なお、この「筆のタッチ」≒「凹み状の平行線」の加工とは、実際には法線マップ素材に対しPhotoshopの「ちりめんじわ」(縮緬皺)フィルタをかけることで行われた。

この縮緬皺を付加した法線マップ自体は静的なものだが、ライティングは動的に行われ、光が当たっている箇所ではこの縮緬皺の濃淡があまり出ず、陰影の陰りの部分では逆に強めに出るようなシェーダ設計となっていた。そのため、光源との位置関係が変わると、この筆タッチ効果による色の濃淡がダイナミックに変化する見た目が実現されていたのだ(次ページ **図11.30**～**図11.32**)。

図11.29 「ストリートファイター IV」ではカプコンのデザイナーの池野大悟(イケノ)氏の描いたこのコンセプトアートが再現目標として設定され、これを実現するために本作独自の「筆タッチシェーダ」が考案された

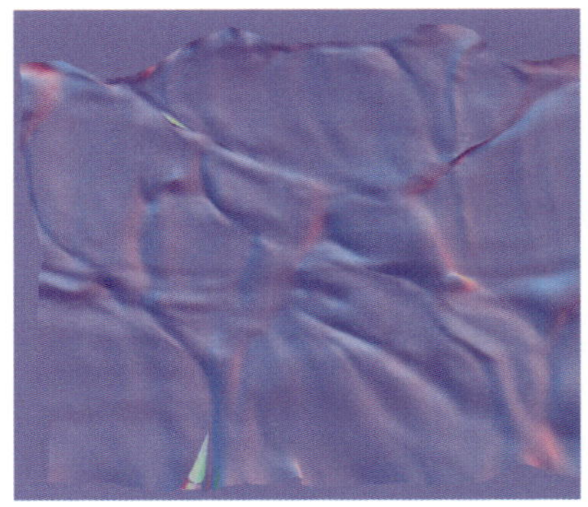

図 11.30　縮緬皺フィルタ適用前の腕部分の法線マップ（左）とこの法線マップを適用したレンダリング結果（右）

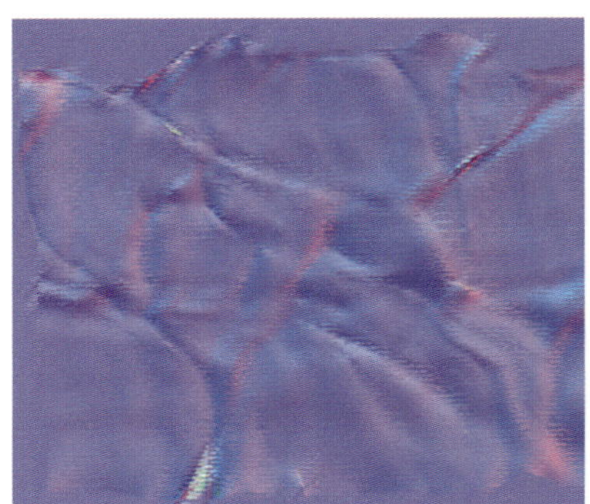

図 11.31　縮緬皺フィルタ適用後の腕部分の法線マップ（左）とこの法線マップを適用したレンダリング結果（右）

図 11.32　筆タッチシェーダ適用前（左）と適用後（右）

続く「ストリートファイター V」（カプコン,2016）では、図11.33のコンセプトアートがグラフィックスの再現目標として掲げられ、「筆タッチシェーダ」の第二世代版が適用された。

「ストリートファイター IV」の筆タッチシェーダはPhotoshopの「ちりめんじわ」フィルタを適用した法線マップを活用したものだったが、「ストリートファイター V」の筆タッチシェーダでは、絵画調変換ソフトの「SNAP Art」（http://www.lifeboat.jp/products/sa4_n/index.php）を利用して変調した法線マップを活用することで実践された。

法線マップに適用した変調フィルタの種類の違いが、両作間のアートスタイルの最も大きな相違点の根幹となっているが、実は、そのフィルタを適用する際の「法線マップの座標系」を変更したことも、見た目の違いに大きく影響している。どういうことかというと、ストリートファイター IVのときは、法線マップをポリゴンに適用する状態の接平面座標系のままで「ちりめんじわ」フィルタを適用していたが、ストリートファイター Vでは法線マップを一度オブジェクト座標系に変換してからSNAP Artの絵画フィルタを適用することとしたのだ。

「法線マップ」については、Chapter 3で取り扱っているが、法線マップの座標系については言及していなかったのでここで軽く補足説明をしよう。

法線マップは、1ポリゴンにも満たないような微細な凹凸面を表現するのに用いられるテクスチャマップであることはChapter 3で解説した通りだ。法線マップは模様や柄を表現する「画像テクスチャ」とは異なり、テクスチャを構成する各テクセル（＝テクスチャを構成するピクセル）はその微細な凹凸面の向き（＝法線ベクトル）を表している。したがって、各テクセルはRGB（赤緑青）の色値ではなく、X、Y、Zの値からなる三次元のベクトルを表すことになる。

図11.33　カプコン出身のアーティスト安田朗氏が描いたストリートファイターのキャラクタ「春麗」の油彩絵画が、ストリートファイター Vのグラフィックスの再現目標として掲げられた

さて、法線マップは、通常はテクスチャ座標系、すなわちテクスチャ平面を基準として、そこに凹凸が存在するものとして法線ベクトルを仕込んでいる。法線マップはその適用先となる3Dモデルの立体構造と無関係なこともあって、法線マップ上の法線ベクトルの多くが、上方向あるいは下方向のものが支配的だ。裏を返すと、テクスチャ平面の広がり方向に近い向きの法線ベクトルの割合は非常に少ないのだ。

つまり、ベクトルを表すX、Y、Zの値の組み合わせは、ある程度の"偏り"を伴うわけである。一般的な法線マップを可視化すると、やや紫がかった濃淡画像になるのは、そういう事情に起因している。

ちなみにこのとき、「基準とするテクスチャ平面」のことをコンピュータグラフィックス用語では「接平面座標系」(Tangent Space)や「テクスチャ座標系」(Texture Space)と言ったりする(図11.34)。ともあれストリートファイター IVでは、紫を基調としたテクスチャ平面基準の法線マップに対してPhotoshopの「ちりめんじわ」フィルタを適用し、それをランタイムでそのまま使っていたのだ。

ストリートファイター Vでも、この紫基調のテクスチャ平面基準の法線マップを、そのままSNAP Artの絵画フィルタに適用して試してみたそうだが、あまり好ましい結果が得られなかったという。これは、「全体として紫基調」という「色変化に乏しい画像」であったことがよくなかったと思われる。

SNAP Artには、広範囲かつダイナミックに色味が変化する画像のほうが「いかにも絵画」という感じの筆っぽいストロークになる特性がある。そこで、法線マップ本来の性質を崩すことなく、それでいてダイナミックな色変化が起こるよう、この法線マップを改変する必要性が出てきた。その解決策というのが、キャラクタなどの3Dモデルにテクスチャを適用した後の座標系、すなわち「オブジェクト座標系」(Object Space)へ法線マップを変換することだった(図11.35)。

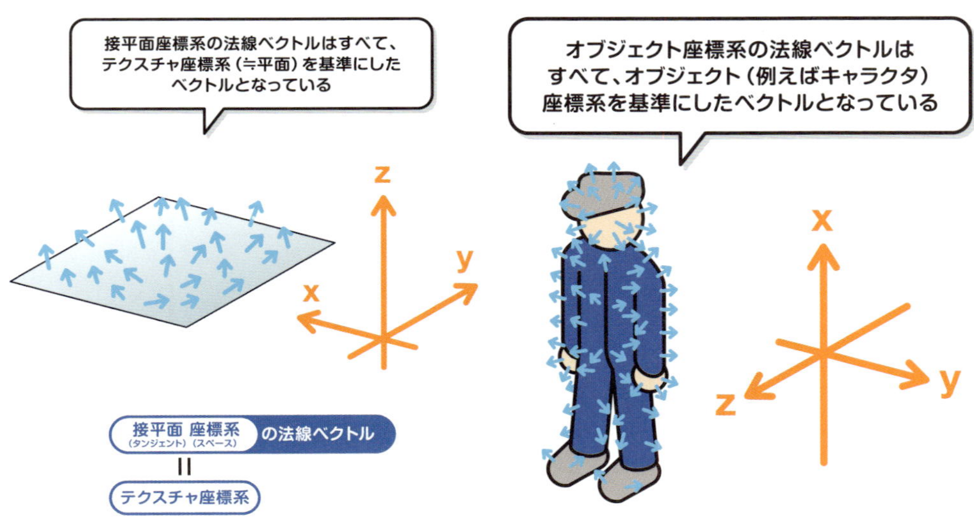

図11.34 テクスチャ平面を基準とする法線マップの概念

図11.35 3Dモデルにテクスチャを適用した状態を基準とする法線マップの概念

法線マップは、オブジェクト座標系へ変換すると、ダイナミックな赤緑青のグラデーションで構成される画像に変換される。テクスチャ平面基準の法線マップと違い、立体的な形状に対して適用された法線マップはあらゆる方向を向くようになるため、法線ベクトルを表すX、Y、Zの値が多様性を増し、可視化したときにはカラフルになるのである（**図11.36**～**図11.38**）。

図11.36　ナッシュ顔面の法線マップ。左がテクスチャ平面基準、右がオブジェクト座標系へと変換したものだ。色味がだいぶ違うことが分かる

図11.37　テクスチャ平面基準の法線マップをSNAP Artで絵画調変換した後の法線マップ。絵画調フィルタがうまくかからない

図11.38　オブジェクト座標系の法線マップをSNAP Artで絵画調変換した後の法線マップ。絵画らしいタッチになった

SNAP Artを使った法線マップの絵画調変換では、顔面など注目されやすい部位は、最も繊細な筆タッチになるようにし、一方で、その他の肉体や筋肉、素肌などは、少し太くした筆タッチとした。衣服やアクセサリなどは、さらに粗めの筆タッチとしている(**図11.39**)。

なお、SNAP Artで法線マップを絵画調に変換することには物理的な意味はない。あくまでも、この手法を使えば絵画的な筆のタッチがうまく表現できることが分かったので、活用しただけだという。

スタイライズド・レンダリング表現は、表示される結果が興味深く、美しいものになるのであれば、その作り込みの過程において、常識的な概念や理屈、物理法則などは不要なのかもしれない。

図11.39　上が「SNAP Artによる筆タッチ効果付き法線マップ」適用前の描画結果、下が適用後の描画結果（=製品版）だ。下では陰影部分に筆のタッチのようなものが現れ、目標に設定されたコンセプトアートに近いテイストのビジュアルを実現できている

輪郭線の描画

テレビアニメや漫画、イラスト調の絵画では、輪郭線という表現要素が重要となってくる。というのも、人間が絵を描く際には、下書きとして輪郭線を描くことから始まる。その輪郭線そのものの存在が､「現実世界の情景」や「カメラで撮影された写真」とは異なる「独特なビジュアル要素」となっているからだ。しかし、コンピュータグラフィックスでは、この輪郭線を自動的に出すことはできないため、別途、輪郭線を出すための処理を組み込まなければならない。

ここからは、この「輪郭線」を描画するための代表的なテクニックを紹介していくことにしたい。

プログラマブルシェーダを使わない輪郭線の描画「背面法」

この輪郭線生成において、プログラマブルシェーダを活用せずに実現できるシンプルな手法が「背面法」と呼ばれるものだ。

通常、3DモデルをGPUで描画しようとする場合、視点に対して背面側にあるポリゴンは「見えないもの」とされ、描画対象外として破棄されてしまう。この仕組みは、「正面を向いているキャラクタモデルの背中側のポリゴンは、どうせ視点からは見えないので描かない」という発想に基づいており、「背面カリング」（Backface Culling、裏面カリングとも言う）と呼ばれている。

それに対して背面法の線描では、この背面カリングの仕組みを反転したレンダリングを組み合わせている。「背面カリングの仕組みの反転」とはつまり、通常は「背面を描かない」とするカリングの処理系を反転させることに相当する。要するに「背面を描いて正面を描かないようにする」ということだ。

これを踏まえたうえで、背面法における描画手順を解説すると以下のような流れになる。

まず、3Dモデルを1つ用意する。これを「本体モデル」と呼んでおく。次ページ **図11.40** で言うところの左端の青い球体だ。

次に、その本体モデルと全く同じ形で、動きも完全にシンクロするが、本体モデルよりも少し大きいモデルを用意する。これを「被せモデル」と呼ぶことにする。

まず、第一段階として、被せモデルを、反転させた「背面カリング」を行って描画する。その結果として、当該3Dモデルの真っ黒なシルエットが描かれるので、これをひとまず保存しておく。「反転させた背面カリング」を行わずにただシルエットだけを描画させると、深度バッファの仕組みがある関係で、この次の処理である本体モデルの描画を行った際に、本体モデルがシルエットに隠れてしまうのだ。

第二段階として、本体モデルを通常の処理系を用いてレンダリングする。

そして最終段階では、真っ黒なシルエットと通常のレンダリング結果を合成する。真っ黒なシルエットは、通常のレンダリング結果で大部分が上書きされてしまうが、真っ黒なシルエットは3Dモデルを若干膨張させた状態になっているので、結果として輪郭部分だけが残るのだ(**図11.40、図11.41**)。

なお、被せモデルの膨張率を固定値にしてしまうと、視点からの遠近で生成される輪郭線の太さが変わってしまう。これを避けるために、そのキャラクタモデルの視点からの奥行き位置と視界画角の値を元にして膨張率を調整する必要がある。

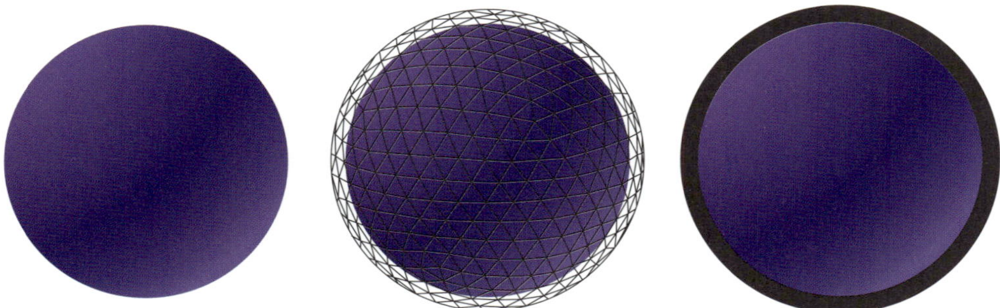

図11.40 「背面法」による輪郭線生成法の概念図。左が「本体モデル」、中央がこの本体モデルを膨張させた「被せモデル」(ワイヤーフレームになっているモデル)。まず、被せモデルを反転させた「背面カリング」を行って輪郭色でシルエットとして描画。続いて本体モデルを通常描画すると、描画された本体モデルの外周に輪郭線が残る(右)

図11.41 「GRAVITY DAZE/重力的眩暈:上層への帰還において彼女の内宇宙に生じた摂動」(SIE,2012)より。被せモデル(左)と本体モデル(中央)、そして最終描画結果(右)

この手法は、「XIII サーティーン～大統領を殺した男」（Ubisoft,2003）のようなPS3登場以前の、プログラマブルシェーダ成熟期前のトゥーン・シェーディングベースのゲームグラフィックスに採用事例が多い。「GRAVITY DAZE/重力的眩暈：上層への帰還において彼女の内宇宙に生じた摂動」（SIE,2012）のような、プログラマブルシェーダ成熟期以降の作品にも採用事例が少なくない。

背面法では、1体のキャラクタを描画するために、本体モデルと被せモデルの2回描画する必要があり、冗長性が高い。例えば広大なオープンワールドのような、非常に広範囲のシーンを描画することを考えた場合、見た目の2倍の頂点負荷がGPUにかかることになってしまう。

このため、背面法は動的キャラクタの描画にのみ適用して、背景側には輪郭線を出さない選択をするゲームタイトルもある。

ポストエフェクト系画像処理で輪郭線を生成するテクニック（1）～視線と法線の内積段差で求める手法

3Dモデル単位に背面法を適用していると、単純計算で、シーン内に登場する3Dモデルの描画にかかるGPU負荷の2倍近い頂点負荷がかかってしまう。

また、背面法には冗長性の問題もある。

例えば、2体の3Dモデルがあったとする。これら2体が視点に対して半身を重ね合わせて前後に立っている状況のときに、後ろ側に立つ3Dモデルが先に描画されて、後から手前の3Dモデルが描画されるとする。この場合、せっかく後ろ側の3Dモデルの全身を輪郭線付きで描画したとしても、後から描かれる手前の3Dモデルに後ろ側の3Dモデルの半身分は上書きされてしまう。つまり、後ろ側の3Dモデルの半身分の輪郭線は無駄に描画されたことになる。

そこで、3Dモデル単位で輪郭線の描画は行わずに、シーンのレンダリングは普通に描画することとし、最終的に描画し終わった映像フレームに対し、画像処理的アプローチで輪郭線を生成する手法も考案されることとなった。

いくつかの手法があるが、実際のゲームタイトルで採用された事例を2つほど紹介しよう。

1つは「GRAVITY DAZE/重力的眩暈：上層への帰還において彼女の内宇宙に生じた摂動」（以下、GRAVITY DAZE）で採用された手法だ。

「GRAVITY DAZE」では、背景オブジェクトをレンダリングする際、ピクセルシェーダは、背景オブジェクトに対するライティング&シェーディングの計算をしてピクセル色をRGB出力すると共に、一緒に視線ベクトルとそのピクセルの法線ベクトルの内積を計算して、その結果をαチャネルに仕込んでレンダーターゲットに書き出すようにしていた（次ページ 図11.42）。

図 11.42　法線と視線の内積を格納したαチャネルの内容を可視化したショット

そして、このαチャネルに対して、画像処理において古くから活用されるエッジ強調フィルタの1つ「Sobelフィルタ」(後述) を適用することで輪郭線を抽出して、希望の輪郭線色で出力し、通常レンダリングされた映像フレームに対してこれを合成するのだ。

視線ベクトルと、レンダリング対象ピクセルの法線ベクトル、その２つのベクトルが織りなす角度が小さいほど、その２つのベクトルの内積値は大きくなり、織りなす角度が大きいほど内積値は小さくなる。隣接する内積値同士の差分が大きい場所が輪郭線と見なせるため、これをSobelフィルタにて強調化して顕在化させるわけである(**図11.43**、**図11.44**)。

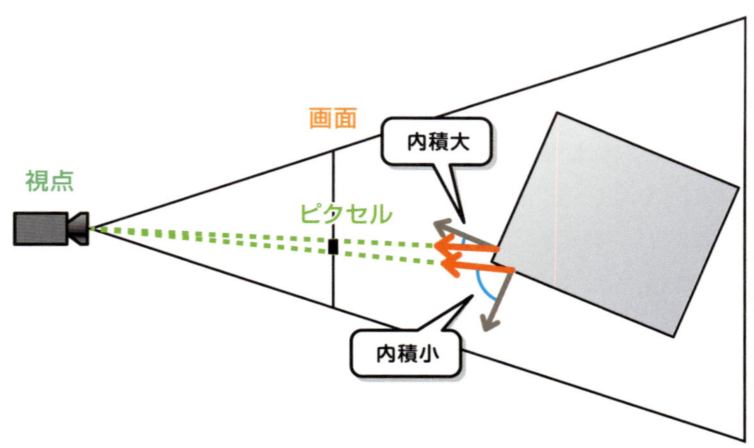

図 11.43　図中の赤矢印が視線ベクトル、グレーの矢印が法線ベクトル。２つのベクトルが織りなす角度が小さいほど、その２つのベクトルの内積値は大きく、織りなす角度が大きいほど内積値は小さくなる。隣接する内積値同士の差分が大きい場所が輪郭線ということになり、Sobelフィルタはこの内積値段差を強調化する役割を果たす

図11.44 「GRAVITY DAZE/重力的眩暈：上層への帰還において彼女の内宇宙に生じた摂動」より。上が背景に対する輪郭線生成をオフにしたショット。下が背景に対する輪郭線生成をオンにしたショット。はるか遠景は、背景オブジェクトの実体がほとんど見えずシルエットだけとなり、それに対して、「ペン入れ途中」のような輪郭線だけとなるのが実に味わい深い

ここで、「Sobel」フィルタについても簡単に解説しておこう。

こうしたポストエフェクト系画像処理では、レンダリングされた映像フレームの全ピクセルに対してフィルタ処理を適用することが多い。フィルタ処理とは、今着目しているピクセルの色と、その周囲のピクセルの色に対して適当な重み付け計算を行って総和を計算し、これを着目していたピクセルの新しい色とするような処理系を指す。例えば、「その重み付け分布」を3×3ピクセルとした場合の計算式は図11.45～図11.47のようになる。

$f(i\text{-}1,j\text{-}1)$	$f(i,j\text{-}1)$	$f(i+1,j\text{-}1)$
$f(i\text{-}1,j)$	$f(i,j)$	$f(i+1,j)$
$f(i\text{-}1,j+1)$	$f(i,j+1)$	$f(i+1,j+1)$

図11.45 処理対象となる映像フレームの色値。中央が着目対象ピクセルの位置

$a(-1,-1)$	$a(0,-1)$	$a(1,-1)$
$a(-1,0)$	$a(0,0)$	$a(1,0)$
$a(-1,1)$	$a(0,1)$	$a(1,1)$

図11.46 フィルタ・カーネル。中央が着目対象ピクセルの位置

$$f'(x,y) = \sum_{l=-1}^{1} \sum_{k=-1}^{1} f(i+k, j+l) \cdot a(k,l)$$

図11.47　実際のフィルタ計算式。3×3のピクセルを個別に読み出し、対応するフィルタ・カーネルの重み値を掛け合わせ、これらの総和を中央の着目していたピクセル値とする処理系

そしてSobelフィルタとは、与えられた映像フレームに対して縦方向の輪郭線や横方向の輪郭線を検出するためのフィルタ処理である。

図11.48と**図11.49**が、縦方向の輪郭線と横方向の輪郭線のそれぞれのフィルタ・カーネルになる。

「GRAVITY DAZE」では、輪郭線の抽出にあたっては「ピクセルの色」ではなく、前述したように「内積値」をフィルタ処理対象としている。「縦方向の輪郭線」の抽出とは、実質的には横方向の内積値段差をあぶり出すことに相当する処理となる。同様に「横方向の輪郭線」の抽出は、実質的には縦方向の内積値段差をあぶり出すことに相当する処理となっている。したがって、あぶり出したい内積値段差とは反対の軸方向に重みを掛けたフィルタ・カーネルを適用する必要があるのだ。Sobelフィルタのカーネル行列の中央に、縦・横と「0」が並んでいるが、それぞれのフィルタ・カーネルは、その「0」の並んだ方向の内積値段差をあぶり出す、とイメージすると分かりやすいかもしれない。

なお、1回のフィルタ処理で得られる輪郭線は、横方向と縦方向のどちらか1つなので、2回のフィルタ処理で得られた縦方向輪郭線と横方向輪郭線は、最終的に合成する必要がある。

この手法のGPU負荷は、総ピクセル数に依存する。そのため、処理対象映像フレームの解像度が高ければ高いほどピクセルシェーダに負荷がかかることになる。しかし、シーン内のオブジェクトがどんなに多くても（逆に少なくても）、シーンの複雑性に無関係な一定の負荷量で処理を行えるため、GPUパフォーマンスの予測がしやすいという利点がある。

1	0	-1
2	0	-2
1	0	-1

図11.48　Sobelフィルタの縦方向輪郭線検出用のフィルタ・カーネル

1	2	1
0	0	0
-1	-2	-1

図11.49　Sobelフィルタの横方向輪郭線検出用のフィルタ・カーネル

ポストエフェクト系画像処理で輪郭線を生成するテクニック (2) ～輝度段差で求める手法

ポストエフェクト系画像処理で輪郭線を求める手法は他にもある。

「ストリートファイター V」(カプコン,2016) では、処理対象映像フレーム内の全ピクセルを探査し、その各RGB色の差分の絶対値が大きい箇所を輪郭線と見なす手法を採用していた (図11.50、図11.51)。

図 11.50　輪郭線適用前の描画結果

図 11.51　輪郭線適用後の描画結果。左腕と背景の境界に注目

この処理のアルゴリズムは以下のような流れとなっている（図11.52～図11.58）。

まず、描画フレームをnピクセル分、上下左右４方向にシフトしたものを用意する。

次にその「nピクセル分シフトした描画フレーム」の左右ペア、上下ペアで互いに引き算をしてその結果を出力するのだ。

この計算により「近い色」が塗られた領域は黒に近い色に落ち込むことになり、一方で、「異なる色」が隣接した領域には色が残ることになる。

なお、実際のピクセルシェーダの処理では、４方向にnピクセル分シフトした描画フレームを実生成してはおらず、１枚の描画フレームに対して算術処理を行って結果を出力する実装としたようである。

この手法でも、縦方向の輪郭線と横方向の輪郭線を別々に求めて最終的に合成して輪郭線を得る。この流れは、前述したSobelフィルタベースの輪郭線生成と同じだ。

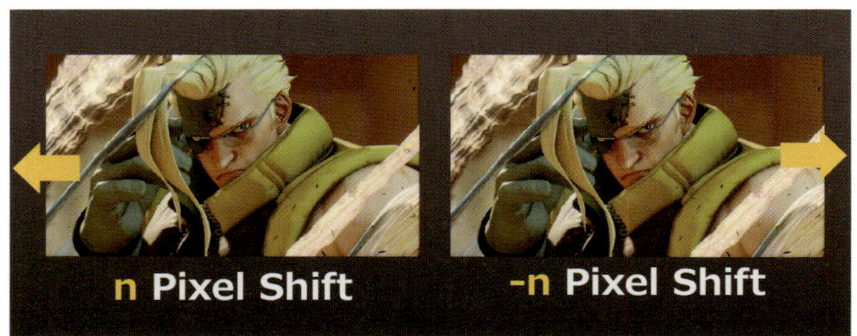

図11.52　nピクセル分シフトした描画フレームを用意する。この図解では、左右にnピクセルシフトした描画フレームをそれぞれ示している

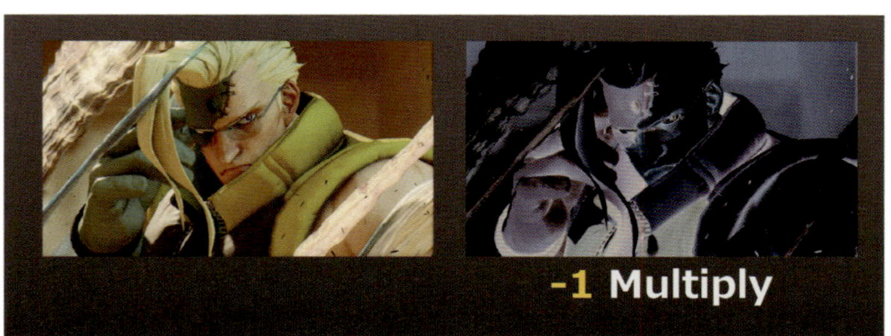

図11.53　行いたい計算は引き算なので、片側（この図解では右シフトした描画フレームのほう）に−1を掛けて反転させる

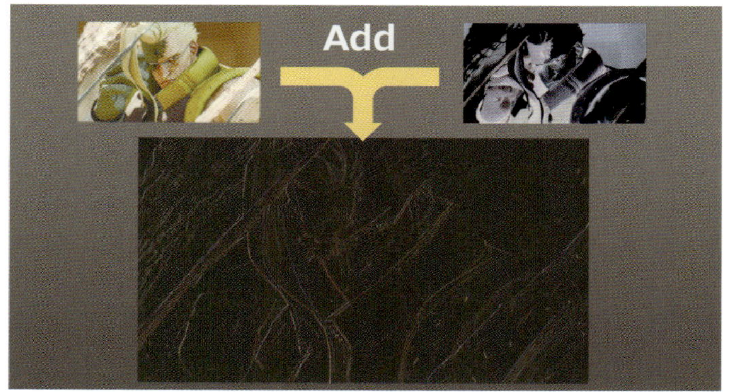

図11.54　元画像とこの反転画像を足し合わせると、算術上の差分を取ったことになる。図の下に見えるのが差分で、輪郭線らしきものが見えてきた

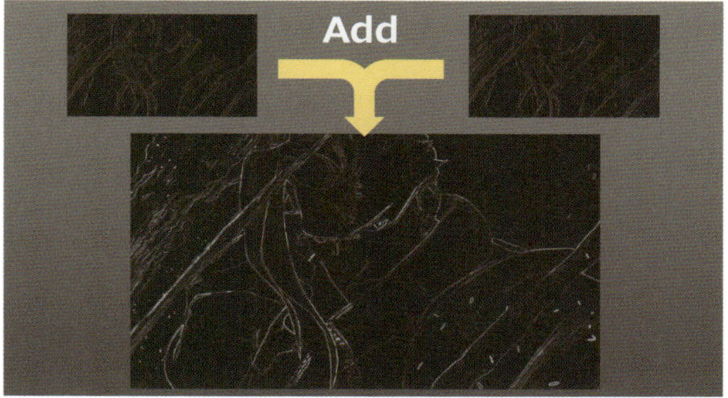

図11.55　ここまでの図は左右ペアの差分を取るものだったが、同様に上下にシフトしたペア分の差分も求め、上下左右の差分結果を全て集約したものがこの図の下だ。より輪郭線らしくなってきた

図11.56　実際に描画結果に出る輪郭線は、アーティストが決定した色味を乗せたものになる。輪郭線を合成する処理は、上下左右シフト差分結果に対して、乗せたい色味に−1を掛けたものを加算することで行う。本来乗せたい輪郭線の色味は赤なのに、この画像で青っぽいのは−1を掛けた補色になっているためだ

図 11.57　輪郭線を過剰に付与したテストショット。この赤いピクセル群が、この一連の処理で輪郭線生成先となった箇所ということである

図 11.58　実際の製品版ゲームでの出力結果はこちら

テクスチャを使った輪郭線の付与～「本村式ライン」

3D構造的に溝になっている部分などは、背面法では輪郭線が出せないところも存在する。また、内積値段差や輝度段差のない平坦なポリゴン面で、意図的に輪郭線を出そうとした場合も、ポストエフェクト系画像処理アプローチでの線描の仕組みでは輪郭線が出せない（**図 11.59**、**図 11.60**）。

図11.59　3Dモデルを構成する面のうち、視点側に向いている領域については、背面法では輪郭線がうまく描画されない箇所が出てきてしまう

図11.60　こうした領域の輪郭線は、このようにテクスチャマッピング等で描画する必要がある

そうした箇所に対しての輪郭線の生成は、テクスチャマッピングで入れ込むしかないわけだが、普通にテクスチャマッピングしたのでは、視点をズームインして拡大されたときにジャギーが出てしまい、背面法やポストエフェクト系画像処理アプローチによる綺麗な輪郭線との「品質の差」が目立ってしまう（**図11.61**）。

この問題に関して、「GUILTY GEAR Xrd -SIGN-」を開発したアークシステムワークスの開発チームは「テクスチャの解像度に依存しない綺麗な線分」を出す手法を考案した。それが、開発チーム内で「本村式ライン」と呼ばれるユニークな線描テクニックである。この「本村」というキーワードは、この手法の考案者である同作開発チームの本村・C・純也氏（アークシステムワークス、リードモデラー兼テクニカルアーティスト）の名前から取ったものである。

この本村式ラインは、同作では衣服やアクセサリ類の溝、縫い目、筋肉の隆起といったところに適用されている（**図11.62**）。

図11.61　一般的なテクスチャマッピングでは、視点が近づいたときにジャギーが露呈してしまうことがあり得る

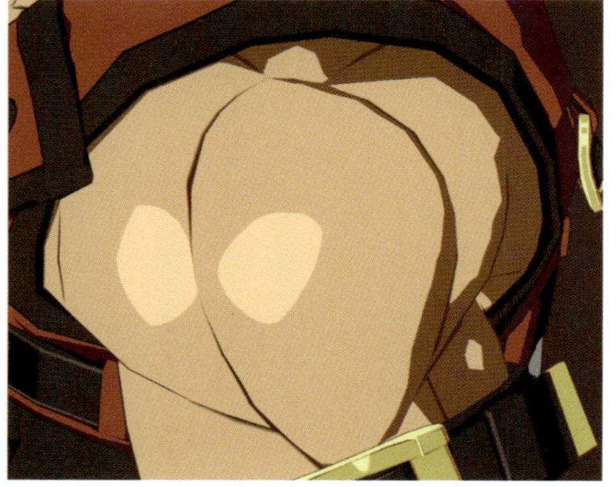

図11.62　対して「本村式ライン」で描かれたラインは、テクスチャマッピングによるものにもかかわらず、ジャギーがほとんど感じられない

そもそも、テクスチャマッピングでジャギーが顕在化するのはどういう状況なのだろうか。

これは、とあるテクセル（＝テクスチャを構成するピクセル）が、ポリゴン面に対して単独テクセルとして描き込まれるときに顕在化する。これに対し、隣接するテクセルがあれば、単一テクセルのときとは違い、四角いテクセル形状の輪郭が事実上消失してしまうため、ジャギー感が露呈しにくい。ただ、隣接したピクセルが斜め上や斜め下にあったのでは、事実上、そのテクセルは単一状態に等しく、ジャギー感が出てしまう。

つまり、水平線状や垂直線状にテクセルが並んだ集合体による線分なら、ボケ味が付加されることはあるが、ジャギー感が出てしまう状況は回避できるということである。

そこで、本村式ライン用の輪郭線入りテクスチャは「輪郭線として与える実線を垂直線と水平線だけで構成したテクスチャ」とする。そのうえで、3Dモデルに適用するとき、斜め線や曲線が欲しいところでは、そのようにマッピングされるよう、歪みや曲げを与える形でUVマップ（＝3Dモデル上の各ポリゴンが、テクスチャマップのどこに対応するかを表したデータ）を設計するのだ（**図11.63**）。

実際、この手法でテクスチャマッピングを行ってみると、それほど高くない解像度のテクスチャであっても、美しく滑らかな線描が得られるのである。

図11.64が、実際に用いられた本村式ライン用のテクスチャだ。なお、本村式ライン用のテクスチャは描線情報のみで構わないため、照明制御用テクスチャマップのαチャネル上に単色で格納されている。

図11.63　本村式ラインのためのUV展開サンプル

図11.64　照明制御用テクスチャマップのαチャネル上に単色で格納された、本村式ライン用の輪郭線テクスチャ

単色で格納された、この本村式ライン用の輪郭線テクスチャは、直線だけで構成された、なんだか都市計画図のような不思議なテクスチャになっている。例えば、四角い線で縁取られたテクスチャは、実際には筋肉の隆起部に適用される輪郭線だったりするのだ。筋肉の隆起は、楕円形の半球形状になるが、それを本村式ラインでは「四角形状の縁取り線を楕円状にマッピングする」ことになるわけである（**図11.65**〜**図11.67**）。

四角形が楕円状になる以上、四角形内部の領域はかなり引き伸ばされて歪む。したがって、この四角形内部に文字や模様などがあると、それも当然歪んでしまうが、あくまでもこのテクスチャは輪郭線付加のためのものなので、そうした文字や模様は盛り込まれていない。見た目として顕在化するのは、あくまでも線だけなので、この手法で生じる歪みは、見た目の問題として露呈しないのである。

図11.65　本村式ラインの輪郭線テクスチャの一例

図11.66　本村ラインの輪郭線テクスチャが、3Dモデル側のポリゴンとどのように対応しているかを可視化した様子。描画したいラインに合わせてトポロジーが設定してある

図11.67　本村式ラインの適用結果を拡大したところ。その輪郭線にジャギーがないことに注目

当然、歪みや曲げを与えたUVをベースにテクスチャマッピングがなされ、キャラクタや視点が動けば、テクスチャは拡大縮小や回転の影響も受ける。そのため、描かれる線分もその影響を受けて、曲線になったり斜め線になったりする。しかし、テクスチャマッピングではバイリニアフィルタリング（Bilinear Filtering）を適用しているため、そのような曲線や斜め線には適度なボケ味が与えられるのだ。そして、これがちょうどいいアンチエイリアシング効果になるのである（**図11.68**）。

図11.68　バイリニア設定なし（左）とあり（右）。右の輪郭線におけるジャギーの少なさに注目

なお、本村式ラインで描かれる線分にも、太さの強弱を付けることが可能だ。これはUVマップの設計を工夫することで実践される。例えば、太い線を出したいときは、テクスチャ上の線表現テクセル達がポリゴン面に対して、広く割り当てられるようにUVマップを設計すればいい。本村式ライン用のテクスチャ自体に線分の強弱は不要で、線の太さはほぼ単一で構わないのだ(**図11.69**)。

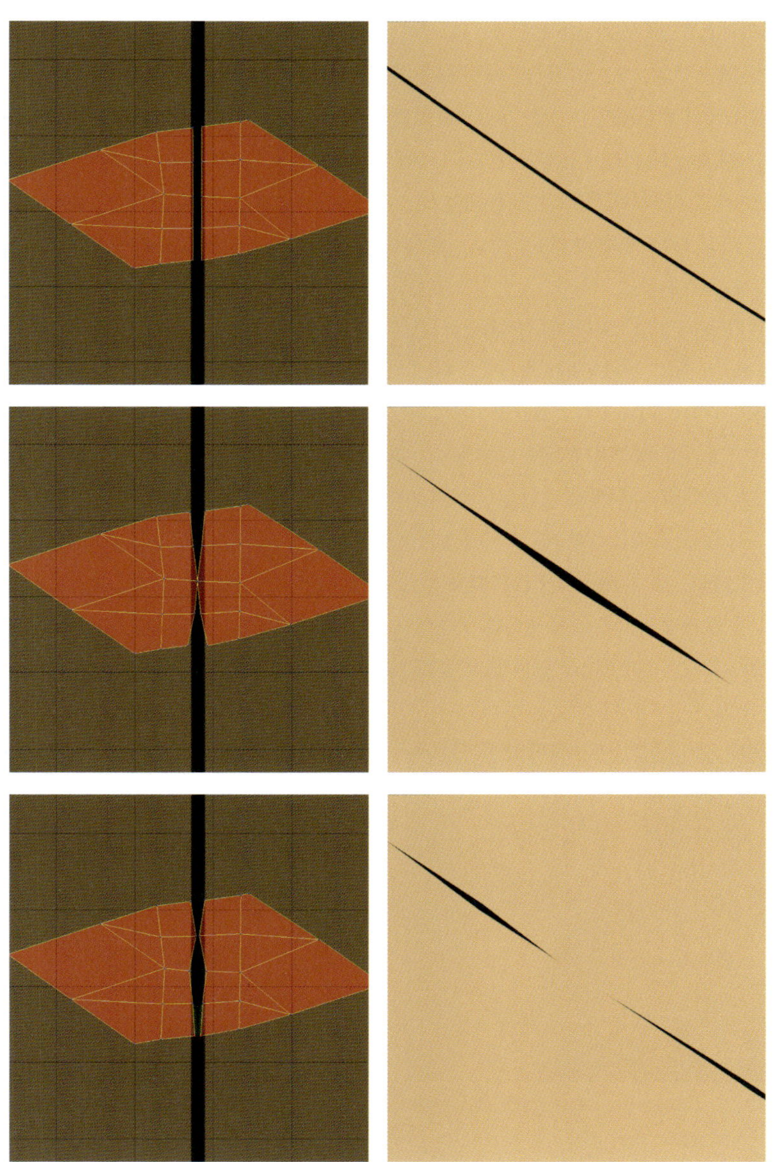

図11.69　描線の太さの強弱を設定している例。上は設定なしで、中央はUVとラインの重なり具合で強弱を付けている例。下のように、線を自然に途切れさせた表現も行える。テクスチャ側の輪郭線の強弱と、適用先ポリゴンのUVの関係を観察すると、本村式ラインの「カラクリ」が見えてくるはずである

万能な輪郭線の生成手法は存在せず ～適材適所で様々な手法を使い分けるべきか

ここまで、背面法による線描テクニック、ポストエフェクト系画像処理アプローチの輪郭線、そしてテクスチャマッピングを活用した輪郭線の付与などを見てきたが、それぞれの方法には長所もあれば短所もあることがよく分かったと思う。したがって、実際のゲームタイトルでは、単一の手法ではなく、複数の線描テクニックを採用して輪郭線を描画させている場合もある。

例えば「GRAVITY DAZE」では、強い輪郭線が欲しいキャラクタには背面法を使い、画面全体の背景には、繊細な輪郭線を固定的なGPU負荷で得られる、Sobelフィルタベースのポストエフェクト系画像処理による輪郭線の生成処理を使うという、ハイブリッドな仕様としたのだ。

また、独自のテイストを実現するために、既存の手法に一工夫を加えた新テクニックを考案して実装するケースも多々ある。

「GUILTY GEAR Xrd -SIGN-」では、テレビアニメの手描き作画で見られるような、頬のあたりは輪郭線が太く、顎(あご)にかけて細くなっていくというような表現を実現すべく、背面法を拡張している(**図11.70**、**図11.71**)。同作では、3Dモデルの頂点カラーに「線描するときの太さ制御値」を仕込むことで、被せモデルの膨張率を細かく制御し、輪郭線の強弱が付けられるような制御を盛り込んだのだ。こうした輪郭線への強弱の付与は、ポストエフェクト系画像処理アプローチの線描では難しいため、確かに背面法のほうが適していると言える。

輪郭線の生成は、各手法それぞれに特徴や優位点があり、どれが一方的に優れているということはないため、今後もゲームの仕様や目指すグラフィックスのテイストに応じて、適宜に使い分けたり、あるいは併用したり、はたまた拡張手法が考案されたりすることだろう。

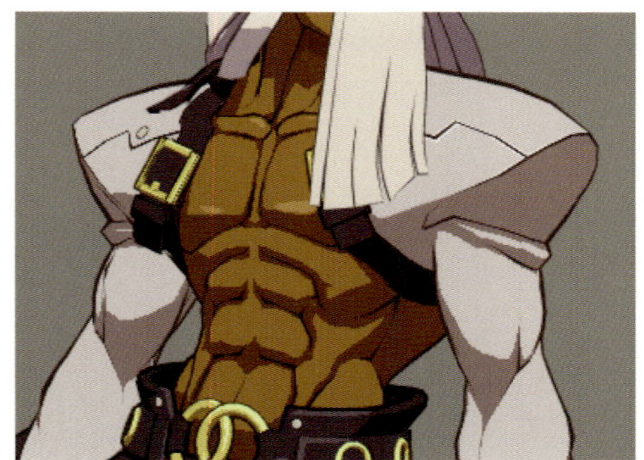

図11.70　「GUILTY GEAR Xrd -SIGN-」より。輪郭線強弱なし（左）とあり（右）。輪郭線の強弱表現は肩から腕まわりに顕著にみてとれる

図11.71 「GUILTY GEAR Xrd -SIGN-」より。輪郭線強弱なし（上）とあり（下）。鼻と頬、顎まわりに注目してほしい

▶ Column

手描きテレビアニメ風を再現するために あえてフレームを抜いた「リミテッドアニメーション」とは？

ゲーム上での描画スタイルをテレビアニメ調のトゥーン・シェーディングにしたとしても、実際にはコンピュータグラフィックスなので、普通にリアルタイム描画して表示していくと、毎秒60フレームあるいは毎秒30フレームなどで再生され、滑らかな動きで表現されることになる。そのため、「動きが滑らかすぎて、手描き作画ベースのテレビアニメっぽくない」と思われてしまうケースもあり得る。

実際のテレビアニメなどは、毎秒8フレームや毎秒12フレーム程度で成り立っている。そのため、テレビアニメなどを観ていて、作画されたキャラクタとCGベースのメカが同居したシーンに遭遇したとき、動きのスムーズさに違いがあると気が付いてしまい、そこに違和感を覚えることがあるかもしれない。

アニメ業界では、昔のディズニーアニメ映画などのように毎秒24フレーム全てを作画してアニメーションさせるものを「フルアニメーション」と呼び、同じフレームを連続して表示し、毎秒8〜12フレーム程度で動かすものを「リミテッドアニメーション」と呼んでいる。

アークシステムワークスの「GUILTY GEAR Xrd -SIGN-」では、よりテレビアニメ的な動きをトゥーン・シェーディングベースのゲームグラフィックスで再現するために、主要キャラクタの動きに"あえて"このリミテッドアニメーションを適用するようにしたという。

なお、「GUILTY GEAR Xrd -SIGN-」のカットシーン（＝イベントシーン）では、セルアニメの毎秒8〜12フレームより若干多い、毎秒15フレームを採用していた（**図11.A**）。一方、毎秒60フレーム（60fps）で動作する格闘ゲームにおいて、登場キャラクタの動きのフレーム割りは、あらかじめ設計したアクションモーションの仕様に合わせて、「1つのポーズを何フレームで表示するか」を個別指定している。

一般的な3Dゲームグラフィックスにおけるキャラクタアニメーションは、キャラクタ内部に仕掛けたボーン（骨組み）の「軌道」を作り込んでいくことになる。この軌道の制作には、高次曲線関数（Fカーブ）などを用いたり、あるいはモーションキャプチャで取得したデータを基にしたりすることがある。

それに対し、「GUILTY GEAR Xrd -SIGN-」では、キャラクタを少しずつ動かして、1フレーム1フレームポーズを作り込んでいくものとなっている。言わばクレイアニメのような作業工程で、リミテッドアニメーションを実現している。

同作のリミテッドアニメーション制作にあたっては、まず絵コンテが作られた。この絵コンテには、例えば必殺技なら「全体が60フレームで構成される」「30フレームめにはパンチが繰り出されていて、このタイミングから攻撃判定が発生する」といった「格闘ゲームとしての仕様」も設定されている(次ページ**図11.B**)。そして、この絵コンテを渡されたアニメーターが「フレームごとのキャラクタモデルのポーズ」を決定していくのだ(437ページ **図11.C**)。

なお、リミテッドアニメーションなのに、ゲームの仕様が毎秒60フレーム表示とはどういうことかというと、「映像仕様として毎秒60フレーム」という意味で、アニメーションとしてのフレーム更新レートは、前述したような「ゲームキャラクタが繰り出す技としてのフレーム割り間隔」になっているのだ。

例えば、あるポーズが2フレーム（2F）時間として設計されている場合、毎秒60フレーム（＝1フレームあたり約16.67ms）の表示システムにおいては、同じポーズが33.33ms（＝16.67ms×2F）の間、表示されるということになる。

一方で、キャラクタがジャンプしたときに生じる放物線軌道の動きや飛び道具などの動きは60fpsで更新され、ここはリミテッドアニメーションとはなっていない。

※　※　※

見た目だけではなく、動きについても「テレビアニメ調」を目指す場合には、「GUILTY GEAR Xrd -SIGN-」のようなリミテッドアニメーションの採用も検討する必要があるのかもしれない。

図11.A　「GUILTY GEAR Xrd -SIGN-」では、超必殺技（一撃必殺技）が決まるとテレビアニメ調の演出カットシーンが始まるが、ここはリミテッドアニメーションの効果が分かりやすい

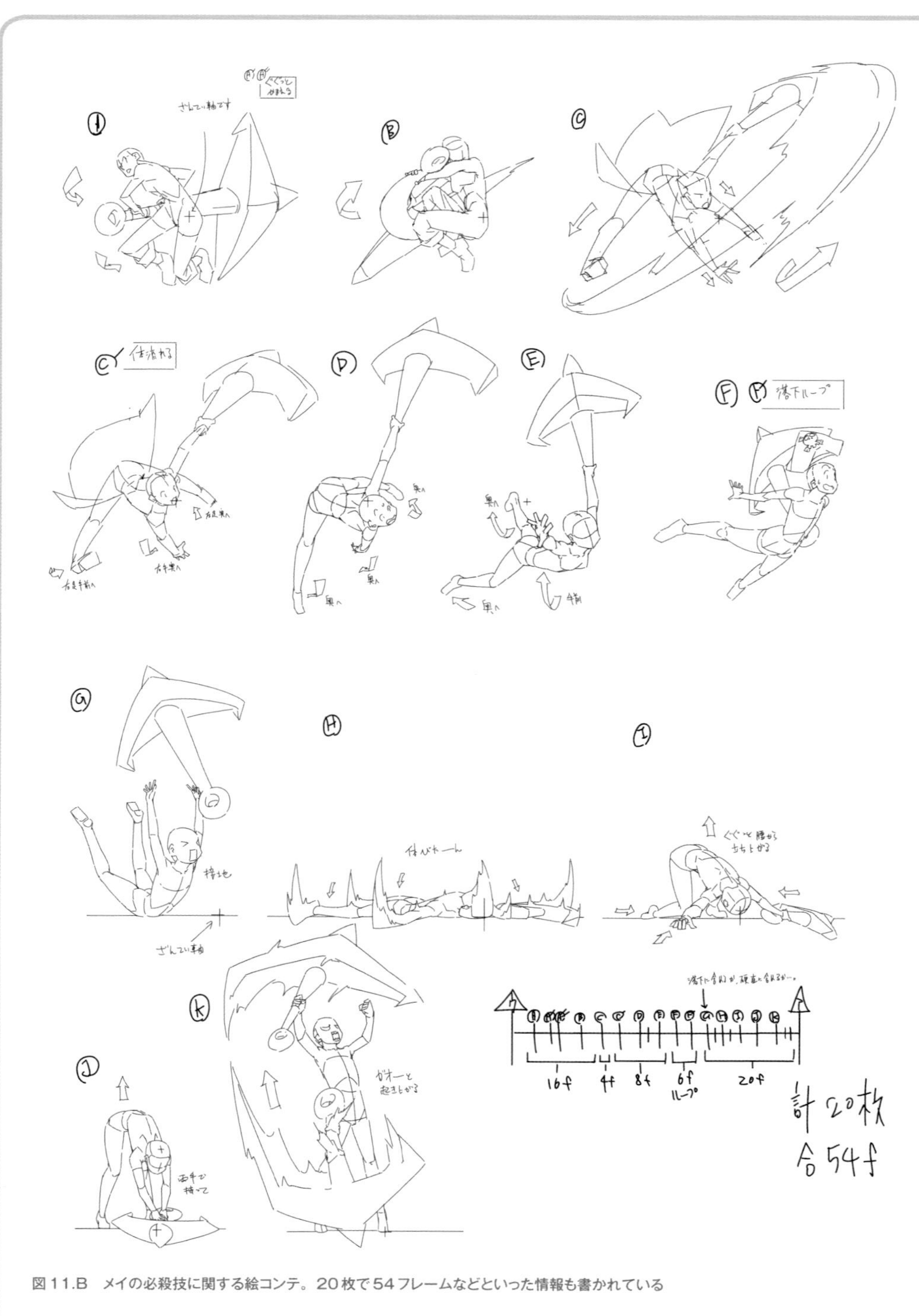

図11.B　メイの必殺技に関する絵コンテ。20枚で54フレームなどといった情報も書かれている

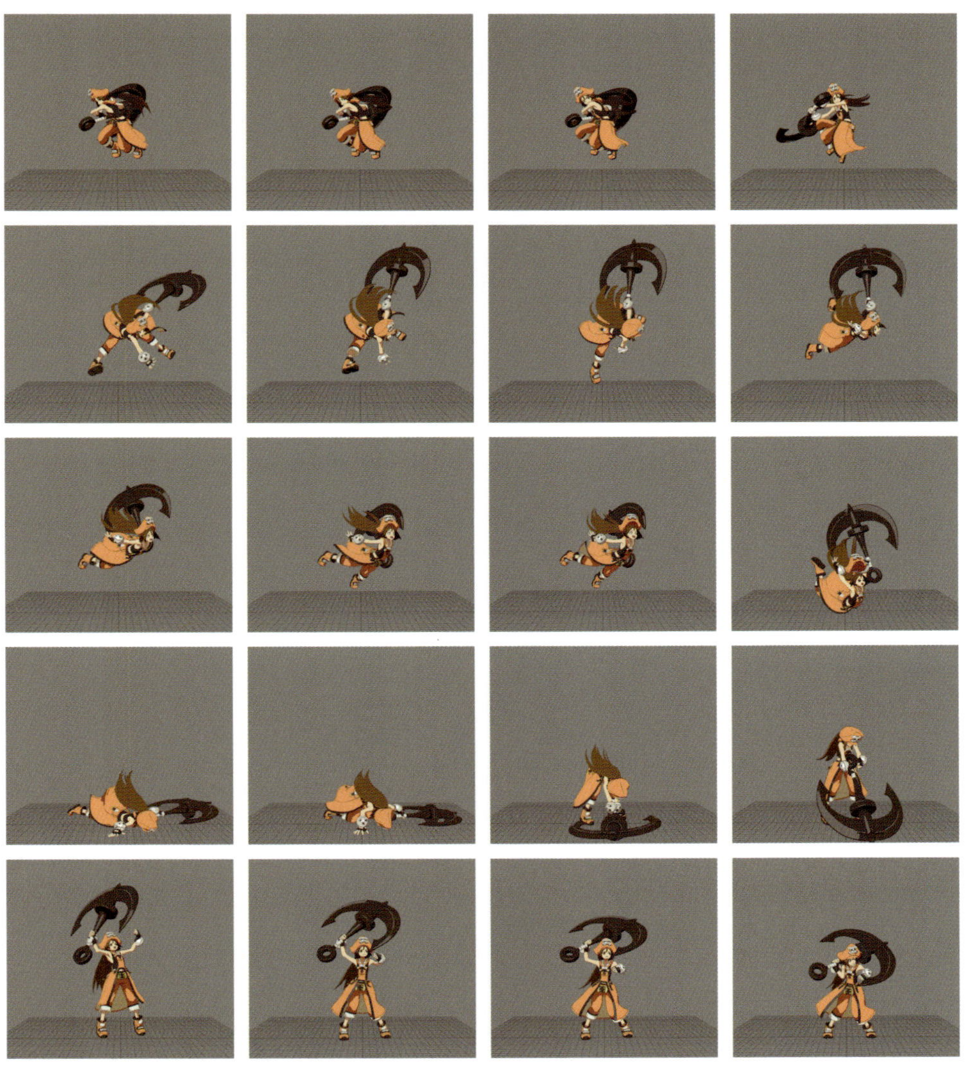

図 11.C　絵コンテを元に決定されたポーズ

画像出典一覧

本書に掲載している画像の出典は以下の通りです（アルファベット順・50音順）。

■ACTIVISION

©Activision Publishing, Inc.

»図3.9～10

■AMD

©Advanced Micro Devices, Inc.

»図1.12、図1.29、図1.35、図1.40、図1.41、図1.47、図1.49、図1.52、図2.12、図2.27、図6.6～7、図10.76～78、図10.92、図11.13

■Bungie

©Bungie, Inc. All rights reserved.

»図4.2

■CAPCOM

©CAPCOM CO., LTD. ALL RIGHTS RESERVED.

»裏表紙、図1.34、図2.26、Chapter3 扉、図3.8、Chapter4 扉、図4.37～40、図4.B～C、図4.G～H、図5.26～35、図6.23、図6.A～B、図7.25、図7.F、Chapter9 扉、図9.49、図9.A、図10.52～53、図10.56～57、図10.64～65、図11.2、図11.29

©CAPCOM U.S.A., INC. ALL RIGHTS RESERVED.

»表紙、本扉、図11.30～33、図11.36～39、図11.50～58

■Codemasters

©The Codemasters Software Company Limited ("Codemasters"). All rights reserved.

»図6.22

■CRYTEK

©CRYTEK All Rights Reserved

»図3.12～14、図8.A～H、図10.67、図10.96～99、図10.113～115

■Daybreak Game Company

©Daybreak Game Company, LLC. All Rights Reserved.

»図4.14

■Electronic Arts

©Electronic Arts Inc.

»図1.D、図3.29、図4.4

■ENSEMBLE STUDIOS

©Microsoft Corporation. All rights reserved. Microsoft, Age of Empires, DirectX, Ensemble Studios, the Microsoft Game Studios logo, The Age of Kings, and Windows are either registered trademarks or trademarks of Microsoft Corporation in the United States and/or other countries.

»図7.15、Chapter8 扉、図8.4

■EPIC GAMES

©Epic Games, Inc. All rights reserved. Unreal and its logo are Epic's trademarks or registered trademarks in the US and elsewhere.

»裏表紙、Chapter1 扉、図1.17、図1.C、図2.29、図4.48、図10.121、図10.129～134、図10.143～148

■id Software

©id Software LLC, a ZeniMax Media company.

»図1.4、図3.11、図4.7、図4.16、Chapter6 扉、図6.14

■Intel

©Intel Corporation.

»図1.51

■Ion Storm

©Eidos Inc. Developed by Ion Storm. Published by Eidos Inc. Deus Ex: Invisible War, Ion Storm and the Ion Storm logo are trademarks of Ion Storm. Eidos and the Eidos Inc. logo are trademarks of Eidos Group of companies. All Rights Reserved.

»図7.10～11

■Jorge Jimenez

©Jorge Jimenez.

»図9.45、図9.62

■KONAMI

©KONAMI CO.,LTD. All Rights Reserved.

»図3.G～I、図4.A、図7.16、図7.A～E

■LGエレクトロニクス

©LG Electronics. All Rights Reserved.

»図7.6

■Matrox

©Matrox All rights reserved.

»図6.1

■Microsoft

©Microsoft Corporation. All rights reserved.
»裏表紙、図1.10、図1.16、図1.39、図1.44〜45、図3.26〜28、図4.9、図5.2、図5.20〜22、図6.3〜4、図6.C、図10.61

■Monolith Productions

Monolith Productions, Monolith Productions logo, and all related characters and elements are ™ Warner Bros. Entertainment Inc.
»図3.15、図3.21、図8.10

■NaturalMotion

©NaturalMotion. All Rights Reserved.
»Chapter2 扉、図2.28

■NVIDIA

©NVIDIA Corporation.
»図1.3、図1.6、図1.8〜9、図1.14〜15、図1.26、図1.31、図1.36、図1.46、図1.50、図2.8、図2.19、図2.35〜39、図4.21〜23、図4.46、図5.3、図5.7、図5.12、図5.14、図6.2、図6.5、図6.8〜9、図6.15〜17、図6.19、図6.28、図8.7、図8.19〜20、図8.28〜30、図9.14〜19、図9.24〜44、図10.62〜63、図10.111〜112、図10.120

■Paul Debevec

Recovering High Dynamic Range Radiance Maps from Photographs/Paul Debevec.
»図7.34

■PIXAR ANIMATION STUDIO

©DISNEY / PIXAR.
»図6.D、図6.G〜H

■Pixologic

©Pixologic, Inc. All rights reserved.
»図3.2

■PLANET MOON STUDIO

©Planet Moon Studios. All Rights Reserved.
»図1.7、図8.1

■Rage

©Rage Games Ltd.
»図1.5

■Remedy Entertainment

©Remedy Entertainment Plc.
»図1.E、図1.G

■S3 Graphics

©S3 Graphics, Inc. All Rights Reserved.
»図1.30

■SEGA

©SEGA.
»裏表紙、図1.1、図4.41〜44、図4.D〜F、図7.43、図8.16〜18、Chapter10 扉、図10.1、図10.21〜22、図10.28〜30、図10.38〜41、図10.43〜45、図11.3、図11.16

■Sony Interactive Entertainment

©Sony Interactive Entertainment Inc. All Rights Reserved.
「プレイステーション」、「PS2」、「PS3」および「PS4」は株式会社ソニー・インタラクティブエンタテインメントの登録商標です。
»図1.18、図1.38、図4.18、Chapter5 扉、図5.8〜9、図5.15、図5.17、図5.19、図8.21〜25、図10.151〜154、図11.9〜11、図11.41〜42、図11.44

©Sony Interactive Entertainment Europe. Developed by Evolution Studios Ltd.
»図1.19

KILLZONE 2 ©Sony Interactive Entertainment Europe.
Published by Sony Interactive Entertainment Inc.
Developed by Guerrilla.
»図10.46〜51、図10.82〜89

■The Eurographics Association

Michael Wimmer, Daniel Scherzer and Werner Purgathofer Vienna University of Technology, Austria. ©The Eurographics Association 2004.
»図4.30〜35

■Tim Weyrich

「Analysis of Human Faces using a Measurement-Based Skin Reflectance Model」(Tim Weyrich,SIGGRAPH 2006)より
»図9.5、図9.21

■Ubisoft

©Ubisoft Entertainment. All Rights Reserved.
»図1.11、図3.22、図4.20、図8.2、図11.5

■UL

UL and the UL logo are trademarks of UL LLC © All Rights Reserved.
»裏表紙、図1.F、図4.27、図7.12、図8.3、図8.13〜15

■Unity Technologies Japan

©Unity Technologies Japan/UCL.
MuRo_CG氏によるQiita投稿より(https://qiita.com/MuRo_CG/items/c417ef6d6cbeed3dd42b)
»図11.12

■Valve

©Valve Corporation.All rights reserved.

»図1.13、図1.A～B、図3.7、図3.B～E、図4.6、図7.3～4、図7.7～9、図7.14、図7.18～21、図7.40～41、図8.5～6、図8.9、図9.2、図9.4、図9.6、図9.48

■アークシステムワークス

©ARC SYSTEM WORKS.

»Chapter11 扉、図11.1、図11.17～28、図11.59～71、図11.A～C

■コーエーテクモゲームス

©コーエーテクモゲームス All rights reserved.

»図9.11

■シリコンスタジオ

©Silicon Studio Corp., all rights reserved.

»図7.45

■スクウェア・エニックス

©SQUARE ENIX CO., LTD. All Rights Reserved.

»図6.25、図8.31～32、図9.46、図9.51～61、図10.31～32

©2016-2019 SQUARE ENIX CO., LTD. All Rights Reserved.
MAIN CHARACTER DESIGN: TETSUYA NOMURA

»図9.47

SHADOW OF THE TOMB RAIDER © 2018, 2019 Square Enix Ltd. All rights reserved. Published by Square Enix Co., Ltd. SHADOW OF THE TOMB RAIDER and TOMB RAIDER are registered trademarks or trademarks of Square Enix Ltd. SQUARE ENIX and the SQUARE ENIX logo are registered trademarks or trademarks of Square Enix Holdings Co., Ltd.

»図4.51～55

■東芝映像ソリューション株式会社

©TOSHIBA VISUAL SOLUTIONS CORPORATION, All Rights Reserved.

»図7.5

■トライエース

©tri-Ace Inc.

»図3.J～K、図7.23～24、図7.31～33、図7.38～39、図10.34～35

■バンダイナムコエンターテインメント

©BANDAI NAMCO Entertainment Inc.

»図1.2、図8.26

■ピラミッド

©Pyramid,Inc.

»図10.4、図10.6～10、図10.12～20

■ぶんか社

©BUNKASHA PUBLISHING CO.,LTD.

»Chapter7 扉、図7.19、図7.27～30

index

■ 本書の初出について

本書は、マイナビニュース社のWebコラム「3Dグラフィックス・マニアックス」(https://news.mynavi.jp/series/graphics) において、2008年1月から2009年8月までに連載されたものを書籍化したものです。

※ 但し、訂正·加筆を行っております。また、下記の部分については、新規書き下ろしとなっています。

■ 書き下ろしについて

本書の下記部分については、新規書き下ろしです。

- **Chapter 6** :DirectX 11のテッセレーション
- **Chapter 11** :トゥーン・シェーディング
- **Chapter 1コラム** :DirectX 11とDirectX 12のパフォーマンス相違
- **Chapter 1コラム** :リアルタイムレイトレーシング導入後もラスタライズ法は継続利用されていく
- **Chapter 3コラム** :最先端の3Dゲームグラフィックスにおける法線マップの利用事例
- **Chapter 4コラム** :最新3Dゲームに見る影生成のテクニック
- **Chapter 6コラム** :代表的な3つのテッセレーションメソッド
- **Chapter 7コラム** :PS3におけるHDRレンダリングのトレンド
- **Chapter 8コラム** :最先端の3Dゲームグラフィックスにおける水面表現は?
- **Chapter 9コラム** :最先端の3Dゲームグラフィックスにおける顔面表現は?

STAFF

装丁・デザイン　株式会社トップスタジオ
イラスト　岡本 圭介
編集・DTP制作　株式会社トップスタジオ
編集協力　小宮 雄介
編集　畑中 二四

編集長　玉巻 秀雄

■ 商品に関する問い合わせ先

インプレスブックスのお問い合わせフォームより入力してください。

https://book.impress.co.jp/info/

上記フォームがご利用いただけない場合のメールでの問い合わせ先

info@impress.co.jp

- 本書の内容に関するご質問は、お問い合わせフォーム、メールまたは封書にて書名・ISBN・お名前・電話番号と該当するページや具体的な質問内容、お使いの動作環境などを明記のうえ、お問い合わせください。
- 電話や FAX 等でのご質問には対応しておりません。なお、本書の範囲を超える質問に関しましてはお答えできませんのでご了承ください。
- インプレスブックス（https://book.impress.co.jp/）では、本書を含めインプレスの出版物に関するサポート情報などを提供しておりますのでそちらもご覧ください。
- 該当書籍の奥付に記載されている初版発行日から3年が経過した場合、もしくは該当書籍で紹介している製品やサービスについて提供会社によるサポートが終了した場合は、ご質問にお答えしかねる場合があります。

■ 落丁・乱丁本などの問い合わせ先

FAX　03-6837-5023
MAIL　service@impress.co.jp

- 古書店で購入されたものについてはお取り替えできません。

ゲーム制作者になるための3Dグラフィックス技術　改訂3版

2019年12月21日　初版第1刷発行
2024年 5月21日　初版第4刷発行

著　者　西川 善司
発行人　小川 亨
編集人　高橋 隆志
発行所　株式会社インプレス
〒101-0051 東京都千代田区神田神保町一丁目105番地
ホームページ　https://book.impress.co.jp/

印刷所　株式会社リーブルテック
ISBN978-4-295-00786-9　C3055
Printed in Japan